百代の過客

日記にみる日本人

ドナルド・キーン
金関寿夫 訳

目次

百代の過客

序　日本人の日記……11

I　平安時代……29
入唐求法巡礼行記　31
土佐日記　37
蜻蛉日記　46
御堂関白記　61
和泉式部日記　64
紫式部日記　70
更級日記　87
多武峰少将物語　102
成尋阿闍梨母集　109
讃岐典侍日記　118
中右記　130
家集と歌物語　136

II　鎌倉時代……139
建礼門院右京大夫集　141
たまきはる　158
明月記　166
源家長日記　180
いほぬし　189
高倉院厳島御幸記　195
高倉院昇霞記　201
海道記　204

信生法師日記 215
東関紀行 221
うたたね 225
十六夜日記 237
飛鳥井雅有日記 243
弁内侍日記 249
中務内侍日記 255
とはずがたり 265
竹むきが記 280

III 室町時代……297

大神宮参詣記 302
都のつと 310
小島の口すさみ 313
住吉詣 319
鹿苑院殿厳島詣記 323
なぐさめ草 326
富士紀行 335
善光寺紀行 339
藤河の記 343
廻国雑記 353
白河紀行 357
筑紫道記 366
宗祇終焉記 372
宇津山記 379
宗長手記 385
東国紀行 391

吉野詣記 394
富士見道記 401
玄与日記 407
幽斎旅日記 410
九州の道の記 414
高麗日記 418

Ⅳ 徳川時代……423

戴恩記 429
丙辰紀行 439
近世初期宮廷人の日記 445
遠江守政一紀行 449
東めぐり 453
丁未旅行記 457
野ざらし紀行 463
鹿島詣 473
笈の小文 477
更科紀行 485
奥の細道 488
嵯峨日記 501
西北紀行 505
東海紀行 511
帰家日記 518
庚子道の記 522
伊香保の道行きぶり 529
風流使者記 533
蝶之遊 539
長崎行役日記 548

江漢西遊日記 554
浦賀日記 590
改元紀行 563
長崎日記 593
馬琴日記 570
下田日記 600
井関隆子日記 579

終わりに …… 604
参考書目録 …… 607
あとがき …… 613
索　引 …… 633

百代の過客

日記にみる日本人

序　日本人の日記

文学的な位置

世界中どんな国でも、人は日記をつける。だがこうした日記の内容は、大抵の場合、天候についての簡単な記録とか、当人がその日に果たし得た約束事のたぐいを羅列したものの域を出ない。だが中には、文句なしにすぐれた文学作品としての日記もある。そしてこのことは、日本においては一千年以上ものあいだ正しかった。日本以外の国では、それを読むと、それを書いた人物の時代や、作者の人物像が明瞭になるというので、過去に書かれた僅かばかりの日記が、今なお読まれている例はある。しかし彼らは、小説、随筆その他の方を、文学形式としてはもっと高く評価している。私の知る限りでは、日記というものが、そうしたものに劣らぬぐらい重要だと思われているのは、ほかならぬこの日本だけなのである。

そもそも、なぜわざわざ日記をつけるか、という問題がある。日記を研究している学者によると、日記は普通二つの範疇に分けられるという——すなわち、日記をつける当人の個人的使用にその目的が限られているもの、そして読者を予想しながら書かれるもの、この二つである。しかし実際問題として、ほとんどすべての本物の日記（勿論、備忘録的なものは省かねばならない）は、いつかは他人がそれを読むであろうという、少なくとも無意識の希望、あるいは期待をこめて書かれている。確かにこのことは、後世自分の日記が印刷され、多くの人に読まれるだろうなどとは、夢想すら出来なかった平安時代の日記作者についてさえ言えるのである。

なるほど自分の日記を他人に読まれては困るというので、日記を暗号（啄木の場合はローマ字）で書くという極端な人もいる。また自分が死んだら日記を焼却するようにと、わざわざ生前に指示を残しておく人間もいる。しかし日記をつける人が、自分の日記を実際に焼却したり破棄したりすることは、そう滅多に起こることではない。他人の目に触れることを恐れて、どれほど万全の配慮をしてみても、いつかは、誰かに読んでほしいという気持ちも、どこか心の片隅に、必ず動いているにちがいない。日記をつけるのは、詩を書くのに似て、一種の告白的行為であることが多い。そして告白というものは、誰かそれを聴いてくれる者がいなければ、なんの意味も持たないのである。

文学的な意図をもって書いた日記と、一人物の生活に起こった事件を単に記録したものとしての日記とは、はっきり区別したほうがよさそうである。文学的意図をもって書いた日記のほうが、概して、より興味深いものになりやすい。だがそれにしても、そうしたものが、必ずしも真実ばかりを書いているとは言えないのである。『蜻蛉日記《かげろうにっき》』の作者道綱の母のような人なら、将来それを読んでくれる後の世代に、自分のことを理解し、承認して貰いたいがために日記を書き出すかもしれない。従って作者が、あまり自分の益にならないような出来事を記述から省いてしまうおそれは多分にある。また、無味乾燥な事実に、文学的色付けをするため、実際には起こりもしなかった事件を、自分の想像力で勝手にでっちあげる日記作者も、今までにあった。

他方、いわゆる非文学的日記は、天候とか、以後全く世に知られなくなった知人とかに関する、不必要としか思われぬ事柄を、こと細かく述べ立てて、大抵の場合退屈である。しかしそうした日記の、まさにその非芸術性こそが、それの持つ真実性の証左であることが多く、それが今も私達の興味を唆る事件や人物に触れていれば、よそでは到底望みようのない「人間味」を、それは味わわせてくれるのである。

この本では、文学的日記、非文学的日記両様の日記を取り扱うが、とりわけ今も私を感動させて熄《や》まない日記については、とくに詳述を惜しまないつもりである。

事実と嘘

芭蕉の北国への旅に随行した河合曾良《かわいそら》による『曾良奥の細道随行日記』は、一九四三年に初めて上梓されたが、その時、この書物は、少なからず世間を驚かせることになった。芭蕉を「俳聖」として、嘘など決して吐かぬ人間として崇めていた学者たちは、同じ旅についての芭蕉の記録と、曾良の記録との間に重大な差異があることを発見し、大いに狼狽したのである。曾良の記録は、それを文学的なものにしようというつもりなど全くないだけに、その真実性を信じないわけにはいかないのである。例えば、二人が日光に着いた時、その場所の名と、それが惹き起こす徳川将軍家への連想によって心を動かされた芭蕉は、「あらたふと青葉若葉の日の光」という句を作る。ところが曾良の日記によると、二人が日光を訪れた日は雨だったというのである。したがって芭蕉は、詩的真実のために、明らかに客観的事実を曲げたことになる。また芭蕉は、中尊寺金色堂の素晴らしい内部を、驚歎の念をこめて描写している。ところが曾良のほうは、金色堂を開けて貰おうにも人がおらず、仕方なく二人は、名高い仏像はどれも見ずに中尊寺を後にせざるをえなかった旨を、飾り気のない筆致で述べている。

記述上のあれやこれやの食い違いを突きつけられても、一九四三年当時の少なからずの学者は、芭蕉に限って真実を曲げるはずは絶対にないと確信していた。だから曾良のほうが嘘を書いたか、あるいは忘れっぽかったにちがいない、と言明したものだ。その後何年か経ってはじめて、『奥の細道』の文学的価値は、真実からのそうした逸脱によってこそむしろ高められたのだ、なぜならそれは、単に事実を記録するよりは、この日記の芸術的効果のほうに、芭蕉のもっと深い関心があったことを証明するからだ、と大抵の学者は判定したのである。『奥の細道』の決定稿を書くのに、芭蕉は五年の年月を費やしたが、曾良の日記の場合、明らかに事実のそうした操作の必要性はなかったのである。

『奥の細道』、そして他四篇の、日本各地への旅日記を書くに当たっての芭蕉の関心は、まぎれもなく文学的なものであった。『笈《おい》の小文《こぶみ》』の中で、旅日記の内容と目的は、次のようでなければならぬ、と芭蕉は考えている。

抑《そもそも》、道の日記といふものは紀氏、長明、阿仏の尼の、文《ぶん》をふるひ情を尽してより、余は皆俤《おもかげ》似かよひて、其糟粕《そのさうはく》を改る事あたはず。まして浅智短才の筆に及べくもあらず。其日は雨降、昼より晴て、そこに松有《あり》、かしこに何と云《いふ》川流れたりなどいふ事、たれ〳〵もいふべく覚《おぼえ》侍れども、黄奇蘇新《くわうきそしん》のたぐひにあらずば云事《いふこと》なかれ。されども其所々《ところどころ》の風景心に残り、山館野亭のくるしき愁も且《かつ》はなしの種となり、風雲の便りともおもひなして、わすれぬ所々、跡や先やと書集《かきあつめ》侍るぞ、猶酔《よへ》る者の猛語《まうご》にひとしく、いねる人の譫《うは》言《ごと》するたぐひに見なして人又亡聴《ばうちやう》せよ。

まず芭蕉は、紀貫之の『土佐日記』に始まる、日本の長い旅日記の伝統を認知している。芭蕉自身もその伝統に属していたのだが、先人の示す卓越した水準に到達することの困難さを彼は充分自覚していたのである。これらの日記は、訪れた土地についての記録ではなく作者の最も深い感情を、美しい言葉で書き表したものであった。それより後の日記作者は、格別特筆に値するほどすぐれた日記を作り得ていなかった。芭蕉は謙遜して、自分の浅学非才を言いながら、先人のすぐれた業績に匹敵するものは、到底自分には書けそうもないと信じこんでいる。とはいえ、例えば、「其日は雨降り、昼より晴れて」などという、典型的な日記の記録に終始するようなことはすまい、と心に決めていたのである。そうした日記なら、誰にでも書ける。だが日記を書く以上、黄山谷の気品、蘇東坡の生気をもってするのでなければ、初めからなにも書かぬのが一番よいのである。

私小説の祖

芭蕉は自分のことを「浅智短才」だと言っている。これが慣習的な謙遜の表現であることは言うまでもない。他の作品を見ても明らかなように、彼は詩人としての自分の才能に十二分の自信を持っていた。同時に自分の旅のことを記した日記が、一般の読者はもとより、数多くの弟子たちにも深い興味を抱かせるだろうことを、知っていたに違いない。だが芭蕉に日記を書かせた個人的な理由は、文学的、非文学的を問わず、他のすべての日記作者のそれと変わるところはなかった。つまり旅で得た体験のくさぐさを、いわば忘却の淵から救い上げたい、と彼は望んだのである。旅の宿でのさほど愉快ではなかった事件さえも、それを記録し記憶に留めておくならば、のちのち話の種にもなろうというものであった。芭蕉は付け加えている、そのような経験を「風雲の便りともおもひなして」と。注釈家はこの章句を説明して、それは「天地自然に親しむよすがともなろうか」という意味だとしている。しかし、不愉快な宿の主人に遭ったことが、一体どうして詩人が自然に親しむよすがになり得るのか、私には皆合点がゆかないのである。

実は芭蕉は、日記に記したそのような経験が、来るべきのちの詩歌に素材を提供し得るということを、言っているのではなかろうか。他の国においても、文学者は、昔からそれをもとに文学作品を作るための、いわば素材として日記を利用している（例えば詩人の手帖、備忘録など）。

芭蕉がよく旅に出かけたのは、過去の詩人に霊感を与えた自然の風光だけではなく、路上や旅籠《はたご》で行きずりに得た人間的な体験からも、自分の詩に対する新鮮な刺激を受けたいと、おそらく望んだからのことであろう。日記作者としての芭蕉の成功には、実に目を瞠らされるものがある。『奥の細道』ほど広く読まれた日本の古典文学作品は、他にそうあるまい。

ところが芭蕉は、自分の日記を文学作品にしようという意図を、一切否定している。『笈の小文』では、さまざまな自分の回想を、ただ雑然と書きしるしただけだと言い、したがって酔っぱらいの狂乱の言葉、眠っている人間の譫言《うわごと》を聴くかのようにそれを読んで貰いたい、と読者に乞うている。にもかかわらず、そう乞うこと自体、芭蕉が自分の日記を人に読んで貰いたいと期待していたことを証明している。したがってそれは、忘れ得ぬ事どもを、単に自分の記憶に留めておくためだけに書いたものでは、決してなかったのである。

芭蕉の日記は、自己発見の表現でもあった。彼にそれらを書かせたのは、『万葉集』から今日まで、日本の文学に一貫して流れる旅を愛する心ではなく、旅の中に、彼自身の芸術の、ひいては人として、詩人としての、自己存在の根源を見つけ出そうとする欲求でもあったのだ。「奥」に入ろうと、白河の関を越えたあとで作ったという句「風流の初や奥の田植うた」の中には、いよいよ文学的創造の端緒に出会ったぞ、という心の高ぶりが読み取れる。他のいくつかの日記では、自分がなぜ詩人になったのか、また他にどのような仕事を考えてみたか、そして自分は、詩の到達すべき最高の目標は何と信じるか、などという事柄に関する、まことに率直な意見を述べている。日本以外の国で書かれた日記には、普通ちょっと見いだし得ないことばかりである。

ところが日本では、非常に早い時代から、文学的日記は、日々の出来事の記録以上のものであり、ややもすれば作者の自伝、あるいは文学批評になる傾向が強かったのである。『蜻蛉日記』のような日記作者は、大抵の記載事項を、出来事が起こったずっと後に書き記している。そうして、普通の日記には付き物の、いわばどうでもよいような事柄が濾過されるのを待ったのである。そのような場合日記は、一種の自己探究の書、時としては（『とはずがたり』のように）告白の書ともなった。まことに日記とは、あの最も典型的な日本の近代文学――「私小説」の始祖だったのである。

日本的特徴

数年前のことだが、私はコロンビア大学で博士論文の審査に加わったことがある。私が扱った論文は二つで、一つは日本文学『夜半《よわ》の寝覚《ねざめ》』の一部訳と論考、他は明朝後期に出た中国の小説何篇かの論考であった。他にこれ以上著しい対照を考えることが、一体誰に出来たであろうか。『夜半の寝覚』は、行動というものを全くと言ってよいほど含まず、女主人公の寝覚の思いの形を借りて、ほとんど全面的に心の内側から語られている。それに反して中国の小説のほうは、登場人物の内面には決して踏み込まずに、時にはわくわくするような、時には悲劇的な事件を、徹底して外面的に描き出している。しかもこれらは、なにも例外的な作品ではないのである。平安期以来、最も典型的な日本文学は、常に内省的であった。ここでいささか大ざっぱな分類を試みるなら、日本の小説は自伝的になりがちだが、中国の小説は、伝記的なのである。事実明朝以前の中国には、自伝というものが存在していない。ところが日本では、平安朝の宮廷女性の日記文学以来、日記と自伝とは、ずっと一体のものとなっている。

同時に日本の文学作品は、私的な性格が強い。厳密さは欠くが便利な言葉を使うなら、女性的である。この性格は『蜻蛉日記』のような作品に最も著しい。作者は、自分自身の情念に没入してあまりにも余念がない。従って彼女は、自分を他人の位置に置いてみることも、自分の周囲を客観的に眺めることも、共に出来ないらしいのである。しかし彼女は、何世紀を経ても変わらぬ人間感情だけを取り扱っているので、その作品は、私が知る中国小説のどれよりも、はるかに偉大な普遍性と、心に直接訴えるものを持つのである。

昔の日本の文人は、中国の文学から借用するところが多かった。だが意外にも、借用していないものも多かったのである。戦後日本の一部の批評家は、日本の詩歌が、多くのすぐれた中国の詩には典型的な、あの社会的関心を表明することがきわめて少ないことを、よくこぼしたものである。これはなにも、日本の詩人がそうしようとしても出来なかった、ということではなく、中国と日本とでは、もともと文学の目的が、それぞれ異なっていたからである。

中国では、ほとんどすべての文学作品は、それを書いた作者の生存中か、あるいは死没の直後に印刷に付された。ところが日本人は、印刷の技術こそずっと以前から知ってはいたが、文学作品を印刷するのが理に適ったこととは、徳川時代になるまでは考えなかったのである。文学とは、いわば美的に——言葉は勿論、用いられた紙や墨、つまりその筆跡によって鑑賞されるべきものとされたのである。従って文学は、どうしても私的なものとなり、もっと広い世界に向けて書くというよりは、少数の仲間内だけで共有される傾向が強かった。なるほど日本の伝統文学の、そのような限界を大いに歎くことも出来よう。だが過去の日本の詩人や散文作家が、その代わりに成就した表現の純正さのことを、決して忘れてはなるまい。

例えば『古今和歌集』に見える一つの歌が、中国のある詩のイメージを借用したとしよう。しかしその場合でさえ、それが借りてきたのは、日本的表現に適合するものだけに限られ、それは決して、個別的なものから何等かの概括化へ向かう、あの中国文学の常套を真似ることはなかった。

恋の期待や思い出へのほろ苦い情緒、そういったものを呼び起こしてやまない日記作者の、あの直観的で「女性的な」筆致は、詩人や散文作家のうちでも、とりわけ男性的な文人以外、すべての作者によって用いられたのである。

構造と時間

中国詩人特有の力強い叙述とは似ても似つかぬ日本詩歌の、直観的で、茫漠とした表現が、日本語の持つ表現能力に左右されていることは確かである。それにしてもなぜ日本の作家は、容易に日記という形式に走ったのであろうか。想像出来る一つのことは、例えば『更級日記《さらしなにっき》』の作者菅原孝標女《すがわらのたかすえのむすめ》のような宮廷に仕えた女性にとって、この種の日記は、自分の感情生活のほとんど唯一のはけ口だったろう、ということである。この女性は、口下手で、人みしりが激しく、実生活よりは文学のほうに、もっと依存していた形跡がある。一度心惹《ひ》かれる男性に会ったことがあるが、その時彼女には、その男とどんな関係も持つことが出来なかった。従って彼女は、自分の口下手の結果、日記に自分の思いを託そうと、心に決めるほかはなかったのである。といって、それだけが、彼女が、そして彼女のような他の日記作者が、日記という形式を選んだ唯一の理由ではおそらくなかった。

日本の文人は、常に作品の構造の問題に頭を悩ましてきた。短歌や俳句においては、もともと形式があまりにも短いので、構造は大した問題とはならない。だが長歌になってくると、それが要求する詩的緊張度と構成感覚とを、見事に合致させ得る詩人の数は、そう多くはなかったのである。

構造という点から見て、最も典型的な日本の文学形式は、連歌であろう。連歌では、一つの全体的に統一のある構造を創造しようというもくろみはない。だが一つ一つの句が、前、後の句とぴったり合っていなければならぬという点では、実に細心の注意が払われている。『新古今和歌集』のような傑出した歌集に収められた歌は、編者たちの手によって達成された歌と歌とのあいだの、滞りのない推移のせいで、一つの統一ある全体を形成していると言われている。しかしこの種の構造上の要素は、『新古今和歌集』の成功にとって、果たしてどれくらい重要であったであろうか。ダンテの『神曲』やミルトンの『失楽園』の構造が、この二つの作品の成功にとって、のっぴきならぬ重要性を持っていたのとは、全く較べものにもならないのである。

とはいえ、日記という形式には、いわば一種出来合いの構造が備わっている。すなわち時間の推移である。月日の間断なき推移というものがある以上、それ以外の構造を用いる必要は、大体においてないのである。別の意味で言うなら、まさに時の推移そのものが、多くの日記文学だけではなく、大方の日本文学の主題となっている。かつては世に勝れた容顔も今は皺に蔽われ、かつては壮麗さで聞こえた所も今は廃墟、そして以前はせっせと逢いに来た愛人も、今は氷のように冷たい、というふうに——。

日記を付けることは、言ってみれば時間を温存することである。歴史家にとってはなんの重要性もないような日々を、忘却の淵から救い上げることである。プルーストは、『失われた時を求めて』の終わりの方で、「時間から身を引いた存在のさまざまな断片」があったことを発見したという。だがこれと同じ発見を、平安時代の女性作家たちもしていたのである。

同時に彼女らは、作家がそれに永続性を与えたいと願っているさまざまな印象を興趣あるものにするには、プルースト自身の言葉を借りて言えば、「その中にそれらが宿っている媒体、すなわち作者自身の中において、それらを隈なく知悉するように努め、その深奥まで見透せるぐらい、それらを明らかにしてみようとする」しかないことも、知っていた。

そしてこれこそ、初期日記作者から近代の「私小説」作家に至るまで、日本文学の中に一貫して流れる、一つの基本的性格に他ならないのである。

兵士の記録

私が日記への日本人の強い執着に初めて気付いたのは、戦争中のことであった。その時何か月も、私の主な仕事は、戦場に遺棄された日記を翻訳することだったのである。あるものには血痕が付いていて、明らかに戦死した日本兵の遺体から手に入れたものにちがいなかった。またあるものは、海水にひたされたあとがあった。私がこうした日記を読んだのは、その中に文学的興味を見つけ出そうという、淡い希望のためではなく、そうした日記には、軍事的価値のある情報が、時として見つかったからである。例えばある日記には、他の記述のついでに、船が沈没したこととか、アメリカの空襲によってどれだけの被害を被ったとか、その他何等かの軍事的に重要な事柄が見つかったかもしれず、または戦局の見通しについての不満や、絶望的な感情を記して、日本軍の士気の低下を証明する恰好の材料を提供していたかもしれなかったのである。

時にはこういう日記もあった。あるアメリカの航空兵が撃墜されて日本軍に捕まり、捕虜になったが、つづいて日本軍の手で斬首された、といったもの。こういう情報は、いつの日にか、その責任者は罰せられるだろうという期待のもとに、大事に保管されたものである。

こうした日記の中には、まことに無味乾燥なものもあった。ある日記は、おそらく模範兵が書いたものであろう、一日一日、時々刻々に起こった出来事が、「六時起床、六時十五分洗面……」という具合に、まことに丹念に記してある。これより少しましなものは、政府ないし軍が公式発表の際に使う紋切り型の口真似で、例えば、部隊は「堂々と勇ましく」輸送船に乗り込んだとか、「我軍の士気益々旺盛也」とかいったたぐいである。

筆跡がむずかしかったり、鉛筆で書いた字がぼやけてきていたりしていて、全く判読出来ない日記も時にはあった。そのうち私は、奇妙な当て字にも馴れてきた(確か「けさラバウルに月ました」というのがあったのを憶えている)。そのうちに、かなりひどい筆跡の日記さえ判読出来るほど、私は日記読みのいわば達人になった。コツは、その日記を付けた人物が、所与の状況において、一体どんなことを一番書きそうか、ということを推測し、その筆跡が、果たしてそういう意味を表すものとして読めるかどうか、を判断することである。

もし兵士たちがいかほどかの文学的才能を持っていたなら、彼らの日記ももっと興味深かっただろうということ、これは言うまでもない。だが、かりに書き手がまだ安全地帯にいるあいだ、つまり日記の初めの部分が、文学的になんの面白味もないものだったとしても、一旦彼が南太平洋へ向かう輸送船に乗り込み、アメリカの潜水艦の脅威を感じ出したり、部隊が前線に出撃を命じられたり、あるいは彼自身、マラリアとか、他の熱帯病に罹ったりした時、日記は途端に、ほとんど耐えがたいほど感動的になってくる。こうした場合には、いわゆる美しい章句よりも、平明で、むしろ非文学的な表現のほうが、はるかに効果的なのである。「痛い!」といった単純な叫びのほうが、精妙に使われた比喩などよりも、もっと深く心を動かすのである。

日記をつけている兵士の置かれた状況は、彼らの小さな手帖の内容を、しばしば忘れがたいものにしている。例えば船隊の中で、自分の船のすぐ隣を航行していた船が魚雷を受けて目の前で沈むのを見たような時、その兵隊が突然経験する恐怖、これはほとんど読み書きができないような兵士の筆によってさえ、見事に伝えられていた。とくに私は、部隊が全滅してただの七人生き残った日本兵が南太平洋のある孤島で正月を過ごした時の記録を憶えている。新年を祝う食物として彼らが持っていたのは、十三粒の豆がすべてであった。彼らはそれを分け合って食べたのだという。

太平洋戦争の戦場となったガダルカナル、タラワ、ペリリュー、その他さまざまな島で入手された日記の書き手であった日本兵に対して、私は深い同情を禁じえなかった。たまたま手にした日記に、何等軍事的な情報が見当たらない時でも、大抵の場合、私は夢中になってそれを読んだ。実際に会ったことはないけれども、そうした日記を書いた人々こそ、私が初めて親しく知るようになった日本人だったのである。そして私が彼らの日記を読んだ頃には、彼らはもうすべて死んでいた。

日本兵の日記は、もう一つ別な理由からも私を感動させた。アメリカの軍人は、日記を付けることは固く禁じられていた。敵の手に渡ることをおそれてのことである。しかしこれは、アメリカ人には何等の苦痛も与えなかった。どちらにしても、日記を付ける人間など滅多にいなかったからである。ところが日本の軍当局も、日記が敵を益するおそれがあることは重々承知していたにちがいないが、陸海軍共に、軍人が日記を付けるのを禁止することはなかった。それどころか、日本の軍人には、新年になるとわざわざ日記帳が支給されて、この頃の学童が、夏休中日記をつけさせられるのにも似て、必ず日記をつけるようにと命じられたのである。おそらく日本の士官たちは、その中に真の軍人精神が表れているかどうかを調べるために、定期的に兵隊の日記を読んだのであろう。あるいは、日記を付けるという行為が、日本の伝統の中にあまりにも確固たる地位をしめているので、それを禁じるのは、むしろ逆効果となるおそれがあることを、知っていたのかもしれない。理由はともかく、結果としては膨大な量の日記が、日々生産されることになったのである。

こうした日記の中には、自分が戦死した後、拾って読んでくれるアメリカ兵に宛てた英語のメッセージを書きしるしたものもあった。内容は、見つけた人は、戦争が終わってから、どうかこれを、国の家族に送ってほしい、という頼みである。いずれ事情が許すようになれば送り返すつもりで、私はかなりの数のこの種の日記を別に取って置いた。この行為は、実は違法であった。なぜなら捕獲した文書は、すべてワシントンへ送らねばならないことになっていたからだ。だがそれを承知で、私はあえて送らずにおいた。ところが沖縄戦線にいた時、誰かが私の所持品に手をつけて、日記を全部持ち去って行った。あの何冊かの日記、今は一体、どこの誰の手に渡っていることやら。あれは今読んでも、四十年前に読んだ時と同じくらい感動的なはずである。

日本人の日記に関しては、もう一つ全く違う性格の、やはり戦争中の経験を持っている。

アリューシャン列島へ私を連れてゆくことになっていた船に乗り込む前、私はカリフォルニアで、紫式部、和泉式部、孝標女などの、日記の英訳を一冊にした本を買い込んだ。まことに奇妙なことに思えるだろうが、この書物こそ、アメリカ軍のアッツ島攻撃が始まる直前、私が毎日読んでいた本なのである。私にとって初めての実戦にこれから出かけようという時に、よりによってなぜこの本を選んだのか、私にはその理由が皆目思い出せない。

三人の宮廷女性によって描かれた平安時代の優雅な出来事と、現代の醜悪な戦争とのあいだには、まさに天地の隔たりがあった。おそらく私は、これらの日記のほうが、それまでに私が読んでいた兵隊の日記や、当時アメリカの書き物を賑わしていた日本的性格に関する一般論などよりは、日本人の本当の性格を知る上で、もっとましな手掛かりを与えてくれるだろうと思ったに違いない。確かに奇妙な選択ではあった。だが必ずしもそれは、間違った選択ではなかった。日記は、日本文学を通じて流れる表現の一潮流を成している。そして他のどんな文学形式にもまして、日本人の思考と感情をよく伝えているからである。

I　平安時代

入唐求法巡礼行記

日本人が書いた最も初期の日記は、いずれも漢文で書かれている。そのいくつかは、九世紀の昔から今も保存され、なかには仏教の僧侶や政治家などによる、かなり面白いものもある。

これらは、字義通りの日記である。記載事項はすべて年月日によって仕分けられ、天候の記載があり、少し前に起こった出来事や、当人の身にふりかかった災難などの報告がある。しかし「個人的」と言えるような記述はほとんど見当たらない。勿論、ある人物が、自分は空腹だったと日記に書き、役人に冷淡にあしらわれて腹が立ったと記載すれば、なるほど個人的な要素が、幾分は入って来ることになるだろう。だが「個人的」といっても、それは自分の秘めた歎きを日記に書き綴ったり、知人の行為の真意を推し量るに余念なかった平安朝の宮廷女流が「個人的」だったのとは、大いに意味がちがうのである。

漢文で書いた日記の中で、最も詳細なものとして、『入唐求法巡礼《にっとうぐほうじゅんれい》行《ぎょう(こう)》記《き》』がある。僧円仁《えんにん》の手になり、八三八年円仁が唐に向けて発った時から、八四七年、日本に帰国した時期に及んでいる。円仁は、中国で、天台山へ行くための許可を貰うのに随分長い間待たされている。天台の僧であった円仁は、どうしても自宗の本源の地で、教えを聴きたかったのである。許可はついに下りなかったが、天台教学のもう一つの中心地、五台山へは、どうにか行くことが出来た。彼の決意の固さと、彼の友となった様々な新羅《しらぎ》人の助力のおかげであった。

円仁の中国滞在の終わり頃になって、時の皇帝武宗が、仏教の弾圧を開始した。ために円仁も、しばらくの間、頭髪を伸ばしたり、僧衣を着るのを止めなければならなかった。その頃には、日本への帰心は矢のごとくであったが、またもや許可がなかなか下りない。一時など、帰国の許可が下りるまで中国を出てはならぬ、というのと、好ましからざる外国人仏教徒だから一日も早く国を出よ、という、全く相矛盾した二つの命令の間にはさまれたこともあったという。武宗の死と共に、仏教の弾圧も熄《や》み、その翌年、円仁はようやく日本に帰り着くことが出来た。そしてついには、八五四年、延暦寺の座主にまでなったのである。没年は八六四年。その三年後に、慈覚大師という諡《しごう》号を贈られている。

円仁の『入唐求法巡礼行記』を英訳し、またその論考も書いたライシャワー教授は、円仁の日記自体を見ても、あるいは他の人が書いた色々な伝記的記述を見ても、円仁という人物の個性は、皆目伝わって来ない、と書いている。

日記作者としての円仁は、正確を期すのにすこぶる細心、またその記述は詳細を極めた。だが彼は、自分の身に起こった事件や、思いのくさぐさを、なんとしても後世に読ませたかったらしいあのボズウェルでは所詮なかったのである。

（"Ennin's Travels in T'ang China"）

十八世紀に生きたスコットランド人ボズウェルは、当代随一の伝記作者であったが、自分の情事のことなどもためらわずに書き込み、しかもまぶしいばかりに見事な文体を用いた。それに反して円仁は、道徳的には模範的な生活を送り、その文章表現においては、むしろ実務的であった。

ライシャワーは書いている、「円仁は、華々しい独創性や創造力には恵まれていなかったが、一種法外な能力の持ち主であったにちがいない」と。そして円仁のこの法外な能力のおかげで――その上用語が漢文とあるから――当節の大方の日本人は、大動乱期の中国を記録した、円仁のこのユニークな書物がなかなか読めないでいる。

円仁が中国に渡ったのは、使節団の一員としてであった。船の航行は風まかせ、船を導く羅針盤もなかった時代のことだ、中国への渡航は危険極まるものであった。三度目の試みでようやく東シナ海を渡ることが出来た。だが中国に辿り着いた途端に、彼らの船は砂州に乗り上げ、やがてこわれてしまった。

中国に滞在している間ずっと、円仁と円仁に同行した日本人は、時には親切に扱われたこともあったが、それこそ数え切れないほどの困難を経験した。当時の中国北部は、農作物をむさぼり尽くしたいなごの大襲来のおかげで、事実上の飢饉状態にあった。いなごに劣らず円仁を苦しめたのは役人で、彼らは、天台仏教の中心地で修学したいという円仁の志をくじくのを、まるで自分の天職と心得ているかのようであった。
結局円仁は、五台山なら行ってもよい、という許可を得る。彼の日記は、文殊菩薩にまつわる伝説を、この上なく詳細に記録している。文殊菩薩こそ、五台山における信仰の対象だったのである。また円仁は、玄妙不可思議な遺宝や、仏教芸術の壮麗な作品などについての説明もしている。彼が最も強い印象を受けたのは、獅子に跨《また》がる文殊菩薩の荘厳な彫像だったらしく、とくに感心した獅子について、彼は次のように書いている。

生骨儼然として動歩の勢あり。口に潤気あり。やや久しくこれを視れば、あたかも運動するに似たり（まるで生きて歩いているようだ。口から吐く息が霧のように出てくる。私たちは長い間この獅子を見ていたが、それは本当に動いているように見えた）。

円仁はさらに続けて、これを彫った彫刻家が、この像を作るにあたって蒙った数々の困難について述べている。六回も像を鋳直したが、六回とも像は粉々に割れてしまったという。そこで彫刻家は、像がうまくいかないのは、文殊が像に不満を抱かれたために相違ないと思い、願わくばその真の御姿をわが眼前に現し給え、と文殊に対して懸命に祈った。するとその祈りが終わった瞬間、彫刻家は、金色の獅子に跨がる文殊の姿を目の前に見たのである。そこで像を七度目に鋳直したが、今度は割れることがなかったという。
このような話はなるほど面白い。少なくとも通俗宗教の研究家にとっては、興味深いだろう。だが今日では、まさかこのような奇蹟を信じるものは、もう誰もいまい。従って円仁の日記は、人の愛憎、嫉妬など、今も昔も変わらぬ人間感情を描いた日記と比べる時、どうしても感動が少ないのだ。そしてそのような感情こそ、円仁から百年後に、ようやく現れる日本語で書かれた日記の主題だったのである。

円仁の日記も、中国の宿屋とか、新年の祝いの行事とか、僧院内での生活とか、そういったものについての描写では、面白く読ませる。それでも読者は、円仁自身の人柄に親しく触れたという気持ちには、どうしてもなれないのである。中国の大都市を見て、日本人旅行者なら、例外なく口にしそうな驚きや讃歎の声さえ、彼の口からは出て来ることがない。

円仁は、「求法」という、ただ一つの目的にあまりにも熱中しすぎていて、そのほかのものすべてが、ただ一時の興味以上のものではなかったのである。ただほんの時たま、彼は自分が体験した苦しみについて書いている。例えば、彼が中国の役人に宛てた手紙があるが、彼はその中で、次のような言葉で自分の窮状を訴えている。

> 到る処を家となせども、飢情は忍び難し。言音の別なるに縁り、専ら乞ふこと能はず。伏して望む、仁恩もて香積の余供を捨てて異蕃の貧僧に賜はらんことを（あなたがお慈悲の心をもって、この異国から来た哀れな僧のために、どうかあなたの余分の食物を割《さ》き与え下さらんことを）。

円仁の日記が、作者の心からの叫びに近いものを書いている一例である。そして後の日本の「日記文学」は、他ならぬこうした漢文日記という下地の上に、創始されたのである。

土佐日記

文学的風趣を具えた最初の日本人の日記としての『土佐日記《とさにっき》』は、次の有名な言葉で始まっている。

男もすなる日記といふものを女もしてみむとてするなり。

しかしこの言葉の裏には、男が書く日記は、それ相応の公式言語、すなわち漢文によらねばならぬ、という含みがある。『土佐日記』の作者紀貫之《きのつらゆき》は、日記を書くために、わざわざ女のふりをしたのである。文体にも主題にも、格別女性的なところはなにもないのだが、作者は、最後まで女に化け通している。だが『土佐日記』を書いたのは男だという、れっきとした証拠が、たまたまあるから仕方がない。貫之の息子が選者の一人になっている『後撰和歌集』、これには、貫之の作とはっきり認知出来る『土佐日記』からの歌が二首入っている。またそのほかにも貫之が作者だと認定しうる、もっと早い典拠もある。しかしそうした証拠がかりに存在しないとしても、この日記を読めば、作者が、土佐から都へ戻るある役人の一行にまぎれ込んだ、単なる無名の女性ではなかろう、ということくらいは推測がつくのである。

例えば、冒頭に近く、こういうところがある。

ある人、県《あがた》の四年《よとせ》五年《いつとせ》はてて、例のことどもみなしをへて、解由《げゆ》など取りて、住む館《たち》より出でて、舟に乗るべき所へわたる。

ここで作者は、前任者に何等の過怠がなかったことを後任者が保証する書状、「解由状《げゆじょう》」の準備に触れている。これなど、到底女性が思い及ぶような性質の事柄ではないのである。それに中国の詩への引喩もあり、これも作者が男だということを暗示している。それでは何故、貫之は女を装ったのだろうか。貫之自身、『古今和歌集』の序文や、同じような文章（多くの歌はもとより）を、すでにかなで書いていた。だがおそらくかなで書くことはやはり男らしくない、と考えたのであろう。漢文を男文字と言ったのに対して、かな書きを女文字と言う呼称法は、徳川時代の後期までも続いたのである。

貫之は、勿論漢文で日記を書くことは出来た。しかし、もし彼が漢文で書いたとしたなら、その日記は、彼が書きたかったようなものではなく、むしろ円仁の日記に近いものになったのではあるまいか。貫之は、大和言葉で自己表現したいと思っただけではない。日記の中に和歌を入れることも、彼にとっては大事なことだったのである。『土佐日記』には五十六首の歌がちりばめられていて、作者はそれぞれ「あるじの守《かみ》」「ある人」「ある女」その他となっている。だが大抵の歌は、おそらく貫之自身の手になったものであろう。

貫之は、詩精神の媒体としての歌の有効性を信じていた。そのことは、はからずも『土佐日記』のある一節で明らかにされている。阿倍仲麻呂が中国を去る前、中国人の友人が集まって送別の宴を張り、仲麻呂に詩を贈ったというくだりである。仲麻呂は、次のように答えている。

わが国にかかる歌をなむ、神代より神もよん給《た》び、今は上中下の人も、かうやうに別れ惜しみ、喜びもあり、悲しみもある時には、よむ。

そして詠んだ歌、

青海《あをうな》ばらふりさけ見れば春日なる三笠の山に出でし月かも

初め中国人には、この歌がよく理解出来なかった。だがその意味を「男文字」で説明した時、中国の人は皆「思ひの外になむ賞《め》でける」と『日記』にはある。自分たちの詩的伝統をあくまで誇りとし、他を認めたがらぬ中国人さえ、歌の持つ力には動かされたのである。そう言えば貫之も、『古今和歌集』の序文で、次のように述べている。

力をもいれずして天地《あめつち》を動かし、目に見えぬ鬼神をもあはれと思はせ、男女のなかをもやはらげ、猛《たけ》き武夫《もののふ》の心をもなぐさむるは歌なり。

紀貫之は何故『土佐日記』を書いたか。最も簡単な答えは、日記をつける世の常の人と同じく、自分の人生の一時期に起こった出来事を記録するために書いたのだ、という答えである。だが『土佐日記』は、単に作者の生活に起こった日々の出来事の記述にはとどまらず、一つの旅を描いている。しかし、学者がすでに指摘しているように、『土佐日記』は、紀行文として、決して出来のよい作品とは言えない。第一、歌についての記述は多いが、旅については、あまり多くを語っていない。出て来る地名にも、時々間違いがある。そしておそらく最も悪いことは、景色の描写がほとんどないことであろう。一月三十日付の次の記載は典型的である。

三十日《みそか》。雨風吹かず。「海賊は夜あるきせざなり」と聞きて、夜なかばかりに舟を出《いだ》して、阿波の水門《みと》を渡る。夜なかなれば、西東も見えず。男女からく神仏を祈りて、この水門をわたりぬ。

名だたる鳴門の海を渡っておきながら、所感一つも出ないほど感動しなかったのであろうか。考えられないことである。海が暗くてなにも見えなかったにしろ、こういう際、芭蕉なら、必ず渦の様子を頭に描いてみたであろう。月の光で海水の渦巻く様子が見えた、くらいの嘘を書いたかもしれない。だが貫之は、景色には一向興味を示していないのである。海上での彼の主なる関心は、海賊の襲来を案じることに限られている。そして彼の注意は、しばしば航海自体から外れている。だが貫之は、他の平安朝の日記作者とは異なり、たとえ「昨日の同じ所なり」とだけ書いても、日記を毎日つけたという見せかけだけは保つように気を配っている。芭蕉であれば、「昨日の同じ所なり」などと書くくらいなら、いっそ筆を折ったにちがいない。

『土佐日記』には、もう一つ変わった要素がある。それは貫之が、色々自分自身の分身を作っていることである。まず彼は、この日記の作者とされている女性である。だがそれだけではない。彼はその他様々な人間にもなっている。そしてそれぞれが、本当は貫之が書いた歌の作者とされている。その上『土佐日記』は、色々な役割を与えられた様々な人物が登場する一種の萌芽的演劇、とさえ言われている。だが劇的対立を暗示するようなものはどこにもなく、全体的に見てこの日記は、演劇とは似ても似つかぬものである。

貫之がなぜこの日記を書いたかについては、すぐれた学者である萩谷朴《はぎたにぼく》氏が、実に興味深い説をたてている。それは、もともとこの書物は、当時の有力者の子弟に読ませるための歌論として書かれたものという説である。そして氏は、この作に現れる歌論に関するトピックを、二十もあげている。例えば、「用語表示の適否、殊に譬喩的表現に関して」、また「定型短歌論」などである。

さらに萩谷氏の信じるところでは、もう少しで海賊に遭遇しそうだった、というようなエピソードを貫之が入れたのは、年少の読者に自分の歌論をもっと魅力的なものにしようと意図したからだ、というのである。日記の中で、歌の書き方の問題が大いに強調されていることを思えば、萩谷説もなるほどと思われる。氏はさらに推量して、貫之は、子供の親も、「日記」に目を通すだろうという予想のもとに、主として大人の興味をそそるような事柄も、中に入れていると言う。それには皮肉な話が多く、例えば、貫之自身がいかに清廉潔白だったかを言うことによって、袖の下を取る役人のことを遠回しに愚弄したり、地方勤務を終えて都へ帰る役人から、土産をあてにする都の人士を、じかにからかったり、という具合である。

こうした説は刺激的であり、素晴らしいとさえ思われる。だが私は貫之が「日記」を書いた理由については、以前からいわれているもっと簡単な説明で十分だと思う。土佐で死んだ娘という、いわば底流としての主題、すなわち記述の肝心な個所や最後の歌とコメントなどに出てくる主題、それがあったからである。

貫之が土佐から都へ戻ったのは、おそらく六十六歳の年だったはずである。『土佐日記』の中の記述によると、娘が生まれたのは、貫之五十代のおわりだったらしいことが分かる。年齢《とし》をとってからの子だけに、上の子供たちより、もっと可愛いかったことであろう。またおそらくそれ故に、娘の死に対する自分の悲しみを、何等かの方法で表現したかったのにちがいない。

内容はまるきりちがうものでも、日記の形式そのものは、円仁、あるいは漢文で書いた他の日記作者に範を取った可能性が多分にある。日々の出来事に見合う日付はきちんと記してあるものの、明らかにこの日記は、円仁のように、毎日決まってつけた日記ではなく、貫之が都に帰任したあとで書いたものである。それにもともと彼は、都のわが家に戻った際に感じた索漠たる心境が契機となって、これを書いたように思われる。何年もの間、帰洛の楽しみだけを待ち侘びていたというのに、いざ戻ってわが家を見ると、そこには昔ながらの美しい庭とは似ても似つかぬ、変わり果て、荒れた景色があった。この景色が、彼に娘のことを思い出させたのである。娘はこの家で生まれ、その墓所は土佐にある。この日記は、次のような感銘深い記述で終わっている。

おもひ出《い》でぬことなく、おもひ恋しきがうちに、この家にて生まれし女子《をんなご》の、もろともにかへらねば、いかがは悲しき。舟人（同船の貫之の家の子郎等たち）もみな、子たかりてののしる（子供が寄り集まって、わいわい騒いでいる）。かかるうちに、なほ悲しきにたへずして、ひそかに心知れる人といへりける歌、

生まれしもかへらぬものをわが宿に小松のあるを見るが悲しさ

とぞいへる。なほ飽かずやあらむ、またかくなむ、

見し人の松の千年《ちとせ》に見ましかば遠く悲しき別れせましや

『土佐日記』は、日記文学の始まりを画した作品である。

ところでこの文学の持つ最もいちじるしい性格としては、それが日々の体験の単なる記述ではなく、芸術的に意図された形態を持っていることがあげられよう。といってその形態は、大抵の西洋の文学作品に具わる形態と同じものではなく、また円仁の日記の、形も何もない言葉の集積とは、さらに似て非なるものである。

歌論を展開したり、酒宴の様子を描いたりしていても、常に死んだ娘の主題が、『土佐日記』に、いわば潜在的な統一を与えている。日記文学は、文学のうちで、最も私的な文学なのである。たとえ作者が（『土佐日記』の場合のように）、他人のペルソナを冠って書いていても、作者の声は、常にはっきりと聞こえてくる。

日本文学に（いや、日本にさえ）「個」が存在するかどうかという、あのきき馴れた問いは、そうたやすく解ける問いではなかろう。だが『土佐日記』を読んだものは誰しも、個人としての紀貫之に、前よりもっと近づき得たと感じるに相違ない。なるほどこの日記には、歌についての言及が無数にある。だがそれは、年少の読者のための歌の教科書を書こうと、作者が必ずしも意図したからではなかった。というよりは、貫之は歌を愛していたのだ。そして他のどんな形式よりもこの形式において、自己を最もよく表現出来る、と信じていたのである。自分の知る限り最も芸術的な方法で娘について書くことは、彼の悲しみを、幾分たりともいやす助けとなったにちがいない。

そして貫之が書いた多くの歌の芸術性とは裏腹に、彼の天衣無縫としか言いようのない悲しみの表現は、読者を深く動かして熄《や》まない力を持っている。というのも、それが一つの普遍的な主題の、まことに個性的な表現であったからにほかならない。

蜻蛉日記

『土佐日記』を書いたのは、女性のふりをした男だったが、『蜻蛉日記《かげろうにっき》』の作者は、正真正銘の女であった。二つの日記のちがいのすべてを、作者の性《セックス》の相違によって説明するのは不可能であろう。しかし『蜻蛉日記』の持つ最もいちじるしい特徴は、確かにその強烈な女性的性格だと言える。自分を客観視しようという気持ちなど毛すじほども持たずに書いた、これはある女性の、不幸せな人生の記録である。当時の大抵の女性よりも、彼女のほうがまだ幸せだと思うものもいるかも知れない。だがそういうことなど、この日記の作者にとっては、初めから問題にもならないのである。この世に自分より深く苦しんだものは誰一人いないと確信し、読者にも、自分の不幸をたっぷりと味わわせようと、彼女は心に決めていたのである。『土佐日記』に霊感を与えた「悲しみ」には、ごく遠回しにしか触れなかった紀貫之とは、まことにいちじるしい対照をなしている。

これも『土佐日記』とはちがって、『蜻蛉日記』は、事件を年月日によって分類することはしていない。天禄三年（九七二）という年号がさりげなく記されているだけで、他はこの年代を手掛かりに算出するほかはないのである。全三巻のうち初めの二巻は、それに記述されている事件が起こった時から、だいぶ後の時期に書かれたものにちがいない。だが第三巻では、作者はかなり近い過去のことを述べているように思われる。『蜻蛉日記』は、日記というよりは、自伝に近い。同時に近代の私小説も思わせる。

『蜻蛉日記』の作者は、ある地方長官の娘で、天禄三年に大納言にまでなった政府高官藤原兼家《かねいえ》の二番目の妻であった。普通には、兼家との間に出来た息子道綱の母として知られている。彼女の夫の地位から判断して、日記には、夫から仕入れた宮廷ゴシップのたぐいも入っていてよさそうに思うのだが、事実はそれとちがい、作者は、自分自身、夫、そして息子以外の人間に対しては、一かけらの関心も示していない。かなり詳しく述べている唯一の政治的事件は、左大臣源高明《たかあきら》が、反乱を企てたという口実で、九州に流された事件である。彼女は書いている、

その頃ほひ、ただこのことにて過ぎぬ。身の上をのみする日記には入るまじきことなれども、悲しと思ひ入りしもたれならねば、記しおくなり。

この章句から分かることは、旅と歌論にその大部分をあてた『土佐日記』の作者紀貫之とはちがって、道綱の母は、日記というものを、ひたすら自分の思いや、経験を書き込む道具として考えていたことである。作者は、自分が何故『蜻蛉日記』を書くかという理由を、この本の冒頭で述べている。彼女によると、自分はごく当たり前の女で、容貌は十人並み以下、われとわが人生を無駄にした女だという。単調な日常を逃避するため、「古物語《ふるものがたり》」を読

むのだと。どんな古物語かは言っていない。だがおそらく、あのたぐいまれなる色男業平の物語『伊勢物語』を、とくに考えていたのではなかろうか。そうした物語を読むにつけて、彼女は、わびしい自分の生活を、物語に出てくる華やいだ色事と、どうしても比べてみざるを得なかったのだろう。そして物語にあるのは、すべて「そらごと（絵空事）」にすぎぬと考えたのである。

そこで彼女は思ったのであろう、もし宮廷の女性が送っている真の生活を記録すれば、読むものは、大いに興味を唆られるのではなかろうかと。そうすると彼女が日記を書いたのは、読者に華やかな幻想を抱かせ、喜ばすためではなく、平安女性の生活に秘められた悲しみと孤独とを、読者の心に呼び起こすためだったのである。

もっとも私たちは、彼女の言葉を、額面どおりに受け取る必要はない。なぜなら私たちは、この日記の作者が、当代きっての美女三人のうちの一人として、またすぐれた歌人として、大いにもてはやされていたことを、他の情報によって知っているからである。ところが彼女は、最初から、才能あり、人にも羨まれる女性としてではなく、悩み多く、顧みられぬ人妻として、あえてわがことを描いたのである。

『蜻蛉日記』は、兼家が作者に手紙を書き送り始めた頃から、ついに彼女が諦めて、もう二度と夫に会うまいと心に決めた時までの、作者の二十年間の生涯を描いている。

第二の妻であったから、夫と共に過ごせる夜はたまにしかなく、それ以上のことを夫から期待してはならなかった。だがこの日記は、至るところで、作者が夫の訪れを無為に待ち暮らした日夜のことを語り、相手の気持ちが、自分ほどひたむきでも熱烈でもない事実を知った、切なく満ち足りない気持ちを語っている。

安和二年（九六九）になった時、彼女の新年の願いは、「三十日《みそか》三十夜《みそよ》はわがもとに」というのであった。ところがいざ兼家が妻を喜ばせるため彼女のところへ通って来ると、今度は彼女のほうが、むしろ自分は苦しみのほうを望んでいるように見せかけ、それほどうれしそうな素振りを示さないのである。

この作品は、全篇が作者の悲しみの記述で彩られている。二、三の学者は、なるほど彼女はわが身の不幸せをかこってばかりいた、しかし本当は幸せだったのではなかろうかと言っている。ある意味では、これは正しい。兼家が最も疎遠であった時期でさえ、彼からの物質的援助が途絶えたことはなかったし、他の多くの女との情事はあっても、兼家は彼女を忘れたことはなかったのである。夫の新しい情事の度に、彼女は憤っている。だが彼女自身が兼家の第二の妻となった時に、彼女がわが身だけにふりかかった苦難と思っているのと、まさに同じ苦しみを、兼家の第一の妻も経験したはずである。ところが作者は、そこのところには、一向に思いが及ばなかったようである。

受難の人妻という、作者が日記の中でわが身に振り当てた役割を演じていて、彼女が感じた喜びの瞬間はまことに少なく、逆に悲しみの瞬間は、尽きることがなかった。日記の初めのほうで、彼女は次のように書いている。

堪へがたくも、わが宿世《すくせ》の怠りにこそあめれなど、心を千々に思ひなしつつあり経る程に……（いくらつらくても、それがわたしの宿世のつたなさなのであろうなどと、心を千々に砕きながら暮らしているうちに……）。

（木村正中・伊牟田経久訳『日本古典文学全集』小学館。この項、以下同じ）

またある時兼家が彼女のところに「渡って」来る。すると彼女はこう言うのである。

例のごとにて止みけり。かやうに胸つぶらはしき折のみあるが、よに心ゆるびなきなむ、わびしかりける（いつものように、いっしょにいながらしっくりと心とけないままで過ごしてしまった。こんなふうにはらはらする不安な時ばかりで、すこしも気持ちのしずまるひまのないのは、やりきれないことであった）。

憂愁の気分は、全篇を蔽って、ほとんど途切れることがない。この日記の題そのものが、上巻の終わり、作者がわが身の不幸をかこつところの文章から取られている。

かく年月はつもれど、思ふやうにもあらぬ身をし嘆けば、声あらたまるもよろこぼしからず。なほ、ものはかなきを思へば、あるかなきかの心地する、かげろふの日記と言ふべし

（そして年月は過ぎていったが、わたしには何一つよいことは起こらない。年が改まっても、幸せはもたらされない。まことにわたしがここにしるしたはかない事どもを思う時、わたしは実体のあることは何も描いていない気がする。そこでこれをかげろうの日記と呼ぶのである）。

もしそこに真実が描かれていなかったなら、『蜻蛉日記』を読むことは、まことに気の滅入る作業であろう。この作者が生きた社会は、私たちの社会とはほど遠い。この書物には、方違《かたたがえ》をはじめ、私たちにはもはや縁のない迷信が無数に現れる。とはいえ彼女は、世界の文学の中で、「近代的」と呼んでよい、おそらく最初の作家だったのである。彼女がわが身を不幸せと思ったのは、彼女が真に不幸せだったからにほかならない。一時的以外には、何事もこの情況を変えることは出来なかった。兼家は、妻を幸せにしてやるのは到底不可能と最後に悟って、その努力を放棄してしまう。息子道綱は、自分の母のことを、可愛いがってはくれるが、いささかうるさい母親と、感じていたにちがいない。私たちはこの女性のことを、なんの苦もなく理解出来るのである。

『蜻蛉日記』を読んで最も強く感じることは、この作品を貫いている信じがたいほどの率直さである。この作者ほど、自分のことを正直に、また俗にいう、なりふり構わずにさらけ出した作者もいないであろう。ある晩、兼家が彼女のところへ来るという知らせがある。

「ここちあしきほどにて、えきこえず」と物して、思ひたえぬるに、つれなく見えたり。あさましと思ふに、うらもなくたはぶるれば、いとねたさに、こゝらの月ごろ、ねんじつることをいふに、（中略）岩木《いはき》のごとして、明かしつれば、つとめて、物もいはで、かへりぬ（「気分のすぐれぬ時で、お返事できかねます」といってやって、すっかりあきらめていたのに、何くわぬ顔でやってきた。あきれたことだと思っていると、遠慮もなくふざけるので、ほんとにいまいましくなって、こんなにもつらく長かった月日、じっとこらえてきた不満をぶちまけてやった、（中略）わたしは岩木のように感情をおしころし身を固くして夜を明かしたので、翌朝は、ものも言わずに帰っていった）。

このような言葉を書き連ねて、読者の同情をかち得ようとは、よもや作者も思っていなかったであろう。だがこれほどいきいきと、ありのままに書かれると、読者も彼女の体験に、ほとんど一役買ったような気がしてくる。そして、彼女のとった態度には批判的であっても、それを十分理解するのである。兼家は、明らかに彼女を喜ばせようとつとめている。そして彼女も、自分が「岩木」のように振る舞っていることを知っている。にもかかわらず彼女は、やるかたない日頃の忿懣を夫にぶちまけるのである。これほど徹底して自己をつくろわぬ自画像が、かつて描かれたことがあっただろうか。

この作品のなかで、おそらく最も衝撃的な部分は、自分のライバルの不幸を知って、作者が狂喜するところであろう。兼家は一時、町の小路に住む女を愛人にしていた。彼女は、夫がこの愛人のところへ通っているのを、痛いほどよく知っていた。その女のところへゆく時、兼家の車が、こともあろうに彼女の家の前を通っていったからである。彼女は、その女が兼家の子供を生んだことを知って怒り狂う。だがしばらく経って、彼女の心境は次のように変わってくる。

かうやうなるほどに、かのめでたきところには、子うみてしより、すさまじげに成《なり》にたべかめれば、人にくかりし心に、思ひしやうは、命はあらせて、わがおもふやうに、をしかへし、物をおもはせばやと思ひしを、さやうになりもていで、はては、うみのゝしりし子さへ、死ぬものか。〔中略〕にはかにかくなりぬれば、いかなるここちかはしけむ。わがおもふには、いますこしうちまさりて、なげくらんとおもふに、いまぞ胸はあきたる（こんなふうにしているうちに、あのすばらしく時めいていた女の所とは、出産してから、しっくりいかなくなってしまったようなので、意地悪くなっていたわたしの気持ちでは、生き長らえさせておいて、わたしが悩んでいるのと同じように、逆につらい思いをさせてやりたいと思っていたところ、そのようになってしまったそのあげくには、大騒ぎして生んだ子まで死んでしまったではないか。〔中略〕あの女は急にこんなふうになってしまったので、どんな気がしたことであろう。わたしが悩んでいるよりも、もうすこしよけいに歎いているだろうと思うと、やっと胸がすく）。

いかに憎い恋敵であっても、その子が死んだとあれば、おそらくもっと他に言いようはあったろうというもの。あまり正直ではないとしても、普通ならば、まず相手にいささかの同情を示すか、それともおそろしい結果をもたらした自分の祈禱に対する、悔悟の情を表すところである。だがこの作者は、自分の満足感を平然と筆にしている。彼女が書いていることは、まさしくぞっとするようなことである。しかし同時に、それは、この女性の真実性をも、読むものに感じさせてくれる。三十六歌仙の絵巻に描かれた、どれも同じ顔をした女性とはほど遠く、この女性には、個性が具わっている。好き嫌いは別として、彼女は私たちと同じ人間である。

このように正直な日記は、男には到底書けなかったであろう。勿論兼家は、道綱の母との関係について述べた日記など書いていない。もし書いたとしても、『蜻蛉日記』に入っている彼の長歌の中で触れているほどにも、自分の私生活に関しては、なにも言わなかったはずである。ちなみにこの長歌は、二人の不幸せな関係の、男の側から見た唯一の材料である。

男は、常に自分の公的なイメージを保ちたがるものらしい。『万葉集』には、道端や海辺で行き倒れになった人の死骸を目にした際の感情を述べる男の歌が多い。彼等はまず、その死骸がどこの誰かと怪しみ、その男の帰宅を無為に待つ妻の悲しみに思いをはせている。誰しも感じるあわれみの発露である。ところが『蜻蛉日記』の作者は、石山寺詣での途中、賀茂の河原に死骸が転がっているということを知るが、それでも彼女は、「河原には死人《しにびと》も臥《ふ》せりと見聞けど、恐ろしくもあらず」と書くだけなのである。あわれみの情は、自分だけに取っておいて、他人に対しては、世間並みの同情さえ割くことが出来ないのである。彼女の態度は、決して愛すべきものとはいえない。しかしそれは、独特の真実味をもって、私たちに迫ってくる。

『蜻蛉日記』は、天延二年（九七四）の大晦日《おおみそか》、夜更けに、誰かが門を叩く音を聞くところで、急に終わっている。あるいはその音が邪魔をして、あとを書き続けることが出来なかったのかもしれない。門を叩く音は、勿論兼家が来たからではない。日記も後半の三分の一になってくると、兼家の登場する回数が減ってきて、代わりに、作者が養女にした娘を望んでいる兼家の弟の、求婚話の記述が増えている。

多くの評者の信じるところによると、『蜻蛉日記』は、最近の出来事をしるした終末部の方が、昔のことを思い出して書いた初めの部分より、文学的にはすぐれているという。私はそれに同意しかねる。大抵の自伝的作品と同じで、一番面白く読めるのは初めの部分である。それはおそらく、つい前日に起こったことを述べる時より、作者の想像力が、色々煩瑣な事実に妨げられることが少ないからであろう。人の実生活は、小説のように、なかなかすっきりとはいかぬもの。小説ならば、美的統一と一貫性のために、不要な人物や事件は、作者が適当に刈り込んでくれてあるから始末がよい。半ば記憶から失せている出来事や感情を述べた『蜻蛉日記』の初めの部分には、ある女性の、まことに忘れがたい肖像が描かれている。聡明で、感受性も豊かなくせに、自分が持っているものには一片の価値を認めず、持っていないものだけをひたすら思い、歎く女性の姿である。作者によると、尼になるか、あるいは自殺するかであったところをやっと思いとどまったのは、息子の道綱がいたためだというが、彼女は、その大事な息子を、彼の父の愛情をもっと自分の方に向けさせせんがための仲介者に利用するほど、人でなしなのである。おかげで、彼女は夫だけではなく、息子までも失いそうになる。

『蜻蛉日記』には、三百首を超える歌が入っている。どれも第一級の出来とはいえず、しかも大抵の歌は、現代の読者から見ると、日記全体の流れを妨げるものとしか思えない。しかしそれらの歌は作られたと同時に記録されたものであるから、ずっと以前に起こった出来事の記憶よりも、おそらくもっと正確だったに違いない。この私的体験の中に歌をはさむという、『土佐日記』以来のやり方は、物語文学の中に、いやそれのみか、日本語で書かれた歴史文学の中へも持ち込まれている。日本文学の、これは一大特色なのである。『蜻蛉日記』の読者にとって、おそらく最も興味深い歌は、兼家の長歌であろう。彼が自分の言葉で、自分の感情を表したものである。

折初めし　ときの紅葉の　定めなく　うつろふ色は　さのみこそ　逢ふ秋ごとに　常ならめ……

兼家は、一人の人間を同じ強さでずっと愛し続けるのは不可能だ、ということに気づいていたのではなかろうか。私にはそう思われる。それでもなお、彼は、妻と息子を忘れることは永久にない、といいつづけている。同じ長歌の続きを、現代語訳の散文で引用してみよう。

あなたを思う思いは絶えることなく、わたしの行くのを心待ちしている幼子《おさなご》を早く行って見ようと、何度も訪ねてゆくけれども、ちょうどあの田子の浦に立ち寄る波に対して富士の煙がたちのぼるように、あなたはいつも嫉妬の炎を燃やし、天雲のようによそよそしくしておられるし、一方、あなたとの仲を絶つまいと思っているわたしがたえずあなたのもとを訪れると、あちらこちらの通い所では、自分たちのことは思っていないのだろうと言って怨むので、どっちつかずで落ち着かず、かといって、ほかになじみの家とてないものだから、すごすごとわが家へもどるより仕方がないという次第……

『蜻蛉日記』は、感情の強い一女性の自画像である。今日生きておれば、おそらく、やはり同じような作品を書いたのではないだろうか。彼女のような資質は、時間によってさほど影響を受けないからである。『土佐日記』に続いて、他の旅日記が、次々と生まれた。だが『蜻蛉日記』に続いたのは、ほかならぬ『源氏物語』だったのである。紫上《むらさきのうえ》は、その性情からいって、道綱の母とは同根である。

もし兼家が、彼女の死を、光源氏が紫上の死を悲しんだにも劣らず、深く悲しんだという事実があれば、これはうれしい話である。だがもしそうとしても、悲しみながらも、彼を愛することが余りにも深かった女性の要求が、今や終わりを告げたことでは、おそらく一抹の安堵を、彼は感じていたに違いない。

『蜻蛉日記』の作者が描いた、夫藤原兼家の肖像は、決して魅力あるものとはいえない。だが、平安貴族の間では、一夫多妻制はむしろ常識であったことを思えば、夫の情事に対するこの作者の憤りは、いささか腑に落ちないのである。他の貴公子と比べて、とくに兼家が色好みであったとも思えない。従って彼女が不機嫌を丸出しにして彼に当たり散らす時、私たちは妻の方ではなく、むしろ兼家の方に、同情したくさえなる。しかし道綱の母が兼家を深く愛していたことは、明白な事実である。そしてその傑出した文才のおかげで、他の宮廷女性が、口には出さずとも当然抱いていた歎きを、彼女は筆にすることが出来たのである。

藤原兼家という人物は、要人中の要人であった。従って、彼に関する情報は、『蜻蛉日記』以外の材料によっても知ることが出来る。無味乾燥な官制記録に名が出るのは当然として、他に二つの文学作品にも、彼は登場している。『栄花物語《えいがものがたり》』と『大鏡《おおかがみ》』である。『栄花物語』は、もっぱら藤原道長の、文字通り「栄華」をたたえるための物語だが、道長は、兼家の五男に当たった。この物語の兼家は、『蜻蛉日記』の兼家とは、まるで別人としか思われない。彼の秘蔵っ子であった娘超子《ちょうし》の死（九八二年）を描いた個所は、まことに感銘が深い。一月庚申の夜のこと、兼家の娘と、数人の友だちとが寄って、眠気をふせぐために歌を詠んだり、双六《すごろく》をして遊んでいる。明け方近くになって、超子が急に眠り込んでしまったので、友だちの一人が起こそうとした時、彼女がすでにこと切れているのが分かる。道長とその兄弟たちが、兼家に事件を知らせに走ると、すっかり動転した兼家が駆けつけてくる。

見奉らせ給《たまふ》にあさましくいみじければ、抱へてただふしまろび惑はせ給ふ。とのの内どよみてののしりたり（泣き声が鳴り響くばかり大騒ぎをした）。（中略）白き綾の御衣四つばかりに紅梅の御衣ばかり奉りて、御髪長くうつくしうてかひ添へて、臥させ給へり。ただ御殿籠りたると（まったくおやすみになっておられるように）見えさせ給ふ。殿いみじうかなしきものに思ひきこえさせ給へれば、ただ思ひやるべし（その悲しみの程は、ただ想像するほかはない）。

確かにこの兼家の姿は、『蜻蛉日記』に描かれた彼の姿と比べて、もっと好感が持てる。おそらく『蜻蛉日記』の最後の日付から超子の死までの悩み多かった八年間で、彼の人物が練れてきていたのかもしれない。九七二年、彼の兄であり、同時に憎い政敵だった兼通《かねみち》が、彼の地位剝奪に成功する。そして口実さえつけば、彼を九州へ流すところだったのである。兼家がめでたく官職に戻れたのは、やっと兼通の没後であった。

『大鏡』にも、兼家へのかなりの言及があり、道綱の母との生活にも触れた個所がある。

二郎君、陸奥守倫寧《ともやす》のぬしの女のはらにておはせしきみ也。道綱ときこえし。（中略）この母君、きはめたる和歌の上手にておはしければ、この殿のかよはせたまひけるほどのこと、歌などかきあつめて『かげろふの日記』となづけて、よにひろめ給へり。とのおはしましたりけるに、かどをおそくあけければ、たびたび御消息いひいれさせたまふに、女君、

なげきつつひとりぬるよのあくるまはいかにひさしきものとかはしる

いとけふありとおぼしめして、

げにやげにふゆのよならぬまきのとももおそくあくるはくるしかりけり

（冬の長い夜を明かしかねるというのは道理だが、それだけが苦しいのではなくて、戸のあくのが遅いのもつらいものです）

このくだりは、『蜻蛉日記』にも出てくる。他の女に宛てた兼家の恋文を、道綱の母が見つけた直後である。彼女は、この自分の歌を、一輪のしぼんだ菊の花にゆわえつける。勿論、その意味は深長である。しかし『大鏡』の記述は、あえて門をあけさせなかった彼女の苦衷についてはなにも言っていない。単なる歴史書と、日記との大きなちがいが、ここに出ている。しかも『大鏡』は、歴史書の中でも、いわば最も「読ませる」書物なのである。

御堂関白記

兼家の息子道長は、大部の日記をつけていた。『御堂関白記《みどうかんぱくき》』である。この日記の用語は、漢文のように見えて、漢文ではない。速記で書いた日本語という方が、当たっている。学者がこの日記の重要性をしきりにいうのは、それが宮廷生活に関する事実関係の資料を提供してくれるだけではなく、当時の文学的、文化的生活についての、貴重な情報も含んでいるからである。しかし、まれにしか出て来ない私事への言及を見つけようと、天候、儀式、宴会、昇進などに関するくだくだしい情報の山を分け進むのは、相当な忍耐を要する。例えば、寛仁二年（一〇一八）一月二十四日には、道長は次のように書き留めている。「雪降二寸許《ばかり》」。そして翌日二十五日には、おそらく雪のためであろう、「風病発動、心神不宜」とある。二十六日はどうかといえば、「終日不起事。悩暮。人人雖被多来、不対面」となっている。もし作者にこの日記を少しでも文学的なものにしたいという意図があったなら、単に風邪を引いたという話にしても、もっと劇的な効果をあげるように書けたはずである。ところがこの日記の書き手の関心は、文学的効果などにはなく、ただ日々の出来事の正確な記述にだけあったため、道長は、二、三日床に就いただけで回復し、常のように宮に出仕する。

道長にまつわるもっと面白い話は、むしろ『御堂関白記』以外の資料に見られる。例えば

『大鏡』である。それには次のような話が出ている。東宮の妃となっていた兼家の娘綏子《すいし》が、源宰相頼定と情を交わしているという噂が持ち上がる。東宮は道長を呼んで、綏子が懐妊しているという噂があるが、それの真偽を確かめてくれと頼む。道長は承知して、早速綏子の許に出かける。道長が着いた時、綏子は彼の突然の訪問に驚き、几帳《きちよう》を引き寄せ、陰に隠れる。だが道長は、構わず几帳を押し開く。『大鏡』の、これに続くところを要約すれば、次のようになる。「もともと美しい綏子の顔は、化粧のため常よりさらに美しく見えた。道長は言った、『東宮へうかがったところ、しかじかの噂のことを申された。そこでその真偽を、この目で見届けに来たのだ。もし空事《そらごと》を信じておられるならば、お前が不憫《ふびん》だからだ』。そう言って道長は、いきなり綏子の胸を押し開き、乳房をひねると、乳が道長の顔にほとばしったのなんの！　道長はひとこともいわずに、帰っていった」。

道長の私的行動にまつわるもう一つの有名な挿話は、いうまでもなく『御堂関白記』には出ず、『紫式部日記』に出ている。要約すると、「ある夜渡殿《わたどの》に寝ていると、誰か戸を叩くものがある。あまりおそろしかったので、朝までじっと音もたてずに夜を明かしたことであった。あくる朝まだきに歌が届いた、『夜もすがら水鶏《くひな》よりけになくなくぞ真木の戸口にたたきわびつる』。わたしはこれに返して次の歌を送った、『ただならじとばかりたたく水鶏ゆゑあけてばいかにくやしからまし』と」。この歓迎されざる訪問者こそ、道長だったのである。『御堂関白記』にもしこのような話が出ていたならば、その漢文もどきの文体にもかかわらず、この書物は、今日、もっと広く読まれていたことであろう。だが道長には、そうした自分の威厳にかかわる私事を記す意図など、毛頭なかったのである。またこれも推測だが、たとえ道長が漢文に通じていたとしても、自分の色事を書くのに、大和言葉ならともかく、まさか漢文を使うわけにはいかなかったことであろう。

道長の日記には、わずかながら面白い個所がある。例えば寛仁二年一月二十一日。その翌日摂政頼通の大饗《たいきょう》で披露される屏風に、漢詩と和歌を書く作者選定のいきさつを、道長は記している。それによると、和歌の方で選ばれたものの中に、誰あろう和泉式部が入っている。このように道長の『御堂関白記』は、単なる日記を超えて、日記文学、しかもその傑作を書いた人物への、いわば一つの脚注を提供しているのである。

和泉式部日記

『和泉式部日記《いずみしきぶにっき》』について常に最初に問われるのは、果たしてこの書物を「日記」と呼んでよいかどうか、である。長い間、『和泉式部物語』というのが、この書物の、もっと普通の呼称であった。また学者の中には、これが和泉式部の作であることを疑うものもあった。明らかにこの作品は、日記の体はなしていない。どの記載事項にも日付がなく、自分のことを常に「女」とだけいって、終始三人称で通している。その上作者が、他の登場人物の思考の中に、勝手にはいり込むのである。このやり方は、小説家には許されても、日記作者には許されまい。今まで一人ならずの学者が、おそらくこの書物は、日記に記してある事件からほぼ二百年後に生きた藤原俊成《しゅんぜい》の作であろうと主張してきた。この説によると、俊成は、和泉式部が自作の和歌に付けた詞書《ことばがき》（歌の前につける趣意書き）を、ただ綴り合わせて、一篇の「日記」を作っただけなのだという。作者が式部自身であろうと、あるいは余人であろうと、とにかく「日記」という呼称は、この作品にはそぐわないようである。しかし、時には「日記」と呼ばれ、時には「物語」と呼ばれた作品は、平安時代には、これだけではなかった。例えば『伊勢物語』。これは時に『在五中将日記』とも呼ばれたのである。『和泉式部日記』が「日記」でないとすれば、それではなんと呼べばよいのだろう。とにかくこれは、いくつもの短い散文の章句と、百四十首にのぼる和歌によって語られる恋の物語である。歌、文章共に文学的にすぐれていて、作全体の効果からいうなら、もっと長い物語の断片のように見える。

物語は、敦道《あつみち》親王が和泉式部に、初めて恋の意思表示をするところから始まる。以前兄為《ため》尊《たか》に仕えていた小姓に持たせて、橘の花を一枝、彼女に贈る。為尊と式部とは、一年前為尊が二十六歳で急死した時（一〇〇二年）まで、愛人同士だった。『栄花物語』によると、為尊の求愛は熱烈を極め、当時猛威をふるっていた疫病も意に介せず、腐った死骸の転がる道を日夜式部のところへ通いつめたという。彼の死は、おそらくその時感染した病気のためではなかったろうか。敦道から橘の小枝を受け取った時、和泉式部はまだ為尊の思い出にひたっていて、敦道へ返事を送る決心がなかなかつかなかった。それでもようやく心が決まって歌を返し、それに文《ふみ》が続くが、初めはただ「つれづれも少し慰む心地」して書いていたものが、そのうちに二人を愛人として結びつけることになるのである。日記の終わりのところで、敦道は、式部をひそかに自分の邸内に囲う。敦道の妻はそれを知り、大いに歎いて、実家に戻ることを宣言するのである。

その後どうなったかは、私たちには知るよしもない。ただ他の資料から、寛弘四年（一〇〇七）二十七歳で敦道が亡くなるまで、式部が敦道の邸に住んでいたことが分かるだけである。その年彼女は、多分二十九歳であった。敦道の死後、式部は歌百二十余首を書いて、愛人の死を悼んでいる。彼女の歎きが、いかに本物であったかが、分かろうというものである。

『和泉式部日記』は、興味深さの点からいえば『蜻蛉日記』に劣っている。もし女主人公が色恋沙汰で名高い女性でなかったなら、この作品も、それほど有名にはならなかったかもしれない。死んだ愛人の思い出を裏切るまいと初めは思っていても、すぐにそれが敦道への新しい愛へと変わるような、そんな情熱的な女性が、私たちの知る和泉式部なのだ。だからこの日記を、私たちが彼女に抱くそうしたイメージと、切り離して考えることはどうしても出来ないのである。

だがこの日記の調子は、決して明るいものではない。和歌は悲しいイメージに満ちている。また和泉式部は、情熱的女性というその評判を裏切って、敦道との関係へと、ただずるずると引き込まれていったような感がある。彼女は書いている。

　この宮仕え本意《ほい》にもあらず、巌《いはほ》の中にこそ住ままほしけれ（出家してしまいたい）、又うきこと（つらいこと）もあらばいかがせむ。

式部が恋愛の中に見ていたものは、決して喜びではなかった。彼女が最も強く喜びに身を任せていた時でさえ、それは彼女の心を満たしていた深い憂愁からの逃避だったのである。『和泉式部日記』の中で一番目立つ話題は、他ならぬゴシップである。性生活ではかなりの自由を享受していたはずの平安貴族のことだから、色事の一つや二つ、あってむしろ当然、という印象を、私たちは持っている。ところが敦道は、自分が毎夜のように家をあけることについて、妻の口どころか、召し使いの口さえ恐れるのである。「故宮（死んだ、敦道の兄皇子）のはてまでそしられさせ給ひしも、これによりてぞかし（この女に夢中になったからのことだ）」と敦道は思っている。和泉式部もゴシップは気にしているが、「世の人はさまざまにいふめれど『（いず方にゆきかくれなん世の中に）身のあればこそ』と思ひて過ぐす」と、彼女らしく居直っている。

ゴシップへの恐れが出ていない頁は、ほとんど一頁もないほどである。和泉式部のところへゆこうとする敦道を、乳母は、「このことはもう人の口の端《は》にのぼっておりますよ」といって、思いとどまらせようとする。その後敦道は、式部が他の男と情を通じているという噂を聞き、しばらくの間はそれを信じている。式部は、敦道が「かくけしからぬこと」に耳を貸した、といって歎くが、二人が和解した後でさえ、敦道は彼女にいうのである。

世の中の人もびんなげに言ふなり。時々参ればにや、見ゆることもなけれど、それも人のいと聞きにくく言ふ……（世間は私のことを人でなしのように噂をしているらしい。あなたのところへ通うのも、なるべく間遠にしているから、人目に触れることもないのだが、それでも人はひどいことをいっている……）。

他にもゴシップ、あざけり、中傷などへの恐れを述べた例は、枚挙にいとまがない。敦道ほどの地位にあるものが、人の噂にそれほど気を揉むとは、まことに不思議である。宮中の侍女が彼のことを悪しざまにいったとしても、それがどうだというのであろう。だがそういえば、『源氏物語』の冒頭に、こういうくだりがあった。すなわち「(帝《みかど》は) ますますその人を大変いとしいものに思し召して、外聞もお気になさらないで、後世の語り草にもなりそうなお扱いをなされる……」。

明らかに平安貴族にとっては、ゴシップは恐ろしいものだったのである。従って、世間の取り沙汰をあえて無視できたほどのものは、余程勇気のある人間か、それとも恋の病も余程重症なものに限られていた。ゴシップを避けようと思えば、確かな方法としては、世間から身を退けるしかなかったのである。剃髪して仏門に入るか、あるいは人との交渉を一切断って、風狂の人となるか、そのいずれかであった。いうまでもなく、どんな社会にもゴシップはつきものである。だが昔から日本では、他人にとやかくいわれることに対する恐れは、時として強迫観念にさえなっている。

和泉式部と敦道とは、長い間二人の関係をかくしておこうとした。だが結局、人の口に戸はたてられぬものと悟り、敦道は大胆にも、妻と同じ屋根の下に式部を住まわせたのである。『大鏡』の記述によると、寛弘二年(一〇〇五)の賀茂祭の日、敦道は車の後部に式部をわざと目立つように乗せて、彼女の衣を出して、紅の袴《はかま》が、地面に垂れるにまかせたという。祭りの見物衆が、祭りの行列よりも、そちらの方にもっと目をそばだてたのはいうまでもない。

ゴシップの恐れから来る窮屈さがとれると、最後には、二人は彼らの愛をむしろ誇示するようになった。世のゴシップ好きは、自分らの手に余るスキャンダルを見せつけられ、もはや黙るほかはなかったのかもしれない。少なくともそう想像してみるのも一興であろう。

ところで和泉式部について私たち読者が最後に知ることは、彼女の次のような感慨である。

ただにさぶらふも、なほもの思ひたゆまじき身かなと思ふ（宮のおそばにそのままお仕えしてはいるが、心労は絶えない身と、つくづく悲しくなるばかり）。

紫式部日記

『紫式部日記《むらさきしきぶにっき》』を初めて読もうとする読者が、この日記に抱く期待は、日本人が書いた他のどんな日記に対する期待よりも、はるかに大きいはずである。私たちはなににもまして、紫式部という呼び名によってのみ知られている一宮廷女性が、そもそもどのようにして、あの世界文学屈指の大傑作を生み出し得たかという謎への手掛かりを求めて、この日記を読むからである。あるいは紫式部は、日本最大の作家ではなかったかも知れない。学者によっては、この栄誉を、人麻呂、世阿弥、あるいは芭蕉、それとも誰か近代の作家にさえ与えるだろう。しかし全世界の文学という一大眺望の中でみる時、紫式部ほど大きな存在として浮かび上がる日本の作家は、他にはない。『源氏物語』が本当に世界最古の小説かどうか、あるいはこの「物語」を「小説」として扱うことが妥当か、といった議論は、おそらくこれからも続くであろう。しかし日本文化の内であれ、あるいは外であれ、この作品の重要性には、計り知れないものがある。そのような傑作を書いた作者の日記とあれば、もうそれだけで大きな関心が持たれてしかるべきであろう。

この日記は、確かに興味深い作品である。時として（とくに初めの部分）、『源氏物語』の文体を想起させる。しかし作品全体としてみる時、文学的には、失敗作といわざるをえない。全篇は三部に分かれ、第一部は、道長の娘中宮彰子《しようし》の第一子敦成《あつひら》親王の誕生についての長々しい記述、第二部は、人に宛てた消息文らしき文体で記した殿上人の言動の記録、第三部は、宮廷生活についての、一見無関係な逸話を種々集めたもの、となっている。いうまでもなく、紫式部が自分自身に関して述べたことは、学者にとっては、そのどれ一つを取っても、極めてユニークな重要性を持っている。例えば、弟よりも彼女の方がずっと早く漢文をおぼえることが出来たので、父親が「男に生まれなかったのがいかにも口惜しい」といって歎いたという話とか、また宮仕えの女房達を、あるものは褒め上げ、あるものはこきおろしている個所などである。だがそれにしても、作家紫式部の本領が遺憾なく発揮されている個所が、どこにも見当たらぬのは残念である。そういうところが、ただの一節でもあれば、女房達が身に付けた衣装のくだくだしい描写など、すっかり返上してもよいのだが！

『紫式部日記』は、普通の意味の日記ではない。日付のつけ方は気紛れだし、時には全くなかったりする。従って、例えば紫式部が初めて宮中に伺候したのは何年だったのか、といったようなことについては、すべて算出しなければならない。勿論そうした事件の日付を知ることは大事なことであろう。しかしそれよりはるかに私たちにとって興味があるのは――一体いつ、紫は『源氏物語』を書き始めたのか、また彼女は果たして「桐壺」から筆を起こしたのか、それとも（旧説通りに）「須磨」と「明石」から書き出したのか、あるいはまた、構成は現行のテキスト通りだったのか、それとも、もしかして作者が、後からいくつかの章段を挿入したというのが真相なのか――この種の疑問、そして他にも無数の疑問が、読者の好奇心を、大いに唆るのである。だがこの日記は、それらの疑問には、一向に答えてくれていない。

この日記は、いわゆる作家の覚え書きでもない。第一、『源氏物語』への言及が見られるのは、ただ二、三個所だけである。中でもよく知られているのは、次の一節であろう。

うちの上《うへ》（天皇）の、源氏の物語、人に読ませたまひつつ聞こしめしけるに、「この人は、日本紀《にほんぎ》をこそ読みたまふべけれ。まことに才《ざえ》あるべし」とのたまはせけるを、ふと推しはかりに、「いみじうなむ才がる（学問を鼻にかけている）」と、殿上人などにいひちらして、日本紀の御局《みつぼね》とぞつけたりする（あだ名をつけた）。

紫式部が漢文の才を鼻にかけているという噂を、殿上人の間にいい散らす左衛門の内侍《ないし》の悪意は、清少納言に対する紫自身の、同じような非難、「まな書きちらしてはべるほども（漢字を書き散らしているその学力も）、よく見れば、まだいとたらぬことおほかり」を思い起こさせる。しかし、私にとってどうにもわけが分からないのは、『源氏物語』が、一条天皇に、こともあろうに『日本書紀』を思い起こさせたという事実である。ある注釈者は、物語の中に、歴史事実を踏まえているところが多いからだろう、といっている。しかしそれにしても、現代の読者が『源氏物語』から受ける印象は、歴史事実の退屈な集積にすぎぬ『日本書紀』の印象とは、全く別物である。もしかしたら、紫式部の時代の人は、『源氏物語』

を、私たちとは全く違う読み方で読んだのかもしれない。だがこの日記は、それについても、なにも教えてくれないのである。

最盛期平安宮廷の生活が真にどのようなものであったかを知るためには、『紫式部日記』に勝る拠り所は他になさそうである。例えば『御堂関白記』のように、男性貴人の手になる日記にも、少なからぬ貴重な情報が含まれているのは言うまでもない。しかしこの種の日記には、文学的意図というものがないだけに、読んで退屈させられるだけではなく、日記の付け手が、書き遺しておくに値すると考えた宮廷生活の側面しか提供してくれないうらみがある。

『源氏物語』の「蛍」で、紫式部は光源氏の口を借りて、物語芸術の重要性を説いているが、その時彼女は、物語を官製史書の記述と対照させている。源氏は初め、昔の物語を軽んじるようなことをいい、そのようなものには一片の真実もないと断言する。しかしそういいながらも、物語が「ほかには紛らしようのないつれづれ」を慰めてくれ、また正真正銘の作り話であっても、なるほどそうでもあろうという風に、人の心や出来事を描いていることも認めるのである。そこで玉鬘《たまかずら》が、自分など「正直なものは」、物語を読んでも「一途にまことの事と思うばかりです」というと、源氏は「これは無風流な悪口をいってしまいました。本当のことをいうと、物語は神代からの出来事を記したもの。『日本紀』などは、ただ真理の片端を述べただけで、実は物語こそ、史書がのがした細ごましいことを埋めてくれているのです」と答える。

物語が、『日本書紀』や他の史書の逸した「細ごましいことを埋めてくれる」のと同じやり方で、宮廷女性による日記、そしてとくにこの『紫式部日記』は、同じ宮廷の男性筆者による日記には期待出来ない、貴重な情報を補ってくれる。事実、『栄花物語』は、藤原道長に関する資料を、他ならぬ『紫式部日記』に求めているではないか。それというのも、よそでは到底得ることの出来ない資料が、この日記にはあったからであろう。もしあの『蜻蛉日記』が存在しなかったとしたらどうであろう。その場合私たちは、藤原兼家という人物についてなにほどのことも知ることがなく、平安時代を専門にする歴史家だけが、彼の名を記憶したにとどまったにちがいない。ところが『蜻蛉日記』を一度読んだものなら、藤原兼家のことを忘れることがどうして出来ようか。

源氏のモデルは道長だったという説が、これまで時々出て来ている。だが『紫式部日記』には、この説を立証するようなものは、おそらくなにも見つからない。それよりも私たちは、源氏という人物はむしろ反道長的、すなわち、ほとんどあらゆる意味で、道長とは正反対の人間として考えたくなるのである。この日記のかなりの部分が、道長の孫、すなわち道長の娘中宮彰子の息子の誕生に伴う喜びの情景を描いている。出産のあらゆる段階で、生まれる子の父（一条天皇）ではなく、道長が、万事を完全に取りしきっている。

殿のよろづにののしらせたまふ（万事に大声で叫ばれる）御声に、僧（の読経の声）もけたれて音せぬやうなり。

そして男子安産と分かった時の道長の喜びは、単なる祖父としての喜びではなく、未来の天皇の祖父としての喜びだったのである。道長は、ただ赤子をわが腕に抱き取る喜びのために（一度だけ、赤子が道長の衣を濡らしたことがある）、娘と孫のところへ、朝夕いそいそと通っている。余程うれしかったのであろう。

それに反して源氏の方は、そのような喜びとは無縁であった。彼の父に愛された藤壺との、秘密の愛によって得た最初の息子は、認知さえ出来ず、その子のことを思うと、源氏の心には、誇りとは裏腹の、恥の情がわき起こるだけであった。彼の別の息子夕霧は、その子の母の葵上《あおいのうえ》が、悪霊に取り憑かれている間に生まれる。そして母親は出産の直後に、六《ろく》条御息所《じょうのみやすどころ》の生霊《いきりょう》によって殺される。源氏が最も深く愛した女性は紫上《むらさきのうえ》であったが、彼女にはついに子供が出来なかった。なるほど明石君《あかしのきみ》に生まれた彼の娘は、天皇の妃となる。だがこのことからは、源氏は何等の利益も受けていないのである。また源氏が孫とたわむれているというような記述は、この物語のどこにも見当たらない。

勿論源氏と道長との間には、もっと重要なちがいがある。道長は、およそ「もののあわれ」には無縁の人間であったように思われる。それに、時として彼の言動は、源氏の場合には想像も出来ぬような粗野さを表している。しかしこの点の立証に、なにも百万言を費やす必要はないのである。紫が『源氏物語』の中で描こうとしたものが、真に教化された宮廷の姿であったかどうかは別として、彼女の『日記』を読めば、宮廷への幻滅ばかりを、誰しも感じるのではなかろうか？

宮廷生活などというものは、どんな宮廷であろうと、どうせ退屈なものと相場が決まっている。ヨーロッパの宮廷の日常生活について私がこれまで読んだものを見ても、私がそうした生活環境に入って楽しくやってゆけるだろう、という気にさせてくれたものは一つもない。宮廷の中心人物は主権者である。そして彼がその地位を継承するのは、別に彼のすぐれた徳のせいでも、知性のせいでも、また芸術的感受性のせいでもなく、ひとえに彼の出生のためである。宮廷が楽しいものとなる可能性が極めて少ないのも道理なのだ。

ローマの皇帝たちは、それこそ「つれづれなるままに」、邪悪な倒錯行為に走った。人を断崖から突き落とさせたり、愛妾を料理させて、その肉を晩餐に出させたりした。古い中国宮廷の記録にも、些細な罪で有罪になった人間を、残酷に鞭打ったり拷問にかけたりしたことが出ているが、それも別に罪人を改悛させるためというより、泣き叫び悲鳴をあげる罪人の声を聞く喜びのためだったようである。比較的近年のヨーロッパの宮廷生活の描写――例えば今世紀初頭の、イギリス王エドワード七世の宮廷――は、退屈きわまる。従って、他ならぬエドワード王の長男こそが、退屈しのぎに恐ろしい犯罪に追い込まれた、あの悪名高き切り裂きジャックだったという噂も、つい信じたくなってしまうのである。

読書を通じて私が知るすべての宮廷の中で、ただ一つ魅力を感じるのは、やはり『源氏物語』に描かれた宮廷である。日本の貴族社会の人々も、当然あり余る暇と金とを持っていた。それでも彼らは、退屈のあまり、無分別な快楽や、倒錯的な快楽に走るようなことはなかったのである。身の周りであれ、衣服であれ、あるいは筆跡であれ、それらを美しく作りなすこと、そのことが、彼らの行動の一つ一つに霊感を与えた。ちょっとした書状でさえ、和歌の形で書かれた。しかるべき紙に、濃淡ほどよく使い分けた墨で書きしたため、優雅に折り畳んで、受け取る相手の身分にふさわしい服装の童子に届けさせたのである。

　源氏に愛された、さまざまな女性間の嫉妬というものは確かにあった。しかし、心ならずも葵を殺した六条御息所の行為を除けば、彼女らの嫉妬といえども、他の国の宮廷にはよくあったもっと残酷な形を取ることはなかったのである。光源氏の世界が一種の悲しみに包まれていたとすれば、それは、その世界が悪意に満ちた世界だったからでは決してない。悲しみこそが、人間の基本的条件だったからである。そしてここにこそ、「もののあわれ」の真相がある。

『紫式部日記』を読むと、『源氏物語』の世界と、作者紫の宮廷での実際の生活とを分かつ、いくつかの違いに気がつく。だがそれは、全く異質の世界ではない。『日記』の冒頭には、紫の「小説」の世界が、全くの「作りごと」ではないことを示す、美への敏感な意識が、隅々まで行き渡っている。

> 秋のけはひ入《い》り立つままに、土御門殿《つちみかどどの》のありさま、いはむかたなくをかし。池のわたりのこずゑども、遣水《やりみづ》のほとりの叢《くさむら》、おのがじし色づきわたりつつ、おほかたの空も艶なるに、もてはやされて（引き立てられて）、不断の御読経《みどきやう》の声々（僧侶が交代で不断に読経

する声)、あはれまさりけり。やうやう涼しき風のけはひに、例の絶えせぬ水のおとなひ(遣水のせせらぎが)、夜もすがら聞きまがはさる(読経の声と混じり合って聞こえる)。

もう一つ注目に値することがある。それは紫が、自然の美だけでなく、人工の美——衣服やさまざまな祝い事の装い——にも、深く心を用いていることだ。『源氏物語』では、作者は、食物に関しておどろくほどの無関心さを示している。中国の文学作品と比べてみる時、これはとくに目立つのである。ところが『日記』では、食物にさえ、彼女は美を見いだしている。例えば、

上《うへ》は(天皇は)、平敷《ひらしき》の御座に御膳《おもの》まゐりするゐたり。御前の物(御食膳は)、したるさま(その作り様が)、いひつくさむかたなし。

泥酔した殿上人たち、噂話に浮き身をやつす女房たちなどの描写を思い出すまでもなく、平安宮廷と、他の国々の宮廷との共通点を指摘するのは、まことにやさしい。だがそれにしても、平安宮廷が持つユニークな性格を見逃すわけにはいかないのである(例えば中宮彰子の宮廷と、食物は指で摑んで口に運び、皿の上の肉片を犬に投げ与えたヘンリー八世の宮廷との間には、なんたる違いがあったことか! また便器《シエーズ・ペルセ》に跨がったままの太陽王が、臣下に向かって演説をぶったり、浴びるようにふりかけた香水が、風呂の代用をなしたルイ十

四世の宮廷とも！）。

　宮仕えの紫が幸せを感じたのは、ほんの時たまのことでしかなかった。日記の中でも、孤独の淋しさは耐えがたいほどだ、とさえ書いている。しかしこれは、いわゆる独りぼっちの淋しさではなく、安心して胸のうちを打ち明ける友が得られなかったことからくるものであった。おそらくそれは、創作のためには孤独が必要だということを知っていたので、一方では友を求めること切なるものがありながら、他方ではそれをしりぞけるという、あの芸術家特有の淋しさでもあったろう。

　友達が全くいなかったわけではない。いるにはいたが、その友情は、どうやらあまり長つづきしなかったようである。しかし宮廷の生活が、彼女に紛れもない喜びを与えてくれたこともあった。例えば、皇子の誕生を祝う余興の間に彼女が記録した文章には、それがはっきり出ている。紫は、管絃の音に殊のほか感銘を受けたようである。例えばこういう記述がある。「（天皇の）御輿《みこし》むかへたてまつる。船楽《ふながく》いとおもしろし」。そして少しあとでは、彼女はこう書いている。

> 暮れゆくままに、楽ども（奏楽）いとおもしろし。上達部《かんだちめ》（殿上人たち）、御前にさぶらひたまふ。万歳楽《まんざいらく》、太平楽《たいへいらく》、賀殿《がでん》などいふ舞ども、長慶子《ちやうげいし》を退出音声《まかでおんじやう》にあそびて、山のさきの道をまふほど、遠くなりゆくままに、笛のねも、鼓《つづみ》の音も松風も、木深《こぶか》く吹きあはせて、いとおもしろし。いとよくはらはれたる遣水《やりみづ》の、ここちゆきたるけしきして、池の水

波たちさわぎ……

紫がこのような時を楽しんだことは、疑う余地はないのである。しかし楽しい話よりも、不快なこと、心がひどく乱された時の話の方を、彼女はもっと書いている。例えば、左衛門の督《かみ》が、女房達の集まりの中にしゃしゃり出てきて、次のように言う、有名なくだりである。「あなかしこ、このわたりにわかむらさきやさぶらふ（ごめんください、このあたりに若紫はおられましょうか？）」これを聞いて紫は、「源氏にかかるべき人も見え給はぬに、かのうへはまいていかでものし給はむ（源氏の君に並ぶほどの殿方もおいでにならぬというのに、まして紫の上がおられるはずはないでしょう）」と思っていた。紫というあだ名がついたのは、あるいはこのでき事がもとだったのかもしれない。だがこれにつづく文章以上に、光源氏の世界と、実際の宮廷世界との違いを、効果的に示しているところは他になかろう。

「三位《さんみ》の亮《すけ》、かはらけ取れ（杯を受けよ）」などあるに、侍従の宰相《さいしやう》立ちて、内《うち》の大臣《おとど》のおはすれば、下より出でたるをみて、大臣酔《ゑ》ひ泣きしたまふ。権《ごん》中納言、すみの間の柱もとによりて、兵部《ひやうぶ》のおもとひこしろひ（袖を引っ張るやら）、聞きにくきたはぶれ声も、殿のたまはず（それでも殿はなにもおおせられない）。おそろしかるべき夜の御酔ひなめりと見て、ことはつるままに（宴が終わるとすぐに）、宰相の君にいひあはせて、隠れなむとする……

紫は、『源氏物語』では、その行状に非の打ちどころのない宮廷人を描いたが、日記で描いているのは、卑猥な戯れ言を言い散らしたり、女性にみだらなことをしたりする泥酔貴族である。もっとも現代の読者の中には、平安貴族の持つそうした欠陥こそ、彼らをもっと「人間的な」存在、またあの「類《たぐい》なき」源氏より、もっと私たちに身近い存在にしている、と感じるものもいるかもしれない。だが明らかに、それは紫式部の考えるところではなかった。そうしたあまりにも「人間的な」男達に愛想づかしをして、彼女は、自分が創造した世界の中に身を避けたのである。

紫が感じていた淋しさの原因は、おそらく彼女の持っていた、法外な洞察力のせいでもあったのではなかろうか。『日記』の消息文の部には、十五、六人の女房達に対する寸評がある。もっとも紫は、常に批判的だったというわけではない。幾人かの女性のことは、ほとんど無条件で褒め上げている。そして大抵の場合、明らかに嫌っていたと思われる女性にさえ、どこか褒めるところを見つけ出している。とはいえ、やはり私たちの記憶に残るのは、彼女の、どちらかといえば辛辣な批評の方なのである。そして小説家にとっては大事な資質としても、完全無欠に見せかけた表面を見透す彼女の眼力は、さすがに抜群で、友達を失うのも無理はないのである。ある個所では、これ以上歯に衣を着せずに他人のことを言うと、悪口屋の評判を取りそうだといって、筆を控えている。

さしあたりたる（さし障りのある）人のことはわづらはし、いかにぞや（ちょっとどうかな）など、すこしもかたほなる（欠点のある人について）は、いひ侍らじ。

そう言っておきながら、彼女はほどなく小馬《こま》の君について、次のように判定を下すのである。

むかしはよき若人（美しい若女房）、いまは琴柱《ことぢ》に膠さすやうにてこそ里居して侍るなれ（琴柱を膠でつけてしまったように里へひっこんだきり出てきません）。

同時代の宮廷女性に関する紫のコメントで一番興味深いものといえば、なによりも、和泉式部と清少納言についてのものであろう。和泉式部について、紫はこう言っている。

けしからぬかたこそあれ、うちとけて文はしり書きたるに、そのかたの才《ざえ》ある人（何気なく気楽に書いた手紙の文に才能のある人で）、はかない言葉のにほひも見え侍るめり（なんでもない言葉でも光って見える）。（中略）恥づかしげの歌よみやとはおぼえ侍らず（すぐれた歌人とは思えない）。

清少納言には、もっと点が辛い。紫は、彼女のことを鼻持ちならぬ自信家だと言い、清少納言の機知にも、漢字の知識にも、一向に感服していたふしはない。さらにこうも言っている。

艶になりぬる人は、いとすごうすずるなる折も、もののあはれにすすみ、をかしきことも見すぐさぬほどに、おのづから、さるまじくあだなるさまにもなるに侍るべし（気取りぐせがついた人は、ひどく面白味のないところでも、いやに感じを出し、どんなに些細な興味でも見逃すまいとして、自ずから、ばかげて浅薄に見える）。

紫のこうした辛辣さは、いかに宮廷の人々が、彼女の人柄を見損っていたかを証明している。初め彼らは、皆のおしゃべりに紫が加わろうとしないことから、彼女を内気な人間だと思っていた。だがあとでは、その文学的業績は別としても、いささか愚かな女にちがいない、と判断している。だが紫自身の判断の方がもっと鋭い。

人にかうおいらけもの（こうも鈍い女）と見おとされにけるとは思ひはべれど、たゞこれぞわが心のならひもてなしはべる有様（本性に合わせて振る舞っている）、宮の御前《おまへ》（中宮）も「いとうちとけて見えじとなむ思ひしかど、人よりけに（他の女房よりずっと）むつましうなりにたるこそ」と、のたまはするをりをりはべり。くせぐせしく（片意地で）、やさしだち（打ちとけられない性分なのだろう）、恥ぢられたてまつる人（本当にお敬まい申し上げている方）にも、そばめたてられではべらまし（不快にさせずにすめばよいのですが）。

これは単に、自画像として公正なだけではない。これを読むと、どのようにして紫が、宮仕えをしながら、あの長大な小説を書き得たかというわけが分かる気がする。すなわち他の女房達が心を奪われていた宮廷内の権謀術数、恋の鞘当てなどから、一定の距離をおくことによってのみ、あの仕事は成し遂げられたのだ。中宮を含めて、ほんの一握りの人々にだけ、彼女は本当の自分を見せていたのである。

最初にふれたように、『紫式部日記』には、『源氏物語』への言及があまり見当たらない。天皇が『日本書紀』を引き合いに出して賞めたところ以外には、ほんの四、五個所に、直接、または間接的な言及があるにすぎない。例えば、紫は書いている。

御前には、御冊子つくりいとなませたまふとて、明けたてば、まづむかひさぶらひて（御前に伺候して）、いろいろの紙選《え》りととのへて、物語の本《ほん》どもそへつつ（原本をそれぞれ添えて）、ところどころにふみ（書写依頼の手紙）書きくばる。

この記述はかなり曖昧だが、これまでに解釈されているところによると、中宮のために

『源氏物語』の美しい写本を作るため、名筆で聞こえた人々のところへ原稿筆写の依頼を出したのだ、ということになっている。それではこの時、『源氏物語』はすでに完成していたのだろうか？

さきほどの記述のすぐあとで、ある日、紫が宮中の仕事で忙しくしていた間に、道長が、彼女の部屋に忍び込み、隠しておいた『源氏物語』の一冊を見付けたことを、紫は書いている。道長はこの原本を、彼の次女に渡したという。ここで紫は、『源氏』の不満な原本（おそらく決定稿ではなかったのであろう）が、自分の評判を落とすことを恐れている。どのような点で不満だったのかは、はっきりしない。だが、紫が作品の将来の評価をしきりに案じているのは、明らかである。

紫は、いわゆる古物語の作者よりは、はるかに野心的であった。自分の物語の中に、ロマンチックな要素を、しきたり通り盛り込んだだけではない。自分の人生体験をも盛り込んでいる。だが時が経つにつれて、彼女の人生観は変わり、以前の考えを修正する必要が出て来ている。『日記』の中に、次のような記述がある。

こころみに、物語をとりて見れども、見しやうにもおぼえずあさまし……（同じ本とはとても思えず、大変失望したことであった）。

『源氏物語』ではなく、あるいはなにか他の本のことを言ったのかもしれない。だが意味するところは同じようなもの。紫は、以前の趣味を、その時、もう卒業していたのである。昔は気に入っていたものも、今は満足出来なかったのである。

『源氏物語』に最後に触れたところは、道長が中宮の部屋の近くで、たまたま『源氏』の一原本を見つけたあと、道長と紫との間に交わされた、軽口と和歌について述べたところである。この語り口を見ると、紫は『源氏』だけではなく、『紫式部日記』も、自分の文学的才能が見事に発揮された作品だと見ていることが分かる。もしこの日記が原形のままで残っていたならば、文学作品として、もっとすぐれたものであったに違いない。しかし部分的に削除のある現行の状態でさえ、この作品は、日本の日記文学の伝統における輝かしい一点をしるしている。

更級日記

『紫式部日記』も日記らしくない日記だったが、『更級日記《さらしなにっき》』は、それよりさらに日記らしくない。第一、日付の記載すらない。また「日記」と銘打っておきながら、記述がある一定の期間ではなく、（まるで自伝のように）事実上作者の全生涯にわたっている。しかしこの作品を最も日記らしからず見せているのは、それが暗黙のうちに、事実性を無視しているところである。普通の日記なら、当然事実性を強調する――その日の天候、訪問者の名前、夕食の献立など――。ところが『更級日記』では、事実は、作り話や夢によって置き換えられている。日々実際に起こったことよりも、作り話の世界――とくに『源氏物語』の方が、作者の頭の中で、もっと大きな位置を占めている。

そもそも物語に登場する人物は、彼女にとっては、単なる架空の人物であっただけではなく、最も身近な友達であり、また生きる上での手本でもあった。子供の頃、作者の菅原孝標《すがわらのたか》女《すえのむすめ》が一番強く望んでいたことは、将来人の妻として、母親として、宮廷の一員として、人並みの一生を送ることではなく、古い物語の世界に、心ゆくまで耽溺することだったのである。

『更級日記』の書き出しは、この作品全体の調子をすでに決めている。

あづまぢの道のはてよりも、なほ奥つかた（上総《かずさ》の国）に生ひ出でたる人、いかばかりかはあやしかりけむを（どんなにか田舎びていたことだろうに）、いかに思ひはじめける事にか、世の中に物語といふ物のあんなるを、いかで見ばやと思ひつつ、つれづれなる昼間、宵居《よひゐ》などに、姉、まま母などやうの人々の、その物語、かの物語、光源氏のあるやうなど、ところどころ語るを聞くに、いとどゆかしさまされど、わが思ふままに、そらにいかでかおぼえ語らむ。いみじくも心もとなきままに、等身《とうしん》に薬師仏《やくしほとけ》をつくりて、手あらひなどして、人まに（人のいぬ間に）みそかに入りつつ、「京にとく（早く）あげ給ひて、物語の多く候ふなる、あるかぎり見せ給へ」と、身をすてて額《ぬか》をつき祈り申すほどに、十三になる年、のぼらむとて、九月三日かどでして、今館《いまたち》といふ所にうつる。

東国の片田舎に育った聡明で、ちゃんとした教育も受けた少女なら、どんなにか都へ行きたかったであろうということは、容易に想像出来る。京都こそは、彼女が受けた教育にふさわしい生活が送れる、その頃日本でただ一つの場所だったからだ。ところが、彼女が憧れたのは、宮廷に実在した社会生活の体験ではなく、実在もしない人物についての物語を読むという、いわば代理的な喜びだったのである。従って、もし田舎にいても、自分の読みたい本すべてを手に入れることが出来たなら、多分彼女は、わざわざ都までゆきたいと思うことはなかったであろう。

当時、物語の書物は乏しく、また高価でもあった。例えばある宮廷人が、自分の好きな物語の写本を求めるとすると、彼はまず紙を提供しなければならなかった。これだけでもすでに高くついた。それから能書家を雇って、写本が完成するまでの生活を保障する必要があった。従って、その題名だけしか私たちに分かっていない、数多くの平安文学の作品があっても、不思議はないのである。またその他（勅撰漢詩集『経国集』を含む）諸作品の、はなはだ不完全な写本しか残っていないのも、うなずける。上総の国のようなへんぴなところに、『源氏物語』の写本一揃いがあるわけはなかった。従ってこの感受性の強い、内省的な少女にとって、光源氏の物語を読むには、都へゆくしかなかったのである。彼女は、等身大の薬師如来像を作ったと書いている。ありとあらゆる物語を読み尽くそうという、彼女の決意の固さが分かろうというものである。

都に着くやいなや、どんなものでもよいから、すぐにも物語を読みたい、と彼女は宣言している。家は、「広々と荒れ果てた」土地に建ち、すべてに上品な都の内とは思われぬ有り様で、家の中もまだ落ち着かず、とても普通に住めるような状態ではなかった。それでも少女は、落ち着くのが待ち切れず「物語をもとめて見せよ、見せよ」と母親を責め立てている。こうした言葉の中に、少女の声が、じかに聞こえ来るようである。こんなにも若いのに、彼女はそれほど心をこめて、作り話の世界へ逃避したがっていたのである。

十三の年に上総の国を出てから、三十二の年に宮仕えに出るまで、『更級日記』の作者は、物語を読むことのほか、ほとんどなにもしていない。繰り返し読んだらしい『源氏物語』に加えて、『在《ざい》中将』『とほぎみ』『せり河』『しらら』『あさうづ』など、今はすべて消失している物語を読んでいる。現存しているよりもっと数多くの物語があったことを認めるとしても、女性の一生で最も大事だとされる年月を、このように物語だけ読んで過ごすとは、驚くべき生き方だと言わざるをえない。しかし彼女は、自分がこのような生き方をしたことを、少しも不幸せとは思っていなかったのである。それどころか、『源氏物語』五十余巻を伯母に貰った時には、天にも昇るような喜びだった、と書いている。おかげで彼女は、この物語を、初めて全巻通して読めるようになったのである。

引出でつつ（一冊ずつ引き出して）見る心地、后の位も何にかはせむ。

毎日、彼女は物語を読み暮らした。日中だけではない。夜もおそくまで、燈火の下で読んだ。宮廷の若い男性たちは、おそらく彼女の存在さえも気づかなかったのではなかろうか。彼女は物語のことばかりに夢中になっている自分を、こういっている。

われはこのごろわろきぞかし（器量もよくないことだ）。さかりにならば、かたちも限りなくよく、かみもいみじく長くなりなむ。光の源氏の夕顔、宇治の大将の浮舟の女ぎみのやうにこそあらめ。

器量のよくない少女が、例のアンデルセンの童話に出てくる醜いアヒルの子のように、自分もいつの日にかは白鳥のようになるだろうと空想するのは、決して珍しいことではない。だが孝標女は、もう白鳥になっているべき時がとっくに過ぎたあとも、その望みを持ち続けた。源氏の愛を存分に受けた紫の上などより、いずれも内気で、ひどく不幸せな女性であった夕顔や、浮舟のような美女になりたい、と彼女が夢見るのも面白い。彼女にとっては、『源氏物語』の中でも、最も幸せ少なかった人物に、自分を結びつけることの方が、明らかに自然だったのである。

彼女の家庭生活は単調であった。しかし彼女には、読書のほかに、もう一つ別の避難所があった。夢の世界である。日記の中でも、彼女は何度となく、自分の見た夢を忠実に記録している。宗教的な意味合いのものが多かったが、少なくとも初めの頃には、そうした夢は、あまり気に留めていない。例えば、

夢に、いときよげなる僧の黄なる地の袈裟着たるが来て、「法華経五の巻をとく習へ」といふと見れど、人にも語らず、習はむとも思ひかけず。物語の事をのみ心にしめて……

しばらくあと、世間からあまりにも引きこもった暮らしをしている娘の将来を案じた作者の母は、一尺の鏡を鋳造させ、それを初瀬寺に奉納する。そして一人の僧に寺にこもってもらい、祈願した上、そこで見た夢で娘の将来を示すように頼む。僧は、美しい装束を着けた

女が奉納した鏡を手にさげて現れる夢を見る。その女が、「この鏡には願文がついていましたか」ときくので、僧はないと答える。女は驚いたようであったが、鏡の両面に映った影を、とにかく僧に見せる。鏡の片面には、伏しまろんで泣いている人の影が映っている。そしてその裏側には、宮殿の内外の、美しい春の情景が映っている。

それから何年か経って、その時泣いていた人の影は、おそらく自分自身の姿であったろう、と彼女は判断するが、当時は格別その夢のことを意に介したふうではない。

いかに見えけるぞ（どうしてそんな夢を見たのだろう）とだに耳もとどめず。物はかなき心にも（そういう頼りない心でいるわたしにも）、「常に天照《あまてる》御神を念じ申せ」と言ふ人あり。いづこにおはします神仏にかは（一体どこにおられる神仏なのか）など、さはいへど、やうやう思ひわかれて（物が分かってきて）人に問へば……

彼女には、仏典を習うひまなどなかったし、また神道にも、興味がなかった。ただひたすらに紫式部が創造した世界に生き、源氏の君が自分を見つけに来てくれるのを、辛抱強く待ったのである。

『更級日記』の中で、夢の主題は、何度となく繰り返される。夢が人の将来を予言するという当時の通念は受け入れていても、初めのうち作者は、読んでいた物語に夢中になっていて、夢に気を向ける余裕もなかった。眠りのうちに訪れる夢よりも、未来どころか、彼女の現在の人生まで、たよりなく、非現実的なものにしていた白日夢で、彼女の頭は一杯だった。次の引用は、作者が二十五歳の時の所感である。

かやうに、そこはかなきことを思ひ続くるを役《やく》にて（仕事にして）、物詣《ものまうで》をわづかにしても、はかばかしく人のやうならむとも念ぜられず。このごろの世の人は、十七八よりこそ経よみ行ひもすれ、さること思ひかけられず（そのようなことも心がける気にもなれない）。からうじて思ひよることは、いみじくやむごとなく、かたちありさま物語にある光源氏などのやうにおはせむ人を、年《とし》に一たびにても通はし奉りて、浮舟の女君のやうに、山里に隠し据ゑられて、花、紅葉、月、雪を眺めて、いと心細げにて、めでたからむ（素晴らしい）御文などを、時々まち見などこそせめとばかり思ひ続け、あらまし事にもおぼえけり（将来本当にありそうなことに思っていた）。

まだ彼女は、『源氏物語』の女性のうち一番不幸せで、その上自殺をはかった唯一人の女性、浮舟のようになりたい、と夢見ている。また彼女は、とくに彼女の好みの季節が映えるように作った庭のある光源氏の邸宅の一翼に住むよりも、どこか淋しい山里に「隠し据ゑられる」ことの方を望んでいる。まことにつつましやかな野心と言わざるを得ない。しかし彼女は、光源氏の面影には固執している。おそらく彼は、作者が実際に会ったことのあるどの男性ともちがう、いわば完璧な男性だったのであろう。従って、そのような男性ならば、たとえ年に一度しか通って来ずとも、自分にはそれで十分、と彼女は確信していたのである。そして訪れの合間に、彼が一通の手紙——それは勿論素晴らしい手紙のはずである——でも書き送ってくれたなら、待ち甲斐があろうというものであった。子供ならともかく、二十五にもなっていて、願う心さえ強ければ、欲しいものはなんであろうと、いずれは手に入るはず、とまだ彼女は信じていたのだ。彼女が自分の願いを表現する率直さには、なにか子供っぽさと共に、ひどくあわれを誘うものがある。

ちょうどこの頃、作者の父は、「遥かに遠きあづま」の国、常陸《ひたち》の国司に任命される。彼は勿論、新しい任地へ娘を連れてゆくことはしなかった。彼女がただの詰まらぬ「田舎人」になってしまうことを恐れたのである。彼は娘に、「人の国の恐ろしきにつけても、わが身一つならば、安らかならましを」と言う。娘を一人、寄るべもない都に残し、田舎にいる間に自分が死にでもしたらどうなろう、と彼は思ったのである。娘がまだ結婚していない事実には、彼ははっきりとは触れていない。だが彼の頭の中には、そのこともおそらくあったにちがいない。

父が常陸の国へ発ってから、彼女の家に訪れる人も、当然少なくなる。そこで彼女は、淋しさを紛らすために、太秦参籠《うずまさきんろう》を思いつく。そこで彼女が祈願したのは、己自身の救済ではなく、父のつつがなき帰還であった。彼女は、「『たひらかにあひみせ給へ（無事再会させて下さい）』と申すは、仏もあはれと聞き入れさせ給ひけむかし」と、書いている。二度目の清水寺参籠の時には、一人の僧が近づいてきて、彼女を次のような言葉で叱った夢を見ている。「行先（来世）のあはれならむ（大事なこと）も知らず、さもよしなし事をのみ（考えていて）」。彼女はこれにつけ加えて、この夢は誰にも話さず、それ以上心にもとめずに寺から出ていった、と書いている。

私たちは、こうした夢のお告げへの彼女の無関心ぶりに感心することも出来ようし、彼女はまた一種の懐疑派、とにかく迷信には動かされにくい人だった、と解釈することも出来よう。しかしその解釈は、あるいは間違っているかもしれない。彼女はこの日記を、晩年、すなわち、彼女が宗教に心を向けてからのちに書いている。従って、夢のお告げへの無関心をわざわざ記録したのは、この夢のような世界における幸せのみを思う、己と同じような人たちへの、あるいは警告のつもりだったかもしれないからである。

孝標女が、初めて宮仕えの身となったのは、三十二歳の年であった。常陸からすでに戻っていた父は、そのお召しを断るようにすすめる。明らかに娘を、わが身から奪われるのがいやだったのである。だが他の者が、彼を説得する。そこで、

まづ一夜まゐる。

この簡潔な記述は、彼女が、ある貴人の腕に抱かれて情熱的な一夜を過ごした、という意味にとられるかもしれない。だが、本当のところは、興味を惹くようなことは、なにも起こっていない。宮廷での知人といっても、ただ彼女が前に冊子を借りた人だけであった。そし

て親のかげにいて、春の花や秋の月を見る、昔風のやり方に彼女は馴れていた。彼女は書いている。

たち出づる（宮仕えに出る）ほどの心地、あれかにもあらず（われにもあらず）、うつつともおぼえで（夢見心地で）、暁にはまかでぬ（退出した）。

続いて、次のようにも言っている。

里びたる心地には（やぼったい私の気持ちでは）、なかなか定まりたらむ里住《さとずみ》（きまりきった家庭生活）よりは、をかしき事をも見聞きて、心もなぐさみやせむと思ふをりをりありしを、いとはしたなく（きまり悪く）悲しかるべき事にこそあべかめれ（あることだろう）と思へど、（今となっては）いかがせむ。

彼女は、青春時代を、大体一人で過ごしてきた。宮廷の女房たちは、会話によって日々をおもしろおかしく過ごすことが出来た。孝標女に欠けていたのは、多分この能力だったのではなかろうか。また彼女は、他人との同席にも全く馴れていなかったので、その年もずっとあと、再び宮中に伺候した際、夜他人と同じ部屋で彼女は眠ることが出来なかったという。この時帰宅すると、彼女がいないと淋しいので、もう宮仕えにはいかないでくれ、と両親が娘に頼むのであった。そこで、彼女も宮仕えをやめるのだが、彼女の気持ちにも変化があったようである。自分の子供時代の夢が到底実現出来るものではない、ということを、急に悟ったのであろう。

その後はなにとなく紛らはしきに、物語のことも、うち絶え忘られて、物まめやかなるさまに（実務的なことの方に）、心もなりはててぞ、などて、多くの年月をいたづらにて臥し起きしに、行ひ（仏道修行）をも物まうでをもせざりけむ。このあらましごと（あってほしいと思ったこと）とても、思ひしことどもは、この世にあんべかりける（あるべきことどもなりや。光源氏ばかりの人はこの世におはしけりやは（実際におられるだろうか）。薫大将の宇治にかくし据ゑ給ふべきもなき世なり。あな物ぐるほし（常軌を逸している）、いかによしなかりける心なり（なんと浅はかな心だったことか）。

それについて作者はほとんどなにも言っていないが、三十三の年に結婚している。当時の女性としては、かなりの晩婚である。夫は彼女より六つ年上で、多分一度鰥夫《やもめ》になった男ではなかったろうか。子供が二人出来たが、日記にはその中の男の子一人についての短い記述があるだけである。

生涯でただ一度だけ、光源氏に会いたいという彼女の夢が実現しそうになったことがある。宮中にいたある暗い夜、彼女は別の女房と、僧の読経の声を聞いていた。すると一人の殿上人が入ってきて、彼女の朋輩と言葉をかわす。「傍にて聞きゐたるに、おとなしく静やかなるけはひにて物など言ふ、口をしからざなり（なかなか悪くない）」。ここで読者は思うかもしれない、「待ってました！」。そして「これこそ、彼女が待ちに待った男だ」と。そして物語の定石通り、この物静かな殿上人が、暗がりの中だけれど、彼女の控え目な態度の奥にある並外れた資質を、見抜いてほしいと思うのである。そして次に彼が「もう一人のひとはだれ？」と尋ねるのを読んで「よかった」と思う。

世のつねのうちつけの（だしぬけの）けさうびて（好色めいて）なども言ひなさず、世の中のあはれなる事どもなど、こまやかに言ひ出でて、さすがにきびしう引き入りがたい（固苦しく黙り込んでもいられないような）ふしぶしありて、我も人（もう一人の女房）も答へなどする……

はっきりとあからさまには何事も言われていない。だが二人の間になにかが起こったことを、私たちはここで感じ取る。そして一瞬の間ながら、まことに奇蹟というものは起こり得る、と感じるのである。

孝標女とその朋輩の女房に話しかけてきた殿上人は、春秋の季節の、対照的な美しさについて語るが、それもこの「春秋のさだめ」という、日本の詩歌お気に入りの主題にふさわしい、風流をわきまえた言葉づかいで語るのである。また、ある年の冬、勅使として伊勢に下向した際に、夜、雪に映える月光と、この世のこととも思えぬほど美しい四囲の風情に、深く感動したので、それ以来雪の夜には、殊に心を動かされるのだと語る。そして今二人の女性と、このような出会いをした以上、以後同じような暗い時雨の夜が来る度に、かならず心にしみて感じるに違いない、とまるで先を見通すようなことも言うのである。「別れしのちは、誰と知られじと思ひしを（あの人に自分が誰であるかも知られまいと思っていたのに）」。

およそ十か月後、仕えていた宮様のお伴で、作者が宮中に伺候した際、殿上で管絃の遊びがあった。雨の夜の人も来ていたらしいが、彼女はあとまで、気がつかなかった。夜も引き明けて、男が彼女の部屋の前を通った時、人々が来合わせるまで、ほんの二言、三言、言葉を交わすことが出来ただけであった。彼は言う。「時雨の夜こそ、かた時忘れずこひしく侍れ」。これに対して彼女は、次の歌を呟くのである。

なにさまで思ひ出でけむなほざりのこの葉にかけししぐればかりを
(どうして思い出されたのでしょう。わたしどものは、ほんのちょっと木の葉にかけた時雨ほどの、とるに足りない言葉でしたのに)

その翌日、男は彼女に伝言を送っている。「ありし時雨のやうならむに（いつかの時雨の夜のような折に）、いかで琵琶の音のおぼゆるかぎり弾きて聞かせむ」。だがこれは彼女の待ちぼうけに終わったようである。「我もさるべきをりを待つに、更になし」。

ある静かな春の夜、孝標女は、男が殿中に伺候していることを耳にし、意を決して会いに行こうとする。だが御殿の内外に人が大勢集まっているのを知り、気おくれして、また部屋に引っ込んでしまう。男の方もまた、あまりの騒がしさに閉口したのであろう、早々に退出する。この時以後、彼女はもう男に会おうとしていない。六条御息所の嫉妬に殺される夕顔、あるいは自分を愛する二人の男にはさまれて苦しむ浮舟のようになるのを夢見たこの女性は、こうして彼女自身の悲哀感を、たっぷり楽しんだのである。

このあたりからの『更級日記』には、宗教的な話題が、目に見えて多くなって来ている。作者自身書いている。

二三年、四五年へだてたることを、次第もなく書き続くれば、やがて続きたちたる修行者《すぎやう》めきたれど（休みなしに山めぐりしている修行者のように聞こえようが）、さにはあらず、年月へだたれる事なり（年月を置いていることである）。

彼女がこの言葉を書いた頃には、彼女は物詣《ものもうで》や参籠にまだそれほど熱心ではなく、間に二、三年の「へだたり」を置く程度だった。だが結婚後は、なぜか信仰心があつくなり、次から次へと、しかも一人で参籠を繰り返している。石山寺にこもっていた時、彼女は夢を見た。以前なら意に介さなかったのに、今度は反応が違っている。「よきことならむかし

（よいことに違いない）と思ひて、行《おこな》ひあかす（勤行《ごんぎょう》をして夜を明かした）」と言っているからだ。

『更級日記』を書いた理由については、作者はどこにも言っていない。それはおそらく、鴨長明が、『方丈記』を書いたのと同じものではなかっただろうか。読者、とくに世俗的幸せの夢に惑わされている若者たちに対して、真の幸せとは、仏道への帰依によってのみ得られるのだと、言い聞かせたかったのに違いない。夫の死後、次のように言っている。

昔より、よしなき物語、歌のことをのみ心にしめで（熱中しないで）、夜昼思ひて行ひ（勤行）をせましかば、いとかかる夢の世をば見ずもやあらまし（見ずにすんだであろうか）。

そうすれば、なるほど彼女の不幸せのいかほどかは避けられたかもしれない。

とはいえ、書物の中にのみ生きたこの若い女性の肖像には、奇妙に私たちに訴えるものがある。この女性は、あのブロンテ姉妹を私に連想させる。そういえば、文学には、時空を超えた、なにか「永遠に女性的な」要素があるような気がする。

多武峰少将物語

『源氏物語』に繰り返し現れる話題は、「世を捨てて」仏門に入りたい、という源氏の願望である。ただ思いきってそれが果たせないのは、自分を頼りにしている沢山の係累のことが気がかりだから、と源氏は人に語っている。紫の上が死んだ時、彼は改めて世を捨てる可能性を考えてみる。だが、この時は、己一人で人生に直面出来ない弱虫だと、世間に記憶されるのがいやで、ほとぼりがさめるまで、出家を見合わせることに決める。正直なところ、「出家出家」と源氏がいかに声を大にして言っても、私はそれを信じたことがない。彼にはあまりにも多くの人との関わりがあったし、彼が自分の身辺に創り出した美から受ける喜びはあまりにも大きく、どこか人里離れた庵に我が身を閉じこめるなど、到底本気で考えられたはずはないからである。

しかし少なからずの平安貴人は、事実世を捨てている。彼らの社会が重んじたあらゆるもの――高い門地、地位、富、子供など――にいかに恵まれていても、それら一切を投げうち、一生墨染めの衣を身にまとう決意をしたのである。鴨長明のような人が書いたものを読むと、定めなき現世への嫌悪や恐怖を感じて、彼が人間社会に背を向けざるを得なかった理由がよく分かる。だが、平安朝の貴人の場合、その間の事情は、それほど明瞭ではない。それにあとに残された家族は一体どうなったのであろう。息子、父親、あるいは夫が、解脱《げだつ》に至る道に進んだのを、ひたすら喜んだのであろうか。それとも、残された身の淋しさを歎き悲しんだのであろうか。

現存する当時の日記のいくらかは、誰かが出家遁世の道を選んだとしても、残された家族がその人物に抱く愛情には、全く変化がなかった、と指摘している。そのため、長明や兼好法師などが、あれほど称揚した世を捨てるという「大決心」が、多くの人の愁歎を呼び起こした例は、決して珍しくなかった。普通、日記としては扱われていないが、『多武峰《とうのみね》少将《しようしよう》物語《ものがたり》』には、『高光日記《たかみつにつき》』という別称もあり、叙述に物語的要素のないことを指摘する玉井幸助氏は、これを「日記」として論じている。明らかにこれは、いろいろ面白い話を語ってくれる、いわゆる「物語」とは別物である。全部で三十ばかりある大抵の挿話が描いているのは、世を捨てて比叡山に入り、僧となった高光の決意を、その家族が大いに歎き悲しむさまである。

この「日記」が九六二年に完成した直後に、高光は比叡山を出て、さらに遠い多武峰に移っている。ここで彼は余生を送ったので、多武峰少将という、高光よりはさらによく知られた名で呼ばれるようになった。日記の作者は不詳である。しかしおそらく、高光の妻に仕えていた女性の誰かであったに違いない。

藤原高光（九三九〜九九四）は、醍醐天皇の孫で、すぐれた歌人でもあった。十五になるかならぬかで、すでに天才の名をほしいままにし、のちには三十六歌仙の一人に選ばれている。ところが二十三歳の年、妻と娘を家に残し、突然出家してしまったのである。それ以前にも、多分自分自身でも半信半疑のうちに、出家したいという意志表示をしたことは何度もあった。ところが、高光の出家にずっと反対していた父が九六〇年に亡くなると、もう己の計画を実行に移してもよいと思ったのであろう、ある日高光は、妻に次のように宣告する。「法師になりに山へまかるぞ」。以前同じようなせりふを何度も聞かされたことのある妻は、「『例のこと』とたはぶれにおぼしてなむ」。そこで高光は、「まことにこのたびは」と言いつのるが、出て行っても、いつものようにその晩に戻ると信じていた妻は、ただ笑うだけである。しかし高光がさらに何度も同じことを言うので、妻は、夫が自分のことを嫌いになったのかと思い、本気で腹を立てる。結局彼は永久に家を出てゆくが、あとで歌を送って、彼女を慰める。

わが入らむ山の端《は》になほかかりたれ思ひないれそつゆも忘れじ
（山に入っても決してお前を忘れはしないから、いつまでもその山を頼みに、悲しまないでくれ）

高光には妹愛宮《あいみや》と別れることが、一番辛かったようである。彼は妹のところへ別れを言いにゆくが、「いそぎ物へまかる（急いでゆくところがある）」といって、上にもあがらず立ち去ってゆく。その足で彼は比叡山に登ると、禅師君《ぜんじぎみ》のところへゆき、「かしら剃れ」と命じる。つまり、この世の絆をたち切ったというしるしである。

『多武峰少将物語』の残りの部分は、高光の出家に、家族が悲歎にくれる有り様を描いている。妻も妹愛宮も、共に髪を落として尼になると言い出す。だがこの決意は、おもに家族のものの反対にあい、実行には移されない。愛宮は、高光の妻に宛てて、愁いに満ちた手紙を何度も書き送る。その一つには、和歌が添えてある。

なぞもかく生ける世をへて物を思ふするがの富士のけぶりたえせぬ
(物思いに胸こがし煙の絶えぬ富士のように、なぜわたしは常に物思いをするのだろう)

彼女の尽きぬ悲しみを歌ったのである。

愛宮の姉妹たちも、愛宮の歎きを聞いて卯の花を送り、慰めるが、その甲斐もない。ある姉は、高光の出家は是非ないこととしても、せめて愛宮のところへだけは、忍んでなりとも会いにきてやれば、と願う。しかし、どんなに辛く悲しくても、「まがまがしく、尼にならむとのたまふなる、まことか。ゆめゆめ、しかなおぼしそ（尼になるような不吉なことだけはするな)」と愛宮にさとすのである。

こういつまでも悲歎にくれる話ばかりでは、いささか退屈になってくる。だがここで注目に値することは、愛宮が尼になるとすれば、その行為は「めでたし」ではなく、「まがまがし（不吉である)」、と姉が考えている点である。そういえば、高光が仏門に入ったことについて喜びの意を表しているものは誰もいない。彼が取った行動を嗟歎するだけではなく、誰もが高光の妻と愛宮に対して、かりに二人が尼になったとしても、高光と一緒になれるわけではないぞ、と念を押すのである。高光自身も、妻が尼になることには反対らしく、次の歌を書き送っている。

尼にても同じ山にはえしもあらじなほ世の中をうらみてぞへん
(尼になっても同じ山には住めないのだから、世をうらみながらそのままで過ごしなさい)

高光は、妻、妹、娘のことを忘れることはなかった。だが世間から孤絶して生きてゆくという、彼の決意を曲げることもなかったのである。当時では(『更級日記』の作者の母のように)、仏門に入ったあとも自宅に留まり、せいぜい頭髪を短くし、黒衣を身に着ける程度にしか、生活を変えることのない者もあった。だが高光の決意は、世間から完全に孤立して暮らす、あのトラピスト修道士さながらに不撓であった。日記に述べられた彼の行為は、己が原因で起こった他の人々の苦しみを軽視した点、ほとんど非人間的とさえ言える。だが高光の仏道帰依の真剣さを疑うことだけは、誰にも出来ないのである。

おそらくこの日記の中で最も面白い部分は、高光の妻の、昔の求婚者に関する話であろう。男は彼女に手紙を書き送って、ずっと以前、彼女が自分の求婚を拒絶した時、自分も

「山住みはせん」、つまり出家しようと思った、と告げる。それに続いて、彼女の現在の不幸せは、彼女が過去に自分を苦しめた報いとこそ思え、と不快きわまる調子で書いている。そのあとはもっとひどい。

山に住み給ふよりも、とまりて独寝《ひとりね》し給ふころ、いかにねぶたからずおぼすらむと思ひたてまつりて（山に住む高光君よりも、あとに残され独り寝なさるあなたの方が、眠れないで困っておられることと思いましてね）。

妻は一時自害のことを考える。だがまだ幼い娘のことを思い、それも思いとどまる。彼女は娘の様子を知らせる長歌を、高光に書き送る。彼は返事を送って、自分も娘撫子《なでしこ》のことは心がかりだ、もう会えないのがまことに残念だ、と伝える。高光は、たとえ夢でもと思い、娘の夢を見ようとするが、そう注文通りには出てきてはくれない。「かぎりなく、こひしきをりは、おもかげに、見えてもこころ、なぐさみぬ（娘に会いたいという気持ちが差し迫ると、彼女のまぼろしを目に描くだけでも慰められた）」という。

ある時は亡父も夢枕に現れ、なにが辛くて出家したのか、と高光に訊ねる。出家の身の尊さは、亡父も認めないのではない。だが、彼は、高光の弔いによって、自分も救われることもあろうが、息子が世を捨てたことはいかにも悲しい、と告げるのである。

『多武峰少将物語』は、そのあまりにも物悲しい調子にもかかわらず、確かに私たちの胸を打つ。私が今までに読んだもので、出家した人間のあとに残された人々の淋しさを、これほど見事に伝えた記録は、ほかには考えられない。ついに世を捨てることをしなかった光源氏は、なんと賢明であったことか！

成尋阿闍梨母集

延久三年（一〇七二）正月三十日、当年おそらく八十四歳であった一老女が、日記を書き始める。日記の中心的主題は、わが息子を慕う母の心である。息子はその時六十一歳。私の系図の読み方が正しければ、この老女は、藤原高光の妹愛宮の孫娘、そして彼女の曾祖父は醍醐天皇であった。平安時代に日記を書いたあらゆる宮廷女性の中で、およそ誰よりも位が高く、またそれにふさわしい教育も受けていたはずの女性である。ところが、一冊の本を書くことによって、強い感情的圧迫からくる緊張を解放しようと、彼女が初めて決心したのは、なんと彼女が八十代になってからであった。その書物こそ、『成尋阿闍梨母集《じょうじんあじゃりははのしゅう》』として知られる書物である。なぜ自分の思いをどうしても書き綴りたい気持ちになったかという理由は、この本の冒頭に記してある。

> 年八十になりて世にたぐひなきこと（比類のない悲しいこと）の侍れば、心一つに見侍るが（自分ひとり心のうちで歎いていたが）、しばし書きつけて見侍らまほしうて……

日記の中でも繰り返し言っているが、世の中に自分ほど悲しい思いをしたものは他に誰もない、と彼女は信じて疑わなかった。だが、少なくとも表面的には、これは誰の目にも正確ではなかった。夫の死後、彼女は、息子たちを養育してゆく上の最善の道は、二人を僧侶にすることだと考え、寺に入れる。僧になった二人は、共に抜群の成績をあげ、長男の方は朝廷に仕える律師《りつし》となり、次男の方は、阿闍梨成尋となる。長男の律師のことも、彼女は常に敬いの念をこめて書いている。しかし彼女がもっと気に入っていたのは、明らかに弟成尋の方であった。いまわの際、枕の両側に息子たちを座らせ、読経をさせ、その声を耳にしながら息を引き取る、というのが、長年の間、老女にとって最もあらまほしい願望だったのである。彼女の生活は、まことにつつがなく、幸せなもののように思われた。

ところがある日突然、成尋が、五台山で修学するため、中国へ渡りたいと言い出したのである。成尋より二百年前、あの円仁が訪れたと同じ「山」である。この日以来、彼女は、自分の悲しみに取り憑かれたようになる。そして、いつの日にか、おそらく自分の死後、彼が母に与えた苦しみのすべてについて、成尋が読んでくれることを願いながら、この日記を書き出したのである。

この母親は、なぜ息子の成尋が、わざわざ中国への、危険きわまる渡航を敢行する必要を感じたか、という理由については、毛筋ほどの関心も示していない。彼女がひたすら心にかけているのは、母親のことなどどうでもよいと思っているかに見える息子の態度だけである。そこで彼女の心は揺れ動く。なるべく速やかに死んでしまうか、それとも「かならず見置きて死なんとす（少なくとも成尋の帰国を見定めるまでは生き永らえる）」か、のいずれかである。自分があまりにも長生きしすぎたことで、彼女は自分を繰り返し責めている。もしもっと早く死んでいたならば、愛する息子成尋と別れて暮らすこの苦しみを、味わうことなくすんだものをと。

この作者は、自分と息子とが、特別の絆によって結びつけられていることを確信している。次の驚くほど率直な文章の中で、母親の愛は、父親の愛とはその性格がちがうのだ、と彼女は言っている。

高きも賤《いや》しきも、母の子を思ふ志は、父には異なるものななり。腹のうちにて、身の苦しう、起き臥しも安うせねど、わが身よくあらんと覚えず。これを、「見る目よりはじめて（容貌をはじめとして）、人よりよくてあれかし」と思ひ念じて、生まるる折の苦しさも、ものやは覚ゆる（なんとも思わない）。

また成尋が赤ん坊の時、他のものが抱くとすぐ泣き出したのに、自分が抱き上げた途端に泣きやんだことを、彼女は思い出している。そして「その志、今まで怠らず（成尋への自分の愛は、今日まで変わっていない）」ことを強調する。そこで時々読者は、果たしてこの作者は、まだいたいけな少年のことを言っているのか、それとも、齢《よわい》六十に達した、当代きっての名僧のことを言っているのか、皆目見当がつかなくなってくるのである。

成尋の母は、息子と別れ別れに暮らす悲しみで取り乱したのか、自分の立場を、仏教の最高聖者のそれになぞらえて、不敬とも感じなかったようである。「釈迦仏、摩耶夫人と申しける、生み置きて失せ給ひにければ……」、息子との別れの辛さを味わう以前に亡くなられたので、釈迦の母摩耶夫人はまだ幸せだった、というのである。それでも、成尋の渡宋が自分の心中にもたらした悲歎の情が、息子の身になにかよからぬことを引き起こすのではないか、と時には恐れることもあったようである。だからといって、その悲歎を抑えるには、彼女は無力でありすぎた。彼女はかき口説いている。

心憂く侍れど、つらしなど怨むる、かの人の御為め悪《あ》しと聞き侍るは。ただ身の苦しきに「とく死なましかばと思ふより外の事思はじ」と思ひ侍るに、釈迦仏のたとひには、これはまさりて侍る事（こちらの方が、はるかに悲しさがまさっております）。かれは位を譲りて、めでたくておはしまさせんと、親の思す違《たが》ひたれ（釈迦の場合は、位を譲って幸せに暮らさせようとされた親のご意志に背かれただけのことでしたが）、みづから朝夕ゆかしう命をかけて聞え、何事か侍るを打ち捨てておはするを（わたしは朝夕慕わしく思い、命をかけて頼りにしてきましたのに、それが何事でありましょう、そのわたしを捨てて行ってしまったのです）、云ふ方なくぞ（まことに悲しいこと）。身の命長さを罪なれば（けれど本当は、わたしの寿命があまりにも長いことに罪があるので）、人（成尋）の御科《とが》とも覚え侍らず。

自分の苦しみの原因は、長生きのせいで、自分の意志に従わぬ息子の咎では決してない、とは言っているものの、辛いのは、息子よりは自分の方だということを、彼女は強く主張している。例えば次の歌である。「唐土《もろこし》へ行く人よりもとどまりてからき思ひは我ぞまされる」。離れていった息子への自分の感情を言うのに、彼女は「恨む」という言葉を使うのである。しかも、死病であれと願っていた病が治ったあとでは、次のようにさえ書く。

仏をのみ返す返す恨みまほしう（恨みたくなって）、ただ、「とく死なせ給へ」と念じ奉るに、また怠りぬ（また治ってしまいました）。

八十代の老女が、夢にも現《うつつ》にも脳裡から離れたことのない息子を主題にして――しかもほとんどそれだけを主題にして日記を書くというのは、世界文学史上、他に類例を見ない。成尋が手紙をよこさなかったというだけで、彼女の心には、息子への、時には怒りが、時には憎しみさえ燃え上がる。これも息子への、すさまじいばかりの愛情から出たことである。少なからずの人間（とくに兄の律師）が懸命になだめようとするが、老女の悲歎をしずめることは、誰にも出来ない。

彼女の思いは、過去のことにも及ぶ。悪疫が流行した年には、いかに息子たちの健康をいたわり気づかったか、などと思い出し、それほどまでの愛情が、今どうして、このように、情けない報いられ方をするのか、といぶかるのである。それだけではない。次のように言って、彼女は成尋のことを責めてさえいる。

前の世に契り置きてこそ（前世の約束で）仇敵《あだかたき》なる子もあんなれ（憎い仇敵のような子もあるものらしい）。

成尋の出立を引きとどめるのに、自分が大声で泣き叫ばなかったことを、あとで彼女は悔やんでいる。そして自分に手紙もよこさぬ成尋に対する憤りも、よく抑え得ないのである。最後には、「仏さへ憎ませ給ふにこそ（仏までも恨めしくなる）」。従って彼女の唯一の慰めは、自分の不幸せを、この日記の中に注ぎ込むことだったのである。

成尋という人物は、私たちにとって、いささか理解しにくい人物である。中国へ渡ると言って都を発ったあと、都に一度舞い戻り、国を出る官許が得られなかったので、九州までしか行けなかったと、母に報告している。だが九州で渡航許可を待っていた数か月の間に、一体なぜ老母に、（今流に言えば）絵葉書一枚くらい書き送れなかったのであろう？　おそらくそれは、彼自身何度も母にさとしたように、浄土におけるあの終わりなき交わりの喜びと比べれば、この世での交わりなど何物でもないことを、信じていたからであろう。自分自身だけではなく、老母のためにも（また他の人々のためにも）、まず浄土に入る許しを得ることと、この一事が、この世での月並みな心遣いの表現よりも、彼の中では優先していたのである。それにしても、実の兄の律師さえ、「かく世に似ざりける」と言って、弟成尋が世にも変わった人物であることへの驚きを隠さないのは面白い。

　正式の官許はなかったが、成尋は結局中国に渡ることが出来た。しばらくして、ある僧が成尋の母のところへ来て、成尋は翌年の秋には帰国するだろうと告げる。だが息子との再会の望みをすっかり棄てていた母は、そのような話を聞いても、一向に喜ばないのである。むしろ彼女の予感が正しかったことが判明する。成尋は中国で多大の尊敬を受けていたので、中国人は彼の帰国を許さなかったのだ。その間老女は、長い間おそれていた通り、死に際には、最愛の息子の、やさしい念仏の声で送ってもらうという夢も空しく、死んでゆく。

『成尋阿闍梨母集』が持つ独特の興味は、息子に対する母の強い愛を生き生きと描いているところにある。だが同時に、日本人の生活同様、日本の文学の中にでも、この母と息子の関係が、特別な重要性を持つことを、思い出させてくれる。言うまでもなく、母親が息子を愛することでは、国の別はない。だが西洋文学においては、父親と娘の関係の方に、より大きな重点が置かれる傾向が強い。『土佐日記』を別にすれば、娘に対する父親の愛は、日本の日記の中では、むしろ珍しい話題である。というのも、おそらく、大抵の日記文学の作者が、女性だったからであろう。

　だが日記以外の文学でも、印象に残るのは、母と息子の関係の方が多い。このことは例えば、亡き母桐壺、そしてその身代わり藤壺に対する源氏の愛が主な主題である、『源氏物語』のような女性作家のものはもとより、軍記物に属す作品でも同じである。例えばあの曾我兄弟の母、義経の母常盤御前、あるいは『隅田川』を始め、さまざまな能楽、そして後世の文学作品に現れる母親の愛と、数え上げればきりがない。それに反してシェイクスピアは、例えばリア王とその娘たち、ペリクリーズとマリーナ、プロスペロとミランダ、というふうに、もっぱら父親と娘の関係を、描いている。またヴァーグナーの楽劇『ニーベルンゲンの指輪』において、最も感動的な部分は、父ヴォータンが娘ブリュンヒルデに対する愛を語るところであり、また父と娘とで歌う二重唱のいくつかは、ヴェルディのオペラの中では、おそらく最も感動を誘う場面ではないだろうか。ところが、オペラに関するかぎり、母と息子とで歌う二重唱で、重要なものはほとんどないのである。

西洋の近代文学では、母と息子の関係は、大抵の場合、嫁に息子を渡すまいとする所有欲の強い母親という形で、好ましくないものとして描かれることが多い。だが父と娘の関係は、ほとんど例外なく、好意的に扱われる。洋の東西を問わず、父と息子の関係は、初めは対立、最後に和解、という公式になる傾向が強く、志賀直哉の『和解』がその好例である。一方母娘間の緊張関係は、堀辰雄の短篇のいくつかにあるように、全く出て来ないわけではないのだが、事例ははるかに少ない。

母と息子の関係の重要性は、日本では、ほとんど圧倒的である。従って成尋阿闍梨の母親による日記は、日本文学に広く浸透しているこの要素の、きわめて早い、しかも極端な表現と見ることが出来よう。だが、自分の悲歎を記録することによって得る慰めとは別に、彼女は、自分の人生の皮肉を理解しようとしていたようにも思われる。彼女は昔を思い出して、彼女は、「子供の時は病身であった自分が、はからずもこのように長生きしてしまって」と、われながら驚いている。また自分の母が早く亡くなったこと、そして自分の結婚生活が短かったことなどを思い出している。そして、自分の人生ほど苦しみに満ちた人生は他にはなかったろう、と考えるのである。そして昔物語の「あはれなるもをかしきもありし、虚言《そらごと》にはあらざりけり」と悟ったのだ、と言う。だがこの日記を締めくくっているのは、次のような、かなり楽天的な調子の歌である。

朝日待つ露の罪なく消え果てば夕べの月は誘はざらめや

（朝露のように清らかなままで死んだなら、夕の月はわたしを極楽に誘ってくれぬはずはない）

不平不満は山のようにあっても、結局息子と共に極楽で再生することに、彼女は確信を抱いていたのではあるまいか。

讃岐典侍日記

『讃岐典侍日記《さぬきのすけにっき》』は、短い記録だが、宮中に仕えていた藤原長子《ながこ》が、嘉承二年（一一〇七）、堀河天皇崩御の直後に書いたものである。六年間仕えていた天皇の回想を、もっぱら記述したもので、天候の記録その他、通常日記に書きつけるような情報はほとんどない。二級作品だが、堀河天皇という一君主の肖像を描いて、独特の風趣をそなえている。大抵の史書は、この天皇に触れることが少ない。ところがこの日記では、天皇は、殊のほか魅力的で、個性的な人格として、その姿を現している。とくに長患いが悪化した時など、時としては移り気で、怒りっぽくなることもあったが、常にはまことに気がおけない性格で、すぐれた天分にも恵まれていたので、この天皇に仕えたものは、すべて心から天皇を慕ったという。従って『讃岐典侍日記』の作者は、己がその死を深く悼んだ人物についての記憶を書き残すことを、己の義務と考えたのであろう。おそらく彼女は、特定の読者のことを考えてはいなかったにちがいない。だがこの日記が他人に読まれることは、明らかに意図していたはずである。

全体的に見て、この日記は、一君主への単なる形だけの讃辞ではない。作者の衷心よりの感謝の念を表している。この作品が心を打つゆえんである。この日記は、まるで押し花のように、なつかしい思い出の数々を、本の間に閉じ込めている。

長子という女性は、この日記の作者としてのほかには、文学史上、目立つ存在では全くない。歌人としても、『新勅撰和歌集』に和歌が一首入っているだけで、格別才能はなかった。平安時代に書かれた大抵の日記とは異なり、『讃岐典侍日記』には、作者の人柄を知る上での、心理的手掛かりがほとんどない。彼女と天皇との関係——例えば二人は愛人同士であったのかどうか——についても、何等知るすべがない。ただ一つ生き生きと描かれているのは、悲しみの感情だけである。

私たちは藤原宗忠《むねただ》の漢文日記『中右記《ちゅうゆうき》』によって、長子が初めて宮中に仕えた正確な時日を知っている。康和四年（一一〇二）一月元日の項に、宗忠のこういう記述がある。「今朝供御薬、陪膳新典侍藤原長子（中略）夜前任典侍（その前夜任命された藤原長子が、この朝天皇にお薬を差し上げた）」と。堀河天皇は、二十九歳で崩御するまで、在位中ほとんど病弱だったのである。

伝えられるところによると、堀河天皇の父白河天皇は、皇子を望むあまり、祈禱師頼豪《らいごう》を園城寺《おんじょうじ》より呼び寄せ、皇子誕生を祈らせた。その甲斐あってか、望み通り男子（堀河天皇の兄）が生まれる。欣喜した白河天皇は、頼豪に、功によってなんなりと望みのものを取らせると言う。僧は、願わくば園城寺に戒壇院の建立を、と所望する。だがそこで天皇ははたと困った。もし頼豪の望みをきき入れたならば、園城寺と延暦寺との紛争を導くことは火を見るよりも明らかだ。それまで戒壇院を持つ特権を享受していたのは、延暦寺だけだったからである。そこで天皇は、それ以外のものを、と言ったが、頼豪はそれを拒絶、ハンガー・ストライキを断行し、一命を落とす。だが息を引き取る前に、彼は恐ろしい呪いを呟くのである。すなわち、自分の祈禱によって皇子が生まれたのと同じように、皇子の死をも必ず招いて見せると。皇子は、頼豪の予言通り、四歳にして死ぬ。白河天皇は、今度は延暦寺の僧に、同じことを祈願させ、もう一人の皇子を得る。これがのちの堀河天皇である。しかし頼豪の怨念はとどまるところを知らず、死の床にある堀河天皇を悩ました物の怪《け》は、自分が頼豪だと大声で名乗ったという。

現代の読者は、眉に唾をつけずには、このような話を読むことは出来ない。これらの話は、堀河天皇の病弱や夭折の説明のために作り出されたにちがいないのである。『讃岐典侍日記』に描かれた世界は、一見、私たちの世界に大変近いものと思えるかもしれないが、このように、超自然の力が果たしている役割は、決して小さいものではない。一一〇二年、御所の落書きに次のようなものがあったという。「仏法は火を以つて滅ぼすべく、王位は軍《いくさ》を以つて止むべし」。そのような物騒な情勢を背景にして、畏敬の念というよりは、深い愛情をこめて自らが接した、実に人間的な一天皇の物語を、長子は書いたのである。

堀河天皇について長子が語る逸話は、多くの場合ごく些細な事柄にすぎない。例えば、天皇が思わずしたある一つの動作が、彼女の記憶に余程強く残ったと見え、彼女はこの短い作品の中で、それについて二度も触れている。崩御間近い頃、天皇がいつ彼女を必要とされるか分からないので、長子は天皇の側近くに臥せったことがあった。「大殿ちかく参らせ給へば（関白が主上のそばに参ると）、御膝たかくなして、かげに（わたしを）かくさせ給へば……」。これより数年のち、同じことを思い出して、次のように述べている。

つれづれのままに、よしなし物語、昔今のこと、語り聞かせ給ひしをり、殿（関白）の、あとの方より参らせ給ひしかば、そのままにてさぶらはんは、なめげに見苦しくおぼえしかば、起きあがりて、のかんとせしを、見えまゐらせじと思ふなめりとおぼして（自分が関白に見られまいと思っているのだなとお察しなされて）、「ただあれ（そのままでいよ）、几帳つくりいでん（几帳を作ってやろう）」とて、御膝を高くなして、陰にかくさせ給へりし御心のありがたさ、今のここちす。（傍点著者）

このような些事に重要性を与えることには、心理学的になにか真実なものがある。私たちは、それをした本人がすでに忘れ去ってしまうほど些細な身振りや動作で、死んだ友人のことなどを思い出すことが多い。また、その人物を知らない誰かに、どんな人だったかを伝えようとする時など、その人物のもっと重要な行為を説明するよりも、むしろ些細な身振りを説明する方が、さらに効果的なのである。

長子は、文学的には決してうまい作家とは言えない。それに、自作の和歌をあまり入れていないのも、読者にはありがたい。上巻には一つもなく、下巻にも、わずかしか入っていない。一部の学者は、平安時代の他の日記作品に比べて質が劣るとして、この日記を退けてきた。だが、単なる慣習的な言い回しではなく、実に細やかな描写によって、これほど間近に、一君主の死に接し得るのは、不思議に感動的なのである。例えば次のような章句は、忘れがたい。

誰もいねずまもり参らせたれば、みけしきいと苦しげにて、御足をうちかけて仰せらるるやう、「わればかりの人の、けふあす死なむとするを、かく目も見たてぬやうあらんや（こんなふうに気もつかぬようでいてよいものか）。いかが見る（お前はどう思う？）」と問はせ給ふ。

死も間近になった時、天皇は当然わがままになっていた。そばで看取るもの、喜んで天皇の足台の代わりになっている女までも、みなが主上の近づく死に無関心なように見える。天皇は一人の侍女に目をとめて、「何か、今たゆみたるぞ（今お前はなまけたぞ）」と叱るのである。明け方になってきたので、長子はしばらくひと眠りしたいと思う。だが、彼女が単衣《ひとえ》を引きかぶろうとするのを天皇が見咎め、「ひきのけさせ給へば、なほ、なねそと思はせ給ふなめりと思へば（やはり寝るなとの思召《おぼしめ》しだろうと思ったので）」また起き上がったという。

もしこの天皇が、無慈悲な人間として終始描かれていたならば、彼のこうした行為は、決して褒むべき行為とは思われぬであろう。だが天皇が、近づく死への恐怖、なによりも独り取り残されることへの恐怖のあまり、しばしの間だけ、一国の帝王のようではなく、ただの弱い人の子のように振る舞ったのだろうことを、私たちは感じるのである。

長子は、最後の病床にあった天皇の、その日その日の状況を、ことこまかに記録している。日によっては、回復に向かうかと見えたこともあった。そして、みなは、過去の何度かの重病の際もそうであったように、今度も無事全快されることを願った。だが、天皇自ら十分気づいていたように、目前の途は、死に直結していたのである。いよいよ臨終が迫った時、烈しい咳の発作の下から、天皇は言う。「ただいま死なんずるなりけり。いだきおこさせ給へ。南無平等大会講明法華」「苦しうたへがたくおぼゆる」。大神宮たすけ」。だが長子がその手を取ると、すでにそれは氷のように冷たく感じられた。そのあとすぐ、それまで余力をふりしぼって念仏を称えていた天皇の口は、ついにその動きを止めたのである。「御口の限りなん念仏申させ給へるも、はたらかせ給はずならせ給ひぬ」。

堀河天皇の崩御のあと、長子は深い悲しみにうち沈んでいた。日記にはこう書いている。

われとそぎ捨てんも（自分で落髪して尼になろうかと思ったものの）、昔物語にも、かやうにしたる人をば、人も「うとましの心や」などといふめれ、わが心にもげにさおぼゆる事なれば（自分でもそう思うことだから）、さすがに、まめやかに思ひたたず（やはり本気で尼になる決心がつかない）。かやうにて心づかう弱りゆけかし（自然に病気になればよい）、さらばことづけてもと（病気を口実にしてでもと）、思ひつづけられて日ごろ経るに……

そうこうするうちに、宮中から、新帝（鳥羽天皇）の即位の式に出仕せよと命令する文が届く。明らかに白河上皇からの院宣である。それのみか、そのあと、先帝の喪に服して着ていた素服《そふく》を速やかに脱げ、との命令も受ける（堀河院の御素服たまはりたらば、とくぬぐべきなりと宣旨くだりぬ）。

出仕は辞退したがとり上げられない。そこで長子は、心ならずも院宣を受けることにし、再び御所を訪れる。当年五歳の新帝に、その時初めて目見《まみ》えたのだが、長子は胸もつぶれんばかりの思いであった。

御前（天皇）のいとうつくしげに仕たてられて、御母屋（高御座）のうちにゐさせ給ひけるを見まゐらするも、胸つぶれてぞおぼゆる。大かた目も見えず、恥ぢがましさのみ世に心うくおぼゆれば、はかばかしく見えさせ給はず。

あれほど敬慕していた堀河天皇を継いだこの幼い少年の姿を見て、長子は耐えがたい思いがしたのである。新帝に対する相応の尊敬の念を、彼女はどうしても感じることができなかった。そのあと再び、伺候せよとの院宣を受ける。その時の体験は、つとめて起きて見れば、雪いみじく降りたり。今もうち散る。御前を見れば、別にたがひたる事なきここちして、おはしますらん有さま、事ごとに思ひなされてゐたるほどに（何事につけて先帝がまだここにおいでになるような気がしていると）、「降れ降れこゆき」と、いはけなき御気はひにて仰せらるる聞ゆる、「こは誰そ、たが子にか」と思ふほどに、まことにさぞかし（本当に天皇でいらせられるのだ）。思ふにあさましく、これを主とうち頼みまゐらせさぶらはんずるかと、たのもしげなきぞあはれなる。

のちにこの幼少の新帝も、長子の愛情をかちとる。だがそれは天皇としてではなく、一人の愛らしい少年としてであった。幼帝に食事を差し上げた時、いかにもおいしそうに食べられたそのいじらしさに打たれて、長子は新帝の世話を続けることを心に決める。先帝の思い出を大事に胸に抱き続けるためにも、その御子に仕えるのが最善の道、と悟ったからである。時々長子は、摂政藤原忠実と、思い出話にふけることがあった。例えば摂政は語っている。「ある時堀河天皇が、今日の配膳役は誰か、ときかれたことがあった。それがほかでもない摂政だと分かると、天皇はいきなり舌を突き出し、指貫《さしぬき》高く引き上げて、一目散に逃げ出された」と。

それ自体取るに足りないことでも、こうした思い出も、この天皇の肖像に、なにか胸打たれる人間味を添えている。長子は、天皇がいかに歌を、とりわけ音楽を愛されたか、ということも思い出している。ある日、幼帝が、朝餉《あさがれい》の間の障子の絵を見たいから自分を抱き上げよ、と長子に命じる。その通りにして部屋を見て回っていると、寝室の壁に、先帝が貼っておいた笛の楽譜の残片が目につく。先帝はいつもそれを見て、譜を憶えようとしていたのだ。こういうふうに、どのような祝い事に出席していようと、またどのように新帝に仕えようと、すべて彼女の思いは、常に過去とともにあったのである。古い思い出ばかり読まされて、読者が当惑するかもしれぬことを、作者は十分心得ている。だがもし読者が、堀河天皇の人となりを知っていさえしたならば、自分の執着も、おそらく理解してもらえるだろう、と彼女は言うのである。

長子は、自分の日記の、将来の読者のことを、常に考えていた。この回想に対して加えられそうな批判にも、ちゃんと次のように自己弁護している。

しのびまゐらせざらん人は、なにとかは見ん（先帝をおしのびすることのない人は、この日記をなんと見るか知らない）。我はただ、一所の御心のありがたくなつかしう、（中略）忘らるる世なくおぼゆるままに、書きつけられてぞ（先帝のご仁慈が忘れがたいままに、このように書きつけたのである）。

堀河天皇に対する長子の賛美は、一種の英雄崇拝だったと解釈してもよいかもしれない。英雄崇拝といっても、客観的な基準に基づくものではない。威厳と豊かな感受性をともにそなえていた人物に対する、身近な観察に基づくものである。しかし堀河天皇の崩御には、帝を知るほとんどすべてのものが、長子同様、深い悲しみを感じている。藤原頼長の日記『台《たい》記《き》』には、天皇の崩御で乱心したのか、滝口の武士定国というものが、堀河天皇は今や竜王になって北海にいましますと信じていた、という話が出ている。今は亡き主上と再会すべく、定国は、「竜頭の船」なるものを造り、これにうち乗って、順風に恵まれ、北海に乗り出したまではよいが、その後永久に消息を絶ったという。堀河天皇への懐旧の情は、このように非現実的な行為さえ引き起こしたのである。

堀河天皇が今も記憶されているのは、おもに天皇の和歌への関心のためである。堀河帝の治世中、歌合わせを含む二十四もの催しがあったという。とくに「堀河院御時《おんとき》百首和歌」の会は、「百首歌」という形式を創始することになっただけでない。それまでの習慣に従って、例えば春といった一般的な主題を出すのではなく、もっと個別的な課題トピックを与えて、宮廷歌人の実力を試した、と言われている。帝の治世にあったもう一つの有名な歌合わせは、康和四年（一一〇二）に行われた「堀河院艶書合」であろう。これは、男性と女性の間の歌の贈答で、まず男が恋の歌を書き、女がそれに答え、続いて女の恨みの歌があり、それにまた男が答える、という形を取った。

堀河天皇の没後約百年に編まれた『続古事談』という書物には、この天皇についてのさまざまな逸話がはいっている。例えば次の話など、君主としての業務への、帝の並々ならぬ熱意をよく説明している。「堀河院ハ末代ノ賢王也」と書き出して、帝が公の書類に目を通す時には、さらに検討を要する個所にははさみ紙を入れ、一読しただけでは決定できぬ問題には再考に三考を重ね、いかに良心的に日々執務したかを言って、最後に「イトヤム事ナキ事也」と締め括っている。

同じ書物に出ているもう一つの逸話は、堀河天皇の、音楽への並々ならぬ情熱を回想している。「堀川《（ママ）》院初テ朝覲行幸ニ、御笛フキ給ケルニハ、御笛ノ師政長朝臣息男有賢《ありかた》、殿上ユルサレケリ」。殿上にのぼる特権は、多くの官吏が、長年の宮仕えの夢とするところだったのである。自分の笛の師に殿上にのぼるのを許したということは、天皇の、音楽に対する格別の傾倒を物語って余りある。

これほど非凡な天皇が、世から忘れ去られてしまうという考えは、長子にとっては耐えがたかった。勿論、その御名と、治世中の主な事件は、公の文書に書き残されるであろう。しかし、『日本書紀』などには望めない多くの事柄を明らかにするというので、「物語」の存在価値を正当化した紫式部のように、長子もまた、天皇に関する「事実」だけではなく、その人間性も書き残しておくことが不可欠と信じたのである。日記のいわば終章に当たる部分で、彼女は、

わが同じ心にしのびまゐらせん人と、これ（この日記）をもろともに見ばや（一緒に読んで見よう）と思ひまはすに、しのびまゐらせぬ人は誰かはある（先帝をお忍び申さぬ人が誰かあるだろうか）。

と書くのである。

結局長子は、日記の原稿を、常陸殿という女房に読ませることにする。日記の最後の文章は言っている、「日ぐらしにかたらひくらして」。『讃岐典侍日記』をともに読みながら、二人が深い敬慕を寄せていた先帝の、あれやこれやの思い出話に、大いに花を咲かせたというのである。

中右記

一〇八七年から一一三八年まで、藤原宗忠《むねただ》によって書きつづられた大部の日記『中右記《ちゅうゆうき》』は、堀河、鳥羽、崇徳三天皇の治世を扱っており、「平安時代末期、院政時代の政治、人情、風俗などの最も重要な資料」といわれている。この種の日記は、宮廷女性による、いわゆる「私的」日記に対する、「公的」日記と称されることが多い。ところがこの日記は、近代的な意味では、公的なものとはいいがたい。事実この日記は、宗忠が、自分の長男だけに伝えるつもりで、厳重に人目からかくしていた秘密の日記だったのである。一一二〇年、すでに三十三年間も書き続けてきたあとで、作者は、息子宗能《むねよし》の便宜のために、日記の内容の「部類記」(分類)を作っている。その時彼は、なぜ自分がこの分類をしたか、またこれは間接的に言っているのだが、そもそもなぜこの日記を書いたか、というわけを説明している。

これただ四位少将宗能、もし奉公の志を遂ぐれば、公事を勤めしめんがために抄出する所なり。他人として定めて嗚呼を表すか。我が家のため何ぞ忽忘に備えざらんや。よつてあながちに老骨を尽くして部類する所なり。まつたく披露すべからず。およそ外見すべからず。

宗忠は他所で述べているが、この日記をつけた目的は、長男に「家門を継がしめんがため」だったという。過去になにが起こったかを知っておくことは、宮廷行事に先例があったかどうかを確認する上で、およそおろそかにはできないことだったのである。そしてこれは、伝統を重んじるものには、常にこの上なく大切なことであった。宗忠が記している大抵の「年中行事、毎年行事、年中神事、年中仏事、その他」に興味を持つものは、多分今日では専門家に限られよう。いや、専門家ですら、このように辛抱強く、几帳面に記録された小行事のすべてに、注意力を集中するのはむずかしいのではなかろうか。ところが宗忠は、この日記をつけることこそ、彼の生涯で、最も重要な事業だと信じていたのである。後世のために記録することへのこれほどの献身といえば、オペラ『ボリス・ゴドノフ』の修道僧ピーメンのことを、私はすぐに思い出す。ピーメンは、ロシアで、年代記編者として長年過ごしてきたあとで、次のようにいっている。

もうひとつの物語で私の年代記は終る。罪深き私に神が命じた仕事は終る。なが年、主が私に見せたことはむだではなかった。いつの日か、勤勉な修道僧が（中略）私のようにランプに火をつけ文書につもる幾百年のほこりを払いのけ、真実の物語を書きうつすだろう。

（園部四郎訳）

宗忠の、日記への執着は、年と共に増してくる。長承二年（一一三三）八月のある静かな雨の日、七十二歳の宗忠が、書き漏らした記録を、日暮らし補修するという描写がある。

閑亭寂々、細雨濛々、独り家記の目録を披いて、遺漏の公事を注し入る。且は当時の不審を散ぜんがため、且は将来の廃忘に備えんがためなり。


その翌年、宗忠はある晩夢を見るが、夢の中で、先祖に当たる藤原師輔《もろすけ》が、自分の日記を宗忠に見せたという。そこで宗忠は、「先祖の御記を見るは、定めて吉夢か」と喜んでいる。おそらく『中右記』の中で最も感動させられる部分は、宗忠が二十年も仕えた堀河天皇のことを書いた個所であろう。堀河天皇は、寛治八年（一〇九四）、宗忠の先輩数人を飛び越えて、彼を侍従に取り立てている。この昇進は、当然他からの嫉妬を買ったが、天皇は、終始宗忠を支持して、心を揺るがすことがなかった。とくにある異例の昇進を受けた際、宗忠は初め遠慮して、これを辞退した。だが天皇は、宗忠のことを「親昵《しんぢつ》を成す人（自分が親しみなじんだ人）」だと言って、それを取り上げなかったという。宗忠の感謝の気持ちは計り知れなかった。それは、堀河天皇の生涯と死を描いた、彼のすべての記述ににじみ出ている。

堀河天皇崩御に関する宗忠の記述には、『中右記』の大抵の項とは異なり、溢れんばかりの感情がこもっている。嘉承二年（一一〇七）七月十九日の日付で、天皇の病が急に悪化した様子を、日記は描いている。陰陽師を呼んでうかがいをたてさせる。彼らは、しかるべき占いのあと、帝の御命運はもはや尽き、助命の手段《てだて》はなにも残されていない、と宣告する。一千人もの僧が読経し、声をそろえて加持を称える。あたりに悪霊の跳梁があるかもしれぬからだ。しばらくして関白が来て、帝が西方に向かって、大般若法華経の号、不動尊、釈迦弥陀の宝号を称えたのち、深い眠りにつかれた旨を、宗忠の耳元で囁く。関白は、看護のものたちに、悪霊に乗じられぬよう、帝をお起こししてはならぬと命じる。宗忠の心中推して知るべしである。

未《ひつじ》の刻になって、ついに天皇が崩御されたことが報じられる。その報が宮中に拡がってゆく間に、衝撃でほとんど正気を失ったのか、御所中のものが、とめどもなく泣き叫んだという。殿上人には、帝に最後のお別れが許される。帝のお顔は普段と変わりなく、まるで眠るがごとくであった、と宗忠は書いている。悲しみに打ちのめされていながらも、彼は職務を忘れることはできなかった。天皇のしるしである璽剣《じけん》を、新帝に譲渡するための準備に早速とりかかったと、彼は言う。それから宗忠は、堀河天皇の生活と性格についての、短いながら感動を誘う記述を遺している。

そもそも大行皇帝八歳即位、九歳詩書を携へ、慈悲性に稟け、仏法心に刻む。凡そ其の在位廿一年間、罪を退け賞を先とし、仁を施し恩を普む。喜怒色に出さず、愛悪掲げず。王侯相将より上下の男女に至るまで各皆恵化に浴し、陶染堯風たり。この時に当りて父母を喪ふが如し。我君才智漸く高く、已に諸道に通ず。中んづく法令格式の道、絃管歌詠の遊、天性授かる所往古に愧ぢず。

宗忠の用いた表現は陳腐なものであり、堀河帝崩御の際の記述も、長子のそれと比べると、精彩に欠けている。おそらく彼自身、帝の臨終に立ち会うことができなかったからであろう。しかし宗忠の悲しみの純粋さを疑うことは、誰にもできないのである。彼はまた、『中右記』の中で、先帝に関する夢のいろいろを書きつけている。そうした夢の中では、先帝は生前と少しも変わらず、祝宴などで楽器を奏しておられた際の姿そのままであったと。とくに一一三七年、宗忠七十六歳の年、彼は奇妙な夢を見たといっている。それがまたあまりにも不思議な夢だったので、彼は日記の中で、その意味をいろいろ考えてみている。堅苦しい漢文体ではあっても、『中右記』の作者宗忠も、『讃岐典侍日記』の作者長子と同じく、以前仕えていた帝の記憶につきまとわれていたのである。

普通『中右記』は、文学作品として論議されることは全くない。第一、自分が文学作品を書いたなどという考えには、作者宗忠自身が一番驚くにちがいない。しかしこの、総体に退屈で、長大な作品にも、時としては、作者のこの上なく深い感情が表現されていることがある。そういう時など、私たちは、文学が人を感動させるのと同じものを、この書物のそこここに見いだすのである。『中右記』と『讃岐典侍日記』とは、その文体においても内容においても、全く異質の書物である。だがどちらの作品にも、それぞれの作者が過去に知っていた、己にとって最も大切な人物への、いわば郷愁がみなぎっている。

家集と歌物語

『中右記』は、一一三八年に起こった事件の記述を最後に終わっている。これに続く半世紀間、多くの同じような漢文日記が、宮廷に起こった諸般の活動を記録しているが、これらの日記は、普通、文学作品としては取り扱われていない。その主なる関心は、諸儀式の記録、人物リストの記載などだからである。漢文にはかなりの自信のある人間でも、このような書物を読む場合、自分の注意力を、終始テキストに向けておくのは、決して容易なことではない。だが時としては、その内容自体、あるいはそれが他の作品の意味を明らかにしてくれる点で重要な章句、などに出会うことはある。従って、そうした主だった漢文日記の中から、とりわけ重要な部分を選んで、読み易い日本語に訳し、それを一篇のアンソロジーにまとめれば、これは平安朝の日記の、まことに便利でありがたい研究資料を一つつけ加えることになると思うがどうであろう？

それにしても一一〇九年の『讃岐典侍日記』の完成と、一二三二年頃における『建礼門院右京大夫集《けんれいもんいんうきょうのだいぶしゅう》』の完成との間、およそ百二十年を越す期間に、女性による日記は、ただの一篇も残っていないのである。これは単なる偶然であろうか。だが、その間、いくらかの、あるいは多分かなりの数の日記が、女性によって書かれたのだけれど、以後すべて散逸してしまったということも、十分ありうるのだ。ところが、どのような人がどのようなことについて書いたかを知ろうにも、なんら手掛かりがないのである。
この時期の宮廷における代表的な文学的産物といえば、それは歌合わせであった。そしてこれらは、漢文ないし和文で書かれ、「日記」と呼びならわされている散文を、時として含んではいた。だがこれらの「日記」は、その歌合わせの状況のみを記述するのが普通で、女性が書いた日記のもつ、あの個人的な性格に欠けていたのである。一人の歌人の作品を集めたあの「家集」と称するもの、これも歌に先立つ比較的長い（詞書《ことばがき》と呼ばれる）散文の序を用いて、日記に当たるものとすることも時にあった。「家集」としての『紫式部集』は、持続的な自伝的な要素には欠けている。だが、文学的にもかなり興味深い作品である。それはほかでもなく詞書のおかげなのである。そしてそれは歌についての断片的な情報を単に提供するだけではなく、時としては珠玉の散文となっている。例えば、

やうやう明け行くほどに、渡殿に来て、局の下より出づる水を、高欄をさへて、しばし見ゐたれば、空の気色、春秋の霞にも霧にも劣らぬころほひなり。小少将のすみの格子をうちたたきたれば、放ちてをし下《おろ》したまへり。もろともに下《お》り居てながめゐたり。

こういう章句を読むと、一方ではこれが「日記」に、そして他方では、『伊勢物語』や『大和物語』などという「歌物語」にも大変近いので、「日記」「家集」「歌物語」をそれぞれ

区別するのがむずかしいことが分かる。しかしこうした散文と詩との特殊な混成物にどんな名称を与えようと、この混成物自体は、まぎれもなく日本の代表的な文学的表現なのである。私に考えられる限りでは、この形式に最も近い西欧的形式は、あのシャントファーブル(chantefable)という、韻文と散文を交互に用いて語られる物語であろう。十二、三世紀に作られたこれらの物語は、平安後期に出来た日本の日記とほぼ同時代だが、日本の日記を驚くほど近代的にしているあの内省的な性格を、持ち合わせていない。

平安時代の終末期になると、とくに源平の乱のような戦乱が勃発し、ために日記には、新しい劇的な要素が持ち込まれることになった。初期の日記を書いた女性に愛されたような男たちが、死を決して戦いにのぞむ姿など、想像するのもむずかしい。だがそれも、今や考えられぬことではなかったのである。平安朝と鎌倉時代の間隙を埋めてくれている女性の日記は、わずかしか今残っていない。だがそれらの日記は、その頃日本の宮廷社会に起こったさまざまな変化によって、色濃く影響されている。

II　鎌倉時代

建礼門院右京大夫集

『建礼門院右京大夫集《けんれいもんいんうきょうのだいぶしゅう》』は、基本的には和歌の家集である。大抵の和歌には、それを詠んだ時の状況を説明する詞書《ことばがき》が前についている。しばしば詞書が、日記の項目に相当するくらい長いということ、そしてこの作品が、季節や主題によって配列された単なる歌集ではなく、作品としての一つの有機的な全体を形成していること——この二つの理由くらいしかないとしても、この作品を、日記文学の一例として考えて、決して適切を欠くことにはならぬと思う。作者のはじめの宮仕えは、大体一一七三年頃から、五、六年間続いている。作者の愛人平資盛《たいらのすけもり》は、清盛の孫に当たり、きわめて洗練された宮廷人であったが、同時に武将でもあった。従って資盛が作者のもとを去ったのは、他の女のためではなく、戦に赴いて戦うためだったのである。

資盛が都を離れる時、彼は「何事も思ひすてて」と宣言している。以前ならば、この言葉は、愛人が世を捨てて仏門に入ることを意味したであろう。だが今や、この言葉の新しい意味は、自分はほとんどまちがいなく、戦場で果てる身となるだろう、ということであった。そして資盛も、それに近い運命を覚悟していたにちがいない。事実彼は、私たちが『平家物語』で知る通り、他の多くの名のある平家の武士と共に、壇ノ浦で海中に身を投じている。

この新しい、ある意味ではもっと恐ろしい悲劇は、(以前のように)男の不実のためではなく、愛する男が死の危険に瀕しているという実感のために、女を悲しませた。その事実が、この日記に特別の緊張感を与えている。作者は、格別卓越した歌人とは言えない。だがこの日記の、いわば核をなす歌集は、表現された彼女の悲しみが、文句なしに純正なものだったという事実から来る特殊な性格を獲得している。彼女より以前の女性歌人は、露のように消え失せたい、という欲望を表現することが多かった。また散ってゆく桜の花に思いをこめて、あたかもそれがすべての幸せの終末を象徴するかのように感じた。だがこの作者の不幸は、そのような比喩を用いるにはあまりにも強烈すぎたのである。資盛の死を知った時、彼女は次のような悲痛な歌を書いている。

かなしとも又あはれとも世のつねにいふべきことにあらばこそあらめ

この上なく平明尋常なことばを用いて、自分の悲しみを声にしたいという気持ちが、この歌にはよく出ている。この歌に続いて、彼女は次のように言っている。

さてもげにながらふる世のならひ、心うくあけくれぬとしつゝ(わたしはまだ生き続けてはいるものの、常に世の生活からは身を引いて、こんなありさまで日々が過ぎゆくにまかせながら)、(中略)はかなくあはれなりける契のほども我身ひとつのことにはあらず(このようにはかなく、またあわれな男女の契りに苦しんだのは、なにもわたしだけのことではないのだ）。おなじゆかりのゆめみる人は（平家とのつながりゆえに、ゆかりの悪夢を見たものの数は）、しるもしらぬもさすがおほくこそなれど、さしあたりて、ためしなくのみおぼゆ（わたしの身に起こったような恐ろしいことは、他に例がないように感じられる）。むかしも今もたゞのどかなるかぎりあるわかれこそあれ（昔も今も、自然に死に別れすることは多いが）、かくうき事はいつかはありけるとのみおもふ……

後年になって、死の影がこの日記を蔽い出す。前半部では、作者は、もっと明るい体験を記録していたのである。短い「序」で、彼女は言っている。

家の集などいひて、歌よむ人こそかきとどむることなれ（後世のために書きとどめておくものだが）、これは、ゆめゆめさにはあらず。ただ、あはれにも、かなしくも、なにとなく忘れがたくおぼゆることどもの、あるをりをり、ふと心におぼえしを、思ひ出でらるるままに、我が目ひとつにみんとて（自分のためにだけ）かきおくなり。

多分この「序」を書いた時には、作者は本気でそのように思っていたのかもしれない。だが、あとで誰かが自分の体験について、読んでくれることを、少なくとも無意識に、望んでいたのは確かである。続く歌は、はからずもそのことを暴露している。

われならでたれかあはれとみづぐきのあともし末の世につたはらば

この歌を読むと、平氏という一大支配者団の崩壊に際して、己が感じた痛切な感情を、将来の読者が自分共々感じてくれることを、作者が意識していた、いや、多分望んでさえいた、ということが分かるのである。

『建礼門院右京大夫集』は、むしろ明るい調子で始まる。

高倉の院御位のころ、承安四年（一一七四）などといひしとしにや、正月一日、中宮（徳子）の御かたへ、内のうへ（高倉天皇）、わたらせ給へりし、おほんひきなほしの御すがた（天皇は普段着を召され）、宮の御物の具めしたりし御さまなどの（中宮は正装なさっていて）、いつと申《まうし》ながら（いつもとは言いながら）、めもあやにみえさせたまひしを、もののとほりより（廊下のところから）みまゐらせて、こころにおもひしこと、

雲のうへにかかる月日のひかりみる身のちぎりさへうれしとぞ思ふ

平安時代の女流による日記文学の中で、作者のこのように混じり気のない喜びの表現は珍しい。だが、ありきたりの慶賀の気持ちを伝えるこれらの言葉にさえ、読者はなんとなく悲劇的な気味合いを感じ取る。

先にあげた一節を読むと、以前に見た『怒りの日』というデンマーク映画を私は思い出す。若い男女が、川に向かって森の中を走ってゆく場面があった。葉ごしにもれる明るい陽光、若者たちの喜びに輝く表情、屈託のない若い男女の愛の印象を伝えて申し分のない映像である。ところがその女は、若者の父親の二番目の妻だった。従って、二人が陽光の中を走ってゆく間も、彼らの関係は、いわば運命づけられていたのだ。夏の明るい森の画面とは裏腹に、背景に流れる音楽は、「ディエス・イレー」すなわちミサ曲「怒りの日」の不吉な調べである。私たちの目と耳とは、全く相反する印象に、いわばはさみうちにされるが、私たちは本能的に、耳のみを信じるべきだと知る。

この日記の中でも、天皇と皇后の、目くるめく美しさ、それに対する作者の感歎にもかかわらず、目に映るものを信じてはならぬことに、私たちはなんとなく気づく。なぜならば、中宮徳子とは、他ならぬあの建礼門院。平氏が壊滅した際、壇ノ浦で入水《じゅすい》するが助けられ、その後は、淋しい尼寺寂光院で、尼僧として一生を送る人だからである。

作者は、日記を書き始めたときから、こうした事実は、言うまでもなく知っていた。彼女自身建礼門院に仕えたところから、建礼門院右京という、今日彼女が知られている名さえ得ている。この日記の冒頭では、まだ幸せだったころの建礼門院を作者は描いている。だが日記を書き出した時には、彼女はすでに、寂光院で建礼門院に再会していたのだ。作者は、大原を訪れた時のことを思い出して、次のように書いている。

やうやうちかづくままに、山道のけしきより、まづ涙はさきだちていふかたなきに、御庵のさま、御すまひ、ことがら、すべて目もあてられず。昔の御ありさまみまゐらせざらむだに、おほかたの事がら、いかがこともなのめならん（普通でない）。まして、夢うつともいふかたなし。

作者は、この予備知識で、巻頭の明るい歌に先立つ詞書を曇らせはしない。全体の調子は幸せそうで、宮廷の美しさ——装束、音楽、儀式の厳粛さ——が強調されている。和歌は、どちらかといえば平凡である。恋の痛みを知る前の、若い娘がいかにも書きそうな歌が多い。

のどかなる春にあふよのうれしさは竹の中なるこゑのいろにも

まことにのどかで、事もない日々だったのであろう。御所の近くの火事さえも、うれしい興奮の種となっている。

雲のうへはもゆる煙にたちさわぐ人のけしきも目にとまるかな

しかし、やがて作者は書くのである。

なにとなく、みきくことに心うちやりてすぐしつつ（見聞きするさまざまな恋愛事件を、結構面白がっていたものだが）、なべての人のやうにはあらじ（わたし自身は人の真似はするまい）とおもひしを、あさゆふ、女どちのやうにまじりゐてみかはす人あまたありし中に（いつも遊びにくる沢山の男性の中で）、とりわきてとかくいひしを（とくにある一人が、わたしに近づいてきたけれど）、あるふしぎことやと人のことをみきゝておもひしかど（不幸な恋のことを見聞きするうちに、わたしにはそんなことが起こってはならぬと思い定めていたけれども）、契とかやはのがれがたくて（運命というものからは、所詮のがれるすべのないものか）、おもひのほかに物おもはしきことそひて（初めの決心はどこへやら、わたしもとうとう恋のとりこになって）……

このあと日記は、悲しみと美しさと、二つながらの魅力によって、私たちの心を摑むのである。

作者の最初の愛人は、彼女より二、三歳年少の既婚者、平資盛であった。この恋愛に初めて触れたすぐ後、彼女の歌が早速変わってくる。

夕日うつる梢の色のしぐるるに心もやがてかきくらすかな

彼女はあとで回想する。

かけはなれいくは（今ふりかえって見ると）、あながちにつらきかぎりにしもあらねど、中〳〵めにちかきは（だがあの時、その只中にいた間は）、又くやしくもうらめしくも、さま〴〵おもふことおほくて……

作者は、愛人の名を、どこにも明かしていない。おそらく、御所に出入りするものなら誰しも、およその見当はつくはずと思ったのであろう。ところが彼女は、愛人の正体について、間違えようのない手掛かりを自ら与えている。

とかく物おもはせし人（わたしの胸にこれほどの悩みを与えた人）の殿上人なりしころ、ちゝのおとどの御ともにすみよし（摂津の住吉神社）にまうでて……

とあるからだ。明らかに彼女は、俗な言い方を許されるなら、ぞっこん資盛に惚れ込んだのである。なぜなら彼女は思い出している。

雪のふかくつもりたりしあした、さとにて、あれたる庭をみいだして（わたしは家で、荒れた庭を眺めながら）、「けふこん人を（今日来てくれる人を）」とながめつゝ、（中略）ただひきあけていりきたりし人（庭の木戸から不意に現れた資盛）のおもかげ、わがありさまにはにず、いとなまめかしくみえしなど、つねはわすれがたくおぼえて（とても忘れられそうもない）、とし月おほくつもりぬれど、心にはちかきも（ついこの間のことに思われて）、返々《かへすがへす》むつかし（いまだに胸がつぶれそうだ）。

彼女がつぶやいた「けふこん人を」という言葉には、実は出典がある。すなわち平兼盛《たいらのかねもり》の歌、

山里は雪ふりつみて道もなしけふこむ人をあはれとは見む

まさに日記を書いた他の女性たちと同じく、この作者も、自分の情事が朋輩の女房たち、いや、もっと悪くいって、殿上人たちに知られたりしては困ると気に病んでいる。

ちらすなよちらさばいかがつらからん信夫《しのぶ》の山にしのぶことの葉

自分の恋をかくしておきたいという気持ちを述べたこの歌には、一つの和歌の中で同じ言葉を繰り返すという、彼女独特のくせが、典型的に表れている。

資盛との情事が世間に洩れないかと心配している矢先にも、彼女は別の男に言い寄られて、その男の言いなりになっている。その男とは、ほかでもない、歌人で、しかもあの傑出

した肖像画家、藤原隆信《たかのぶ》であった。昭和九年、建礼門院右京大夫の歌のいくつかが、隆信の歌集の中にまぎれ込んでいることが分かった。その時初めて、彼女の日記の中の、いわば身元不詳の男が、隆信だということが判明したのである。

そゞろぐさなりしをついでに、まことしく申《まうし》わたりしかど（初めは軽い気持ちの恋だったが、そのうちに、あの人の気持ちが大変真剣になってきたけれども）、よのつねのありさまはすべてあらじ（世の常のような関係になってはならない）とのみおもひしかば、心づよくてすぎし……

だが結局彼女は隆信を受け入れたらしく、そのあと次のように書いている。

夜床《よどこ》にてほとゝぎすをきゝたりし（彼と一緒にほととぎすの声を聴いたことがあった）に、ひとりねざめに（床にひとり目覚めていて）、又かはらぬこゑにてすぎしを（あの時と少しも変わらぬ声が頭上を飛び過ぎるのを聞いた）、そのつとめて（翌朝）、（彼から）ふみのありしついでに（その返しを書いた）。

　もろともにこと語らひし曙にかはらざりつるほとゝぎすかな

だが彼女は、結局この情事がだんだんうとましくなってきて、「あらぬ世の心ちして（わたしたちの関係も、もう昔と同じではなくなったように感じられた）」と書いている。

作者は、どういうわけか、わが意に反して宮仕えを辞めている。日記前半の終わりあたりで、

高倉院かくれさせおはしましぬときゝしころ、みなれ参《まゐら》せし世の事かず〳〵におぼえて（院に始終お目通りしていた頃のことの数々を、わたしは思い出したものだ）、およばぬ御事ながらも、かぎりなくかなしく……

彼女にとって高倉天皇は、まさに太陽のごとき存在だったのである。そして皇后、建礼門院は、月のごとき存在であった。だが彼女を取り巻く世界は、戦の暗黒の中へ、やがて突入しようとしていたのである。

『建礼門院右京大夫集』の後半は、前半部とは全く異なる気分で始まる。

寿永元暦などのころ世のさわぎは、夢ともまぼろしとも、あはれとも、なにとも、すべて〳〵いふべききはにもなかりしかば（到底口では言い尽くせないほどであったので）、よろづいかなりしとだにおもひわかれず（すべてがこの上なく紛糾して、一体なにが起こったかも、はっきりと言うことができなかった）、中々おもひもいでじとのみぞ今までもおぼゆる。みし人〴〵のみやこわかる（知っていた人たちが、ほどなく都を出てゆく）と

きさし秋ざまの事、とかくいひても思ひても、心もことばもおよばれず（一体どう言えばよいのか、どう思えばよいのか、事実の前には、心も言葉も全く力がおよばない）。まことのきはゝ（ほんとうに都落ちが起こった時には）、我も人も、かねていつともしる人なかりしかば、たゞいはむかたなき夢とのみぞ、ちかくもとほくも、みきく人みなまよはれし。

一般的に言って、宮廷の女性作家たちは、日記の中で、政治的な事柄についてはわざと無関心を誇示するような態度をとっている。やむなく触れる時には、そのようなことに触れざるをえなかったことについて、弁解じみたことを書くのが常であった。だがこの日記の作者にとって、起こった事件の衝撃は、それに触れずにやり過ごしたり、散る花に思いを託した暗示的な和歌を書くだけで満足するには、あまりにも強すぎたのである。彼女は進んで平家に仕え、清盛の娘建礼門院には、文字通り身も心も捧げていた。だから、この日記の結びにも書いているように、たまたま定家が編纂していた和歌の選集に、どんな名で入れてほしいかと定家にきかれた時、彼女は答えている。「その世のままに（昔のままの名で）」、すなわち「建礼門院右京大夫」――。平家とのつながりを否認する意思は、彼女には毛頭なかったのである。

平家の都落ちは、彼女に強い個人的な歎きをもたらした。愛人の資盛も、一党のものと一緒に西国へ落ちなければならなかった。資盛は、都へ再び生きて戻れぬことを確信していたのか、作者に語っている。「すべてこの世のことにつけて、私はもはや死んだ身と思うようになってきた」と。

そこで作者は、尼になろうか、それとも自害して果てようか、と思い悩むが、結局どちらも思いとどまる。

されど、げに命はかぎりあるのみにあらず（それぞれかぎりある命数を生きなければならないのだ。自分で死ぬことさえ思うにまかせないだけでなく）、さまかふる事だにも心にまかせで、ひとりはしりいでなんとはえせぬまゝに（仏門に入るのぞみすら絶たれてしまって、家をひとり走り出ることもできないからには）……

翌年の春、一ノ谷の合戦のあと、「あさましくおそろし」き知らせが彼女の耳に届く。数多くの親しい人々が殺され、その首が都の通りにさらされた、というのだ。清盛の息子平重《しげ》衡《ひら》は、この日記の初めの部分に、滑稽な話やこわい鬼の話などして御所の女房たちを面白がらせる愉快な人物として登場する。その重衡が、一ノ谷で生け捕りになり、都へ連れ戻された。都の通りを引き廻されたあと、彼は奈良の僧徒に、処刑のために引き渡される。東大寺を攻めて焼いたためである。しかしこの日記の作者が、重衡のことを最もよく記憶しているのは、このような事柄によってではない。

むかしちかかりし人〴〵の中にも、あさゆふなれて（とりわけあの人はわたしとは親しく）、をかしきことをいひ、又はかなきことにも、人のためには、びんぎに心しらひあり（些細なことにも、他人に対しては、まことに細やかな思いやりを示された）……

彼女は、平維盛《これもり》も熊野沖で入水して果てたことを聞いて、次のように書いている。「いづれも、いまの世をみきくにも、（平家一族が）げにすぐれたりしなどおもひいでらるゝ」。とりわけ彼女は、青海波《せいがいは》を舞った時の維盛の美しさが、みなに光源氏を想起させたことを思い出している。最後に元暦二年（一一八五）の春、愛人資盛が死んだことを彼女は知らされる。悲しみに打ちひしがれて、一時は宗教に頼る気持ちになるが、それでも慰めを得ることはできない。それどころか、彼女は思うのである。

かくためしなき物をおもふも、いかなるゆゑぞ（こんな悲しい目に逢わねばならぬほどの何をわたしがしたというのか）と、神も仏もうらめしくさへなりて……

建礼門院右京大夫は、ある友達の勧めで、いまや源氏の一党に占められてはいるものの、御所へもう一度戻ることを承知する。宮に出仕すれば、それに伴うあれこれの日課にかまけて、死んだ愛人への思いを、幾分なりともまぎらすことができるのは確かだからだ。しかし資盛は、依然として彼女の夢枕に現れるのをやめない。そこで彼女は、いま御所で権勢をほしいままにしている源氏貴族を、なつかしい平家のそれと、当然比べてみる。

むかしかろらかなるうへ人などにてみし人〴〵（昔あまりえらくなかった連中が）、おもく〳〵しき上達部にてあるも（今は重々しい上達部などになっているのも）、とぞあらまし、かくぞあらましなど（もし資盛が生きていたならば、すべてはどのようになっていただろうかと）、おもひつづけられて、ありしよりもけに（宮仕えに出る前よりも、むしろ今の方が）、心のうちは、やらんかたなくかなしきこと、なににかは似ん。

同じような言葉は、あとにも出てくる。しかしこの新しい宮仕えも、いやなことばかりではなかったらしく、うれしいことも起こるのである。例えば、藤原俊成《しゅんぜい》が九十歳になった祝いとして、後鳥羽院から賜わる法衣の袈裟《けさ》に、歌を刺繡するよう彼女が仰せつかった時などである。

むかしのことおぼえて（昔のことが思い出されて）、いみじくみちのめんぼくなのめならずおぼえし（このことは、歌の道にとってなんたる面目であろうか）……

「序」でも書いていたが、日記のあとにつけた短い「跋」の中でも、自分がこれを書いたのは、「わが目ひとつ」に見せるためということを、彼女は主張している。だが同時に、本音らしきものも吐いている。

おのづから人の、さる事やといふには（時折り人が、わたしがそのようなものを書いているのではないか、と問うことがあったが）、いたく思《おもふ》まゝのことかはゆくもおぼえて（ひとえにわたしだけの思いを綴ったものだけに、人に見せるのは恥ずかしく）、せう〳〵をぞかきてみせし（ほんの少しだけ書き写して見せたことであった）。

これではこの日記が定家の目にとまり、彼によって後世のために保存されることになったのも、まことに道理なのである。

つまらない歌に興をそがれることはあっても、この日記には、大いに感動させられる。資盛に対する彼女の愛は、資盛の栄光の日々と、のちに彼を待ち受けていた悲惨との対照によって、はなはだしく増幅されるのである。日記に登場する傍役たちも、この増幅作用につけ加えるところが少なくない。例えば『平家物語』や謡曲に詳しい読者なら、「月あかかりし」満開の桜の下で、経正《つねまさ》が琵琶をかなでる、あの幸せな情景の記述は、心になんらかの痛みを感じずには読めないのである。『平家物語』や、自分の最後の瞬間を再現する幽霊として、謡曲などに登場する人物は、この日記では、ことごとく生きた人間として描かれている。経正は、その宴で、次の歌を詠んだ。

うれしくもこよひの友の数にいりてしのばれしのぶつまとなるべき

と申《まうし》しを、「われしもわきてしのばるべきことと心やりたる（とくに自分だけが憶えられるなどと、よくもそれほど自惚れられるものだ）」など、この人ぐ〵のわらはれし……

しかし、まことに経正は「記憶された」のである。ただしこの花見の宴の一員としてではなく、彼の死という、悲劇的な文脈において、後世に残ったのである。

同じように、「中宮はめでたく皇子をお産みあそばされた」という記述も、単なる皇子誕生の、定石通りの記述ではない。なぜなら読者は、生まれたばかりのこの赤子こそ、いずれ壇ノ浦の海底に沈む、のちの安徳天皇だという事実を、十分知っているからである。

『建礼門院右京大夫集』は、平安朝の初期の日記ほどは広く読まれていない。だが忘れがたい作品である。和歌は凡庸としても、他の日記にも引けをとらぬほど文学的に美しい詞書がついている。例えばある夜、作者が目を覚まし、

（上布団を）ひきのけて、空をみあげたれば、ことに晴れて、浅葱《あさぎ》色なるに、ひかりことごとしき星のおほきなる、むらなく出でたる、なのめならずおもしろくて、花の紙に、箔《はく》をうち散らしたるによう似たり。こよひはじめてみそめたる心ちす。さきざきも星月夜みなれたることなれど、これはをりからにや（たまたまそれを見る時と場によるものか）、ことなる心ちするにつけても、ただ物のみおぼゆ。

月をこそながめなれしか星の夜のふかきあはれをこよひしりぬる

たまきはる

建礼門院右京大夫が彼女の回想録を書いていたとほぼ同じ時期に、やはり一一五七年生まれのもう一人の宮廷女性が、ちょうど平行するような日記を書いていた。この日記は、作者の名を取って時に『健御前日記《けんごぜんにっき》』と呼ばれることもあるが、もっと普通には『たまきはる』と呼ばれている。巻頭に出てくる和歌からとったものである。

たまきはる命をあだに聞きしかど君恋ひわぶる年は経にけり
(「たまきはる」は命の枕詞。「あだに」ははかないもの)

この和歌は、出だしからこの作品の調子を決め、右京大夫の日記との大きな違いを明らかにしている。この歌を書いたのがもし右京大夫だとしたら、「君」というのは、壇ノ浦で討ち死にした後も、彼女が慕い続けた愛人平資盛《すけもり》以外の誰のことでもないはずだ。だが健御前は、日記の中で、自分の愛人については、なにも言っていない(一時、後白河院と親密だったという風評はあったが)。従って、この歌の中の「君」は、おそらく春華門院《しゅんかもんいん》昇子内親王のことであろう、と言われている。作者がほとんどわが子のようにいつくしみ、その美しさと、いかにも貴人らしい優雅さを敬慕していた夭折の皇女である。しかし学者の中には、この「君」は春華門院のことではなく、健御前が、その方が一一七六年に没するまで八年間仕えた後白河院の后建春門院のことだと主張する人もいる。いずれにしても、この「君」に対する作者の感情は、戦さで散った愛人の思い出が引き起こす物狂おしさとはほど遠い、郷愁に満ちた敬慕の情なのである。

二つの日記の違いは、これだけではない。『建礼門院右京大夫集』は、どこから見ても私的な日記で、作者の感受性に直接訴えなかったような事柄は、なに一つ描いていない。それに反して『たまきはる』の方は、総体的に見て客観性が勝っている。自分自身の姿は、時折ちらつかせるだけにとどめている。平安時代の宮廷女性による他の日記と比べて、『たまきはる』は、叙情性がはるかに乏しい。従って、読んで失望する向きも多いかもしれない。しかし、この作品の中にさえ、いまからはるか昔の世界に生きていた、ある見知らぬ人物の回想の中に、私たちのほとんど同時代人かと思われる人間を見いだす瞬間もあるのだ。これはまた格別の喜びなのである。

藤原俊成《しゅんぜい》の娘健御前は、他ならぬ定家の姉に当たる。しかしこのような家系ではあっても、彼女は決してすぐれた歌人とは言えなかった。事実『たまきはる』は、収録された歌が少ないことで有名である。健御前は、日記の中で、自分についてはほとんどなにも言っていない。従って、彼女に関する基本的な事実すら、定家による漢文日記『明月記』から、集めて来なければならないのである。

「奥書」の一つは、一二一九年、作者六十三歳の年に『たまきはる』を書いた、と言っている。しかし、日記の大部分は、建春門院が崩御した一一七六年以前の宮廷生活をもっぱら描いている。日記の冒頭に、健御前は次のように書く。「建春門院と申し上げる御方は、世をへだてたずっと昔におわしました御方で、今ではその御名さえよく知らない人も多いことであろう」。彼女は、宮廷生活にかかわることなら、いかに些細なことでも記憶しておこうと懸命であったように思われる。これほど立派な宮廷は、もう二度とこの世に出現しないと確信していたらしいのである。

作者は、だんだん放縦なやり方を覚えてきた当時の女房たちに、彼女らが常に遵奉しなければならぬ正しいしきたりや作法を申し送ることが、自分の責務であると考えていたようである。健御前は、建春門院に仕えた六十人の女房それぞれの家族について、いちいちその名を挙げ、短い注釈を記している。日記の何章かは、月によって着るべき決まりの装束、遊び、賜物、物見その他の説明にあてられている。こうした実に細々しいことを彼女にあえて書かせたのは、おそらくいま自分がそれを書き残しておかなければ、真の伝統は、この着々と堕落の一路を辿りつつある世にあって、いずれ忘れ去られてしまうだろうという恐れだったのである。

健御前は、源平の戦さには、ほとんど言及していない。源平いずれの側を贔屓《ひいき》にしていたかも言っていない。だが彼女が後白河院を支持していて、平氏を嫌っていたことは、明らかである。平氏が都落ちを余儀なくされた時すら、平氏に対して、いささかの同情も、示していない。ただ平清宗《きよむね》だけは、いくらかの情愛をこめて思い出している。清宗が四つの時、彼女のそばに這いよってきて、笑いかけ、抱き上げてもらいたがったというのである。しかしそれも今は昔のこと、「その秋、その人々みな発ちて（都落ちして）跡もなくなりにき」。またすこぶる曖昧な調子で、「なべて世の中、言ひ知らず恐ろしき事のみ隙《ひま》なくて」、続いて簡潔に、「都の方に煙《けぶり》立ちて」と書いている。平家の一党が都を落ちてゆく直前に、彼らの館を焼き払ったことをさしているのである。平氏が都を出てゆくと、「人の心もひきかへ（改まって）、神世の初めなどを聞く心地して」と言う。平氏の立ち去った都の生活は、「神世の初め」と同じように楽しく思われたのに違いない。しかし健御前は、宮廷の生活に、昔の威厳が回復しそうもないことに気がついている。「昔の御事はいとど跡もなき心地して、人知れずあはれなる事も（なつかしんでみても）、同じ心なる人誰かは交《まじ》らむ（誰もいない）」。

七年間宮仕えを退いていて、寿永二年（一一八三）、再び御所に戻る気に彼女がなったのは、人々が、「昔の御事」を忘れてしまうかもしれぬという、彼女の恐れだったのではなかろうか。この時彼女が仕えたのは、鳥羽天皇鍾愛《しょうあい》の皇女八条院であった。初めのうち彼女は、二十七歳という己の年齢と、何事につけ馴染み薄い雰囲気とのため、ひどく場違いに感じて、いつも片隅にばかり座っていた。だがある日、八条院の御前に呼び出され、時を経ないで、昔は「誰か」と問われて「わたしです」などという事さえ言えなかったほどの臆病者が、女房としての威信を十分身につける。従って、彼女は書いている。「（わたしのことを）憎む人もありしにや」と。

健御前は、その崩御まで、八条院に仕えた。しかも実に心をこめてつくしたので、自分ほど忠実に勤めを果たしたものは他にあるまい、と自賛する。そのくせ、八条院が日常の作法やきまりに放縦だったことを、言外に批判している。

建春門院の御殿では、季節だけでなく、一日のうちでも時刻に応じ、また行事や仕事に応じて着る衣服に、すべてきまりがあった。ところが八条院では、女たちは勝手気ままに着たいものを身につけている。「褻晴《けはれ》もなし（平服、晴れ着の区別さえない）」。またきちんきちんと自分の任務を果たして、忠実に仕えているものも見当たらない。それに御殿の至る所に、「さしまゐる人（伺候する人々）の足もたへがたきまで、塵つもりたれど、あれはけ、のごへ、などいふ人もな」いのである。健御前などが文句を言っても、そうですねと言うだけで気にとめるものもいない。あまり堪えがたいと誰かが思った時だけ、「こはいかに、などいひて掃く」といった調子。また臨時の式などのために、なにか特別の物が必要になってきて、蔵の中を探しても、見つかったためしがない。おそらく二条院や後白河院が所望されて、どこかへ消え失せたのであろう。「御蔵は塵よりほかにのこりたるものなし」。それでも八条院は「なにともおぼしめさず」。

八条院のこの形式ばらないやり方は、みなに愛されていた。ただ宮廷の管理はどうあるべきかを知っていた健御前だけが、その例外だったのである。

伝統の消滅を歎く人は常にいるものだ。兼好法師も、「今の人は拷問器の形も、罪人を拘引する方法も知らない」と言って慨歎した。このような保守主義は、頭から馬鹿げているとは言わぬまでも、所詮無駄な抵抗のように思われる。しかし兼好も健御前も、彼らには親しい文明が終わることを恐れ、後世の人々が野蛮への避けがたい後退を、なんとか食い止め得るように、「昔の御事」を記録しておくのは、自らの義務と感じていたのである。

『たまきはる』は明らかに日記ではない。『更級日記』や『讃岐典侍日記』が日記だという意味においてさえ日記とはいえない。作者の感情があまりにも押し殺されていて、表に出ることがないからである。とはいえ、日々の観察を年代記風に描いている点で、宮廷女性の日記に要求される最低条件は充たしている、とはいえるかもしれない。だが、健御前が、自分の心の中はおろか、他人についての自分の意見も発表する意図がなかったことに、私たちはすぐに気がつく。それでもこの女性が、一体どのような人であったのかを知る手掛かりを、なんとか探してみたい気持ちになる。

　健御前が、最初に姿をちらっと見せるのは、十二の年、初めて宮仕えをするようになった時の様子を記した個所である。彼女の姉は、化粧の仕上げをし眉を引き直してやったあと、妹を皇后の控えの間に連れていく。するとほかの女房が、「あなくちをし、早くよるになりけり、こよひご覧ぜさせでとてゐたるほどに（今宵のお目見《めみ》えはかないませんね）」という。その時、「あないたとよ（まあ、なんといたいけな）、これもてではかなしがりてか（父親は、さぞかしこの子をかわいがっているでしょうね）」といういままで耳にしたことのない声を聞く。ついで建春門院が、几帳の切れ目から、顔をのぞかせる。その時までは、恥ずかしさと恐ろしさに身も縮む思いでいた少女は、世の中にこれほど美しい方もおられたのかと、強く心を打たれる。この時のことが彼女に、建春門院を理想化させ、この方のためなら、と心に決めさせたようなのである。

健御前が、自分の姿をもう一度ちらとだけ見せる場面は、一一一一年の八条院崩御のあとに仕えた、あの美しい皇女春華門院の病気の時である。彼女は、皇女にとって何等かの不幸を予言しているらしい不吉な夢をいくつか見ていた。皇女が病気になった時、彼女だけは心から心配した。皇女の母君宜秋門院《ぎしゅうもんいん》へいろいろ言っても、真剣に耳を藉《か》してもらえない。病状が重いことを言って、母君を説得しようとしたが、宜秋門院はかえってひどく腹を立て、一体誰がそのようなことを言ったのか、と尋ねる。そこで健御前が「尼こそは申し候ひつれ」と答える。母君は、「さすがに打ちなどはせず、ただ、かぎりなくにくしと思はれたり」と書いている。

皇女の病状が、だんだん悪化する。だが健御前が病状の説明をいくらしても、皇女の容態は良いという他の人たちの主張によって、まるで作り事のようにされてしまう。その間皇女は、たえがたい苦しみに襲われ、もう末期の間近いことを自覚する。健御前は、八条院の崩御に仕えた、いわば穢《けが》れた身で、皇女に手をかけることは許されない。だがそれを察した皇女は、自分の方から手を差し出し、健御前がその手を取ると、二人の間に、一瞬の愛情が通う。春華門院が亡くなったのはその翌日。十七歳の若さであった。

作者の死後に姉の作品を集めて書き写した定家は、この挿話のあとに、「以上の事は殊にはばかりがある。早々に破棄すべきである」と注を入れている。定家は、宜秋門院に関する姉の記述が不敬と取られることを恐れたのだ。だがここで彼女は、亡き皇女への愛、無情なその母への反感という、彼女の最も深い感情を、過不足なく表現する、一歩手前までいっていたのである。

最後に、健御前の人となりを親しく垣間見せるもう一つの、おそらく最も魅力的な挿話がある。安徳天皇の没後、皇位を継ぐのは果たして誰かということが、御所中の話題になる。後白河院が御所に馳せ参じ、八条院とこの問題の相談をする。その時健御前は、当然つつしんで退出すべきであったが、気づかぬふりをして、あえてそこに残る。この不作法を見てははらはらしていたある老尼が、出ていきなさい、としきりに合図を送るが、彼女はそ知らぬ顔をしてじっとしている。こうして彼女は、次の天皇がのちの後鳥羽帝ということを知り、肝心なことはすべて聞いてしまったあと、老尼の手招きにようやく気づいたふりをして、神妙に引き下がる。

このいかにも健御前らしく、しかもどことなくユーモラスな事件を読むと、私はこの女性のことを、もっと知りたくなってくる。だがこれらのエピソードだけでも、歴史の変転期に生きた、一人の非凡な女性の姿を、十分頭に描くことができるのである。

明月記

藤原定家の『明月記《めいげつき》』が、日本人が書いた日記の中で、最も重要なものの一つであることは疑いをいれない。だが、かりにこれが、十三世紀のヨーロッパの詩人が書いた日記だとしよう。そうすると日本語の完訳はいうにおよばず、この作品の重要性をあげつらう書物や論文が、無数に出現することは必定なのである。ところが、『明月記』は、漢文で書かれているために、まだ日本語に翻訳されたことがない。国史学者が、この書物の内容に精通していることはいうまでもない。だがそうした学者たちは、漢文がよく読める彼ら自身のような学者しか、この大歌人の日記に興味を抱くものはない、と決めこんでいるかのようである。従って『明月記』を引用する際にも、通常彼らは返り点もない元の漢文だけをあげるのである。

漢文は読み易いから、日本語訳など不要だ、ということなのだろうか？　そのようなことは決してないはずである。今川文雄氏による読み下し本――昭和五十二〜五十四年に全六巻で出版されたもの――には、高橋貞一博士の序があり、その中に次のような文章がある。「公卿の日記や記録で、今日までに訓読せられたものは皆無である。唯東鑑《あづまかがみ》のみが江戸初期に訓読せられてゐるに過ぎない。訓読は簡単なように見えて至難の事業である。社会百般の事が解せられ始めて成就するものである」。

　この訓読本は、漢文よりは確かに読み易い。だが、これには、一つの注釈も付いていないのである。おそらく日本の中世史の学者には、注釈などは不必要なのであろう。だが、『明月記』の大体の意味は、私にも理解できるとはいえ、中世史学者の専門知識のおすそ分けは少しも与えてもらえず、骨の折れる基礎作業は、すべて自力でやらねばならないというのは、これはまことに頭の痛い仕事なのである。例えば、高倉院の崩御を描写した定家の感動的な文章は、今川文雄氏の訓読によると、次のように始まる。

> 未明、巷説に云ふ、新院已に崩御と。庭訓《ていきん》不快に依り日来《ひごろ》出仕せず。今此の事を聞き、心肝摧《くじ》くが如し。文王已に没す。嗟呼《ああ》悲しき矣《かな》。倩々《つらつら》之を思ふに、世運の尽くるか。健御前懇切に依り、密々牛車《ぎつしや》を求め之を送る。

　この章句を読んだ時、健御前というのが、定家の姉に当たる人だと分かって、私はうれしく思った。だがもし私が『たまきはる』を読んでいなかったならば、健御前が誰か分かることはなかったにちがいない。私は、「庭訓不快に依り日来出仕せず」の意味を理解するのに大変苦労したことを白状する。辞書、参考書類をさんざんひねくり廻したあげくに、これは、おそらく父親の俊成が同意しないので、定家が、高倉院の御殿に伺候していなかったことをいうのだろう、と判断したものである。多分こうした骨折りは、私が将来漢文を読む上での大きな助けとなるのかもしれない。

しかし私が『明月記』を読むのは、辞書の中の言葉を探し出す技術を上達さすためではなく、この日記の後ろに隠れた、定家という人間を見つけ出すためなのである。従って、そうした個々の言葉の説明はもとより、例えばなぜ定家が、「世運の尽くるか」と書くほど、高倉院の崩御を深く悼んだのか、という点などについての、学者諸賢の意見もあれば、これほどうれしいことはないのだが。

かりにすばらしい現代日本語訳ができたとしても、この途方もなく長大な作品全部を、楽しんで読めるところまではまだいかないだろう。といってこの作品を、歴史家たちの埃っぽい書斎の中に埋もれさせておくだけでは、いかにも勿体ないのである。『明月記』は、単に一貴族が綴った日記というにとどまらず、日本的趣味の裁定者と呼ばれた一歌人の、私的な日記でもあるのだ。定家がこれを日本語で書かなかったのはいかにも残念である。だがそれでもこの作品を、一般読者にとって、今よりももっと近づき易いものにするための、なんらかの手段《てだて》は確かにあるはずだ。

『明月記』の中で最も有名な章句は、治承四年（一一八〇）九月、定家十九歳の年のある日付に出てくる。「世上乱逆追討耳に満つと雖《いへど》も、之を注ぜず、紅旗征戎《こうきせいじゅう》吾が事にあらず」。私はこの言葉を、定家が自分のために選んだ、歌人としての態度を表すものだろうと、ずっと思っていた。世間の騒がしさなどには超然としていて、戦乱の報にも、彼は耳を藉《か》さなかったのだと。「紅旗」という言葉を、血塗られた戦旗のことを比喩的に言ったのか、あるいは平家の赤い旗を指したのだろうくらいに思って、わざわざ辞書に当たってみることを怠っていたのだ。ところが、事実は、「紅旗」とは、儀式が行われている間、皇居に掲げる赤い旗のことだったのである。血塗られているどころか、これは鳳凰と龍という、吉祥《きっしょう》を表す紋様で飾られている。従って「紅旗」と「征戎」とは、それぞれ異なる政治的地位、すなわち天子と、征夷大将軍とを指すことになり、定家は、自分がこのいずれにも与しないことを言明しているのである。

『明月記』に関するある重要な論文の中で、筆者の辻彦三郎教授は、定家が治承四〜五年の日付のある個所を書いたのは、実はそれよりずっと後年、七十歳の頃であったことを立証している。するとここに表現された定家の心境は、一一八〇年、すなわち清盛が福原に居を移した年のものではなく、実は、後鳥羽院等が北条家の転覆を謀って起こしたあの承久の乱（一二二一年）のかなり後のものだったのである。この方が、天皇が乱に加わっていなかった一一八〇年よりも、問題の章句の時間背景としては、はるかに妥当性がある。そしてその章句は、一人の青年が、自己の将来に関して選んだ態度の表明というよりは、一人の老人が表明した、己の人生評価だったのである。要するに、この有名な章句に関して私が考えていたことは、そのほとんど全部が間違っていたのである。

厄介な問題はこれにとどまらない。「紅旗征戎吾が事にあらず」という言葉は、明らかに白居易の詩の一行、「紅旗破賊吾が事にあらず」からの本歌取りである。白居易の詩は、いかに詩人が宮廷からないがしろにされ、実社会の活動から隔絶しているかを言ったのち、酒を賭けて、その夜は暁まで囲碁に興じたことを述べてしめくくっている。しかしこの詩がいっているところは、実社会への関与を拒否しようというよりは、むしろ世間から無視されていることに対する諦め、そしてその不遇を、いろいろ風流な愉しみに耽ることによって、せいぜい活用してやろうという気持ちである。おそらく定家は、世間的栄達への無関心という、彼の性格には本質的に無縁であった態度を、白居易から借用してきて、自分もまた長い間昇進の機会を失っていたことへの、慰めとしたのであろう。

もし定家の日付を受け入れるとすれば、『明月記』の記述は、五十六年の長きにわたっている。ずっとあとで付け加えられたとおぼしい、例の治承四〜五年の記載を、かりに除いたとしても、この日記の範囲は、一一八八年から一二三五年までの四十七年間にわたる。散逸してしまった部分も何節かあるが、現存のものだけでも、その時代の指導的文学者の生活を記録して、この上なく貴重な書物である。文治四年(一一八八)九月二十九日付の次の記載など、この日記の内容が、時としていかに詩的になりうるかを示している。

天陰《くも》る。夜に入りて雨降る。良辰徒《いたづ》らに暮る。黙止《もだし》難きに依りて、黄昏《たそがれ》に殷富門院に参ず。大輔と清談。漸く亥の時に及ぶ。人無く寂寞《せきばく》たり。退出せんと欲するの間、忽ち門前に、松明の光ありて参入の人あり。内外相驚く。権中将参入。語られて云ふ、已に寝に付かんと欲する間、庭前の木葉忽ちに落ちて、嵐の音を聞く。遂に寝ること能はず。忽ちに出で騎馬し、参ずる所なり。(中略)鶏鳴数声に及んで、雨漸く滂沱《ぼうだ》たり。遠路、天明けば不便の由、急ぎ出でらる。猶徘徊《はいくわい》す。空階雨滴の句、数返。笠を借りて退出す。蓬《ほう》に帰る間に、天漸く曙《あ》く。

もしこの文章が、切り詰められた漢文の章句ではなく、流れるような日本語で書かれていたならば、それは平安時代の日記のいずれにも劣らぬ、すぐれた文学的香気を伝え得たにちがいない。

藤原定家の日記とあれば誰しも予想するように、『明月記』は、歌への言及を無数に含んでいる。

彼が歌人として初めて認められたのは、正治二年（一二〇〇）である。それまで定家は、歌人として後鳥羽院の御前に出る特権を得るにあたって、大きな妨害に遭っていた。後鳥羽院の義父に当たる源通親《みちちか》が、予告されていた後鳥羽院「初度百首」に、どんなことがあっても彼を入れまいと決めていたようなのである。そこで定家の父俊成が後鳥羽院に歎願すると、院は心を動かされ、百首詠進を求められた歌人の中に定家を加える。ところが通親は、急遽招請の内容を変えて、参加者の資格を「老者《ろうしや》（年長者）」に限る、としてしまうのである。当然定家は大いに怒る。定家は当年三十九歳で、どう見ても「老者」の中にははいらないからだ。七月十八日の日付で、定家は書いている。

古今、和歌の堪能に老を択ばるる事、未だ聞かざる事なり、是れ偏へに（藤原）季経《すゑつね》が賂《まひなひ》を眄《み》て（賄賂を行って）、予を捨て置かんがために結構する所なり（季経とは、定家のライバル六条派の盟主）。季経・経家は彼の家の人なり（あの一族である）。全く遺恨にあらず。更に望むべからず。但し子細を密々に注し、相公（西園寺公経）の許に送り了んぬ。漸々に披露のためなり。存知すべきの由、返事あり。今日心神猶不快。

定家の痛恨は日ましにつのる。七月二十六日には、一見負け惜しみとも思われる筆致でこう書いている。「此の百首の事、凡そ叡慮の択にあらずと云々。只、権門の物狂ひなり。弾指（排斥）すべし」。だが俊成の、今度は私簡による歎願の結果、後鳥羽院は、通親の決定をくつがえして、定家を入れるように再び命じたのである。定家はその喜びを、八月九日付の日記に、次のように書いている。

今度加へらるるの条、誠に以て抃悦《べんえつ》（喜ばしい）。今に於ては渋るべからずと雖も、是れ偏へに凶人の構ふるなり。而れども今此の如し。二世（現世と来世）の願望已に満つ。

そこで定家は、早速百首の作歌に取りかかる。よほど苦吟したらしく、八月十九日には、『明月記』に「詠歌に辛苦し、門を出でず」と書いている。二十五日、ついに百首を詠み終わり、院に呈出している。翌日後鳥羽院からの、以後定家に内昇殿（院の御前に罷り出ること）を許す、という書状が届く。この内昇殿のことは、院が退位されて以来、彼には許されていなかった特権だったのである。定家は欣喜するが、この栄誉は、自分が格別求めていたものではない、と日記の中では述べている。

此の事、凡そ存外。日来《ひごろ》更に申し入れず。大いに驚奇す（中略）又懇望にあらず。今百首を詠進、即ち仰せらるるの条、(歌) 道のため面目幽玄なり。後代の美談たるなり。自愛極まりなし。道の中興最前（これからの復興が）、已に此の事に預る。

定家がこの時詠んだ百首の中には、彼の最良の歌がいくつか入っている。『明月記』の中には記していないが、例えば、

梅の花にほひをうつす袖のうへにのきもる月のかげぞあらそふ

また、

駒とめて袖うちはらふ陰もなしさののわたりの雪の夕ぐれ

多くの評者も指摘するように、後鳥羽院の偉大な詞華集のために、定家やその他の歌人が詠進した「百首」こそ、あの『新古今集』の母体になったのである。

それにしても、この純粋に日本的な詞華集に関する知識の大部分が、こともあろうに『明月記』という、「漢文」で書かれた書物から得られるとは、まことに奇妙なことと言わざるをえない。

彼が詠進した百首によって後鳥羽院の尊敬をかちえたことは、宮廷での定家の地位を少なからず高めることとなった。だが後鳥羽院との関係は、定家が、和歌の世界における自分の重要性を、より強く意識するようになるにつれて、悪化してくる。建永二年（一二〇七）六月、定家は、最勝四天王院の衝立障子《ついたて》に書き入れる和歌を作るようにと、後鳥羽院から命じられる。日本のさまざまな景勝地の絵で飾られた四十六枚の障子に、定家を入れて十人のすぐれた歌人による歌で、さらに風趣を添えようというわけである。あまりにも急な下命に、定家は、少なからずいらだたしく感じたようである。『明月記』の六月八日の記述は、次のように続いている。

心神悩み、偃《たふ》れ臥す。和歌を沈思す。（中略）健御前見に来らる。御障子の歌を申す。老後庭訓《ていきん》を闕《か》き、而も先公（父・俊成）を喪ひ奉り、示し合す人無し。

ここで定家は、もはや俊成の指導を受けることのできぬ淋しさを語っている。自作のことを心置きなく話し合えたのは、父だけだったのである。明らかに彼は、後鳥羽院（あるいは慈円、家隆その他同時代の歌人たち）のことを、そうした話し合いの相手としては不足、と見ている。そこで姉の健御前が、彼女自身一流の歌人とは言えぬとしても、亡父の代わりをなす人物としては、明らかに最善の選択だったのである。

その二日後に、定家は求められた和歌を呈出している。院はそれを賞められるが、あとで中の一首をしりぞけられる。すなわち、

秋とだに吹きあへぬ風に色変る生田の森の露の下草

である。後年、流謫《るたく》の身の後鳥羽院は、定家のこの歌をしりぞけた理由を、『後鳥羽院御口伝』の中で説明している。院はまず、定家のみがよくしうる「詞《ことば》、姿」の「艶《えん》にやさしい」ところを褒め、だがこの歌は、艶のほかには「心」も「おもかげ（余情）」もなく、「初心のもの」がもし真似るならば、「正躰なきことになりぬべし」といって、批判するのである。また院は、あの障子に採用された慈円の「生田の森」の歌より、定家の歌の方が、まさっていることを認めている。しかし、自分の歌が撰に洩れたことを知った時、定家が諸所で院の悪口を言って回ったことを思い出し、定家こそ「己の身勝手を知らぬ」のだ、と苦々しげに書いている。

承久二年（一二二〇）の二月十三日、内裏で歌合戦が催され、定家もそこに加わるようにお召しがあったが、ちょうど亡母の遠忌に当たるというので、定家はそれを断る。ところがその夕方になって、忌日でも参内すべし、と改めて命令が来る。そこで詮方なく二首作って

持参するが、その中の一首が、

道のべの野原の柳したもえぬあはれなげきのけぶりくらべや

であった。ところがこの下の句が院の逆鱗にふれることになる。院は、「なげきのけぶりくらべ」という言葉の中に、家族の仏事を無視されたことへのいらだちばかりか、期待していた昇進もかなわぬことへの不満も定家がこめたのだ、と解釈したのである。直ちに定家は「勅勘」の処分を受け、以後、参内を禁じられる。

わずか歌一首のことで、後鳥羽院と定家との関係は終結を迎えることとなる。従って、これで彼の宮廷歌人としての経歴は終わったかに見えた。だが彼は予想もしなかった事件によって救われるのである。一二二一年の承久の乱である。後鳥羽院側の敗北、それに続く院の隠岐への流刑——その後定家の、社会的、経済的、それに貴族としての地位は、いちじるしく向上する。元仁二年（一二二五）定家六十四歳、六年間の休止ののち、定家が再び『明月記』の筆を執り上げた頃、彼はまたもや宮廷の寵児であった。その年の正月一日、彼は次のように書いている。

今年早く桓霊の政を改め、堯舜の朝に逢ふべし。未の時許りに召使等来たる。旧に依り、酒肴菓子等を賜ふ。

この年が堯や舜の盛時に戻る最初の年を画すだろうという定家の期待は、いまわしい凶事の続出によって、見事に裏切られたのである。疫病が急に蔓延して、年の暮れには、捨ておかれた死骸が、都の大路小路を埋め尽くす。翌年には、ひどい干魃があり、その上、年の暮れには、季節はずれのいなごの襲来による被害が出る。その次の年には、大風が何度も吹いて、賀茂川を氾濫させ、その他にもいくつかの災害が、多くの人の飢餓と死を招く。

だがこれらの災難を全部足しても、まだ足りぬような大災害が、寛喜二年（一二三〇）に起こる。その夏、美濃の国、武蔵の国、信濃の国に降雪があり、七月というのに、日本中が寒気におののいたのである。定家は、この寒気のせいで、北陸では秋の収穫は望めないだろう、と知らせられる。「北陸道の損亡（寒気の故と云々）近年此の如き事無し」。毎日のように、日本のどこかで、新しい災害が起こったという報告がもたらされる。例年豊作で聞こえている地方でも、長雨で稲が実らない。人々の苦しみには限りがなかった。定家の耳には、国中の寺塔にも、さまざまな混乱が起こっているという報が入る。「天変怪異に依るか諸山諸寺狂乱尤《もっと》も恐れある事か」。

定家はこの期間ずっと、病気がちであったようである。『明月記』は、彼が患った種々の病に言及している。おそらく皮肉であろうが、己のことを「貧者」と呼んで、「貧者命を買ふべきの術は無し。又惜しむべきの身にもあらず」といっている。病気はなんとか克服することができたが、彼は都にいて飢えを感じ始める。十月十三日には、こう書いている。

今日家僕をして前栽（北庭）を掘り捨しめ、麦壠《ばくろう》（麦のうね）となす。少分と雖も、凶年の飢ゑを支へんがためなり。嘲る莫《なか》れ、貧老他の計有らんや。

わずかばかりの麦を栽培するために、愛する庭を台無しにしてしまうのは、定家にとってはさぞかし口惜しかったことであろう。だがそれによって、飢饉の最悪の危機は、免れえたのである。

飢饉は次の年にもなだれ込み、被害は悪化の一途を辿る。その頃定家が記録したところによると、都の通りは死骸に蔽われ、餓死した者の夥しい死体が、賀茂川に浮かんでいたという。寛喜三年七月二日付の『明月記』は「飢人且つ顚仆《てんぷ》し、死骸道に満つ。逐次加増す。東北院の内、其の数を知らずと云々」と記している。

その翌日の日記には、打ち捨てられた死骸の数が逐日増すことをまた言い、ついで書いている。「臭香徐《おもむ》ろに家中に及ぶ。凡そ日夜を論ぜず、死人を抱き過ぎ融《とほ》る者計《はか》ふるに勝《た》ふべからずと云々」。定家の召し使い、家僕——例えば彼の車副《ぞ》いをしていた老人——さえ、飢えによる衰弱で死んでいったという。

これらの章句を読むと、『明月記』の中には、宮廷詩人同士の抗争についての記録以上の、多くのものが含まれていることが分かる。しかし女性が書いた叙情的な日記とちがって、『明月記』は、長い上、無味乾燥な記述が続くところが多い。例えば私など、よほどの決意をかためてかからぬかぎり、一度に数頁以上読み進むことはむずかしい。私は自分がもっと漢文が楽に読めて、大事なところだけ拾いながら、どんどん飛ばし読みしていければ、どんなによいだろうかと思う。誰かすぐれた学者が出て、この日記文学の記念碑的作品を現代語（あるいは英語）に訳して、私や私のような読者を、助けてくださらぬものだろうか。

源家長日記

源家長《みなもとのいえなが》の日記は、いわば文学的珍品である。まず宮廷人の書いたおおよその日記とは異なり、漢文ではなく、大和言葉で書かれている。次に男性による当時の和文日記とは違って、旅というものに、これは全く触れていない。私はこの日記を読みながら、男の作者が女のふりをして書いた、あの『土佐日記』のことを思い出していた。『源家長日記』は、それとは逆の効果をつくり出している。ここでは、まるで女が男に化けて書いたように見せかけているのである。花鳥を賞《め》でる時の作者の描写は、実際の女が書いたものとほとんど見分けがつかない。しかし他の部分、とくにあとにあげるようなところは、まぎれもなく男の筆である。

この日記が扱っているのは、一一九七年から一二〇七年までの十年間、すなわち後鳥羽天皇譲位の直前から、院が最勝四天王院という、壮麗な御堂を建立供養するまでの時期である。『明月記』もまた同じ時期を取り扱っている。従って、家長の日記に表れた情報は、さらに詳しい『明月記』の記述を参照することによって、補うことができる。時として、二つの日記は、まるで瓜二つに見えることがある。だから読者は、作者が互いに日記を見せ合ったのではないかなどと、全くありえないことさえ思いたくなる。例えば、一二〇三年に催された「内裏の花見」について記した中に、後鳥羽院がその年の催しをことほぐ歌を詠んだことを述べている。

其たびの御製、
　天津かぜしばし吹とぢよ花ざくらゆきとちりまがふ雲のかよひぢ
かへらせ給うに、ちりたる花を御硯のふたにかきあつめて、摂政殿（藤原良経）へまいらせさせ給し……

ところがこれと同じような記述が、『明月記』にもある。

御製にいふ、
　天津かぜしばし吹とぢよ花ざくらゆきとちりまがふ雲のかよひぢ
白昼、見苦しと雖も、騎馬し馳せ帰りて、休息す。後に聞く、この花、御硯のふたにいれ、殿下に奉らる。

いかにも定家の漢文らしい語調の簡潔さは、このような短い引用にも、はっきり出ている。ところが、和文では全く自然な敬語が、漢文では奇妙にひびくのである。家長の「ちりたる花を御硯のふたにかきあつめて」という言葉もまた、定家の切り詰めた語調より、さらに魅力的である。

こうして二つの文章をひき比べてみる時、和文表現の名手であった定家が、和文で『明月記』を書いていてくれたならどれほどよかったかと、常にもまして私は思うのである。文人としての家長は、二流といわざるをえない。人間的にも、さほど魅力ある人物とはいえない。だが彼の日記は、『明月記』よりは快く読めるのである。というのも、家長の日記には、少なくとも文学的な意図があり、後鳥羽院譲位後の生涯に焦点を合わせるという作者の決断によって、作品に統一がもたらされているからである。家長は、院と自分との近しい間柄に、明らかに大きな満足を感じていたようである。彼も初めは、御前に出るだけで足もすくむ思いであったのが、そのうちに、

こよなうさぶらひなれにけるも、参りし時のゆめちもこよなく思ひつゞけられて、おほけなの身のほどやとぞおぼゆる（ことのほかに御供慣れをしたが、それにつけても初めて出仕したときの、あのたよりない夢心地もそれからそれへと深く思いつづけられて、今の自分は全く分不相応の身であることよと思われる）。（石田吉貞、佐津川修二訳）

官位のさほど高くなかった家長は、院の琵琶に付ける笛の伴奏者に選ばれたことにも感激している。院はいつもあまり耳馴れないむずかしい曲を弾かれたが、お間違いになったことは一度もない、と彼は書いている。また、自分の伴奏などはまことに「たどたどしい」もの

だった、と謙遜したようにいっている。ということは、家長がいかに「とちって」も、情け深い院は、いつも大目に見てくれた、ということを意味するのかもしれない。そうなると、その叡慮に感激した家長が、先帝に対する心からの賛辞として、この日記を綴った理由がよく分かる気がする。

家長は、自分がなぜこの日記を書いたかはどこにもいっていない。これは、『明月記』のように、日々の出来事を記録したものとはちがっている。おそらく記述されている事件が起こったずっと後に書かれたものだからであろう。病気とか、家庭内の出来事とかへの言及、あるいは諸事についての私見といった個人的な性格の記述は、ほとんど含まれていない。日記のおもな主題は、『新古今集』が編纂された次第に関する家長の記録のように見える。だが読者は、作者の関心が、集の編纂における後鳥羽院の役割にのみ向けられていることに、やがて気づくのである。

作者は、撰に当たっての、院の細心な規準と、歌を詠んだものの位の高下に関わりなく撰ぶ態度に、賞賛の言葉を呈している。それのみか、後鳥羽院は、他の勅撰集のように、「やまひある」（避けるべき言葉を用いた）歌でも、それだけの理由ではねることをしなかった。家長によると、院は、少々規則上の間違いを犯したものでも取り上げて、ひたすら良い歌を求めたのだ。いよいよ二千首の撰が終わった時には、何度も繰り返し読んでいたので、院はそれらの歌を、ことごとく暗記していたという。そして『新古今集』の撰にあまりにも余念がなく、さほど大事でない政務のことを申し上げても、院のお耳にも入らないようであった、と作者は書いている。

家長の記述によると、後鳥羽院は、歌人として傑出していたばかりではなく、ほかの歌人、とくに若い歌人を励まし守り立てることにも熱心であった。歌の道がすたれないように、という気持ちが強かったからだ。また後鳥羽院は、昔のことをよく憶えていて、「近頃世に女の歌詠みが少ない」と、常に歎いていたという。だが、院の御指導のもとに、歌の道はかつてなかったほどに栄えた、と家長は主張している。

家長は、後鳥羽院を、平安朝「黄金時代」の諸天皇より、さらに高く評価するのにためっていない。彼は書いている。

むかし延喜天暦と申けんみかど（延喜、天暦の治《ち》と申し上げたような古きよき時代の天皇＝醍醐・村上天皇をいう）も、かやうに（この後鳥羽院のように）よろづのみち〳〵に、御めぐみふかくわたらせをはします事は、をそらくも侍らじをと、かたじけなくて……

日本では、現在の方が、あらゆる点で過去に劣ると考えるのが普通なのだが、ここではそれが逆になっているのが面白い。

もしこの日記が、『讃岐典侍日記』のように、それが礼賛する帝の没後に書かれたものであるならば、日記を書いた作者の動機を疑ってみる理由はなにもないであろう。だが家長は、あるいはこの日記を、院の称賛を期待して、院に見せていたかもしれないのである。そうすると作者の態度は、もはやごますりの一歩手前ということになる。家長は、後鳥羽上皇が、和歌はもとより、すべての学芸に秀でていたことを賞賛している。彼は書いている。

中にもわかの道はいひしらずとかや（いい知れずすぐれておられる）。かやうに申《まうす》はさしもなき事かなど人々思ぬべし（このように申すと、それほどでもないことを大袈裟にいうなどと人々は思うだろう）。されど御製どもおほくちり侍れば、たれもく〳〵見侍らんかし（けれども御歌が世間に広く散っているので、誰も見ることであろう）。

院が管絃の道にも秀でていたことも、家長は讃えている。琴、笛、とくに琵琶の演奏には比類のない才能の持ち主であったと。また院は、季節ごとの遊びも大いに楽しみ、狩りも好きであったが、「ものの命をたつ事つゆさせ給はず（生き物を殺すことは絶対になさらなかった）」という。また仏道にも深く心を寄せていて、「いまだわかき御心に十二人のそうをさだめて、不断の御読経たゆることなし（まだ幼少の頃から、十二人の僧を定めて、常に読経を絶えさせることがなかった）」と。

かりに後鳥羽院が、『明月記』が書いているような、何等かの欠点を持っていたとしても、家長は、自分の腹の中だけに、それをしまっておいたにちがいない。

後鳥羽院を描く筆つきに追従の嫌いはあっても、家長の日記には、読者を引きつける章句が少なくない。日記はまず御所の中の日常の描写に始まるが、その記述がまた鮮やかなのである。というのも、事柄の細部が、同時代に書かれた他のどの日記よりも、はるかに生き生きと描かれているからである。

家長は、朝、庭を掃いている下役の冠のゆがみ、殿上の小庭のあたりをあてもなくうろつく小舎人《こどねり》、えらいのはわれ一人とばかり、いかにもいばり返った小役人などの姿に、注意深い目を向けている。また作者は、主上に御膳を差し上げる時の気品の高いやり方にも感じ入っている。ところが、日本の他の日記作者と同じく、どのような食事が供されたのかは、残念ながら、彼は全く書いていない。そのようなことは、筆にする値打ちもないようなのである（食事の内容をことこまかに描写する中国人やヨーロッパ人と、そういうことに無関心な日本人との、なんたるちがい！）。

後鳥羽天皇の譲位を書いた日記の記述、これもまた読者に強い印象を与える。細部の描写が、やはりここでも生きているからである。前年に行われた五節《ごせち》の舞いに格別きらを尽くしたことから、家長は帝が譲位のことを考えていることを察していた。だが、いよいよ天皇のしるしである璽剣《じけん》を新帝（土御門天皇）に渡す時が来ると、「思しよりけにわかれの涙とところせきまで侍《はべり》し（思いがけぬ別れの涙がとめどなく流れるばかりであった）」と家長は書いている。

剣と璽が新帝に渡されたのは内裏であった。ところが、内裏に向かう途中で、天皇の一行は、たまたま一群の無頼の徒に出くわし、そこでいさかいが始まる。帝の車は打ちこわされ、鮮血が、こともあろうに神璽の上にほとばしる。この事件は『明月記』にも出ているが、その記述は、譲位に関する、いわゆるもっと「人間味のある」出来事は、なんら述べていない。譲位後初めて布衣《ほい》（狩衣と烏帽子）を着ける後鳥羽院の姿を描く時、家長の筆は最も冴えている。院の姿はいかにも不格好である。

御えぼうし（御烏帽子）もこよひはじめさせ給へば、とかくからかはせ給へど（いろいろに付けてみられたけれど）、さらにたまるべし共おぼえずなどわらはせ給《たまふ》（一向にしっくり来ないように思われるなどといってお笑いになった）。

このような記述も、それが作者のじかの観察から出ているだけに、余計に精彩を放つのである。

家長は、後鳥羽院以外の、当時の歌人にも、格別の注意を払っている。院に次いで彼が褒めているのは、藤原俊成である。俊成の九十歳の祝い事に関する家長の描写は、『明月記』や『建礼門院右京大夫集』のそれよりも、ずっとすぐれている。この古老を描く彼の筆致には、明らかにもっと親身な気配があるからだ。

入道殿（俊成）やゝまたれて、新三位（成家《なりいえ》）、定家朝臣にたすけられてまうでのぼる（御前に参上した）。たとしへなくおいかゞまり、あひかに心くるし（いかにも弱々しげで見るも痛ましいほどであった）。よにながらひへけるは（今まで長らえたのも）けふをまたれけると、あはれにかたじけなく見え侍《はべり》き。なげしをもえものぼりやらで（長押《なげし》に上ることもかなわず）ひれふしたりしを、こどものすくひたてゝそのぼせ侍し（入道の息子たちが助け起こし、上にあがらせたことであった）。

と家長は書いている。一瞬の真実を描いて、余すところがない。

日記には、鴨長明のことを書いたところがあるが、これも感動的である。長明はやせさらばえ、この上なく衰弱して見えたので、家長は、しばらくそれが誰だか分からなかった、と書いている。余程長明は苦しんだのであろう。とくに賀茂神社の禰宜《ねぎ》（神官）に任命されそこなったことへの失望が大きかったのにちがいない。しかし最後まで、長明は、「いささか仏道修行の妨げとなる」とは思いながらも、歌を捨てることはできなかったという。このような個所になると、家長の日記は生きてきて、現代の読者の鑑賞にも、十分耐えうるものとなっている。

いほぬし

鎌倉時代において最も代表的な日記の種類は旅日記であった。そしてこのジャンルに関しては、これよりもっと早い時期に書かれた作品があったことはいうまでもない。中国へ旅した円仁の漢文日記、あるいは貫之の『土佐日記』などである。『更級日記』もまた、田舎から都へ上る作者の少女時代の旅に、かなりの紙数をついやしている。他にもまた、寺詣でなどについての短い旅の記述を含む日記など、いろいろあった。

『いほぬし』と呼ばれる増基《ぞうき》法師の旅日記は、明らかに十世紀の終わり頃に書かれたらしく、鎌倉時代紀行文に一番近い祖型をなすものである。ただし作者は、自分を表すのに「庵《いほ》主《ぬし》」という三人称を用い、彼が語っている二つの旅の時期については、口を濁して言っていない。日記は次のように始まる。

いつばかりのことにかありけん。世をのがれて、こころのままにあらむとおもひて、世のなかにききときく所々、おかしきをたづねて心をやり、かつはたうときところどころおがみたてまつり、我身のつみをもほろぼさむとある人有けり。いほぬしとぞいひける。

作者がここで、旅の明確な動機としてあげているものが三つある。まず旅によってこの世の煩いから逃れ、思いのままに生きてみたいという願望である。世間を捨てたいという気持ちは、中世、およびそれ以後の隠者僧の気持ちにも通じるものであろう。第二の動機は、その魅力については聞き知っていても、まだ訪れたことのない地を訪れたいという願い。これもまた、何世紀にもわたって、日本人を、景色の美しさで聞こえた土地だけではなく、景色はともかく、昔から歌で名高い土地をたずねてみたいという気持ちにさせたと同じ願いである。西行や芭蕉の作品に詠まれた場所に、今日林立する歌碑や句碑。あれは彼らの先達に霊感を与えた場所をわが目で見たいという、日本人が古くから抱いた願望の、なによりの証拠ではなかろうか。

最後にいほぬしは、旅は自分の罪を幾分なりとも亡ぼしてくれるだろう、という希望を述べている。これも、さまざまな聖地に杖を曳く人々の、心の底にある希望と同じものなのである。人は旅から喜びを引き出すこともできよう――伊勢、熊野、石山寺などは、聖地でもあるが、景勝の地としても聞こえている――だが巡礼の目的は、それではない。聖地を訪れる巡礼は、その場所の神仏との一体化を成就するのである。神仏をただあがめるためだけなら、そのためには日本中、それこそ数かぎりない場所がある。しかし神仏に直接ゆかりのある聖地に行ってあがめるほうが、霊験はさらにあらたかなのである。

今日世界中いたるところで日本人の団体を見るが、あれと同じように、旅は隊を組んですることもできる。また一人でもできる。いほぬしは、明らかに一人旅を選んだ。彼は書いている。

神無月の十日ばかり熊野へまうでけるに、人々もろともになどいふもの有けれど、我心ににたるもなかりければ、ただ忍びてとうしひとりしてぞまうでける。

京を出ていほぬしが初めて杖を止めたところは、八幡《やわた》であった。だがどのような旅籠《はたご》、あるいは寺に泊まったかということ、食事にはなにを食べたか、あるいは心地よい宿りであったかどうかも、いほぬしはいっていない。彼が書いているのは、ただその土地の美しさだけである。

その夜月面白うて、松の梢に風すずしくて、むしの声もしのびやかに、鹿の音はるかにきこゆ。つねのすみかならぬ心地も、よのふけ行にあはれなり。げにかかれば、神もすみ給ふなめりと思ひて……

叙述の調子、また描写の委曲、そのいずれにおいても、いほぬしは、鎌倉時代の旅日記を、いわば先取りしていたのである。

いほぬしは、石清水《いわしみず》（八幡と同じ。石清水八幡宮がある）の美しさに深く心を動かされている。だが彼が褒めるものが、常に最もよく知られた光景や音声などにかぎられるのは、いったいなぜであろう。どうやらこれは、中世の旅人に典型的な流儀らしいのである。彼らはまず、先人の歌によってすでに知られた場所へ行く。そして彼らがそこで褒めそやすのは、桜かもみじにかぎられ、名もない丘に咲く名もない花の美しさには、一言一句も費やすことがないのである。川端康成は、「東海道」（一九四三年）という作品の中で、この現象について次のように説明している。「先人の足跡に従つて、名所古蹟にお百度を踏むだけで、無名の山川をみだりに歩かぬのが、日本の芸の修業の道だし、精神の道しるべだつた」。

このような巡礼、ないし行脚には、一つの矛盾が含まれている。出家にとって、「世を厭う」のは、ほとんど義務とされている。だが世の美しさに深く心を動かされながら、どうして世を厭うことができるのだろう？　いほぬしは、「この世はいくばくにもあらず。水のあは（泡）草の露よりもはかなし」という思いを述べたすぐあとで、

春は花を見、秋はもみぢを見るとも、にほひにふれ色にめでつる心なく、朝の露夕の月をみるとも、せけんのはかなきことををしへ給へ。

鴨長明も、己の庵《いおり》に愛着を抱くのは果たして罪であろうか、とあの有名な方丈に座して、考えたことであった。しかし、まさにそのような愛着を絶つために、旅に出た出家も少なくないのである。

最も美しい光景にも心動かされることなきように、というこのいほぬしの先程の祈願にもかか

わらず、彼は結構旅の行く先ざきで、いろいろなものを楽しんでいる。いほぬしの日記は、まさに常套句の織り混ぜ作品である――いや、少なくともそのように見える。

さま〴〵の鳥ども、あまた洲崎にもむらがれてなくも、心なき身にもあはれなることかぎりなし。

この日記は、慣習的な意味ですこぶる小綺麗に書かれているので、世を厭っているというほぬしの信仰告白を、真面目に取ることはかなりむずかしい。しかし、ここで思い出していただきたいのは、昔の日本では、体験の新奇さを述べることが、旅人の目的ではなかったということである。かくかくの山の頂きを初めて極めたなどということを、誇らしげにいうのは、ヨーロッパ人である。日本人は、先人がすでに体験したことを、いわば再体験することを常に望んだのである。例えば貝で有名な海辺にきたとする。すると彼は当然、負けるものかと自分も貝を集める。またかりに、萩で名高い原を、季節外れに訪れたとしよう。すると彼は、そこの萩を詠んだ昔の歌を思い起こし、満開の萩を想像して楽しむはずである。現にその場に咲いている、名もない花には一瞥もくれずに――。

しかし時としては、歴史に名高い土地を訪れても、悲しい思いがかき立てられることもあった。逢坂の関を越えたところで、かつては壮麗さを誇っていた寺院が廃墟と化した姿を見る。いほぬしは書いている。

つつみのもとにて、京極の院のついぢくづれ、むまうし（馬牛）いりたち、女どもなどかさをきて、こむく（金鼓）うちありくをみるに、ことのおはせし時思ひあはせられて、なを世中かなしやなどとおもふ。

近江の宮跡を通りすぎた時の人麻呂のように、いほぬしも、この寺の過去の栄光と、荒涼たる現在の姿との間の、あまりにも大きなちがいに、心を動かされたのである。彼がその時詠んだ歌、

げにぞ世は鴨の川浪たちまちに淵もせになる物には有けり

いほぬしのような旅人の旅は、空間のみでなく、時間をもよぎる旅だったのである。

高倉院厳島御幸記

高倉天皇がまだ幼い皇子安徳天皇に位を譲ったのは、治承四年（一一八〇）の春であった。この苦しい決断をする前から、明らかに天皇は、厳島《いつくしま》参詣のことを心に決めていた。宮島にあるこの神社は、平家一門の氏神であり、高倉院がわざわざ宮島への御幸を断行したのは、おそらく平清盛の圧力によるものだったと思われる。しかし院の母君が、平氏の血筋であったことも、その遠因となっていたかもしれない。この御幸の供に選ばれたものの一人に、源通親《みちちか》があった。歌のほうでは藤原定家のライバル、のちに後鳥羽上皇和歌所寄人《よりうど》の一人として、常にあまりぱっとしない助言ばかりしていた人物である。その通親が書いたのが、高倉院の厳島詣での公式記録『高倉院厳島御幸記《たかくらいんいつくしまごこうき》』だったのである。正確には平安時代の終わりであるが、この作品は、鎌倉および室町時代に、数多く行われた旅日記の嚆矢とされている。

慣習からゆくと、退位した天皇が退位後に参詣するのは、いずれも都に近い賀茂神社か、石清水八幡宮に決まっていた。従って厳島のように遠隔の地まで御幸するのは、全く先例のないことだったのである。日記は、謎めいた言葉で書かれている。

荒き浪の気色、風もやまねば、口より外に出《いだ》す人もなし（当時の不穏な政治的事情をおもんぱかって、このような長旅に対する不平を口に出していうものはいない）。

すなわち、後白河院の幽閉に至るまでのさまざまな事件、そして自分のやり方には一切他の口出しを許さぬ清盛への恐れを、明らかにこれは指している。

その時清盛は、今の神戸に近い海辺に築いた新しい都、福原に住んでいた。福原のことは、鴨長明の『方丈記』の記述で、私たちにも親しい。目に入るのは、俄か造りの家並みと鄙《ひな》びた御殿ばかり。そうした荒れ果て、ものさびしいあたりの景色に、長明はおぞけをふるっている。ところが通親が描いて見せる福原の情景は、これとは全く違った趣を呈する。まず清盛が福原から差し向けた「唐《から》の船」が、高倉院を迎えにくる。通親は書いている。

（その船は）実《まこと》におどろおどろしく、絵に描きたるに違《たが》はず。唐人ぞつきて参りたる。高麗人《こまうど》にはあだにには見えさせ給まじとかや、某《なにがし》の御時沙汰ありけんに（帝たるものはめったなことで外国人と会ってはならぬという御沙汰が、ある天皇の御時にあったというのに）むげに近く候はんまでぞかはゆく覚ゆる（むやみにお側近くお仕えする様子に至っては、見るに耐えない思いである）。

清盛が用意した仮御所に着いた時、院はわが目を疑う。

入道太政大臣心を尽して御設けと、心言葉も及ばず。天の下を心にまかせたる装ひの程(天下にありとあらゆる材料を用いた装い)、営まれたる有様思ひやるべし。(中略)木立、庭の有様絵に描き留めたし。

読者はここで、作者通親の性情の、最も好ましからぬ面が出ていると思ってもよいのではなかろうか。すなわち作者が清盛におもねっている可能性が多分にあるからだ。しかしそうした通親でさえ、この御幸の間に感じられた緊張感を、それとなくだが、やはり書きとめざるをえなかったようである。福原到着の夜、先帝がいよいよ寝所に入る前、「このようなものには何の魅力も感じないよ」という意味の言葉を洩らしたことを彼は書いている。

また通親には「神仙の洞《ほら》」に来たかと思うほど素晴らしかった宮島を見たあとも、院がもてはやし、打ち興じるようなものとてはなにもない。通親は書く、「何の映《は》えも思し召されず。理《ことわり》とぞ見奉る(もっともとお察し申し上げた)」。院が帰洛されたあとで書いた日記の最後には、「かくて『御痩《や》せもただならず』など聞えて、『薬師《くすし》ども申勧めて、御疾治《きうぢ》』などぞ聞えし」とある。

中世の旅日記には、文学的に重要な作品がほとんどない。名高い景勝の地を描いた文章がなんらかの魅力を持つとしても、それは慣習的な魅力にすぎないのである。桜やもみじを見て感歎の声をあげる旅人は多いが、柳の枝に新芽が吹き出ているのを目にして、何等かの感想を洩らすものはまれである。従って、自然の観察は、先人がすでに書いているものの、いわばヴァリエーションになりがちである。当時の和歌が、本歌取りという原理を取り込んだのも、決して偶然ではない。

H・E・プルチョウは、『旅する日本人』という興味深い著書で、ヨーロッパの旅人が、旅日記の中で、自然に触れることがめったにないことを指摘している。そして「人間が自然の美しさに目を奪われることは、人間と神々の直接的関係が切れることであり、それは神への冒瀆、罪でさえあった」と書いている。ロマン主義が興るまでの西欧では、自然は大抵の場合無視されるのが常であった。

この見地から見ると、日本の日記に現れる最も慣習的な自然美の描写でも、西欧の日記には期待しえない魅力を感じさせてくれるのはありがたい。だが、中世日本の日記は、西欧人の日記の最もよき特色であり、平安朝の宮廷女性の日記をも特徴づけている、あの個人的な要素に欠けるという短所を持つ。従って、野心的な宮廷人だった通親の日記と、清廉潔白な出家が書いた日記とを区別するのが、時としてむずかしいことがある。もっとも出家の日記ならば、例によって人生の無意味さについての考察を、かならずそこここに差しはさむことだろうが——。

そもそも旅日記を読んで一番面白いところは、道中で出会った人々についての記述であろう。例えば通親の日記は、高倉院が室《むろ》の泊《とまり》で湯浴みをしたあと、次のようなことが起こったといっている。

この泊の遊び者（遊女）ども、古き塚の狐の夕暮に化けたらんやうに我も我もと御所近くさし寄す。もてなす人もなければ、まかり出でぬ（相手にするものもなかったので、行ってしまった）。

しかし児島の泊では、遊女が出て来ず、かえって通親をがっかりさせている。

女の遊びども見えず。ただあらんだにあるべきに（旅人がおればかならず近づいてくるはずだのに）、海のほとりに目驚かす者やあらんと覚ゆ（だがもし出てきたなら、海のほとりの女の中には、目を見はらせるようなのがいるだろうか？）。

正確には「個人的」とはいえぬとしても、このような観察は、日記の中にちりばめた彼の退屈な和歌よりは、通親が旅中に抱いた関心について、もっと多くのことを語ってくれるのである。

『高倉院厳島御幸記』は、『平家物語』の中の数章——とくに「厳島御幸」——の拠り所となっている。ところが、『平家』が通親の敷き写しをしていても、効果がまるで異なってきているのが面白い。この日記にも、ところどころには感動を誘う個所がある。だが、高倉院の悲劇は、平家滅亡という物語全体を背景にして見る時、はじめて十分な意味をもって伝わってくるのである。

この御幸の間に高倉院が得た憂鬱症は、やがて本格的な消耗性の病へと進展してゆく。そしてその翌年、年齢わずか二十一歳で、崩御するのである。

通親は、その崩御を主題にして、もう一つ散文作品を、やはり日記の形で書いている。『高倉院昇霞記《しょうかき》』と、それを呼ぶ。

高倉院昇霞記

治承五年（一一八一）、ある春の日の早朝、前年の厳島御幸のあと不思議な病気に取りつかれた高倉院は、今や明らかに全復の望みを失い、「枕を北にし、魂の御在所も西方に移して」近まる臨終を覚悟された、と源通親は、『高倉院昇霞記《たかくらいんしょうかき》』に書いている。この書物は、院の最後の病気と、崩御後の仏事の次第とを記述した、日記の形式で書かれた挽歌といえる。題にある「昇霞」という言葉は、高倉院の遺体を荼毘《だび》に付すことをいったのである。そしてこの言葉は、日記の中にも繰り返し現れるが、とくに通親の次の歌に出ている。

何をかは形見とも見ん昇りにし春の霞の跡も消えなば

高倉院の崩御に対する通親の悲しみが、この作品の唯一の主題である。同じ年の清盛薨去《こうきょ》のことに関してはなにもいわず、平家が木曾義仲に大敗したことについても、言っていない。通親は、古い和歌や中国の故事から借用してきた紋切り型の語句が連なる長文によって、自分の悲しみを表している。あまりにも物悲しい作品で、読むのに苦痛を感じるほどである。だが読むほどに、通親の悲しみは、強い現実性をもって読者に迫ってくる。些細なことなから、効果的なディテールを積み重ねる、作者の手法のおかげである。

四十九日の法事のしばらくあとで、通親は閑院第《かんいんてい》を訪れる。この間まで生き生きしていた庭の小松が、千年を待たずに、主人を失った悲しみのためか、立ち枯れているのに気づき、通親は心を動かされる。また以前自分の庭から移し植えた梅の木が、前に変わらず花を咲かせているのにも気がつく。院の霊が祭ってある法華堂に持っていこうと、一枝手折りながら、通親は梅の木に向かって呟く、「主《あるじ》なしとて匂ひ変るな」。そして、

春やあらぬ梅も昔の花ながら植ゑし庭のみ散るぞはかなき

の一首を詠む。「庭が散る」とは、主をなくし、もはや御所の庭でなくなったことをいったのであろう。ところがこの歌は、有名な業平の本歌とあまりにも似すぎていて、ほとんどパロディーのように聞こえる。しかし通親は勿論大真面目なのである。百日忌が終わって、彼が幼帝安徳天皇の御前に伺候した時、以前から見馴れていた御殿の中のものみなが、まるで別の物のように見える。

内裏に参りて、見参《げざむ》に入ても（天皇に拝謁したあとも）、昔に変りて、眺める空は「同じ雲居に（同じ空、同じ皇居に見えるけれど、私にはちがっている）」とぞ口ずさまるる。

この日記の中で、通親は、高倉院のお供をした厳島御幸のことを、何度となく思い出している。そして院に対する讃仰の気持ちを、改めて書くのである。「十四年の程、夜昼仕うまつりしに、荒き気色を片端だにも見ざりしぞかしと思ひ続けられて……」。もはやここには、院に対するへつらいの気持ちは明らかにない。主上への真の敬慕と、愛情のみがある。

藤原定家は、建仁元年（一二〇一）、後鳥羽院の熊野御幸に随行した際の旅日記を書いている。『後鳥羽院熊野御幸記』と呼ばれ、旅路で詠んだ和歌の引用以外は、漢文を用いている。院、定家ともに傑出した歌人であり、やがて『新古今集』の編纂にも力を合わせるようになるのだが、この日記を読んで、両者の間の友情をほのめかすような個所を探すのはむずかしい。定家は、行事があるたびに、どのような装束を着けるべきかに頭を悩まし、自分のすぐれぬ健康のことをぐちっている。そして一行が参詣した寺社の名を繰り返し述べ、御幸の宗教的意図を盛んに強調するのである。自然の景観については、藤白坂からの眺望の美しさを、ほとんどしぶしぶ認めている。「遼海ヲ眺望スルニ、興ナシニ非ズ」と。

定家には、この旅が楽しいものでなかったことは明らかである。上皇は、熊野を深く信仰し、すでに三十回以上も参詣を重ねていたが、その上皇に随行すること自体に、あまり気が進まなかったのではなかろうか。この二人の気むずかしい歌人の間には、魂同士を結びつける基本的な交感が欠けている。『熊野御幸』が、日記として『厳島御幸記』の水準にまで達していないのは、おそらくそのためであろう。従って、このライバル同士の、歌合わせならぬ旅日記の手合わせにおいては、軍配は、明らかに通親の方に上がったのである。

海道記

鎌倉時代に書かれた旅日記は、他の時代のものと同じく、多くの場合なにか特別に神聖な性格を持つか、さもなければ、それまでたびたび歌に詠まれたことのある土地を訪れたいという、作者の願望に端を発している。ところがこの時代の旅には、ある特別の焦点が与えられている。すなわち鎌倉幕府の存在である。長い間京都こそ日本の中心地だと考え、それを当然としていた京都の人々は、彼らが耳にする鎌倉についてのもろもろの風評に、いたく興味をそそられていた。そしてその新しい都をわが目で確かめたいという好奇心から、鎌倉へ旅をするものも少なくなかったのである。そのほかにもまた、源氏の心酔者で、源家興隆にゆかり深い場所を見たいと思うもの、なおまた幕府の法廷に訴え事を持ち込むため、わざわざ長旅をいとわぬものもあった。

道中の数ある名高い土地は、鎌倉への急ぎ旅をするものにも、当然見逃されるはずはなかった。例えば、『伊勢物語』の在原業平《ありわらのなりひら》にゆかりある八橋《やつはし》のことをいわぬものはなく、富士、箱根は、かならず旅人に、先人のひそみにならって歌を詠ませ、あるいは文を書かせた。

途中諸所で長逗留したためではあったが、あの『更級日記』の作者には九十日もかかった旅が、もうこの頃では、大体十二日から十五日の日数をかければ可能になっていた。道中旅人の必要を充たすために、旅籠《はたご》（そして売春宿）もあった。昔は宿がなく、夜は急ごしらえの囲いを作って、野宿することも時にはあったのだ。いまは荷物も軽くてすんだ。宿をとれば、食物（以前は自分で食糧をかついだものだ）にありつけることが分かっていたからである。

京都、鎌倉間の旅を扱った日記の中で、私のお気に入りは、『海道記《かいどうき》』である。『十六夜日《いざよいにっ》記《き》』の方が有名だし、『海道記』よりもよく書けている日記も他にあるのだが、私はこれをとる。平安時代の日記を読んだあとで『海道記』を読むと、日本語の文体に起こった大きな変化に、私たちはすぐに気づく。平安朝の代表的な「和文」日記には、音《おん》読みの語がきわめて少ない。ところが『海道記』には、音読みの熟語が多いばかりか、中国の詩や故事から引いてきた語句がぎっしり詰まっている。時には中国語からの直訳かと思われるような章句にさえ出くわす。文体上の特徴の第一は、中国の詩や散文にある四六駢儷体《しろくべんれい》に倣って、対句を多用するところである。その代表的な一例は、浜名湖岸にある橋本の宿の描写であろう。

釣魚《てうぎよ》の火（釣り人の灯）の影は、波の底に入りて魚の肝をこがし（魚をおどろかせ）、夜舟《やしう》の棹《さを》の歌は、枕の上に音づれて客の寝ざめにともなふ。

対句は『方丈記』にも見られるが、ここではしかし、『海道記』に比べて、はるかにすっきりと使われている。だが『海道記』と『方丈記』との、文体その他における類似点は、

『海道記』（そして『東関紀行《とうかんきこう》』）の作者鴨長明説が長い間通用していた、おそらく一つの根拠となっている。芭蕉は、過去の偉大な日記作者の中に、長明の名を挙げている。だが長明が『海道記』の作者だろうという説は、現在では、もう誰も信じるものはない。なぜならば長明が没したのは一二一六年だが、『海道記』に記録されている旅は、一二二三年に起こった事件だからである。

しかし『海道記』が、その作者は誰であれ、この種の作品の傑作の一つであることには変わりはない。長明の作と呼ばれるだけのいわれは、十分にあったのである。『海道記』の作者が誰であろうと、日記には、彼の正体を知る手掛かりがほとんど与えられていない。そのくせ彼の日記は、きわめて個人的なのである。すでに訪れたことのあるものから聞いた話をもとに、彼は鎌倉がいかにすばらしい都かということを述べ、自分がなぜ鎌倉を訪れるかというわけを、まず巻頭で語っている。その章句は、彼が得意とする漢文調の典型で、

そもそも相模の国鎌倉郡は下界の麁渋苑《そじふをん》、天朝の築塩州なり。武将の林をなす。万栄の花よろづにひらけ、勇士の道に栄《は》ゆ、百歩の柳ももたびあたる。弓は暁の月に似たり……

といった調子である。京都から遠く離れたことがなかった作者は、鎌倉の壮麗さについての評判に感心しただけではなかった。中国の古典が規定したさまざまな儀式、作法を重んじ

る新しい政府のもとに、広く行き渡った秩序によっても、強い印象を受けたのである。作者は、鎌倉など自分とは無関係なものと思いなして多年を過ごしていた。ましてや自分の目でその繁栄を見ようなどとは、考えてもみなかったことである。ところが、鎌倉を訪れるにちょうどよい機会が到来して、「俄かに独身の遠行を」企てた、というわけである。

当時およそ五十歳と思われる作者は、鎌倉への旅に出かける少し前に出家したようである。といって彼をこの旅に誘い出したものは、格別仏道帰依の心ではなかった。彼は言っている、自分は人生の失敗者だ、生まれつき才能乏しく、種々の学芸を学んでも、少しも身につくことがなかったと。これは東洋的謙遜のようにも聞こえようが、彼の絶望は、一時は自殺を考えるほどに、真剣なものだった。彼は書いている、「惜しからぬ命のさすがに惜しければ、投身の淵は胸の底に浅し」。やはり淵に身を投げる勇気はなかったというのである。

なにかもっと他の要素が彼の心の病をもたらし、五十にもなってから世を捨てる気にならせたのか、それについては彼はなにも言っていない。しかし、京都を発つ前、年老いた母親に、「当てにもならぬ契り」とは知りながら、かならず帰ってくると約束した、という記述がある。手掛かりは、おそらくこの中にありそうに思われる。再び幼な子に戻った母親（母儀の老いて又幼《いとけな》き）を家に置いて旅に出ることは、彼の出立になにか暗い影を落としている。これよりずっとあと、鎌倉にいた間にも、自分を待っている母と再会すべく、急遽京へ戻らねばならぬように思ったことがある、と彼は述べている（花京に老いたる母あり。嬰児にかへりて愚子をしたひ待つ）。成尋阿闍梨とちがい、長い別離の間も、母との関係を保ちうるあの浄土での再生への確信が、彼にはなかったのだ。母は彼が自分を棄てたと思い、そのことで彼を恨むかもしれぬ、とさえ気に病むのである。

母親との関係のことで、彼は絶えず心を痛めている。朝夕父母に孝養をつくすことなく終わってしまったならば、神仏に祈って果たしてなんの甲斐があるのだろう、と自問している。自分が母に孝養をつくせないのは、あるいは前世からの報いではなかろうか、とも考えてみる。彼は書いている。

壮齢のむかしは将来を恃《たの》みて天に祈りき。衰運の今は先報をかへりみて身をうらむ（前世の報いをかえりみてわが身を恨むのみである）。

だが、せめて自分が出家したことが、母を極楽へ送るための一助ともなれば、と彼は願うのである。

老母の存在が強調されているのは、私にあることを考えさせる。すなわち、彼の鎌倉への旅は、老残の母の見るも痛ましい姿からの、あるいは一時的な逃避だったのではなかろうか、ということである。しかし鎌倉に着いた時、作者は、この行為を思い出し、恥じた、と書いている。しかしそれ以上のことはなにもいっていない。これはまさに推測の域を出ないのだが、他の旅日記とは全く異なり、この日記の叙述には、思い切って書くこともできず、といって完全に押し殺してしまうこともできぬ、ある強い悲しみの情が秘められているように思われる。
　鎌倉への旅に出立した時、どのような心労にさいなまれていたにしろ、『海道記』を読むと、作者が、道中の至るところで目にしたものを、すべて喜々として楽しんでいるのが分かる。彼はこの日記を、文学作品にする意図はない、といっている。

　これはこれ、文をもつてさきとせず、歌をもつてもととせず、ただ境にひかれて物のあはれを記するのみなり。

　そうはいいながらも、明らかに文章の表現には大変な苦心を払って、同じ時代の旅日記の中でも、最も読みづらい作品を書いたのである。聖俗の漢文文献、とりわけ『蒙求《もうぎゅう》』（唐代）と『和漢朗詠集』からの引喩が多く、余計に文章を晦渋にしている。また文体に独特のぎこちなさがあるが、これはどうやら、自分の感情を伝えるのに、平安時代の和語より、さらに適切な新しい日本語を、彼が創造しようとしていたことを示唆している。この試みは、あとに彼の文体の模倣者が出なかった、という意味においては失敗している。しかしその試み自体は、称賛されてもよい。
　この作者が得意とするとおぼしい文体上の工夫に、擬人化がある。彼は、橋、海老、あるいは老いぼれ馬などに向かって、まるで彼らから答えを期待するような調子で話しかけるのである。とりわけ老いぼれ馬に語りかける言葉は感動を誘う。

老馬、老馬、汝は智ありければ山路の雪の下のみにあらず、川の底の水の心もよく知りにけり（『蒙求』に、管仲が雪中道に迷い、老馬を放って再び道を得たとある）。

出典は『蒙求』だとしても、擬人化は、この『海道記』に発している。漢文の語法に影響されているのは明らかだが、彼独特の文体上の工夫がもう一つある。それは、文章を始めるのに、動詞をもってするやり方である。例えば、「知らず、利生菩薩の化現して夫（大江定基）を導けるか、また知らず、円通大師（定基）の発心して妾（定基が愛した遊女）を救へるか」。そういえば、『方丈記』にも同じ構文がある。「知らず、生れ死ぬる人いづかたより来たり、いづかたへか去る。また知らず、仮の宿り、誰がためにか心を悩まし、何によりてか目を喜ばしむる」。

これらの——そして他にもあるが——文体上の特徴は、例えば澄明きわまる和文で書かれている『東関紀行』などに比して、はるかにこの作品を読み辛くしている。だがこの日記は、当時のどの日記よりも、ずば抜けて野心的なのである。

一言にしていえば、これは、ある男が、一体自分とは誰か、そして自分の居場所がないと感じているこの世に、一体なぜ自分は存在するのか、ということを探究した記録である。日記の結びに、自分がそれを書いた理由を述べている。

これただ家を出でし始め、道に入りし時（出家入道した時）、身の悲しみ催されて、人の嘲《あざけり》をかへりみず、愚懐の為に（自分の心のうちを述べるために）これを記す、他興の為にこれを書かず。

といってこの日記が、暗い調子に終始するとってはならない。時として作者は、あまりにも楽しいことにぶつかって、そもそも彼にこの旅を思い立たせる原因となった悲しみのことを、きれいに忘れてしまうほど夢中になっている。次の文章は、作者が鳴海の浦を舟で渡った時に書いたものである。

蓬萊島《ほうらい》は見ずとも、不死の薬は取らずとも、波上の遊興は、一生の歓会、これ延年の術にあらずや。

この日記の最も印象的な特徴は、その文体に反映されている作者の因襲に囚われない物の見方である。大抵の旅人なら、訪れた名所や景勝の地を、異口同音に褒めそやすが、この作者はそうではない。「名を得たる処、必ずしも興を得ず。耳に耽《ふけ》る処、必ずしも目に耽らず」。そして、御殿の中の几帳をめぐらせた美しい寝床も、しょせんは田舎の遊女屋のそれと、択ぶところはないのだ、といささかの皮肉をこめて書いてもいる。彼はまた、精神的な不滅の歓びを否定する懐疑派でもある。「かの上仏《じやうぶつ》の薬（天上界の仏の薬）は下界の為によしなきものか（やはり肉体の命の方がよい）」。それのみか、かぐや姫のことを呼ぶに、「毒の化女《けぢょ》」という辛辣な言葉さえ用いるのである。

『海道記』の中で最も感動的なところは、不運につきまとわれていた承久の乱にかかわる個所である。北条執権を倒すべく、後鳥羽上皇とその同調者によって企てられたこの反乱は、結局不成功に終わり、加担者は殺され、あるいは遠島の身となった。幕府への賛仰の念を一方で表明しておきながら、『海道記』の作者は、幕府を倒そうとして命を落としたものに対して、あわれみを注ぐのにためらっていない。

作者は、馬の疲れをいやすため、菊川の宿にとどまったことを回想している。彼はたまたまある家の柱に、中御門中納言宗行《むねゆき》卿が書きつけた詩を見つける。その詩は、長生の水を湛《たた》えるといわれた中国の菊水と、そこで自分がおそらく一命を落とすことになる東海道の菊川とを、対置させて詠んだものであった。これにいたく心を動かされた作者は、宗行卿の悲劇的な生涯を思い起こす。卿は名門に生まれ、官人として高位を極めた。後鳥羽院の御殿にあっても、美衣美冠をつけたその輝くばかりの容姿で、花のように時めいていた。そして近きも遠きも、人はみな、卿の栄光にあやかろうとした。その宗行が、「かかるうきめ見むとは」、誰が予想できたであろうか？

乱が勃発した時の情況を、彼は次のように書いている。

承久三年六月中旬、天下、風あれて、海内、波さかへりき。闘乱の乱将は花域《くわゐき》より飛びて合戦の戦士は夷国より戦ふ。暴雷《ぼうらい》、雲を響かして、日月、光を覆はれ、軍虜、地を動かして、弓剣、威を振ふ。

写実的というよりは詩的な文章である。だが京都を意味する「花域」と、鎌倉を指す「夷国」との対照を見逃すことはできない。それよりさらに露骨な皮肉もある。例えば、「錦帳《きんちやう》玉瑠《ぎよくたう》の床は主を失ひて武客の宿となり……」。すなわち、貴人の家々は、東国の田舎武士《いなかざむらい》の宿舎となった、ということを婉曲にいったのである。

宗行が捕らえられた時、彼の最も忠実な家来といえども、唯一人彼を救うことはできなかった。貴族、平民、ともに命運は尽きていたのだ。作者の言葉によると、「奈落の底」に落とされていたのである。おそらく宗行は、家来のものに守られ、わが命を痛切に惜しむ気持ちを表して、柱にその詩を書いたのだろう、と作者は想像している。続いて作者の和歌がある。

心あらばさぞなあはれとみづくきのあとかきわくる宿の旅人
（心ある旅人ならば、この筆跡を見て、さぞあわれと感じることであろう）

菊川では、宗行卿は処刑されていない。もう少し行ったところで、作者は今度は宗行の和歌を見つけている。その歌を読むと、宗行がいよいよ自分が死地に来たぞ、と感じていたことが分かる。そこで作者は、死を目前にした宗行の脳裡によぎったことを想像して、次の歌を書いている。

都をばいかに花人春たえて東の秋の木の葉とは散る

すなわち、乱に加わった花のような貴人は都を離れて、もはや栄華の春は訪れることはなく、東国の秋の木の葉となってみな散ってゆくのだ、という詠歎である。

『海道記』の中には、引用に値する章句が少なくない。容易に人を寄せつけないその文体で、いささか損はしているものの、この日記は、私たちの心を深く動かしてくれる。そしてその文体も、なるほど初めには少々厄介かもしれない。だが結局この作品の、全体的な効果に寄与するところは大きいのである。そしてその作品とは、単なる旅の記録にはとどまらず、心に悩みを抱くある男の、ほかならぬ自己発見の試みでもあったのだ。

信生法師日記

信生法師《しんしょう》。承久二年（一二二〇）に剃髪得度する前の俗名は宇都宮朝業《うつのみやともなり》。法師は、一二二五年、『海道記』の作者のちょうど二年後に、京都から鎌倉に旅をしている。彼の旅が多分に宗教的な性格を帯びていたことは、鎌倉を見たあと、郷里下野《しもつけ》に帰る前に、善光寺まで足を延ばそうと心に決めたことによってうかがわれる。それが遊山の旅ではなく、巡礼の旅であったがために、信生は道中の風光には事実上なんらの注意も払っていない。そして全体的に見て、その日記には、仏教的な調子がいちじるしい。

信生はもともと鎌倉幕府の御家人、将軍実朝の親近であったが、その実朝は、承久元年、信生の目前で暗殺されたのである。そしてその翌日には、御台所《みだいどころ》を始めとし、近臣百余人が悉く出家したという。しかし信生は、ひとまず郷里に戻り、後事を整理したあとで出家している。彼の妻はまだ幼い子供を二人おいて、六年前に死んでいた。従って信生は、自分が仏門に入ることは、とりもなおさず子供を孤児にすることだと、十分認識していたのである。彼は家集の中で、それがいかに苦しい決断であったかを述べている。

大臣殿の御事（実朝暗殺のこと）によりて、世を捨て侍らんとおもひ侍りし頃、母もなくていとけなき子ども見捨てがたく侍りしかば、氏の社《やしろ》に詠みて奉り侍りけり。

あはれ見よわれもあらしになりぬべしはは（葉、母）散り果てしもりの木の本

すでに思ひ立ち侍りし比《ころ》、その気色や見え侍りけん。使ひ侍る者どもの、「いかにせん」といひあへるを聞きて、八になる女ご、七になるをのこ子、「母のなきだに侘しきに、父さへ打ち捨てなくは（父まで私たちを捨てていなくなってしまえば）、いかにせん」なんどいひて、持仏堂の内に（姉）弟入りて、仏に、「父とどめ給へ」と申しける……

だが実朝の臣下であった信生には、他に取りうる道はなかったのである。剃髪をしたその朝に、彼は次の歌を詠んでいる。

まよひこし心の闇も晴れぬべしうき世はなるる横雲の空

この日記と、『海道記』との文体上のちがいは、以上のような短い引用からもはっきりと分かるはずである。単なる「芳縁」によって鎌倉への旅をした『海道記』の作者とは異なり、信生の旅は、仏道修行がその目的であった。従って道中のすべての体験が、彼にとってはなんらかの道徳的教訓となったのである。例えば次の記述にもそれは見える。

小野の宿にとまりぬるに、遊君《きみ》どもの有様の殊にあはれなり。世を渡る道、いづれも苦し

き習ひなれば、ただうはの空なる世を頼み、契らぬ人を待つよりほかの事なく、かくしつつ罪のつもりもいとほしう、又、以貪著追求故、現受衆苦、後受地獄餓鬼畜生之報、このことば更に疑ふべからず。

この世で罪を犯さぬようにとの、この仏教的ないましめには、格別珍しいところはなにもない。だが信生は、出家したのちも、世俗の快楽を追い求めた己の過去を、強く意識している。

池田の宿に着いた時、昔、なじみを重ねたことのある侍従という遊女のいる宿に泊まろうとするが、お前なぞ見たこともないという顔をされ、宿をことわられてしまう。そこで信生は、次の和歌を詠んで送ったという。

　むかし見し姿にもあらずなりぬれば池田の水も影をやどさず

おそらく女は、僧形《そうぎょう》の信生を見て、それが信生だと、分からなかったのではあるまいか。宗行卿が柱に詩を書きつけたあの菊川の宿では、信生も、『海道記』の作者と同じように、落涙を禁じえなかったようである。歌も一首詠んでいる。ところがその涙は、反乱を起こした側への同情の涙ではなかった。信生は、幕府の支持者としてゆるぎなき信念を持っていたからである。そして日記中一番長い章句を、将軍実朝の追憶に充てている。鎌倉に着くとすぐに、彼は実朝の墓所に詣でて、一夜を過ごす。初めて将軍に仕えるようになった時から、実朝の亡骸《なきがら》が煙となって暁の空に立ち昇っていった瞬間までに起こったことのすべてを、彼は余すことなく思い出す。実朝の死からすでに六年、そして、生まれ出でたものはすべて死ぬ、という鉄則を重々承知しながらも、いまは亡き将軍の思い出に、信生は涙せざるをえないのである。

鎌倉から善光寺に行き、二位殿（北条政子）が病いに臥せっていることを知る。早速見舞いに行こうとする。だが、

いつしかはかなくならせたまひぬるにぞ、有為無常のことはり、これにおどろくべきにあらねど、「秋かならず修行」とおほせられしこと思ひ出でられて、まどひの涙一たび苔のたもとをうるほして乾きがたし。

しかし、この日記の最も感動的な部分は、もっと私的な性格を持っている。善光寺への途次、信生は、ある政争に巻き込まれた結果、姨捨山《おばすてやま》のほとりで流謫《るたく》の身をかこっている伊賀式部光宗《みつむね》という旧友を訪ねる。「あやしげなる茅屋《かやや》」住まいの光宗は、信生に向かって、自分が耐えてきた苦難について語る。その間も、光宗の二人の幼い男の子は、大人の話が理解できるはずもなく、ただ彼らにすがりついて、遊んでくれとせがむのである。光宗はいう、

同じさまにて、たちも出ぬべき心地して羨しけれど（君のように出家して出てゆけぬのが、私には無念でならぬ、君が羨しい）、この身にて（配流の身で）世の恐れもおほく、またかゝる絆《ほだし》さへふりすてがたくて。

その絆とは、勿論二人の息子のことである。そこで信生が言う。「心の闇はさこそ惑《まど》ふらめと、あはれなり」。そして二人の男は、「命があればまた会おう」と、いい交わして別れるのである。

光宗の話に対する信生の反応は、いささか独善的なところがあるように思われる。おそらく彼は、光宗が世を捨てることをはばんでいる「絆《ほだし》」を、自分が絶ち切ったことで、いささか得意になっていたのではあるまいか。しかしこの日記の終末部で、彼がついに故郷の家に帰り着いた時、息子と娘を再び見て、やはり肉親の絆を痛切に感じている。子供を見て、その年がちょうど妻の十三回忌の年に当たることを思い出す。彼は書いている。

久しく見侍らざりつるをんなごどもの、心安きさまに在り付きたる（慣れて安住するもの）もなくて、ただ、「様を変へて（わたしたちも出家して）、京なんどに侍りて、見奉つる（お世話する）ことにて侍らばや」と申して泣く様も、さすがにあはれに覚え侍りて

……

信生は、自分に対する子供たちの、この献身的な愛情に感動する。そしてこれがこの世で彼らを見る見納めとなるのであろうという思いに、一瞬気が挫けそうになる。だが彼は、人生のはかなさ、そしていかなる絆も永続きするものではないことを、自分に改めて言い聞かせるのである。この思いが信生に勇気を与え、彼は次の歌を詠んで彼の日記を終わっている。

今更にこの名残をやなげかまし終《つひ》の別れを思はざりせば

しかし信生の冷静さには、なにかうそ寒いものがある。読者は、彼の子供がいかにもあわれと感じる。光宗の子供はあばら屋に住んでいる。それでも彼らには父親がある。だが信生の子供にとっての唯一の希望は、いつの日にか自分たちも仏門に入り、父に仕える日を待つことでしかないのである。しかし信生は、その考えも退ける。彼の行く道は孤独であり、彼の旅には邪魔物が入ってはならないのである。

東関紀行

『東関紀行《とうかんきこう》』は、しばしば『海道記』と対にして論じられる。なるほど二作ともに、京都と鎌倉の間の旅を描き、対句とか、中国文学への引喩といったような、共通の文体的特徴を持っている。だがそのほかの点では、二作間の類似はまことに少ない。『海道記』とはちがって、『東関紀行』は、作者が、旅日記に仮託して自己検討を試みたものではなく、一にも二にも旅の記録である。また文体は似ているように見えても、こちらの方がはるかに読み易く、事実、その優雅な文体こそ、この作品の最も顕著な特徴なのである。文章自体も、『海道記』の佶屈《きっくつ》した散文とは異なり、すらすらと、淀みなく流れている。この作品が、以後何世紀にもわたって熱心に読まれ、また後世の紀行文作者、とくに芭蕉に、大きな影響を与えたのもうなずける。

作者が、都に住む閑雅の士であったことは明らかである。日記の、まず冒頭に作者の自画像が出ている。

齢《よはひ》は百とせのなかばに近づきて、鬢《びん》の霜やうやく冷《すず》しといへども、なすことなくして、徒らに明かし暮らすのみにあらず、さしていづくに住みはつべしとも思ひ定めぬ有様なれば、かの白楽天の、身は浮雲に似たり、首《かしら》は霜に似たり、と書き給へる、あはれに思ひ合せらる。

こうした言葉、また以下に続く言葉を読めば、栄達は望まぬという、誰しも書くきまり文句はさておいても、この知られざる作者が、地位も名声も求めず、静かな隠遁生活を送っていたことが分かる。しかし彼が住んでいた山とは、どこか人里離れ、孤絶した地域とはちがい、京都の東山にすぎなかった。また彼が選んだ生活は、仏教的な厳しさとはほど遠いものであった。「人なみに世にふる道になんつらなれり。これ即ち、身は朝市にありて心は隠遁にあるいはれなり」、すなわち、身は俗世間にあっても、少なくとも、心は閑雅な脱俗の境に置いた、というのである。

その理由は説明されていないが、仁治三年（一二四二）の秋、作者は東国に向けて旅立っている。そしてこの日記を書いたのは、「目にたつ所々、心とまるふしぶし書きおきて、忘れず忍ぶ人もあらば、おのづから後のかたみにもなれとてなり」と、彼はいうのである。

作者は行く先ざきで、その地にまつわる詩的な言及に思いを致している。大津に着くと、早速、天智天皇がずっと昔にこの地に都を移したことを思い出し、しかるべき枕詞を用いて和歌を書く。

さざなみや大津の宮のあれしより名のみのこれるしがのふるさと

（「さざなみ」は大津の枕詞。「ふるさと」は古き都）

旅は取り立てて何事もなく、快適に続く。日記の文体は清澄で、時として美しい章句をちりばめている。

まばらなるとこの秋風（粗末な家の寝床《とこ》にまで吹き込む鳥籠《とこ》山の秋風）、夜ふくるままに身にしみて、都にはいつしか引きかへたるここちす（いつの間にか、都の気分とは全く変わってしまった気持ちである）。枕に近き鐘のこゑ、暁の空におとづれて、かの遺愛寺のほとりの草の庵のねざめも（白楽天）、かくやありけんとあはれなり。

ほんの時たまではあるが、次の萱津《かやつ》の情景のように、まことに鋭い観察もある。

今日は市《いち》の日になんあたりたるとぞいふなる。往還のたぐひ（人々）、手ごとに空しからぬ家づとも、かの「見てのみや人に語らむ（桜花手ごとに折りて家づとにせん）」と詠める花のかたみ（みやげ）には、やうかはりておぼゆ（様子が変わり、別な興趣がある）。

読者は、これを読んで、手に手に土産を下げて市《いち》から帰ってくる人々の、いきいきした印象を得るのである。

おそらく篇中一番面白い個所は、願い事あって鎌倉へ下ったある筑紫の男と、彼が造った御堂のことを記したところであろう。男は、荒れはてた観音に参り、願いがかなった時には御堂を建てると誓い、その誓いを実行したのである。

『東関紀行』の作者は、格別訴え事や願い事のために鎌倉に赴いたのではなかった。ところが彼に次いで鎌倉に下った有名な旅人阿仏尼《あぶつに》は、おそらく日本歴史始まって以来、最も著名な訴訟事件の一つを、鎌倉に持ち込むのである。

うたたね

十九世紀には、シェイクスピア劇の主要人物について、彼らが天才の創造物ではなく、まるで実在の人物であったかのように書くのが普通であった。例えば、『シェイクスピア劇女主人公たちの少女時代』の著者は、オフィーリア、デズデモーナ、コーデリアなどが、どのような少女であったかを想像して書いている。もっとも、少女時代のマクベス夫人を描こうとしたものは、さすがに誰もいなかった。彼女は人形の手足をちぎったり、あるいは飼い猫に、毒入りキャンディーを食べさせたりしただろうか。そもそも少女時代のマクベス夫人を、想像すること自体がむずかしい。私が『十六夜日記《いざよいにっき》』を、およそ三十年くらい前に初めて読んだ時、作者阿仏《あぶつ》の少女時代を想像するのが、同じく困難だったことを憶えている。明らかに彼女は、晩年の頃のように、つねに自分の意志を容赦なく貫くというのではなかったであろう。また、歌枕を通れば、立ち所にしかるべき歌が口をついて出てくる、というのでもなかったはずである。

阿仏が十八か十九の時に書いたという日記『うたたね』を最近読んで、息子の権利のために闘うには獰猛をきわめ、歌についての見解では他に譲るところのなかったこの女性の少女時代を、私は初めて知ることができた。『うたたね』は感動的な日記であり、日記文学のうち、最もすぐれた作品の一つである。これよりさらに有名な『十六夜日記』と比べても、すべての点で、この方が勝っている。

巻頭に長い文章があり、まずこの作の中心的な情調を打ち出している。

もの思ふことの慰むにはあらねども、寝ぬ夜の友とならひにける月の光待ち出でぬれば、例の妻戸おしあけて、ただひとり見出したる、荒れたる庭の秋の露、かこちがほなる虫の音も、物ごとに心を傷ましむるつま（いとぐち）となりければ、心に乱れおつる涙をさへて、とばかり来《こ》しかた行くさきを思ひつづくるに、さもあさましくはかなかりける契《ちぎ》り（あの人との交情）のほどを、などかくしも（なぜこのように一途に）思ひ入れけんと、わが心のみぞかへすがへす恨めしかりける。

作者は、その年の春、一人の男と、生まれて初めての情事を体験した若い女性である。彼女の方は、男に夢中になって、身も世もない。だが今や秋、男が通ってくるのも、次第に間遠になってくる。男の愛情を取り戻す望みはもはやないと悟り、物思うことが慰めにならぬとは知りながら、己の不幸せを思いつつ、眠れぬ夜を過ごすことが多くなる。日頃は心を慰めてくれるものもみな――庭の草に置く露、虫の声、月の光――今では心を傷ませるばかりである。作者はまだ若く、傷つきやすい。そして己のやる方ない胸のうちを、せめて手すさびの文章にでもつづってみれば、自ずと心も慰もうかと、はかない望みを抱きつつ、この日記を書くのである。

阿仏の愛人は既婚者であり、社会的には、彼女よりははるかに高い階層に属していた。従って彼との結婚も、仮に彼の妻が死んだとしても、到底望み得なかったのである。事実彼女は、二人の身分の違いを強く意識していて、彼の妻が実際に亡くなった時にも、悔やみの言葉さえ「とても言い出しようのないほどの身分なので」と、言い送っていない。それでもなお、常の時刻になると、男が忍んで来てくれるのを待ち続ける。こうした男を慕う物狂おしい気持ちを、彼女ははしたないと思う。そしてそのような情けない自分の行く末は果たしてどうなろうか、と怪しむのである。

うれしいことに、ついに男から文が届く。そしてある晩、いつもの時刻がとっくに過ぎても彼が現れないのに絶望し、彼女は床につくが、やがて静かに表の門を叩く音が聞こえる。思わず庭に出ていく。月の光がたいそう明るいので、あまりにもはしたない気持ちがして、そっと透垣《すいがい》のかげに身を隠す。それに気づいた男は、『源氏物語』の一節を引いて、彼女をからかう。常陸《ひたち》の宮の邸に忍んでいった光源氏が、宮の邸の垣根のかげに別の男の姿を見て、それが友達の頭《とう》の中将だと知り、歌の応酬をするところである。月の光に照らされて近づいてくる男の姿は、「里わかぬ光にもならびぬべき心地する（ほんとうに源氏の君のお姿と比べられるほど美しかった）」と阿仏は書いている。

若き日の阿仏も、『更級日記』の作者と同じく、二つの世界に住んでいたのだ。日常現実の世界と、『源氏物語』の世界である。彼女のことを、ただ行きずりの女としか考えていなかった男への、阿仏の強度にロマンチックな感情は、自分の男が、一度愛した女性のことを決して忘れることも、また見捨てることもなかった源氏のようであってほしいという、無意識の願いを、おそらく反映していたのにちがいない。

その年（一二四〇年？）の暮れに、阿仏の愛人の来訪は完全に途絶える。十二月七日に、彼が最後に通って来た晩から数えて、今日でちょうど一月目だと思い出している。記憶力が減退したわけでもないのに、男の面影が定かに思い出せなくなっているのが分かる。ある評者は、写真もなかった時代のことだから、たまさか、しかも夜しか会わぬ人の顔を覚えておくのはむずかしかったのだ、といっている。しかし、阿仏の言葉が感動的なのは、そんな理由ではあるまい。人を愛する気持ちが強ければ強いほど、愛する人の顔をはっきり覚えておくのはむずかしい。愛情に目が曇らされて、相手の顔を、他の人の顔のように客観的に観察することが出来ないからである。『うたたね』が、一種ユニークな感動を誘うのは、それが持つ心理学的な真実と、誰にでも理解出来る明快さのためにちがいない。

阿仏が記すところによると、愛人の面影を思い出そうとすると、その途端にかき暗《くら》す涙に月の光も見えなくなり、御仏の姿などが見えてきたと。そしてこの時見た仏の幻影こそが、いっそ出家したいという彼女の慾望をかき立てたのである。

それから一月ばかり経ったある静かな春の宵、古い歌の下書きなどを破り捨てるついでに、彼女は男の手紙を取り出し、その幾通かを読み返すうちに、もうこれで彼には会うこともないのだ、という思いがつのってくる。そして梅の枝に蕾《つぼみ》が色づき始める早春の頃から、冬草が枯れ果て、恋が終わってしまうまでの、二人の恋の道すじをもう一度辿ってみるのである。

その夜、同じ部屋のものがみな寝しずまったあと、阿仏はひそかに部屋を抜け出してゆく。彼女がこれから取ろうとする行動のための準備は、すでに出来ている。剃髪という、形だけの行為に具えて、鋏や箱の蓋などが、すでにその日の昼から用意してあったのだ。勿論頭を完全に剃ったわけではなかった。平安時代の宮廷女性のやり方に習って、肩の線まで髪を切ったのである。切り落とした髪を紙に包むと、箱の蓋に入れ、包んだ紙に歌を書きつけたが、それはとりも直さず俗世間への別離の歌であった。

嘆きつつみを早き瀬のそことだに知らず迷はんあとぞ悲しき

(川底に身を投げても、そこがどことも分からず、魂が迷うだろうと思えばまことに悲しい)

彼女がその時置かれていた情況のもとに書く歌としては、これはまことに不思議な歌である。絶望に駆られて世を捨てようとしている十七歳の少女なら、悲しみを表すにしろ、仏を頼む気持ちをいうにしろ、おそらくもっと単純で、もっと素直な表現をしただろう、と誰しも思うはずである。ところがこれは、『源氏物語』や、『狭衣物語《さごろも》』などへの引喩はおろか、「嘆き」の縁語「瀬」「底」、また「身を」と「澪《みお》」の掛詞《かけことば》までも入っている。思うにこうした凝った文体には、もはや彼女の一部になり切っていて、その不自然さに、彼女は気づかなくなっていたのにちがいない。

それにしても、救済への願望を表すのでもなく、生きていた時と同じく、死んだ後も、魂が寄る辺なく迷い続けることへの恐れをいっているのは、やはり奇妙といわざるを得ない。この歌は、出家前の人間というよりは、むしろこれから自殺しようとする人が書き残した歌のように読めるのである。そういえば和歌のすぐあとに、彼女自身そつなく一文をつけ加えている――「身をも投げてんと思ひけるにや」。

髪を切り、別離の歌を書いたあと、阿仏は、都から遠く離れた尼寺まで、徒歩で出かけている。夜は暗く、目ざす尼寺への道も定かではない。人に訊こうにも、御所へ連れ戻され、叱責を受けるのが恐ろしく、それもよくしえない。雨さえ降り出し、やがて着衣がじっとり濡れてくる。それでも阿仏は、なお歩き続ける。世の人が後年の阿仏のうちに見るあの負けじ魂は、もうこの時に、その徴候を見せていたのである。

阿仏は雨の中を、夜の引き明けまで歩き続ける。道には迷うし、精も根もつき果ててくる。身体はずぶ濡れになり、「伊勢のあまにも越えたり（伊勢の海の海女《あま》よりもひどい有様であった）」、と自分で書いている。そこで松の木陰でしばらく雨宿りしていると、「さへづりくる女（早口に話しながらやって来る女たち）」の声が聞こえる。そのひなびた訛りから察するところ、桂《かつら》の里人と思われる。女たちは阿仏に気がつき、そのうちの一人が歩みよって、これはなに人ぞ。あな心憂《こころう》（お気の毒なこと）。御前は人の手を逃げて出で給ふか。また口論などをし給ひたりけるにか。何ゆゑかかる大雨に降られてこの山のなかへは出で給ひぬるぞ。いづくよりいづくをさしておはするぞ。あやしあやし。

阿仏に同情した女の里訛りまでほのめかして、とりわけこの一節は感動を誘うのである。宮廷に育った阿仏は、こうした身分の低い人々と言葉を交わしたことなどはなかったにちがいない。またそれまでは、彼女らのことを、一人前の人間だと考えていたかどうかもあやしいのだ。だが、彼女の生涯で一番切羽詰まったこの瞬間、はげしい疲労と、雨びたしのために、いまにも死ぬのではないかという気になっていた矢先に、この思いがけぬ人々から受けた親切は、彼女を救うことになった。女たちは、阿仏を無事尼寺へ連れていったのである。

尼寺の人たちは、びしょ濡れの阿仏の姿を見て仰天するが、なかに入れてくれる。そして間もなく彼女は、尼僧として受け入れられることになる。静かな寺の生活は、阿仏の心境にぴったりであった。日々の勤行《ごんぎょう》——宵と暁の閼伽《あか》（仏への供物）、振鈴など——にいそしむ尼僧の規則正しい生活は、阿仏の心には大きな慰めをもたらし、「かゝらぬ所にてやみなましかば（このような安らぎの場所に来ることなく死んでしまっていたら）、いかにせまし、と思ひ出づるにぞ身燃ゆる心地しける」、と彼女は書いている。危険もかえりみず、夜中に一人で宮中を出て来たこの衝動的な少女にとって、その深い歎きも、いまやついに終わったかに見えた。

だがこの静穏も、決して長くは続かなかった。間もなく彼女は、再び愛人のことを思い始めるようになるのである。そして一旦思いがその方向を目指すと、仏法も威力を失い、彼女の「ひとかたならぬ恨みも歎きも」静めることは出来なかった。彼女が尼寺に避難所を求めたのは、仏を求めるためだけではなく、愛人を忘れるためでもあったのだ。そして彼女は、それに失敗したのである。寺にいてさえ、多くの物事を見聞きするにつけ、愛人のことを思い出している。例えば、せせらぎの音を聞けば、彼女に逢うために、男が人知れず川を渉ってきた夜の思い出がかき立てられる。そこで彼女は、男に手紙を出してみる。だが、世間の目を慮《おもんぱか》っている様子で、男の返事は、まことにお座なりのものにすぎない。そこで今度は、次の歌を送る。

消え果てん煙ののちの雲をだによもながめじな人めもるとて

――つまり私が死んで煙になっても、あなたは人目をはばかって、その煙の方さえ見てくれないだろう、というのである。このように、男に対する彼女の愛情には、幾分のさげすみも混じっている。

その後しばらくして、阿仏は尼寺を出る。「その頃は、身体の具合が悪くなり、命も危いほどであった。もしものことがあれば、この尼寺に迷惑をかけるだろう、と思ったので」

と、彼女は寺を出た理由を説明している。これは嘘ではなかったかもしれない。だが尼寺の生活も、やはり歎きを減らしてはくれないことを、悟るに至った結果とも考えられる。阿仏は、尼寺を出ることについては、別に愛人に知らせてはいなかった。ところが、驚くべき偶然が起こって、彼女が泣く泣く門から車を引き出そうとしているその時に、男の車がそこを通りすぎるのである。顔を見知っている彼の随身など、見間違えるはずもないのだが、彼女はなんの合図もしていない。そして二人の車は、そのまま通りすぎてゆく。彼女は最後に一度振り返る。これが今生《こんじょう》の見おさめになるであろうと。

当分彼女の避難所となるはずの宿に着いた時、阿仏は次の歌を詠んでいる。

はかなしな短き夜半の草枕むすぶともなきうたたねの夢

この作品の題は、おそらくこの歌に由来するものと思われる。

阿仏は病が癒えたあと、尼寺へは戻らず、真っすぐ自分の家に帰っている。その理由については格別いっていないが、察するところ、自分があまりにも衝動的に「世を捨てた」ことを悔いたためではないだろうか。初めはしっくりきた尼寺の静寂も、己のはかない恋に思いをめぐらす時間があまりにもたっぷりありすぎ、次第にうとましくなってきたのだ。とはいえ自分の家に帰ってみても、気を紛らしてくれるものとては、別になにもなかったのである。そこで彼女は、「いとせめてわび果つる慰みに、さそふ水だにあらば」と、小野小町の有名な和歌を引いて書いている（わびぬれば身をうき草の根を絶えて誘ふ水あらば去《い》なんとぞ思ふ『古今集』）。

この「誘ふ水」は、遠江《とおとうみ》浜松に住む彼女の養父からの、自分の家に来いという、文字通りの誘いとなって実現する。静かな田舎暮らしが彼女を元気づけるだろう、と彼は考えたのだ。行き着く先は文化果つるところと思ったのであろう、阿仏は都を離れることに、一向気が進まない。だが結局、養父の勧めに従い、出かけてゆく。新しい生活が、己の悲歎を、幾分なりとも忘れさせてくれることを願ったのである。

阿仏は、この日記の最初の日付から約一年後、十月の末に京を旅立っている。逢坂山から始めて、歌で名高い場所を数多く通るが、その度に彼女は、しかるべき歌を詠んで応答している。『十六夜日記』に見られる、あの機械的なやり方でないのがよい。旅の中で一番興味深い個所は、阿仏が「あさましげなる賤《しづ》の男《を》ども」の間の諍《いさか》いを目撃する洲俣《すのまた》（＝墨俣。岐阜県）の渡しを書いたところであろう。彼女のいわば保護された生活では絶えて経験したことのない野蛮な力の発現を目にして、阿仏は仰天する。そしてその光景によって、都の「みやび」から、今やいかに自分が遠く来たかという現実を、思い知らされるのである。八橋《やつはし》に来た時には、業平が『伊勢物語』で書いた八つの橋は、今や一つしか残っておらず、かきつばたもみな枯れているのを見て悲しむ。旅は彼女に格別の喜びを与えなかったのだ。

養父の館に着いた時、阿仏はこのような所に住めようかと思う。家は大きいが、いかにも粗末な作りで、海が近すぎ、絶え間のない波音が、耳元にまでとどろく。このようなひなびた趣もおもしろいとは思うが、どういうわけか、それにはさほど心引かれない。都へ戻りたい気持ちは、日毎につのるばかり。着いてからおよそひと月、十一月の末の頃になって、都にいる自分の老いた乳母《めのと》が病に伏し、命も限りであるとの知らせが届く。都へ帰る申し分のない、これは口実である。阿仏はすぐにも帰りたく、矢も楯もたまらなくなる。その性急さを、人はとやかく思うだろうが、それくらいのことで帰洛を諦めるわけにはいかない。

帰洛の旅は、来た時とちがって、恋しい都への期待に胸が一杯で、日が過ぎるのももどかしい。わが家に着くと、すぐさま乳母の病床に急ぐ。帰ってきた阿仏を見て、乳母の病状が、目に見えてよくなったようなのも、ひとしおあわれにおもわれる。

この日記は、一つ告白めいた感慨を記して終わっている。作者は、己自身や世間のことを、出来るだけ冷静に、分析的に観察してみようとしたけれど、彼女の心は、どうしても理性ではなく、感情に支配されてしまうのだ、というのである。彼女は、次の和歌で日記を締めくくっている。

われよりは久しかるべき跡なれどしのばぬ人はあはれとも見じ

この歌は、自分の作品が、自分の死後も残るだろうという、他にあまり類のない信念を表明している。だが冷静に己に言い聞かせてもいる。もはや自分のことを思ってくれていない愛人は、たとえこれを読んだとしても、あわれとは思ってはくれないだろう、と。まさにその通りかもしれない。しかし彼女の七百年後に生きる私たち読者は、この上ない率直さと、稀有の情熱をもってこれを書いた一女性に対して、強い共感を抱くのみなのである。

十六夜日記

　阿仏は十七の頃に初めて尼になるべく剃髪し、今日でも阿仏尼《あぶつに》の名で知られている。しかし終始尼寺の中で、厳しい勤行三昧《ごんぎょうざんまい》の生活を送ったわけではなかった。彼女の生涯の詳細はつまびらかではない。だが『十六夜日記《いざよいにっき》』から推測するかぎり、二十代で、ある男との間に一男一女をもうけている。三十歳の頃、藤原定家の息子為家に会うが、為家は阿仏が歌道と『源氏物語』に造詣の深いことに感銘を受け、初めは秘書役に彼女を雇ったようである。しかし一二五〇年頃、二人は結婚し、阿仏は為家との間に三人の男子を生む。阿仏は為家の妻として、和歌の世界で多大の尊敬をかち得ている。このことは、ある貴人の依頼に応えて書かれた短い歌道指南書『夜の鶴』を見ても推測が出来る。言葉づかいこそ謙虚だが、歌に関する彼女の意見には、おかしがたい権威がこもっている。

　しかし阿仏が最もよく世に知られているのは、『十六夜日記』の作者としてである。この日記は、息子の為相《ためすけ》のために、播磨《はりま》の国細川の庄をかち取る目的で、阿仏が鎌倉に下った際の、彼女の旅の記録にほかならない。夫為家が一二七五年に死んだ時、細川の庄をどの息子——先妻との間に出来た長男の為氏、あるいは阿仏の生した二番目の息子為相——に相続させるかについて曖昧なところがあった。阿仏は、為家の晩年にあたって、おそらく相当な影響を彼に与えていたと思われる。そして息子為相のために、様ざまな和歌文書も譲り与えさせようと、心胆を砕いていたようである。また為相に有利になるように、夫の遺書を書き変えさせた形跡さえある。ところが長子の為氏は、新しい遺書の合法性を認めるのを拒否し、細川の庄を自分のものにしてしまう。そこで阿仏は、いかにも彼女らしい性急さと決断力とを見せて、幕府に裁断を仰ぐことにしたのである。

『十六夜日記』の文学的価値は、それに収められた短歌八十八首と、長歌一篇とを、どれほど高く評価するかにかかっている。東国までの道中に見た風光の一つ一つが、彼女に歌を詠ませている。彼女の歌に特有の掛詞と縁語がやたらに出てきて、見聞した事物に対する自発的な応答というより、技巧的熟練の方が目立つ。中には子供と別れていることの悲歎、あるいは鎌倉での勝訴への祈願などを詠み込んだ、寓意を含んだ歌もある。次にあげる歌は、阿仏の歌の典型であろう。

たづねきてわが越えかかる箱根路を山のかひあるしるべとぞ思ふ

「山のかひ（峡）」と「かひある」は掛詞、「しるべ」は「路」の縁語である。歌の意味を現代語に直すなら、「正しい道を求め来て、今私が越えようとする箱根路は、山の峡《かい》にありますが、それを今度の旅の効《かい》ある先達と、頼もしく存じます」（森本元子訳）。この歌が、技巧的に卓越していることは疑いがない。だが『うたたね』をあれほど魅力的にしている直截《ちょくせつ》さに、これは欠けている。

『十六夜日記』の散文の部分にも、技巧過剰という同様の欠点が見られる。例えば巻頭の文章。

昔、壁の中より求めいでたりけん書《ふみ》の名をば、今の世の人の子は、夢ばかりも身の上のこととは知らざりけりな。水くきの岡の葛原、かへすぐ〵も書き置く跡たしかなれども、かひなきものは親のいさめなり（「水くき」は「岡」の枕詞。「葛原」は「かへすぐ〵」の序詞）。

阿仏がここで言っていることは、継子為氏が、壁の中から見つけ出された『孝経』（孔子が門弟曾参に孝行の道を説いた書）の名を知らなかったのか、それとも自分とは無関係の書物と思ったのか、亡夫が繰り返し書き残した遺書をないがしろにして、父が為相に遺そうとした遺産を、不法にも横領してしまった、ということにすぎないのである。それにしてもこれだけのことを言うのに、なんという勿体ぶった言い方であろう！

『十六夜日記』を読む前に、そもそも何についてこの書物が書かれているかを、予め知っておかなければ、全巻を通読してなお、中心的主題が何かということを、読者は察知できぬおそれがある。巻頭に作者は、自分が、父子共にそれぞれ二度も勅撰和歌集の撰者となる栄誉を得た定家の子為家の、息子三人の母であることを言い、それによって歌の道における自己の地位をまず明らかにしている。続いて問題の細川の庄の遺産に、次のように言及している。「ふかき契りをむすびおかれし細川の流れも、故なくせきとどめられしかば……」。しかしこのように詩的な言い方をされては、細川という言葉の持つ意味を、読者はついうっかり取り逃がすかもしれないのである。

同じように、自分の息子のため鎌倉であくまで闘うという阿仏の決意も、きわめて遠回しな言い方で述べられている。

> 惜しからぬ身ひとつは、やすく思ひ捨つれども、子をおもふ心の闇はなほ忍びがたく、道をかへりみる恨みはやらんかたなく（歌道についての心配は晴らしようもなく）、さてもなほ東《あづま》の亀の鏡に写さば（東国の亀鑑、すなわち鎌倉幕府の公式な裁きにゆだねるなら）、曇らぬ影もや現はるると、せめておもひあまりて、よろづのはばかりを忘れ、身をえう（要）なきものになし果てて、ゆくりもなく、いさよふ月（ためらう月）にさそはれいでなん（旅に出かけよう）とぞ思ひなりぬる。

しかしこのように華麗な文章は、『十六夜日記』を日記文学の古典として崇める日本人によって、何百年もの間高く評価されてきたけれど、少なくとも私には、いささかじれったい。もはやここには『うたたね』を書いた女性が持っていたあの張りつめた率直さはなく、それに代わって、いかにも職業歌人らしい曲折した表現のみが見られる。しかしこの込み入った言語の背後に、私たちは日記文学お馴染みの人物、すなわちわが子を守る母の姿をうかがうことが出来る。

阿仏は『日記』の中で、鎌倉へ出立する前に、己の五人の子供が書いた歌を、それぞれ一首ずつ引いている。彼女はそれについて弁解がましい言い方をしてはいるものの、それを書く調子は、まさにわが子のことが得意でたまらぬ母親のそれ以外の何物でもない。「五つの子どもの歌、のこりなく書きつづけぬるも、かつはいとをこがましけれど、親の心には、あはれにおぼゆるままに、書きあつめたり」。そしてこれに続いて、さらに阿仏らしい言葉がある。「さのみ心よわくてはいかがとて、つれなくふり捨てつ」。このあと日記には、子に対する彼女のやさしさを示す証左となる言葉はなにもない。

だが宮廷の女性というよりは、むしろ武士の妻にふさわしいやり方で、わが子をすげなくふり捨てて出立した時に、おそらく彼女の心は、はり裂けんばかりであったであろう。とはいえ阿仏は、わが子、とりわけ為相のために闘うに当たっては、その猛々《たけだけ》しきことまさに雌虎さながらであった。

この日記でおそらく最も感動を誘う個所は、作者が浜松を訪れた際の記述であろう。『うたたね』にも書いていたように、彼女は浜松の養父の館で、辛いひと月を過ごしたことがあった。阿仏は昔この地に滞在していた時、いかにそこを出たいと思ったかを忘れていたようである。だが今阿仏は、彼女のような感傷を知らぬ女性には珍しい郷愁をこめて、それを思い出している。その時ほんの一瞬とはいえ、この鉄の女の鎧《よろい》の隙間から、四十年前同じ浜松に住んでいた、感じやすく、気性の激しい少女の姿が、垣間見えるのである。

『十六夜日記』は一つの長歌で終わるが、阿仏はその中に自分の悩みを要約している。とくに為相に細川の庄を与えてほしいという彼女の願いについて、幕府から何ら満足すべき裁定を得られなかった不満である。その裁定を無為に待ち暮らして、阿仏は鎌倉に四年も滞在したのである。明らかに日本の裁判は、北条執権の時代も、今日と同じく時間がかかったものと見える。

阿仏は、自分の生きている間に勝訴することが出来なかったのである。為相に細川の庄がついに与えられたのは、彼女の死後、実に三十年を経てからのことであった。その時天上の阿仏は、その勝利を祝って、和歌を一首詠んだに違いない。ただしその歌には、掛詞が、少なくとも二つはあっただろうことは請け合ってもよい。

飛鳥井雅有日記

飛鳥井雅有《あすかいまさあり》は、蹴鞠《けまり》の師範として代々宮中に仕えた家系の五代目に当たった。また一族には、和歌の方にも秀でたものが多く、雅有の祖父、父、共にその歌が勅撰集に入集している。姉は藤原為氏の妻。為氏は、父の為家の遺言に違背したというので、阿仏尼から激しく攻撃された為家の先妻の子である。雅有が公卿として高い官位に昇ったのは、彼の卓越した蹴鞠の技倆によるものであったが、彼はまた和歌と和文の学者でもあった。しかし雅有自身の家集は、塚本康彦教授によって「面白味の無い歌屑の集積」にすぎぬものとして一蹴されている。

雅有の現存する日記は、すべて仮名書き（和文）である。だが当時の貴人の例にもれず、漢文でも日記を書いていたに違いない。嵯峨で病気療養をしていた文永六年（一二六九）中の日付で、彼はそこで為家の知遇を得たことを記している。

つれづれとながめ過すに、このあたりに入道大納言為家卿なん古《いにし》へより住みけり。この人は代々《よよ》の昔よりの知る人なれば折々はなさけを通はし対面しけり。そこより土佐の日記、紫の日記、さらしなの日記、かげろふの日記などをおこせたり（届けてきた）。（中略）男もかな（仮名）にかくらんこと、この国のことわざなればゆゑあり。伊勢物語も、あきつしまの文字にてぞあるべしなどといふ。うるはしき事はげに真名《まな》にてもありなん、さればそのかたはさ様に書きぬ。歌がたなどはかやうにこそあらめとおぼゆれば今より書きつく。過ぎにし方の事をも思ひ出して書き加ふべし。

この章句から見ても、阿仏の文体と比べて、雅有のそれがはるかに単純なことは一目瞭然である。文の長さは比較的短く、しち面倒臭い引喩なども見当たらない。日記文学への雅有の好みは、彼が為家から借りた本の種類によって明らかである。彼は和文で書くことが、女のみならず男にとっても、この国の伝統に基づいていることを確信している。「うるはしき事」、すなわちきちんとして正式な事について書くには、漢文を用いるのがよい。だが歌のように、人の心から自然とわき出るような事柄を伝えるには、仮名にしくものはない、と言うのである。雅有が用いる言葉の意味は、時として明確さを欠くことがある。しかし目的に応じて使用する言語に関して述べたこの初期の文章は、男が和文で書くことの適正さに対する、事実上の擁護となっている。

雅有が示した日記文学への特別の関心は、他の宮廷人の認めるところともなったのである。彼が書いた最後の日記『春の深山路《みやまじ》』は一二八〇年に起こった事件を記録している。この中で彼は、ある日後深草院の御前に伺候した際、院が、いと笑はせおはしまして御塗籠《ぬりごめ》（納戸の類）開かれて、昔よりの仮名の日記ども取うでさせ給ひて、日ごろゆかしがるなれば見るべきよし仰せくださる。

と書いている。だが、平安朝の女房たちによる日記に、雅有がいかに魅せられていたとしても、それが彼に、日記を女のように書かせることにはならなかったのである。事実文体においても内容においても、雅有の日記ほど男性的なものを、他に考えることはむずかしい。少なくとも若年の頃の雅有は、朋輩と共に一夜を飲み明かしたり、遊女とたわむれたりする生活を、なによりも愛したいわゆる蕩児《とうじ》であった。こうした遊蕩生活の描写が、日記にも頻出して、応接にいとまないほどである。

多くの日記作者が綴った悲しげな物思いの記録をさんざ読まされた揚げ句に、明らかに人生を大いに享楽したと見える日記作者に出会う時、読者はまるで生き返ったような気持ちにさせられる。飛鳥井雅有は、京都と鎌倉の間を足繁く往復しているが、それは明らかに、彼の一族が持っていた幕府とのつながりによるものである。しかし雅有によるこれらの旅の記録は、ただ単に、道中の歌枕への言及のみに終始するものではなかった。雅有は、例えば次のような記述をしている。

愛知《えち》川といふ所におりたれば、十一二ばかりなるあまの、白子《しろこ》とかやいふなる、髪よりはじめて目のうちまで黒き所なき者いで来て物を乞ふ。年ごろ名ばかりは聞けども未だ見ざりつるに、目あてられずかはゆし。これもやう変りたると思ひてゆくに、又六つ七つばかりなる幼き者ゆきあひたり。これは、額のなかばより鼻の端までまろく毛生ひたり。かかる姿こそ世になきものなれ。かやうなる事どもも旅ならではいかでか見るべきとおぼゆ。させる事ならねど、ためし少なきにより記しをく。

またある公卿の娘が遊女になっているといううわさに好き心をかき立てられ、早速彼女を呼びにやるけれど、雨天にたたられ、結局会わずじまいに終わったともいっている。享楽主義者であり、珍奇なものの愛好家ではあったが、雅有は、真面目な一面も持っており、それは彼の日本の古典文学研究熱という形に表れている。彼自身が記すところによると、彼は阿仏尼と共に、文永六年（一二六九）九月十七日、『源氏物語』を読み始め、以後二十六回の講読を重ねて、同年十一月二十七日に読了している。しかもその翌日、『古今集』の講読に、時を移さず取りかかるという熱心さである。明らかに雅有という人物は、ただの好事家ではなく、平安時代の文学を真に愛する人物であったのである。従って雅有の研究熱心に打たれた為家は、とくに家蔵の秘本まで取り出して、『古今集』の奥義を指南しようと申し出ている。最も難解な個所を究め終わった時に、為家は、雅有の方が、わが子為氏よりも学ぶところが多かった、という感想を述べている。

雅有が、教師としての阿仏尼のことを言っているところはとくに面白い。

十七日、ひるほどに渡る。源氏はじめんとて、講師にとて女あるじ（阿仏尼）を呼ばる。簾《すだれ》の内にて読まる。まことに面白し。世の常の人の読むには似ず、習ひあべかめり（彼女の読みには伝統があるらしく思われる）。若紫まで読まる。夜にかかりて酒のむ。

酒宴が始まると、阿仏は酒を注ぐ侍女二人を呼び寄せ、夫為家と雅有との歌道における輝かしい家柄のことを言い聞かし、そして次のように言う。

昔よりの歌人、かたみに小倉山の名高き住みかにやどして、かやうの物語のやさしき事どもいひて心をやるさま有難し。この頃の世の人さはあらじ。

嵯峨小倉山に住む隣人たちが、昔のように、もはや文学的な会話を楽しむことがなくなったと、彼女は歎くのである。だがしばらくして気持ちをくつろがせ、「昔の人のここちこそすれ」と言っている。さらに雅有も、為家について次のように言う。

男あるじ、なさけある人の、年老いぬれば、いとど酔ひさへそひて涙おとす。暁になればあかれぬ（お別れした）。

弘安三年（一二八〇）に書かれた雅有の最後の日記『春の深山路』は、それに先立つどの日記よりも、浮わついたところが少ない点で際立っている。おそらく長男の死んだことが、彼を世俗の享楽から身を遠ざける気持ちにさせたのであろう。この日記には、他の日記には必ず出てくる「白拍子（妓女）」への言及がまったくなく、読者は、雅有の人生の喜びの大部分が、このあたりから消散していったことを感じ取るのである。そしてこの事実は、雅有の個人的な体験のみではなく、例えば塚本康彦教授が、その時代全体に関して評したことをも反映しているのではなかろうか。すなわち、（この時期において）「王朝の絢爛たる磨きに磨かれた高度な情操は、それこそ斜陽の一途を辿っていたであろう」。

弁内侍日記

『弁内侍日記《べんのないしにっき》』と『中務内侍日記《なかつかさのないしにっき》』とは、普通いわゆる姉妹日記と見做されている。表面的な見方をすれば、それも当たっているだろう。いずれの日記も、鎌倉中期に、およそ二十年の間隔をおいて宮中に仕えた、二人の女性の人生の諸事を書き綴っているからである。しかし、これら二つの日記を姉妹日記と見る学者さえも、前者の「明るくて無邪気」な性格と、後者の、もっと「暗く、しんみりとした」それとを、対比する必要を感じてきたはずである。明らかにこの「姉妹」は、それほど互いに相似るところが少ない。平安、鎌倉期の日記に関するそのパイオニア的研究に私自身も大きな恩恵を受けている玉井幸助氏は、二作を比較して次のように書いている。「前者は生の喜びを歌い、後者は死の悲しみを訴える」。同様な意見を持つ学者は他にもあり、中には、これら二つの日記に表れる「をかし」という言葉と、「あはれ」という言葉の頻度をかぞえあげた学者もある。そして結論として、玉井幸助氏に倣い、『弁内侍日記』は「をかしの文学」、他方『中務内侍日記』は「あはれの文学」、と裁定したものである。

二つの日記の文学的価値の評価については、学者の意見は必ずしも一致していない。『弁内侍日記』を「微笑の文学」と呼んで評価した池田亀鑑教授は、『中務内侍日記』については次のようにいっている。「分裂した個性のいたましい苦悩と焦慮――もがきながら、あえぎながら、しかも、なおどうすることも出来ない沈痛な人間苦を私達に示してくれる。そこに、ただそこにのみ、中務内侍日記の文学的価値はある」。

このように強い意見を出されると、自分の意見を開陳するのが大いにためらわれる。だが正直に言って、私は、『弁内侍日記』は皮相な作品だが読んで楽しいと思う。しかし『中務内侍日記』の方は、人の心をかき乱すような美を具えた作品として、私の胸を打つ。

この二作は、京都の貴族社会が、鎌倉中期にはすでに斜陽に差しかかっていた、という現代の学者の意見とは全く矛盾するのだが、一つの基本的な仮説を共有している。つまり、彼女らが熟知していた当時の宮廷は、まだ実に比類のない壮麗さに輝くばかりであった、という作者の確信である。平安宮廷の栄光の日々から、いささかでもその輝きが衰えたことに彼女らが気付いていた気配は、全く示していないのである。

弁内侍というのは、まことに人を引きつけてやまない女性である。早くもこの日記の初めの方で、私の心をすっかり捕らえてしまう。寛元四年（一二四六）十一月十七日（この日記は、他の宮廷女性の日記に比して、はるかに日付が厳密である）のこと、作者は吉田神社の祭礼の使いにたたされる。その帰途、妹が仕えている女工所《にょくどころ》を急に訪ねてみたくなり、車を曳く者にそちらの方へ行くように命じる。ところが車の供をしていた蔵人《くろうど》が、夜も更けているゆえ、廻り道は致しかねると断る。だが自分のしたい通りにするのだと心に決めていた弁内侍は、吉田の使いに立ったものは、帰りにそこへ寄るのがきまりになっている、と言いつのるのである。

「きまり」というのは、内侍がとっさに考えついた作り事だったが、供の者は、「まことにさる先例ならば（ぜひなし）」などと言いながら、彼女の意に従う。だが女工所に着いた時には、夜もいよいよ深まって、衛士が門をなかなか開けてくれない。そこで今度は供の者が、吉田の帰りには内侍がここへ立ち寄るのがきまりになっている、それだのになぜ早く門を開けぬか、と衛士を叱りつけるのである。内侍は言っている。

かやうの事や先例にもなり侍らむとをかしくて（このような事がいわゆる先例というものになってしまうのだろうと思いおかしくて）。

日本人の好きな「先例」に対する皮肉が、これほど魅力的に表現された例を、私は他に知らない。

残念ながらこの日記には、作者の個性がこのようにはっきり露呈されている章句は、そう多く見当たらない。内侍の日記の大部分は、いわゆる家集に似ていて、散文の個所は、収録された和歌の単なる背景的な役割を果たしているにすぎない。また最後の部分には、かなり虫喰いが見られる。しかし、今、残存している部分だけでも、この長らく忘れ去られていた女性の日記を、一読してみる価値は十分にある。

弁内侍の最も魅力的な資質は、彼女の日記にみなぎる戯れを愛する心であろう。この資質は、主として孤独と失意の時期に書かれたと見える大抵の日記作品には、到底見いだし得ないものである。そうした作品に描かれた事柄は、たとえ楽しい事柄でさえ、それが永続するはずはない、と認識する悲しみの情に彩られていることが多い。しかし弁内侍は、おそらく何事にも頓着しない気持ちで日記を書いたように思われる。もし彼女の日記が、現代の日本語に翻訳されたならば、作者弁内侍は、最新ファッションに身を固め、当節話題の事件は何一つ見逃さじと血眼になっている、いきがよく、「ナウい」原宿族の一員と、おそらく見まがわれるほどなのである。

この日記には、月見とか蹴鞠《けまり》見物とか、古来貴族に親しまれた行事だけではなく、鶏合《とりあわせ》(闘鶏)その他の新しい遊び事を描写する記述も含まれている。次の文章は、試合のあとの鶏の姿を描いている。「片目はつぶれ、とさかより血たり、尾ぬけなどして、見忘るるほどになりてかへりたり」。こうした光景を見て、彼女は決して楽しんではいない。それでも伊予の中将公忠《きんただ》の鶏が、頭《とう》の中将公泰《きんやす》の鶏の攻撃をかわすため、「そらをどりする(中空高く跳び上がる)」のを見届けるまでは、やはりその場にいたのである。ちなみにその光景は、見物の人々みなを笑わせ、内侍に皮肉な歌を一首書かせている。

雲ゐとは汝《なれ》さへ知るや久かたのそらをどりする鳥にもあるかな

(雲居=皇居は「空」の縁語)

弁内侍は、踊りや、流行歌《はやりうた》のことなども記している。その歌の中には、「さゑもんの陣より参らんや、ゑもんの陣より参らんや」といった面白い繰り返しのあるものもある。また彼女は、ある時宮中の酒宴に加わる。「建長二年正月三日、殿上の淵酔《えんずい》（殿上人が酒を賜わり、したたかに酔い歌う宴）なり」。十三日に公表される昇進が内定していたので、「淵酔」は、そのいわば前祝いだったのである。宴を取りしきる四条の大納言が、昇進が予定されている二人の蔵人頭《くろうどのとう》に、宴を盛り上げるためなにかせよと命じる。二人はそれに従い、一つの舞いを十度ばかりも舞ったという。

御殿の人々は、弁内侍のことを、座興の名人と考えていたようである。ある日、御神事があって宮中には出仕する人が少なかった。退屈された天皇は、「おもてがたして（面をかぶって）人々おどせ」と命じる。そこで彼女は鬼の面をかぶり、「袴を胸まで着て濃きひとへをかづきて」みなをおどそうとしたけれど、

大番のものどもさわぎて、弓など取りなほして立ちめぐり侍りしかば、かへりてあまりにおそろしくて（かえって自分の方が怖くなり）遣水《やりみづ》におちいりて侍りしを、「おめたる鬼かな（臆病な鬼だなあ）」とて人々笑はせ給ふ。

次の日、この悪ふざけのことを聞いた里の両親から、少し謹慎するようにと、物忌《ものいみ》の札をわざわざ届けてきたという。「親のまもりあはれにて（そうした親の情けがありがたく思わ

れて)」と内侍は書いている。

この日記中、おそらく最も有名な挿話は、建長三年(一二五一)正月十五日、もちがゆの節供《せっく》の日に起こったことを記したところであろう。この祭りには、かゆの木(粥をかき回す棒という説あり)で、戯れに人々の尻を打つ行事がある。この日天皇は、女房たちに、うまく謀って頭の中将為氏の尻を打つようにと命じる。ところが為氏の方が先手をうつ。「人々つえもちて用意するほど、何とかしつらむ、みすをちとはたらかすやうにぞ見えし(簾を少し動かしたかと思うと)、かへりて(かえって)少将内侍打たれぬ」。しかし十七日には杖をふところに隠し持った上皇とぐるになり、少将は首尾よく為氏に報復する。彼女は、上皇に拝謁に現れた隙だらけの為氏に跳びかかって、「杖のくたくたと折るるほど打ちたれば」、上皇を始め、公卿殿上人すべて、あたりにとどろくほど大笑いしたという。

弁内侍の日記は、いわば軽量級である。だが日本の日記文学に、うれしい変化を付け加え、鎌倉時代の日本人が、今日の日本人同様、戯れを愛したことを教えてくれるのである。

中務内侍日記

『中務内侍日記《なかつかさのないしにつき》』は、どこから見ても「暗い」作品とは言いがたい。それどころか、この日記が取り扱う十三年という年月に、宮廷に起こったさまざまな楽しい出来事をたっぷり描いている。この時期には、蒙古襲来を始め、種々の擾乱《じょうらん》があいついで起こったが、中務内侍は、そのうちの一つを除いて、それらには全く触れていない。正応三年（一二九〇）、浅原為頼という武士が、清涼殿に乱入し、御所を驚倒させた事件があったが、それについて手短に述べているだけである。しかし内侍がこの記述を締めくくっているのは、この事件が前触れになって起こるかもしれぬ出来事への懸念の表明ではなく、血に穢《けが》れた清涼殿から、母君の御所へ避難する天皇の着衣や、供奉の者の、いつになく普段着を着た姿の描写なのである。

　中務内侍が仕えたのは、伏見天皇で、東宮時代も、従兄に当たる後宇多天皇から皇位を継いだのちも、共に仕えている。日記の初めの方、弘安四年（一二八一）中のある日付には、次のような、いかにもこの作者らしい調子の文章がある。

　四年の八月十六日、たそがれのほどよりかきくれて降る雨の、ふくるままに、なごりなくはれて同じ空とも見えぬ月影おもしろければ、東宮の御かた入らせおはしまして（東宮様が上皇の御所へおいでになって）御月見あり。きり（霧）ふりてをかしきに、なほくもらぬ露のひかり、声々になく虫のねも、とりあつめたるここちして（いろいろな感情が胸にせまって）、吹きまよひたる風にみだれまさる露の玉も心ぐるしきに（いたわしく思われたが）、松にかかる光はことなるも（とりわけ美しく見えるのも）、如意宝珠の玉（それがあればすべて思いがかなうという宝玉）かとみえけん嵯峨野もこれにはすぎじとおぼえて、

おのづからしばしもきえぬたのみかは軒端の松にかかる白露

秋の夜の雰囲気を見事に伝えてはいるものの、右の章句には取り立てて変わったところはない。最後の和歌で作者が言わんとしているのは、そのような美は永続することなく、それがもたらす喜びも、いずれは白露のように消え失せてしまうのだ、という認識である。しかしこれは、来世における永遠の美のほうを選び、この世における束の間の美をしりぞける、あの仏教徒作家特有の美の拒否とは、その性格を異にしている。中務内侍は、先程と同じような多くの章句にもあるように、この世の美をこよなく愛していた。だがそれの持つはかなさは、内侍に喜びをもたらしただけではなく、彼女の涙をも誘ったのである。それでもなお美のはかなさは、それ自体不可欠な条件であった。この認識は、のちに兼好法師によって、美に関する彼の哲学にまで高められることになる。

あだし野の露きゆる時なく、鳥辺山の烟《けぶり》立ちさらでのみ住みはつるならひならば、いかに物のあはれもなからむ。世は定めなきこそいみじけれ。

（『徒然草』）

美の本質的要素としての、この非永続性は、長い間日本人によって、暗黙のうちに重視されてきた。開花期が永い梅や、ゆっくりしおれてゆく菊よりも、早ばやと散り果てる桜の方が、はるかにこの国で尊ばれるゆえんである。西洋人は、永遠の気を伝えんがために、神々の寺院を大理石で建てた。それに反して伊勢神宮の建築の持つ本質的な特色は、その非永続性にほかならない。

中務内侍が、宮仕えから完全に退いたのちに、この日記を書いたのは明らかである。喜びとなつかしさに、こもごも胸をつかれながら、彼女は昔日を思い出したのである。辛く、悲しい出来事ですら、忘れ去るにはあまりにも貴重であった。そうしたことも、彼女は日記に書きつけた。

世に経《ふ》ればなにとなく忘れぬふしぶしも多く、袖もぬれぬべきことわりもしらるるこそかはゆく（大事で捨てることが出来ないと）おぼゆれど……

だがこれは、自分の人生に対する彼女の失意の表現とは、明らかに異なっている。彼女が歌にも描いた伝統的な種々の遊び事を、彼女ほど深く、心から楽しんだものは他にいなかったのである。そして『中務内侍日記』は、そうした彼女の感覚を、ものの見事に捉えている。

中務内侍の日記から受けるおもな印象は、この上なく洗練された宮廷の記録、という印象であろう。そこに身をおく人々は、とりわけ月光の下に舟を浮かべて、音楽を奏し、聴くのを、なによりも楽しんだのである。日記はそれに類する娯楽の描写に多くの頁を割いているが、そうした遊びは、夜を徹して、明け方まで続くことが多かった。例えば弘安七年（一二八四）には、次のような記述が見える。

七月五日北山殿に行啓なる（東宮がおいでになった）。御幸もなりしかば（上皇もおいでになったので）、はえばえしき御遊びどもなり。ひるは山滝など所々御覧ぜられて、くるれば御舟にめす。夕づくより有明になるまで、かくる夜もなし。九日、月さしいづるほどに例の御舟にめす。（実兼）大夫《だいぶ》「遅参《ちさん》し侍りぬ」と、「遊びくたびれ侍り」と申し、しばしは釣殿にやすらはせおはしましかど御舟さし出ださる。御楽《おんあそび》あり。殿上人ども小さき舟にのりて中島をへだてて吹き合せたる物のね、たとへんかたなくおもしろし。はるかにこぎいでぬるに、かすかに羯鼓《かっこ》（胴長の鼓）をうつおと聞ゆるを、人々あきれて、いづくならんと申すに、大夫にやあらんとて、迎への小舟に楽《がく》し朗詠などしてさしよせたれば、火をたきて（船中に篝火をたいて）参り給ふをいみじく興ぜさせ給ふ。

私は『中務内侍日記』のいたるところを、ここに引用したい誘惑に駆られる。そうした夜の遊びを描く彼女の文章は、例外なく美しいからである。従って、これを読む時、一体いかなる理由で、作者中務が悩める女性だなどという印象が出てくるのか、私には皆目合点がいかない。

実際の話、この日記の文学的価値という見地からみるなら、問題は、この作品が、その暗い筆致によって読者の気を滅入らせるかもしれないということにあるのではなく、むしろそれが宮廷生活の実に魅力的な姿のみを、ひたすら描いていて、読者は果たしてこれでよいのだろうか、と首をかしげざるをえなくなるところにあるのだ。つまり、宮廷人の間には、嫉妬などというものは存在しなかったのだろうか。いさかい、口論もなかったのだろうか、泣く泣く男の自由にされた女もいなかったのであろうかと――。

事実私たちは、宮廷にも、すべてそうした醜悪な要素がたっぷりあったことを、これとほとんど同じ時期に書かれた日記『とはずがたり』によって、すでに知っているし、その作者は、歯に衣《きぬ》を着せることなくそれを書いている。そうすると中務内侍は、明らかにそうした事実を書くことを望まなかったのであろう。彼女は、告白をしようとしたわけでもなく、宮廷生活の、もっと見苦しい面を暴露しようというつもりもなかったのである。

管絃の夜の遊びを描いた記述は多く、それらに一種の単調さがあること、これは認めざるを得ない。だがその単調さは、あらかじめ与えられた題に基づいて詠む和歌の持つあの単調さにも等しい。その場合、作者の意図は、独創によって読者を感歎させることではなく、一つ一つの歌が、主題のいわば真髄に、少しでも迫っていくことにあるのだから。
作者が描いているのは、必ずしも宮廷内の出来事に限られてはいない。彼女は、時として旅もしている。とくに歌枕への旅である。例えば、次の文章は、彼女が奈良の猿沢の池を訪れた時のものである。

さて猿沢の池を見れば、濁りなくすみて、采女《うねめ》が身をなげけん昔の影（昔奈良の帝に仕えた采女が、寵を失ったのを悲しみ、猿沢の池に投身した。『大和物語』）も、いまうかびたる（目前に浮かび出たような）ここちして、今はとみけん（もうこれまでと思って見た）面影を、我ながらいかに鏡の影も悲しと見けん、御幸ありけん帝の御ここちもかたじけなくあはれなり。

今日では、ビールの空き缶、弁当包みなど、さまざまなゴミが池面に浮かんでいる事実だけから見ても、采女が水面に己の面影を映したあと、身を投げる姿を想像するのは、昔に比べてもっとむずかしい。しかし幸いにも、平等院は、中務が見た時の姿と、今日も変わっていない。

平等院をみれば、極楽の荘厳《しやうごん》ゆかしくみるとかやきこゆるもことわりに、もみぢの色さへことなるも、時雨もこの里ばかりわきて染めける、都のつとに（都へのみやげに）折らまほしく、かへらんたびと思ひなしてすぐるに、またにへのの池（贄野の池）といふ池のはたをすぐれば、鳥の多く水におりゐてあそぶ。

中務内侍は、絵画的描写にとくにすぐれていた。石清水の「臨時の祭」について彼女は書いている。「花もさかりなるに風すこし吹きてちりまがふ花の下に、舞人《まひびと》ども絵にかきたらんやうなり」。私はまた、内侍所の御神楽の描写にも心を打たれる。「庭火の影に束帯の黒きが上にふりかかる雪は、うちはらふも、をりからことに、すみ神さびたるけしき限りなし」。この日記は、いわゆる「失われた時」を詩的に呼び起こす作品だと言える。そしてそれがかもし出す情調は、失意というより、ほかならぬ一種の郷愁なのである。

中務内侍は、その目的が何であったかは述べていないが、ある時尼崎へ旅をしている。この旅の記述は美しい。

京を夜ふかくいでて、鳥羽殿ちかきほどにて、夜やうやう明けゆく空に木々の梢も色づきそむる頃なれば、艶なるほどにて、なかなかおもしろし。舟にのらんとするに（舟で淀川を下ったのである）、数しらずさりあへぬまで（よけ切れぬほど）舟おほきに、聞きしらぬさまにおそろしげなる声したる者ども、ひしめく（さわがしく言い合う）をきくにつけても、ひきかへたるけしき（都と打って変わった有り様）もあはれにて、北山殿（都の優雅な舟遊び）思ひいでられて、いかにとだにいひ合する人もなし。はるばる漕《こ》ぎゆくに、河霧たちて、こしかたゆくさきもみえず。きんやかた野（禁野、片〈交〉野）といふ所すぐるに、おとにのみききわたるをと思ひてしばし見るに、遠ければ定かにはあらねど、柴野（雑木林）のなかより鳥のたつを、きぎすにやあらん（片野の雉子《きぎす》を詠んだ歌は多い）などいへば……

人生の大半を都のうちで送った女性にとっては、淀川で目にした光景は、まことに珍しいものだったのである。船頭たちののしり合う様子にさえ、作者は心を動かされている。そして彼女の絵画的な描写は、ここでも精彩を放っている。私はこの一節を読んでいて、交野という地名に、なにやらぼんやりした連想を呼び起こされるものを感じていた。そして思い出したのが、『新古今集』にある藤原俊成の歌であった。

またや見ん交野のみ野の桜狩花の雪散る春のあけぼの

この見事な和歌の持つ気分こそ、まさしく中務内侍の日記が持つ気分と同じものだと思う。彼女が道中で目にした風景の一つ一つが、俊成が交野で詠んだ歌に表現した疑念を、彼女の心にも引き起こしている――果たしてこのような光景を、再び見ることがあろうか、という疑念である。しかし中務内侍は、自分がそうしたものを「また見る」ことはもはやないことを、感知していたのではあるまいか。というのは、彼女がこれを書いたのは、老齢と病のために、宮仕えから余儀なく退いたあとであったからである。彼女には、今や記憶しか残されていなかった。だがそれらの記憶は、決して悲しいものではなかった。それどころか、あまりにも美しく、彼女はそれを筆にせざるをえなかったのである。また思うに、作者は、これを書きながら、俊成の和歌にあるあの喜びと恨み二つながらの思いをこめて、昔わが身に起こったことを、いわば追体験していたのではなかったろうか。

中務内侍の日記には、『新古今集』からのこだまが、ほとんど絶え間なくひびいてくる。初瀬を訪れた時の次の文章のように、ただ一句の中にも、こだまするものがある。

十月十日ころ初瀬にまゐり侍れば、河原のほどにて、ほのぼのとあくるに、川霧たちて行くさきも見えず、横雲の空ばかりけぢめ見えて（きわだって見えて）いとおもしろし。

この文章の中に、定家の有名な歌、

春の夜の夢の浮橋とだえして峰に別るる横雲の空

とのつながりを見るのは、確かに行きすぎであろう。だがたとえその連想が無謀だとしても、『新古今集』と『中務内侍日記』との間には、なにか気分の上で、強い同質性があるように、私には思えて仕方がない。
あたかもこの日記全体の調子を要約するかにみえる、俊成の別の和歌がある。

たれかまた花橘《はなたちばな》に思ひ出でんわれも昔の人となりなば

中務内侍は、自分自身が後世に記憶されるかどうかについては、多分さほど意に介していなかったのではなかろうか。だが自分が目にした美が、いつしか忘れ去られることには、耐えられなかったのである。
この日記を好まぬ評家でさえ、後宇多帝の退位と伏見天皇の即位についての記述には歴史的価値があることを、一般に認めている。だがそうした個所は、私には最も面白そうにもない個所なのである。彼女は宮廷のゴシップなどには、一向に注意を払っていない。とはいえ自分が知悉している世界が、もはや余命いくばくもないことを、感知していたように思われる。そしてその世界が持つ美を、あらゆる時代の読者のために、日記の中に書き残しておいたのである。

とはずがたり

『中務内侍日記』を読むものは、彼女が生きた時代の京都の宮廷こそ、比類なき美的洗練の場であった、という印象を得るにちがいない。ところがその同じ宮廷の生活を描いたもう一つの日記『とはずがたり』を読むと、（中務内侍といささかも矛盾することなく）その宮廷が、実は手のつけられぬほどの性的放縦と、道徳的腐敗の巣窟であったという印象を、読者は受ける。宮廷の女房によって書かれた数ある日記のうち、この『とはずがたり』ほど、読者の度胆を抜き、衝撃を与える作品は他にないのである。

この日記は、文永八年（一二七一）の元日の記述から始まっている。まず、藤原定家のライバルだった例の源通親の孫、そしてこの日記の作者の父でもあった大納言で歌人、久我雅忠《こがまさただ》が、後深草院に新年の屠蘇《とそ》を差し上げる。院を始め列席したものすべてがすっかり酩酊《めいてい》した頃合に、院が雅忠に向かって言う。「この春よりはたのむ雁《かり》（「田の面《む》の雁」。育てている娘）もわが方によ」と。この言葉の意味するところは、『伊勢物語』の言葉に掛けて、この春は、なんじの娘二条（作者）を所望するぞ、というのであった。雅忠はこの申し出に気を悪くするどころか、「ことさらかしこまりて」、院の殊のほかの知遇に感泣するのである（み吉野のたのむの雁もひたぶるに君が方にぞよると鳴くなる『伊勢物語』）。

二条はその年十四歳（現代の算定では十三）。後深草院は、二条の幼少の頃から、彼女にさまざまな芸術上の指導を与えていた。そして彼女が「女」になり、性愛の対象となる年頃が来るのを、いまかいまかと待ちかまえていたのだ。そして今やその時節が到来したというわけである。拝賀式のあと、二条が局《つぼね》へ下がると、豪華な衣裳の贈り物が届いている。歌がつけてあり、それには、今後はもっと深く慣れ親しみたいという願いがほのめかしてある。思いがけないことに困惑した二条は、その贈り物を一度返すが、別の歌と共に、また送り返されてくる。他にどうしてよいか分からぬままに、彼女も今度はそれを受け取る。しかし贈り物の裏にある意味は、彼女にはまだよく理解出来ない。そのあと、娘がその衣裳を着ているのを見た父の大納言は、「御所より（院から）賜はりたるか」と彼女にきく。そこで二条は、父の言葉の裏になにか隠された意味があるのを感じ、とっさに「いいえ、これは大伯母の准后から頂いたもの」と嘘をつく。

それから十日経ち、二条は、父の命によって御所から実家へ呼び戻される。帰ってみて驚いたことに、家中が見ちがえるほど晴れがましく飾り立てられているではないか。翌日彼女は、これは方違《かたたがえ》のために院がここへ立ち寄られるからだ、と告げられる。しかし自分の部屋まで特別立派に飾りつけてあるのはなぜであろう？　二条がそれを糺《ただ》そうとすると、みなは彼女の無邪気を笑うばかりである。そして父は父で、その夜は、院が御幸になるまで眠ってはならぬ、「女房は、何事もこはごはしからず（強情を張ることなく）、人のままになるがよき事なり」と彼女をさとすのである。

しかし結局彼女は眠り込んでしまうが、目を覚ますと、院が自分のそばに添い臥せっているのに気がつく。院は、「いはけなかりし昔より思し召しそめて、十とて四つの月日（二条が十四歳になる今日まで）を待ちくらしつる」と言う。だが、彼女はただ涙で答えるばかりである。その夜院は、それ以上の無理強いをすることはなかった。しかし次の夜も彼女の部屋に現れ、とうとう彼女の「薄き衣」も「いたく綻《ほころ》んでしまう」ほどに手荒く取り扱うのである。彼女は書いている。「残る方なくなりゆくにも、世にありあけの名さへうらめし（すべてが失われてしまった今、私の存在自体が恨めしい）」。そして自分がすでにゴシップの種になっていることを思い、次の歌を詠む。

心よりほかに解けぬる下紐《したひぼ》のいかなる節《ふし》に憂き名流さん

要するに彼女は、自分が信頼していた男性に犯されたのである。しかもそれを取り持ったのが、他ならぬ自分の父であったとは！　しかしそれからしばらく経って、常のようにせめて見送りせよ、と院が命じた時、院に対する彼女の憤りは、明らかに他の感情に変わっている。なぜなら彼女は書いているからだ。

（院の御姿に）いつよりも目とまる心地せしも、誰《た》がならはしにかとおぼつかなくこそ（この気持ちはいったい誰に教えられたのか、まことに不思議である）。

二条は、自分が無理矢理大人の世界に引きずり込まれたこと、それへの反発、そしてその直後に起こった微妙な感情の変化などについて、きわめて率直に書いている。そしてその率直さは、確かに賞讃されてよい。だがやはり現代の読者は、どうしてもそれに衝撃を受けるのである。

凌辱という行為そのものは、二条の時代の人々には、おそらく今日の人間にとってほどショッキングではなかったかもしれない。第一、あの比類なき光源氏さえ、彼が後見していた若い紫の上に対して、まさに同じことを行ったではないか。紫の上は、初めは幻滅を味わう。『源氏物語』には次のようにある。「かかる御心おはすらむとはかけても思し寄らざりしかば、などてかう心うかりける御心をうらなく頼もしきものに思ひきこえけむ、とあさましう思さる」。だがその背信に対して紫が抱いた恨みは、源氏への愛にやがて変わってくる。そして何世紀もの間、『源氏物語』の大抵の読者は、源氏のこの行為を、赦せる行為であるばかりか、やむを得ぬ行為でもあったろうと感じてきた。

日本女性が、地位の高い男性に純潔を奪われて泣き寝入りするというのは、西洋でも実際にあったことと、おそらくあまり変わりはなかったはずである。だがヨーロッパにおいては、自分の娘を自ら進んで取り持つような父親は、事実はともあれ、少なくとも小説では、常に悪者と相場が決まっていた。リチャードソンの小説『パメラ』（一七四〇）の父親は労働者だが、自分の美しい娘パメラに、彼女が奉公している館の主人の親切には気をつけろ、感謝のしるしに純潔を捧げるようなことになっては事だから、とさとすのである。そして彼は言う。「娘よ、最悪に備えて身を固めるがよい。純潔を失うくらいなら、命を失うほうがましと心得よ」。『パメラ』は長大な小説だが、そのテーマは一つ——主人の猛攻に直面して、いかに女主人公パメラが、自分の純潔を守り抜いたか、という一事である。

凌辱されたことで初めはショックを受けたとしても、おそらく二条なら、このパメラの抵抗は、いささか度が過ぎる、いや、滑稽とさえ考えたにちがいない。そしてその点については、過去の日本人もえらぶところがなかった。北村透谷は、「処女の純潔を論ず」というエッセーの中で、日本人が、処女の純潔への尊重心を欠いている、といって慨嘆している。しかしこれは、透谷における西洋の影響が言わせたことかもしれないのである。『とはずがたり』の巻頭に起こる少女二条の凌辱事件は、野蛮と優雅、そしてあたりにたちこめる道徳的退廃の香りをないまぜにして、この作品全体の調子をすでに決めている。

二条をわがものにしたあと、院は、御所まで供をしてくれ、と彼女にせがむ。彼女は書いている、

道すがらも、今しも盗み出で（女を盗み出して）などして行かん人のやうに契り給ふも、をかしとも言ひぬべきを、つらさを添へて行く道は、涙のほかは言問ふ方《かた》もなくて、（御所に）おはしまし着きぬ。

しかし、院が二条に示す愛情は、次第に彼女の氷のようなあらがいを溶かしてゆく。そして彼女は、院からの文を、やがて待ち焦がれるようになるのである。

その翌年（一二七二）の八月、父雅忠が病没、二条は大いに悲しむ。死の床で、父は彼女に訓戒を垂れるが、その中には、主君、すなわち後深草院に対しては、一生決して二心なきよう、というのがある。また、もし主君の御意に背くようなことがあったならば、直ちに出家遁世し、自分の後生を祈り、二親の菩提もとむらって、みなが極楽で一緒になれるよう祈るべし。そして「世に捨てられ頼りなしとて、また異君《ことぎみ》にも仕へ、もしは、いかなる人の家にも立ち寄りて（どんな人にもせよ人の家の厄介になって）、世に住むわざをせば、（私の）亡き後なりとも不孝の身（勘当の身）と思ふべし」、というのもあった。結局二条は、これらの訓戒を、本気で心に留めることはなかったようである。彼女のような情熱的な性格では、慣習的な道徳律の中に閉じこもれというほうが、土台無理であった。それに当時の貴族社会の爛熟した退廃も、二条の気まぐれな性格を、より一層助長したのである。

父の死後、毎日のように手紙で二条の安否を尋ねていた男が、ある月明かりの夜、彼女の家を訪ねて来る。そして二人は一夜を語り明かす。二人とも喪服を着ており、その夜彼らが寝所を共にしなかったのは、おそらくそのためであったにちがいない。帰り際に、男は言う。「あらぬさまなる朝帰り（床にも入らずに帰ってゆく）とや、世に聞えん」。それからしばらくして男はまたやってくる。二条は、初めは家の中には入れぬつもりであった。ところが男は、「つゆ御うしろめたき振舞あるまじきを」と誓うのである。だが作者は書いている。

長き夜すがら、（男の）とにかく言ひつづけ給ふさまは、げに唐国の虎も涙落ちぬべき程なれば、岩木《いはき》ならぬ（木石ならぬ）心には、身を換へんとまでは思はざりしかども、心のほかの新枕（思いがけぬ新しい情交）は、（院の）御夢にや見ゆらんと、いと恐ろし。

二条はその新しい愛人のことを、彼との親密な交情を述べた章句の中では「雪の曙《あけぼの》」と呼び、他の個所では、西園寺実兼《さねかね》という実名を用いている。この人物は、数年に亙って二条と愛人関係を続け、彼女が生んだ四人の子の一人の父親であった。この新しい愛人を得たことが、彼女の後深草院との関係を悪化させたかというと、決してそうではなかったのである。それどころか、互いに相手の不実を知りつつ、二人の関係は、さらに親密さを深めていっている。二条と実兼の関係を知った折、院は、とくに思いやりある言葉を連ねた手紙に、次の歌を添えて作者に送っている。

うば玉の夢にぞ見つる小夜衣《さよごろも》あらぬ袂《たもと》を重ねけりとは
（夢に見たぞ、お前が他の男と枕を交わしたのを）

これに対して、彼女は意味をわざとぼかした歌を返して、「われながらつれなくおぼえしかども（厚顔だと思ったけれど）、申しまぎらかし（言い紛らわし）侍りぬ」と書いている。

またある場合には、院が二条を他の男に与えるべくわざわざ計られたことさえある。おそらくこれは日記の中で、最もショッキングな挿話だと思われるが、ある夜、暗がりの中で、男（おそらく関白）が突然二条の袂を捉えて、「年月思ひそめし」などと言ってしきりにかき口説く。この時は、なんとか振りきって難を逃れたけれど、次の日の夜、二条が院の腰を打ち叩いていた時、前夜の男がまたやってきて、院がおやすみの間にぜひ会いたいと言う。彼女は書いている。

「はや立て。苦しかるまじ」と（院が）忍びやかに仰せらるるぞ、なかなか（かえって）死ぬばかり悲しき。御後《おあと》にあるを（院の足許にいる私を）、手をさへ取りて引き立てさせ給へば、心のほかに立たれぬるに（心ならずも立ち上がったが）……

そこで二条とその男とは、院の御部屋と襖一つ隔てた次の間で情交する。

（院は）寝入り給ひたるやうにて（寝たふりをして）聞き給ひけるこそ、あさましけれ。とかく泣きさまだれゐたれども（私は正体なく泣きくずれていたけれど）、酔心地やただならざりけん……

その次の夜も、同じ男が舞い戻ってくる。そして院は、男のところへ行け、と再び二条に命じる。後深草院の行為からうかがえるのは、院の心の寛さ、というよりは、女としての二条への軽蔑の情である。それにもかかわらず二条は、持ち前の率直さを発揮、巻二の終わりで、前夜自分を襲った男が帰ってゆく時の自分の気持ちを描写して、次のように書いている。

何となく名残惜しきやうに車の影の見られ侍りしこそ、こはいつよりのならはしぞと（いつからわが身についた習性かと）、わが心ながらおぼつかなく（不思議に）侍りしか。

二条のように、同時に二人以上の男を愛する能力に恵まれているような読者ならともかく、普通の読者なら誰しもこれと同じ疑問を、ここで持つはずである。

二条の心は、彼女が「有明の月」と呼ぶ僧によって、最も深く動かされたように思われる。この僧は、後深草院の異母弟に当たり、性助法親王《しょうじょ》として知られ、仁和寺《にんなじ》に住んでいた。二条が記すところによると、建治元年（一二七五）のある日のこと、後白河院の命日に行われる法華経講義に院が出席していたあいだに、ある人物（彼女は名をあげていない）が御所を訪れる。そこで彼女は、「そぞろき逃ぐべき（あわてて逃げ出さねばならぬような）御人柄ならねば、候ふに（そのままいると）、（彼は）何となき御昔語り」をされたという。ところがだしぬけにその男が言い出すのである。「仏も心ぎたなき勤めとやおぼしめすらんと思ふ（どんな汚れた心で私がお勤めをしているかと、仏も思っておられることでしょう)」。そう言って、やにわに彼は二条の袖を摑み、言いつのってくる。「いかなる暇とだに(機会にでも)、せめては頼めよ(頼みに思わせよ。つまり会うと約束してくれ)」。彼女は書いている。「まことに偽りならず見ゆる(本物と見える)御袖の涙もむつかしきに(厄介なところへ)、(院の)『還御』とてひしめけば、(私は袖を)引き放ち参らせぬ」。

有明は、これに続く数か月、あらゆる機会を捉えて、彼女に自分の恋心を伝えようとする。そしてある晩、御所で後深草院の病気治癒の祈禱をしたあと、彼は小部屋へ下がる二条のあとについてくる。そして次のように言うのである。「仏の御しるべ(お導き)は、暗き道(恋の闇路)に入りても(変わりますまい)」。有明は彼女を抱擁して、最後の祈禱のあとで、きっと自分のところへ来てくれと頼む。二条はそのあとのことを思い出して書いている。「(有明を)思ひ焦がるる心はなくて、後夜過ぐる程に、人間《ひとま》をうかがひて(人目を忍んで)参りたれば……」。以後二人は、毎夜のように忍び逢う身となったのである。「このたびの御修法は、心清からぬ御祈誓、仏の御心中もはづかしき(仏の御心中を思い、私も大変恥ずかしかった)」と、さすがの二条も書いている。

ある時期に、二条は、有明との縁を切ろうと決心する。そして口実をもうけて逢い引きを断る。だが叔父の大納言隆顕《たかあき》から手紙がきて、有明にもっとやさしくしてやってくれと頼まれる。「しかるべき御契りにてこそ(前世からの縁あってこそ)、(有明は)かくまでもおぼしめし染み候ひけめに、(あなたが)情なく申されし(応対され)」私までが辛く思っていいます、という主旨である。その上、有明からの文も同封してあり、それには、夜はよもすがら（あなたの）面影を恋ひて涙に袖を濡らし、本尊に向ひ持経《ぢきやう》を披く折々も、まづ（あなたの）言の葉を偲び、護摩の壇の上には（あなたの）文を置きて持経とし、御灯明《あかし》の光にはまづこれ（あなたの文）を披きて心を養ふ。

とある。有明も、禁慾の誓いを破った罪に対する報いとして、来世自分が、地獄、餓鬼、畜生の三悪道《さんまくどう》に堕《お》とされることを予見している。だがこの恋を捨てるには、彼はあまりにも力弱かったのである。

ある日、後深草院が有明を御所に呼び出したことがあった。その時有明は、院がまだ還御にならぬ機会を捉えて、ここぞとばかりに二条への愛を彼女にかき口説く。二条は書いている。

何と申すべき言の葉もなければ、ただうち聞きゐたるに、程なく（院が）還御なりけるも知らず、同じさまなる口説きごと、御障子のあなたにも（向うにおられる院にも）聞えけるにや、（院が）しばし立ち止り給ひけるも、いかでか知らん。

有明の愛の告白を立ち聞きした院は、不快どころか、二条に向かって、もっと有明にやさしくして、その妄執を晴らしてやるがよい、と言うのである。そこで「（それにつけても）

いかでかわびしからざらん」と、二条は歎いている。現代の読者なら、二条のこの気持ちは、まことによく分かるのである。いずれにしても二条は、院の願いに従ったのである。結局彼女は、有明の子を二人生んでいる。

二条の性的放縦は、必ずしも彼女の責任とはいえないようである。例えば、ある夜酒宴が終わったあと、彼女は無理矢理、後深草院と、その弟君亀山新院との間に寝かされている。そして間もなく彼女は、亀山新院によって屛風のかげに引きずり込まれ、不本意ながら院の愛人にならされる。そして次の夜も全く同じことが起こったという。二条は書いている。「今更憂き世のならひも思ひ知られ侍る」と。

『とはずがたり』巻四の冒頭で読者は、尼になった二条が、初めての巡礼の旅に出るため、都を離れようとしていることを、突然知らされる。どのような事情でこうした行動を取るに至ったのか、彼女は何ら説明を与えていない。過去何度も出家については考えたことがあったのだが、憂き世との絆が、それを許さなかったのだ。出家するに当たって彼女が真剣であったこと、これを疑う余地はなさそうである。だが尼僧の衣を身に着けたあとも、彼女の人柄は、それほど変わったとはいえない。心はまだ過ぎ去ったこと、とくに御所での生活、折々の後深草院の情けなどを、絶えず思い出し、恋しがっている。そこで、そうした思い出を、己の心中にだけしまっておくことがどうしても出来ず、彼女が「いたづら事」と名付けたものを、こうして書き続けておいたのである。

明らかに二条は、わが身に起こった事どもを書きつけておくならば、己の人生が無為に過ごされたという感情から、なんとか解放されるのではないか、と期待したのだ。自分の書き物が、長く後世に残るとは考えていない、と彼女は言っている。そしてこの予想は、ほとんど的中していた。ただの一部しかなかった原本は、長い間埋もれ、一九四〇年になって、ようやく発見されたからである。

『とはずがたり』を書く二条の直接の動機は、尼僧となって各地を巡礼、その記録を綴りたい、というのであったかもしれない。だが、実際にそうした巡礼の記録が書かれているのは、日記五巻のうち、最後の二巻の中のみである。初めの三巻は、いわば公の告白記を綴るつもりで書かれたのかとも推測される。とはいえ、自分が犯したいかなる罪も、彼女は悔いているようには見えない。あるとき亡き父が二条の夢枕に立ち、家門に流れる歌の伝燈の火を灯《とも》し続けるように、という歌を詠んで彼女をはげましたという。彼女はあるいはその夢に動かされたのかもしれない。

二条の意図は明らかに文学的である。そして昔物語を読んだことが、彼女に影響していることには、疑いの余地がない。遠い記憶、近い記憶を辿りつつ、単に起こった事実のみを記録するだけでは、到底満足出来なかったことであろう。この日記には、勝手に頭の中で作り上げた解釈、あるいは完全な虚構さえたっぷり入っているが、それでもなお日記の大部分は、見まごうことのない真実味を湛えている。

巻末近く、意味深長な逸話が述べられている。後深草院が重い病を患ったことを聞き、二条は北野と平野の両神社に詣でて祈願する。「(院の御命を) わが命に転じ代へ給へ」と。しかしこの時、もしその願いが成就して、自分が白露のごとく消えてしまったなら、そのことは院にも知られず、自分が院の代わりに死ぬことになるのだ、ということにも彼女は気がついている。これもまた悲しい。

君故にわれ先立たばおのづから夢には見えよ跡の白露

彼女に対して必ずしも常に親切とはいえなかった一人の男の代わりに、自分が死んでもよいというのである。しかしこの二条の折角の心の寛さも、いかにも自分が心寛き人間だったことを世に認めさせたいという、彼女の欲望が見え透いていて、いささか点が下がるのである。なるほどこれは、どこの国でも通じる普遍的な感情であろう。だが大抵の作家なら――告白的作家ですら――自分の名誉に益することとまことに少ないこのような観念を筆にすることは、必ず控えたにちがいない。

二条はこの日記を書くに当たって、何等の隠し立てをしていないように思われる。従って読者は、宮廷生活に関する彼女の記述、とくに上皇を始め、関白、高位にある殿上人、僧侶など、すべてが手を貸した淫蕩な恋のたくらみの記述を、真実として文句なしに受け入れがちである。しかしこのいわば道徳的な放縦を、その時代の風潮に帰してしまっては、事をあまりに単純化してしまうおそれがある。同じようなことは、現代に至るまでのヨーロッパ諸国の宮廷に関しても、確かに書くことが出来たはずである。

二条の時代にも厳存した日本の宮廷の最も顕著な特徴は、『とはずがたり』の中の、読者が一読したあと忘れてしまうような個所に、はっきり述べられている。それはすなわち宮廷人士を『源氏物語』の中の人物にそれぞれ見立てて遊ぶ優雅な催し、和歌のやり取り、管絃の遊び、そして日常生活の最も些細な面にまでおよぶ美の崇拝である。これこそまさに中務内侍が、自ら選んで書いた世界であった。いずれの女性も、己が生きた時代の歴史家としては、いささか一面的で、全面的に信を置くことが出来ないかもしれない。だがそのどちらも、その名に値するあらゆる日記作者同様、なによりも作者自身の忘れがたい肖像を、私たちに描いてくれているのである。

竹むきが記

『竹《たけ》むきが記《き》』は、日野名子なる宮廷の女性が、一三二九年から一三四九年の間に起こった事件を記録した日記である。この日記を論じたほとんどすべての学者が、「平安時代以降の女流日記文学の掉尾を飾る作品」だと、この書き物のことを説明している。この「掉尾」という言葉は、『竹むきが記』の名が出るたびに、まるでどこかの地名に冠した枕詞ででもあるかのように必ず引き合いに出される。勿論この後も、日記を書いた女流は決して少なくはない——例えば樋口一葉——。

だが、宮廷女性によって書かれた日記という平安時代独特の伝統においては、『竹むきが記』は、まさにその最後を飾るにふさわしい日記なのである。すなわち、毎日、日を追って書いたものではなく、記述されている事件が起こったあとで、作者の記憶に残る事柄を、主観的に回想して書いた日記である。しかし『竹むきが記』は、これより早く書かれた女房の日記ほどは、芸術的にすぐれたものとは言えない。だが、とくに『太平記』など他の作品によって、私たちがこの作者について知ることを念頭に置いて読む時、これは時として、ほとんど耐えがたいほど感動的な作品なのである。

『竹むきが記』という奇妙な名称は、作者名子がこの日記の後半を書いた時住んでいた場所の名に由来する。すなわち、西園寺邸内の「竹向殿《たけむきでん》」である。日記は上下二巻からなり、上巻は、作者名子と西園寺公宗《きんむね》とが、南北両朝の間に戦われた内戦に引き裂かれるまでの、二人の恋に重点を置いている。そして下巻の方は、息子に西園寺家の家督を継がせ、一門の栄誉を回復するための、作者の努力に中心が置かれている。

この日記が初めて印刷に付されたのは、明治四十四年（一九一一）である。以後、元来この書物には中巻があったのではないか、という憶測がなされてきた。上巻の終わりと下巻の初めとの間に、三年以上の間隙があるため、その間にさらにもう一巻あったかもしれぬという説である。もしあったとするならば、それはおそらく、公宗の死、彼によってもうけた息子の誕生、彼女と息子が身を隠していた歳月、そして北朝の復興——つまり、名子の生涯で、おそらく最も劇的な年月を描いていたはずである。しかしながら今日の学者の間では、名子が中巻を書いたことを疑う説の方が強い。作者が取り扱わねばならなかった素材があまりに公的で、女房日記の限界を越えていたから、というのである。

『竹むきが記』は、春宮《とうぐう》、すなわち後伏見天皇第一皇子元服《げんぷく》の記述に始まる。元服式の後、後伏見、花園両上皇の御所、持明院殿で遊宴が開かれたという。名子は、この時楽器を奏した人々、詩を朗詠した人々、舞楽を演じた人々の名を書き連ねている。そしてこの部分は、女房というよりは、むしろ殿上人が漢文で書いた公式日記を思わせる。事実名子は、彼女が上手に縮写した式の図面が、「御日記」、すなわち春宮自身が書いていた日記に添付されることを、ついでに記している。

このあたりの文章は、平穏な時代の宮廷生活の描写を思わせる。だがその後にすぐ、日本の歴史を変えることになった事件の記述が続いている。

元弘のはじめのとし、八月廿四日の夜、内裏（後醍醐天皇）みえさせ給はぬよし、廿五日の暁きこえて、世中さはぎたちぬ。

後醍醐天皇が、三種の神器を携えて、ひそかに御所を出たというのだ。結局、この挙は失敗に終わる。しかしそれは、のちに南朝（後醍醐帝を奉じる討幕派）、そして北朝（幕府派）との間に発生した激しい闘争の前兆となったのである。名子は、この内乱の終わりまで生き通している。叔父の日野資朝《すけとも》（『徒然草』に数度登場する）は、後醍醐天皇側にくみしたが、捕らわれて再度佐渡に流され、最後には斬首される。しかし名子の夫と、父、兄弟を始め、一門のうち大方が北朝につき、南朝が覇権を握った建武中興の間は、大いに苦しむことになる。

初めのうち名子は、来るべき闘争の規模には気づいていない。後醍醐天皇は、笠置《かさぎ》で捕らわれ、神器は新帝（光厳《こうごん》天皇）に渡される。剣璽を収めた箱の包み直しを仰せつかったのは、名子自身であった。その時彼女は、神代から伝わる神器を、今わが手に取っているのだ、という思いに、圧倒される。

『竹むきが記』の第二の挿話は、次のように始まっている。

十一月つゐたち日蝕《につそく》なり。夜より雪降りていみじう積りしかば、つゝみこめられたる折節の御恨みなるに、西園寺大納言殿こもりさぶらはせ給ひしかば、上の御局をすこしあげられて御覧ぜらるべきよし、きこへ給へばならせ給ふ。

当時の宮廷人にとっては、日蝕は恐怖の対象だった。従って人々は屋内に閉じこもり、戸外をのぞき見ることさえはばかった。ところが新帝の光厳天皇が、折角の降雪が見られぬのをいたく恨めしく思ったので、側にいた西園寺公宗が、戸外が見渡せるようにと、格子戸をわずかに引き開けた、というのである。この慣習の無視が、のちに天皇と、公宗自身にふりかかった災厄の原因になったのだ、と思うことも出来るかもしれない。光厳天皇は、南朝の軍勢が押し寄せた時に逃走を余儀なくされ、公宗の方は、幕府に忠義立てをした廉《かど》で、処刑されることになったからである。

多分名子は、不気味な日蝕の光に身を曝してはならぬという戒律が、単なる迷信以上のものだという予感を抱いていたのかもしれない。この日記の中で、作者自身の人柄を表す記述はあまり見られないのだが、この時だけは珍しくも書いている。御所に居合わせた他のものは、降雪を見ようとすべて格子戸の隙間へ群がったけれど、「れいのうづもれにたる身のくせ（ひっこみ思案のわが性格）は、ふとしもたゝれず」。このようにためらっている名子を見た公宗が、「こはいかなるにか、雪におづるにこそありけれ」とからかっている。愛人公宗の死後にこの日記が書かれたことを思えば、後年辛い体験を数多く経たあとで回想された、この何気ない戯れの言葉も、おそらく名子にとっては、胸が締めつけられるような意味合いを持っていたにちがいない。

日記の初めの部分は、御所でのさまざまな祭りや、遊宴の記述が多い。そうした行事の際、誰がどういう衣装を着ていたか、といったことについての、名子の記憶力には驚くべきものがある。例えば、元弘二年（一三三二）、光厳天皇の即位式に参列した貴顕の衣装の色まで、ほとんどその一人一人について彼女は記録している。後年、その儀式の壮麗さを思い出しながら、彼女はさぞかし複雑な気持ちであったにちがいない。

主上玉の御冠、御礼服たてまつりて御笏たゞしくておはします御さま唐《から》めける御よそひにはいとゞしく世にしらぬ御光くはゝりてぞみえさせ給ひし。（中略）唐めきたるよそひども我が世の事ともみえずいとめづらし。（中略）香炉の煙のすゑ雲の色にみえて、唐国にも日本の御代のはじめをしるときゝしや……

そして和歌を一首つけ加えている。

けふやさはから国人もきみが代をあまつ空ゆく雲にしるらん

（それならば、今日流れる香煙の雲を見て、日本の御代の初めを、唐国人も知ったこと

であろう)

中国風の装飾を多く用いた即位の儀式。その物珍しい壮麗さを目にした名子は、それならば中国にさえも、日本の新しい御代の始まりが知られるだろうと空想したのである。また、宮廷生活を叙した彼女の文章には、軽やかな筆つきのものもある。例えば、ある新参の女房の袴《はかま》がなにかのはずみで辷り落ち、小袖の前がすっかりはだけてしまう。名子は書いている。

(みなが)笑はせおはしますさまどもいみじ。されどかゝる戯れ人にしあらずは(このように戯れ事を好む人物でなかったならば)、よその心も猶しぬばかりならまし(はたで見ている者の方がひどく恥ずかしい思いをしたことであろう)とぞおぼえし。

最も重要な劇的な進展を記すのに、作者はわざと曖昧な書き方をしている。

おもひがけず旅寝のとこに夜を明かす事なん侍りし比《ころ》、きさらぎのはじめ例のやどり(いつも公宗と逢う場所)にたちどまれるに、鳥のこゑ、鐘の音しきりにおどろかしつゝ車引き出でたる暁の空かすみわたりて……

この章句が言及しているのは、名子の公宗との恋、そしてどこか御所から遠く離れた場所での、二人の度重なる逢引きである。すぐあとに、その時二人が交わした歌が出てくる。公宗がまず次の歌を詠む。

あら玉のとしまちゑてもいつしかと君にぞちぎるゆく末の春

勿論これには名子の返歌が続く。学者の中には、これらの歌は、名子と公宗が今や結婚していることを意味するのだ、という説をなすものもある。しかし他の学者は、二人の結婚の時期は不明であると主張する。結婚の時期はいつにせよ、明らかに名子は、西園寺家に承認されたのである。公宗との結合から生まれた彼女の子が、結局西園寺家の家督を認められているからである。

名子と公宗との幸せな夢を突然引き破ったのは、後醍醐天皇が隠岐を脱出、目下都に向かっているという報せであった。最新のニュースをきこうと、人々が御所に集まり、溢れ出た群集が、道という道をふさぎ尽くす有り様。愛人二人は、逢うこともかなわなくなる。

女房の内にまいる車なども、出で入りたやすからねば、まして人しれぬ通ひ（自分と公宗のひそかな恋の通い路）は路《みち》絶えぬべうなん。

正慶二年（一三三三）三月十六日、天皇と両上皇の、六波羅探題の館への行幸、御幸がある。幕府の保護下に入るためである。「我れも人もたゞあきれまよふほかの事なかりしかば、ひが事もあらむとてかきもとめず」。六波羅では、女房ごときが出る幕はないことを知りつつも、お付きの侍女もなしに、天皇と両院とを放っておくわけにはいくまいと気がもめる。朋輩は、六波羅ゆきを強行などすれば、身体の具合が悪いのに、「いと見苦しかるべきこと」だと言い、しきりに思い留まらそうとする。だが彼女は、あえて六波羅に行くのである。これは、名子の最初の妊娠をほのめかしたところとも思える。もっとも名子の息子実俊《さねとし》が生まれたのは、その二年後ではあったが――。

名子が六波羅で見たものは、彼女を仰天させるに十分であった。「御屛風、隔て（隔てに用いた道具）どもにて狭く人勝ち也」、しかも最も悪いことに、「ゐびす姿どもいと近くみえしも、あらぬ世（この世のものでなく）とのみぞおぼえし」だという。「ゐびす」という言葉は、ここでは敵の蛮族という意ではなく、北朝を奉戴《ほうたい》する鎌倉武士を指している。だが、これによって、武装した彼らの姿が、いかに彼女には、奇妙で、しかも恐ろしげに見えたかが分かるのである。名子は、早速その夜から天皇の世話を始めるつもりであった。だが、明け方に敵襲がありそうだという報が六波羅に届き、女はみな立ち去るように命じられる。名子も勿論その例外ではなかった。

翌日、前夜の敵襲の報はあやまりだったと判明するが、名子には、六波羅へ戻る手段《てだて》がない。父の願いで、彼女が清水《きよみず》に移ったのは、いささかなりとも六波羅近くにいたいと思ったからである。心細い思いを抱きながら、何日も清水で待ち暮らす。彼女は書いている。「世の中けふや〳〵と思ひつゝ卯月廿日あまりになりぬ」。その日名子には、ようやく逢う機会を作れたという、公宗からのうれしい伝言が届くのである。

まだ宵の程に（公宗が）たち寄り給へる。程なく鳥の声、鐘の音こなたかなたにきこゆ（きぬぎぬの別れの描写）。「そらねにこそは」などおぼめき（とぼけ）給ふさまなるに、「明けなばいと便《びん》あし（都合が悪い）かるべきを」とたび〳〵おとなへば、妻戸押しあけられたるに有明の月いとさやかにて……

この朝のきぬぎぬは、とり分け辛く感じられたのであろう。

これやかぎりとなべて世を思ひみだれたるおりからのあはれに、ましてゆくもとまるも（帰ってゆく公宗、残る名子も共に）いと心ぼそし。

いよいよ夜も明け放たれる気色、公宗は髪に一櫛あてると、ついに立ち去ってゆく。立ち上がって見送る気力もなく、彼女はそのまま横になって、去りゆく愛人の行く手をじっと見詰めるだけである。

五月七日には、南朝の軍勢が六波羅を包囲し、夜になって火を放つ。名子の家はそこに近い。彼女は言っている。「煙のしたにみやりきこゆる心の中どもは夢うつゝとも思ひわかれず」。彼女は、公宗が炎に包まれて死んだのではないかとおそれる。だが翌朝、彼が無事東国に逃れたことを聞くのである。名子は非常な難儀をして、西園寺の館に辿り着くが、そこで、天皇、両院の逃走が、近江の国、伊吹のあたりで阻止され、今、都へ送り返されつつあるところだと告げられる。兄の氏光が、流れ矢に当たって傷ついたこと、これも知らされる。このようなみじめな目に遭っても、まだ己がこうして生き続けていることにわれながら驚いて、そこで彼女は和歌を一首詠んでいる。日記中、最も秀逸な歌である。

かくてだにすてぬならひの身のうさは思ひしよりもあられけるかな

光厳天皇と北朝を奉戴する一党が都に連れ戻されたのは、五月二十一日であった。その時名子は、自分の父と長兄とが、今や僧形であることを知り、大いに驚いている。彼女は、いつ、そしてどのような状況のもとに公宗に再会したかは言っていない。言っているのは、ただ自分が帰りたいと思っていた実家へ戻るのを、彼に禁じられたことだけである。彼は、名子が男の子を生んだ時、その子が西園寺家の家督として認められるように、名子と自分の一族との結びつきを、出来るだけ緊密にしておきたかったのかもしれない。公宗は、出家遁世の希望を洩らしているが、これは、天皇や上皇が許さず、諦めている。上巻は、名子と公宗とが、彼らの行く末を案ずるところで終わる。

次の言葉は、彼女のその時の気持ちを述べたものである。

いといみじうきゝどころなきいたづらのとはずがたりは、なを残り侍るべきにやとぞ（まだ沢山残っているようだが）。

下巻は、面白い個所なきにしもあらずだが、劇的な興味では、上巻に比べはるかに劣っている。冒頭に出るのは、息子実俊の「真魚《まな》の事（生後はじめて魚鳥の肉を食べる祝儀）」の描写である。実俊、その時三歳。そして日記は、すでに三位中将中納言になっていた実俊十五歳の年まで、十三年の年月を取り扱っている。北朝の正統回復のおかげで、西園寺家は再び権勢を取り戻すが、名子は、わが子の叔父に当たる公重《きんしげ》の代わりに、息子実俊の家督を実現させようと心に決める。日本の日記文学に頻出する、あの母＝息子関係の、もう一つの範例である。名子は、過去への郷愁もしばしば表現しているが、亡き夫についての私的回想というよりは、さらに一般的な意味で、それを書いている。彼女は自然の風光に慰めを見いだし、また『とはずがたり』にもある、『源氏物語』の挿話に見立てて遊ぶ活人画式の宮廷の遊びも楽しんだようである。日記の最後の項では、雨中の花見を描いているが、これは喜びと悲しみのイメージをつき混ぜた、まことに適切な幕切れと言わざるを得ない。

上下二巻にはさまれた、名子がおそらくついに書くことのなかった中巻に当たる部分に、彼女が実際に語った話よりは、はるかに興味を唆る出来事が起こっている。公宗は幕府の復興を画策したが、実の弟公重に裏切られ、建武二年（一三三五）の六月に捕らえられる。南朝側は、彼の出雲流刑を決定する。出発の前夜、大納言定平が、名子にこの決定を通報したため、公宗が幽閉されている場所へ彼女はひそかに会いにゆく。見ると夫の身体は、縄できびしく縛り上げられている。

一間《ひとま》なる所の蜘蛛手きびしく結ひたる中（蜘蛛手格子の牢屋）に身をちぢめて、起き臥しもなく泣き沈み給ひければ、流るる涙袖に余りて、身も浮くばかりになりにけり。

しばらくしてようやく涙を押さえ、公宗は言う。

我が身かく引く人もなき捨小舟の如く深き罪に沈みぬるにつけても、ただならぬ御事（妊娠）とやらん承はりしかば、我ゆゑの物思ひに如何なる煩らはしき御心地かあらんずらんと、それさへ後の闇路の迷となりぬべう覚えてこそ候らへ。もしそれ男子にても候はば、行末の事思ひ捨て給はで、憐れみの懐《ふところ》の中に人と成し給ふべし。

そして公宗は、二人の、まだ生まれ出ぬ子供のためにと、家伝の琵琶の楽譜一帖を膚《はだ》の護り袋から取り出し、名子に手渡すのである。

公宗は、翌朝夜の引き明けの出発に備えて、伯耆《ほうき》の守名和《なわ》長年《ながとし》に引き渡される。名子は透《すい》垣《がい》の内にかくれて、夫が中門に引き立てられてゆくのをそっと見送る。公宗が輿の簾をかかげて乗り込もうとした時である。定平朝臣が、長年に向かって「早く」とうながす。それを「早く殺せ」という意に取り違えた長年は、急に公宗に躍《おど》りかかり、髪をつかんでねじ伏せ、腰の刀を抜いて公宗の首をかき落とす。その時「北の方（名子）はこれを見て、覚えず『あつ』とおめいて透垣の内に倒れ伏し給ふ」たという（以上『太平記』）。

結局名子は、亡夫公宗の今際《いまわ》の願いを果たした。いよいよ息子実俊が生まれ落ちた時、南朝派の兵が彼を探し求めるが、彼女は、赤子はすぐ死んだと人をして言いふらしめる。南朝派はこれを信じる。実は子供は、足利尊氏が京都を制覇し、北朝を復興するまで、人にあずけて隠しておいたのである。『太平記』は記している。「この人朝に仕へて西園寺の跡をつぎ給ひし北山の右大将実俊卿なり」と。

いかに点を甘くしてみても、『竹むきが記』が、他の偉大な女房日記に匹敵するほどの文学的価値を持つ作品だとは言いがたい。下巻にも、興味を唆られる個所がなくもない。しかしそれは、ほんの時たまである。上巻にさえ、まずい章句が散見する。例えば、去りゆく公宗の姿を、名子が起き上がって見送る気力もなく、寝たまま見詰めるあの忘れがたい一節は、次のような言葉で終わる。

にはかに空さへかきくもりて、わづかに残りつる月かげもみえずなりぬれば、なにとなく思ひつゞけられしもをかし。

ここでこの「をかし」という形容は、どのように解釈してみても、はなはだ適切を欠くように思われる。そしてこれは、名子の文章に典型的な表現のまずさなのである。また彼女は、人が着ている衣装の描写に熱中する癖がある。使いの者などが、いつ、どんな衣装を着ていたかなど、不必要にくだくだしく書いて、その章句の効果を、かえって弱めていることがある。それに名子の言葉遣いが、時として曖昧なのも困ったもので、例えばあるところで用いた「頼む人」という語句。果たしてこの場合、彼女の愛人を指すのか、それとも父親を指すのか、判断に苦しむのである。評釈者によって全く逆に解され、そのため完全に異なる解釈が成り立っている。よく推敲した文章とは、義理にも言うことができない。

しかしこの日記の文学的価値について、種々条件はつけ得るとしても、この作品が、一個の忘れがたい記録であることには変わりがない。そのおもなる関心が、世界についての、いわば詩的ヴィジョンであった平安朝の宮廷女性とは異なり、名子が直面したのは、もっと生々しく現実的な災厄であった。なるほど建礼門院右京大夫も、愛人を戦で失っている。とはいえ彼女は、男が死ぬのを、われとわが目で見たわけでもなく、燃えさかる都の家々の煙の臭いを、わが鼻で嗅いだわけでもない。皇朝の急激な、しかも血塗られた交替劇を二度も見た名子が、息子の行く末を案じたのも、無理はなかった。下巻に描かれた比較的安穏な年月においてさえ、国中で戦乱の絶え間がなかったからである。

ある意味では、夫の死や、彼女が目撃した他の悲劇的事件を、名子が記録していないのは残念だと言えよう。しかし平安朝の日記作者から受け継いだ語彙でもってしては、強い悲痛感の表現はむずかしかったのではなかろうか。作者は多分、そうした事件を記述した日記が発見された際の祟りを恐れたのだ、という説をなす学者もある。だが明治時代まで、この日記の存在に誰かが気づいたという記録すらない以上、彼女は、もっと詳しく突っ込んだ記録を書いてもよかったのである。あるいは作者は、己の「とはずがたり」を最も読んでくれそうな人物、すなわちわが息子が、己の父親の運命については、すでに知っていると思っていたのであろう。

名子がこの日記を書いたのは、御所に仕える朋輩や、遠い未来の人間のためではなく、ほかならぬ息子実俊に読ませるためだったのではなかろうか。これは多分にありそうなことだと私は思う。息子が生まれる前、そしてその後における母の生活を、口下手な女性にも可能な唯一の方法を用いて、わが子に伝えたいと思ったのであろう。それにしても名子は、政治向きのことにかけては全く暗かったようで、例えば後醍醐天皇の反乱に関して、意見らしいことはひとことも述べていない。武辺《ぶへん》の者は敵といわず味方といわず、彼女にとっては、「ゑびす」だったのである。

日本文学には、伝統的に、南朝とその支持者への憧れをかきたてるものが多い。従って、後醍醐天皇の都への帰還が恐ろしい、などと書いた日記を読むと、少なからず驚く。それに、足利尊氏の入洛を歓迎した貴族が多かったことにも、一驚せざるをえない。

それにつけて思い出すのは、私自身の子供時代の体験である。ニューヨークに住んでいた時、隣家にいたのはイギリス人の家族で、私はその家の男の子が読み終わった本を借りては読んでいた。ある時、そうした本の一冊で、私が歴史の教科書で習ったのとはまるきりちがうアメリカ革命の記述に出くわし、どんなに驚いたことか。イギリス王室に忠実な、いわゆる王党派は、いやしい私慾に目がくらんで、植民地政府を転覆させるに至った無頼漢どもの、気高い犠牲者として説明されていた。またずっと後年、日本軍兵士の手になる戦場日記を読んだ時、アメリカ政府が報道していた、いわゆる官製戦争観について、私は同様の不確かさを感じたものである。従って『竹むきが記』を読むことは、私にとって、そうした個人的体験の反復でもあったのだ。

その結果、私は、あるいはこの日記を過大評価したかもしれない。だが、その表現のたどたどしさにもかかわらず、この書物によって、日本歴史の一激動期に生きることとはどのようなことであったかを、私は知ることが出来た。名子という愛に生きた内気な女性に、私はよろこんで脱帽する。

Ⅲ　室町時代

失われた女性日記の伝統

『竹むきが記』以後およそ二世紀を超える期間、女性による日記は、私の知るかぎりただの一冊も残っていない。この時期に日記を記した男性といえば、漢文を用いて書いた官人、旅その他の体験を、仮名で綴った僧侶などである。

漢文の日記は、室町時代の歴史学者にとってきわめて貴重な情報を含むが、その作者が、三条西実隆《さんじょうにしさねたか》のような名のある歌人の場合ですら、文学的意図を持つことはほとんどない。文学的価値をいうなら、仮名書き日記の方が、議論の余地なくすぐれている。だが残念ながら、現代の読者に訴えるところはあまりない。そのことは、戦後雨後の筍のごとく現れたさまざまな古典文学全集の、いずれにも収録されていない事実を見ても明らかである。それらの多くは、今日、文政二年（一八一九）初版の『群書類従』によってのみ読むことができる。

こうした日記を読んでさほど魅力が感じられない理由は、それらが女性的性格を失ったことと関係がある。仮名で書いた平安、鎌倉の男性日記作者は、宮廷の女房たちが打ち立てた伝統に従って書いていた。そのため彼らの日記は、時には意識的に、時には知らず知らずのうちに、作者の個性をにじみ出させている。男性日記への、この女性的影響は、和歌に対する女性的影響と、多分に通じるものがある。美への敏感な感応、そのはかなさの自覚、時の移ろいの中での喪失感——こうしたものは、作者が女性であると男性であるとを問わず、仮名日記、および和歌が取り扱う、まさに典型的な主題だからである。

室町の日記作者といえども、美に対して無関心であったわけではない。また彼らは、歳月や戦乱がもたらした荒廃に、思いをめぐらすことも少なくなかった。だが作者自身について多くを語ることは、滅多になかったのである。彼らは、自己の最も深い感情は、あからさまに筆にすることなく、彼らに感銘を与えた事件の、ありのままの記述の下に隠すのを好んだ。彼らの感性は、男性的感性であり、従ってそれは、悲痛な叫びというよりは、男性らしい寡黙の中に現れたのである。

日記文学における中世的伝統の最高作は『奥の細道』であろう。あのような作品を読む時、用いられた言語の美しさ、名高い歌枕を描写する筆つきの適切さ、時の流れ、その他作者が得た霊感の、さまざまな面に関する省察などによって、私たちは圧倒される。だが芭蕉の私的な感情は、全くと言ってよいほど述べられていない。「道祖神の招き」にあうたびに、彼は常に旅に出ていった。しかし、例えばその年が西行の死没五百回忌に当たったという事実が、果たしてその年に旅に出る決心を詩人にうながしたのかどうか、彼はなにも言っていない。また、例えば門弟の数を増やすためといったような、この旅の背後にあったかもしれぬなにか私的な動機への手掛かりも、与えていないのである。また道中で逢った人々との、なんらかの感情的な掛かり合いをほのめかすところもなければ、江戸におけるいかなる家庭的な絆《きずな》が、出来るだけ速かに家に戻りたい気持ちを彼に起こさせたのか、それについても何等述べるところがない。芭蕉は、しばしば自分が意図するよりももっと多くをさらけ出した平安時代の女房たちとはちがい、自分自身については、自分が見せたいと思う事のみを見せてくれるのである。

『奥の細道』は、日本文学の偉大な古典の一つである。室町時代に書かれた旅僧や官人による日記など、到底これと同日には論じられない。ところがこれらも、目指す方向は芭蕉と同じなのである。例えばいずれも、一日一日、日を追って付けた日記のように、少なくとも見せかけている。また美的興味のあるなしにかかわらず、実際に起こった出来事を記録するという体裁をつけている。才能乏しい日記作者の手にかかると、事実への関心が、しばしば作者の想像力の羽根を折ってしまう。しかし時としてこれら室町時代の日記も、それが持つ美しさによって、というよりは、その真実性によって私たちの感動を誘うことがある。従って、女性日記の伝統が消滅した結果、日本の日記文学から多くのものが失われたことも、私たちはつい忘れがちになるのである。

大神宮参詣記

坂十仏《さかじゅうぶつ》という僧が伊勢大神宮へ詣でる旅を描いた日記は面白い。その理由は、それが作者についてなにかを語っているからではなく、その時代における仏教と神道との関係への特殊な洞察を表しているからである。平安時代の学僧の説によると、神道の神々とは、不滅にして普遍的なるさまざまな仏教的神格の、いわば日本的顕現にほかならなかった。例えば八幡宮の神に対して、八幡大菩薩《はちまんだいぼさつ》という称号が与えられた所以《ゆえん》である。互いに相矛盾する教義も少なくないのに、この二宗教は統合され、大方の日本人は、それを受け入れたのである。七六八年には、伊勢神宮に隣接して仏教の寺が建立され、以後多くの僧侶は、寺と神社の両方で仕えるようになった。

だが、仏教と他の宗教との統合は、別に日本に始まったわけではなかった。釈迦牟尼仏《しゃかむにぶつ》は、デヴァと呼ばれて広く民間に信じられていた神格の存在を認めていた。デヴァとは、釈迦自身よりはるかに非力だとしても、常人よりは格段にすぐれているとされた存在である。釈迦の説教を聴いたあと、仏教に改宗したというデヴァの話は少なくない。中国においても、仏教徒は、孔子も老子もその他の哲人も、人類を助けるために、仏によってこの世に遣わされたのだ、と主張したものである。

日本における本地垂迹説《ほんじすいじゃく》の創始者として、空海の名がしばしば引き合いに出される。しかし、彼が書いたとされるこの問題に関する偽作は多いが、空海の時代の日本に、本地垂迹という信仰形式が存在した事実を示すものは何物もないのである。とはいえ空海は、日本の神々にも敬意を表している。彼が高野山に寺院を建立した際、彼は山の神々の助力を頼み、仏法を害し、滅ぼすかもしれぬ邪神に対しては、即刻その地から立ち去るように命じたという。結局真言仏教と神道を結ぶ特別の関係が成立し、神官は、真言の呪文、印《いん》、護摩《ごま》、儀式その他を取り入れるようになる。そして真言の二つの（両部）曼荼羅《まんだら》と、伊勢神宮の内宮と外宮は似通った様式と考えられていた。

いずれも不成功に終わった二度におよぶ蒙古の襲来は、日本人の間に強い国家主義意識を生みつけることになった。そして室町時代の初頭には、はるか往昔《おうせき》に成立したという触れ込みの、さまざまな偽文書が現れ、神道哲学と倫理体系を説き始める。そのうちに、日本の神々こそ原初的神格であり、釈迦も菩薩も、その単なる顕現にすぎぬという説がなされるようになる。当時神道のいわばスポークスマン、かつ吉田神社の神祇として権勢をふるっていた吉田（卜部《うらべ》）兼倶《かねとも》（一四三五〜一五一一）は、神道こそ文明の根幹、中国の宗教はその枝葉、そしてインドのそれはその花実である、と書いている。

十仏が一三四一年、伊勢を訪れたのは、このような思想が発展しつつあった時期だったのである。彼の日記は、伊勢外宮の長官、度会家行《わたらいいえゆき》との対話の記録に、その多くの頁を割いている。十仏は、当時指導的な神道学者であった家行に、深い感銘を受けた模様である。それにしても、十仏と家行の場合のように、ある宗教の祭司が、全く異なる宗教の祭司と語り合い、互いに完全な意見の一致を見るとは、まことに不可思議というほかはない。だが十仏は、自分が修めた仏法だけでは、己を取り巻く世の混沌に立ち向かうことは到底不可能と感じていたのではあるまいか。そこで彼は、心を白紙にして、しかもほとんど死に物狂いで、家行の叡智に縋《すが》ったのだと思われる。

十仏は、なぜ伊勢神宮参詣を思い立ったかという、はっきりした理由は格別言っていない。たとえ仏教の僧侶であっても、神道の社《やしろ》中最も聖なる社とされる伊勢神宮に詣でることは、少しも不自然ではない、と彼が考えたのは明らかである。この日記全体の調子は、彼が立ち寄った安濃津《あのうのつ》の描写ですでに決められている。

この津は江めぐり、浦遥《はるか》にして、ゆききの船人の月に漕《こ》ころ、旅泊の暁の枕に聞えて、あらき浪風の音忍《しのび》がたく侍りしかば、
風寒き磯やの枕夢さめてよそなる浪にぬるゝ袖かな

文章自体が詩的であるだけではない。十仏は、昔の日記作者のひそみにならって、それぞれの体験を和歌によって集約している。しかしこの慣習は、時により、漢詩、および万葉仮名による自作の長歌を入れることによって破られている。十仏は、仏典のみならず、過去の日本の文学にも通暁していた教養人だったのである。

この日記中最も心を動かされる個所は、彼が道中で目撃した荒涼たるさまざまな風景の描写であろう。例えば次のような文章である。

櫛田《くしだ》河祓殿《はらへど》をも過て行程に、世の中のみだりがはしく（吉野朝当時の戦乱を指す）なりしより、（伊勢の）国の南はあらぬ所のやうにあれ果て、竹の林森の木がくれのにぎはひたるも、ちかづき見れば人屋もなし。すゝきかるかやの絶《たえ》まに（生えていない所に）、かりはねおほきはりみち（草木の切り株の多い新しく切り開いた道）あり。をのづからあふ人にとへば、これなむあら（荒）小田のなれるはてよとこたふるをきくに、いとゞかはれる世の有様もかなしくて、斎宮《さいぐう》に参りぬ。

いにしへの築地《ついぢ》の跡と覚て、草木の高き所々あり。鳥居は倒て、朽《くち》残りたる柱の道によこたはれるを、人だにもかく知らせずば、只《ただ》ふし木（倒れた木）とのみぞ見てすぎなまし。

十仏は『伊勢物語』に言及しながら、『伊勢』に溢れるロマンチックな雰囲気と、目前の荒涼とを対比させる。

寝てか覚《さめ》てかと、すさみ（口ずさみ）給ひける其夜の夢も、雲となり雨となりて今はなし。むかしはふるき夢、今はあたらしき夢なり。夢の心にうつゝをおぼえねば、知らずうつゝと思ふも、夢にてや侍らん（君やこし我はゆきけむおもほえず夢かうつゝか寝てか覚めてか『伊勢物語』)。

この荒廃こそ、国を引き裂いた戦乱の歳月がもたらしたものである。それを見て十仏が感じた憂鬱は、外宮の長官度会家行との会話によって、幸い少なからず軽減されている。十仏描くところの長官の姿は、道教の聖人を彷彿させる。

此人を見るに、霜の眉、雪の鬚、顔気《がんき》時にあひ(白髪白鬚の顔貌が、霜降りはじめた初冬の時候にふさわしい)、心の水、詞の泉、弁舌むかしをうかぶ。誠に大神宮の祠官也と、有難《ありがたく》覚え侍りしかば、終夜《よもすがら》の閑談を、忘れぬさきにとて、草案にも及ばず(下書きもせず)、筆にまかせて是を記す。

十仏と長官家行との対話が、この日記の大半を占めている。この対話を、(彼自身も言うように)「草案にも及ばず」じかに記録したおかげで、語られる詳細は、今やさほど興味深くはないとしても、二人の会話に、いわば臨場感が生まれている。長官との夜を徹しての対話のあと、十仏は自分の心がいかにも不純であることに気づき、深く悲しむ。そしてこの大神宮へ、また好きな時に戻って来られぬことを遺憾に思う。六十路もすぎた身であれば、再びここを訪れることはあるまい(六旬《りくしゅん》のよはひ又歩《あゆみ》をはこぶべき行末をもたのまねば)と考えたのである。

いずれにしても、このようにありがたい霊地を今訪れているのだ、という押さえがたい感激を、十仏は抱くのである。そして後ろ髪を引かれる思いで、やっとそこを立ち去ってゆく。

十仏には、伊勢大神宮の繁栄が、近年とみに下降してゆくのを歎く理由が十分にあった。後醍醐天皇の御世《みよ》以来、伊勢に住まわせる斎王（皇女）も、送り寄こされることがなくなっている。そしてその昔ながらの仕来りも、復活される兆しはさらにない。十仏が参詣した年は、それに先立つ神宮の改築から、ちょうど二十年目に当たった。だが新たな改築がもくろまれているという兆候も見られない。相次ぐ戦乱の年月。皇室も、改築に必要な費用を送ることが、明らかに出来なくなったのである。それについて、十仏は次のように書いている。

造替《ざうたい》あるべき月日も過ぬれば、甍《いらか》やぶれて、雨、殷柏《いんは》（柏の木）のもとにしたゞり、軒かたぶきて、嵐、夏松《かしよう》のかげをはらふ。天下の兵革《ひやうがく》は王道の衰微なりとなげき侍りしに、世上の擾乱《ぜうらん》は宗廟の荒廃にも及けると、例の涙袖にあまる程なり。

「袖にもあまる程の涙」にもかかわらず、木立の下を神宮まで歩く時、十仏は、この地の持つ特殊な霊気を感じずにはおれない。彼は五十鈴川に流れる水の、常に清らかなことに目をとめ、「五月雨夕立にも濁ることなし」と書いている。彼はまた参宮に来た人々が、斎戒のため「さむげなる気《け》しきもなし」に、身体に水を浴びる様を目にして感じ入っている。

麻の衣のいやしき賤女《しづのめ》も、身を清めぬればとよろこぶいろあり。花やかなる袂《たもと》のにほひふかき人も、膚《はだへ》をあらはにして、はづかしめたるかほばせも見えず、和光の水は善悪の塵《ちり》をえらぶ事なく、利物の淵は高低のかげをわかつことなし。

こうして楽しそうに身を清める人々を見て、十仏はいかにも羨ましげである。彼はここで、自分がいまだかつて「弥陀《みだ》の心水《しんすい》」も浴びたことがないことを告白している。それどころか、「好みて濁悪《ぢよくあく》の泥に沈み、心は神明の願海にもいらず、かりに清潔の流れをむすぶばかりなり。斯様《かやう》のことを思ひつゞけて、なく〳〵境内をいで侍りぬ」、と彼は書くのである。次いで十仏は、近くの観音を祀った寺を訪れる。ついこの間までは僧が沢山住んでいたところだったが、今や世が乱れに乱れて、もはや静かに瞑想どころではなくなったのだ。今では漁夫のすみかが四、五軒あるばかり。十仏は書いている。

寒灯かゝげず、たゞ漁舟の篝火《かがりび》の波をやく影をのみ見る。霜鐘《さうしよう》うごかず、徒に樵路《せうろ》の斧の音の、風にたぐふひゞきをのみきく。一花《いちけ》一香《いちかう》のつとめも絶ぬれば、千手千眼のちかひもなきがごとし。仏前のさびしくなる事も、人間のおとろふ故也と、世の哀れにうちそへて、旅の涙もしきりにこぼる。

この章句の文体的特徴は、『海道記』に始まる日記文学によく用いられた例の対句《ついく》である。そしてその文意は、時勢がもたらした荒廃を目前にしての悲しみである。「人間のおとろふ故」という言葉の中に、「末法」信仰の表現を読み取ることも出来るかもしれない。だがそれは、私には、これとは別のことを思い起こさせてくれる。数か月のうちに、イギリス人人口の三分の一を殺したという、一三四九年のペスト猖獗《しょうけつ》のあとのことである。イギリスのある教会の壁に落書きが書かれた。「善人はことごとく死せり。残されたるわれらは、人間の屑《くず》にすぎざるか」。

十仏が見た世の荒廃、また過去の生活の方がはるかにすぐれていた事実を思い出さす多くの事柄が、この落書きの内容と同様な思いを、十仏の心中にも起こさせたのではなかろうか。彼を取り巻く世界の崩壊を目にして、伊勢の持つ厳かな静謐《せいひつ》に、彼は欣喜したのである。

都のつと

『都《みやこ》のつと』は、都を出て北も北、奥羽松島までの旅の記録である。時は一三五〇年頃。作者宗久《そうきゆう》は僧侶であったが、この人物、癒やしがたい放浪癖の持ち主だったと見え、神仏を祀る霊場はもとより、いにしえからの歌で聞こえた歌枕へも足を向けている。彼は日記の初めの方で、比叡山に寺住まいするある先徳（高僧）が、一時期、「和歌はけろん（戯論＝無益な論）のもてあそびなりとて、とどめられ」たことを述べている。しかしこの先徳、ある時琵琶湖上、何隻かの舟が沖遠く消えてゆくのを見ていて、たまたま満誓沙弥《まんせいしやみ》の有名な歌「世の中を何に譬《たと》へむ朝開き漕ぎ去《い》にし船の跡なきがごと」（『万葉集』三五一）を誰かが朗詠するのを耳にし、前の考えを改めたという。歌も悟りを開くための助けになる、と感じるに至ったのである。宗久もこれと同じ意見を持っていた。そして道中名高い土地に立ち寄ると、そのあと必ず歌を詠むという、日記作者の昔ながらの伝統を、彼も守ったのである。

といって宗久が、すぐれた歌人だったとは言いがたい。彼の日記にしても、作品固有の面白味は、さほど感じさせない。従って、一三六七年の「後書き」に見られるこの日記への、二条良基《よしもと》の熱狂的な讃辞は、眉に少々唾をつけながら読む方がよさそうである。二条は書いている、「たちまちに嗟嘆《さたん》のこころざしにたへず、いささか荒蕪の言葉をそへ侍るばかり也」。

しかしながらこの日記は、ある特殊な面白味を具えている。というのは芭蕉の『奥の細道』のいわば予兆が、この作品の随所に見られるからである。『奥の細道』と比べられては、宗久の方が気の毒であろう。しかし二人のいくつかの章句を対比してみれば、その類似が明らかになる。次の文章は、『都のつと』の巻頭近くに見える。

まだ夜をこめて都を出づ。有明の月の影、東川の浪にうつりて、鳴き残れる鳥の声、遠里《とほさと》のあとに聞こえて、そこはかとなく霞《かすみ》わたれる空の景色、いと面白し。(中略)都の方いつしか隔たり行くも、三千里の外の心地して、故里を別れしよりも、猶《なほ》心とまり侍りしにや。

これに芭蕉の章句を対比してみる。

弥生も末の七日、明ぼのの空朧々《ろうろう》として、月は在明《ありあけ》にて光をさまれるものから、不二の峯幽《かす》かにみえて、上野谷中の花の梢又いつかはと心ぼそし。(中略)前途三千里の思ひ胸にふさがりて、幻のちまたに離別の泪《なみだ》をそそぐ。

一目瞭然、芭蕉の文章の方が格段にすぐれている。そしてこれら二つの章句の間の類似点

——明け方の出立、有明の月、靄にかすむ空、三千里の旅路を前にしての心細さ——なるほどこれらの言葉は、旅日記の決まり文句を反映しているだけなのかもしれない。だが両人が、共に同じ伝統に属していることは明らかなのである。彼らは、いずれも昔の旅人のことを思い起こしている。とくに西行である。そして眼前の事実よりも、彼らの詩的想像力の方が、さらに強力に働いていることが多い。宇津の山を越えた時、宗久は書いている。「蔦の下道も未だ若葉の程にて、紅葉の秋思ひやられ侍り」。次は宮城野を訪れた芭蕉の言葉である。「萩茂りあひて、秋の気色思ひやらるる」。

白河の関越えには、二人とも、特別の重要性を置いている。宗久は思い起こしてこう書く。「武田の大夫国行が、水びんかきけん（水で鬢をなでつけた）までこそなくとも、此処をばいさゝか心化粧《けさう》しても過ぐべかりけるを、さも侍らざりしこそ、心おくれに侍りしか」。だが芭蕉の回想の方がさらに的確である。「古人冠《かんむり》を正し、衣装を改《あらため》し事」。

芭蕉の作品を知るものには、宗久の才の不足がどうしても目につく。例えば次の文章である。「さて、陸奥の国多賀の郷《がう》にもなりぬ。それより奥の細道といふ方を、南ざまに末の松山へ尋ねゆきて、松原ごしに遥々と見わたせば、実に波越すやうなり《げ》」。ここで「多賀」「奥の細道」「末の松山」などという土地の名を読むと、あたかも三つの偉大な交響楽の、最初の数節のみを、曲全体とのつながりなしに聞くような気がする。松島さえも宗久の想像力を奮い立たすことはなかった。しかしもし宗久が、芭蕉の「奥」への興味をかき立てさせるに力があったとするならば、私たちは、大いに彼に感謝しなければならない。

小島の口すさみ

室町期の旅日記が持つ一つの特徴は、位の高い官人、そしておそらく将軍によってさえ書かれたとおぼしき「和文」日記の存在である。しかしこのことは、彼らが漢文で書く能力を持たなかったということを意味するものではない。和文の方が、彼らが表現したかった内容に、より適していたからのように思われる。歌人であり、すぐれた連歌作者、時として関白太政大臣、そして摂政も務めたことのある二条良基《よしもと》。おそらく彼にとっては、和文の中に和歌をちりばめるという、過去の宮廷女性作者によって完成されていた伝統は、漢文日記より、もっと好ましいものと思われたのであろう。一三五三年に書かれた『小島《おじま》の口《くち》すさみ』は、室町時代に成立したすべての日記の中で、最も感動的な作品の一つである。

この日記は、作者良基の病の記述から始まる。当時わずか三十四歳であった良基は、あたかも老人のように書いている。「露の命も消ぬべき」心細い思いがして、まじないにまで頼ってみるが、彼の瘧病《わらわやみ》（一種のマラリヤ）は悪化するばかりである。都は南朝の軍勢に支配され、北朝の天皇も遠く美濃の国へ逃げている。良基が都に残されたのは、ほかならぬ彼の病のためだったのである。だが「関《せき》の東」よりこちらへ来るようにとの便りがあった時、良基は病をおして旅に出ようと心に決める。

七月廿日あまり、有明の月のまだ夜深きに、草の菴《いほり》を立出でゝ、東路遠く思い立つ。心のうちすゞろに物かなし。さるは斯《かか》る身に関の外まで出たる事も、例《ため》しなき事なれど、報国のこゝろざしなれば、などか神仏も助け給はざらんとぞ思ひなぐさめし。

旅は決して楽ではなかった。普通ならば楽しかるべき琵琶湖をよぎる船の渡しも、船酔いで「乗りたる心地いとむくつけ」く、いちじるしく感興をそがれる。余程機嫌を損ねていたのであろう、守山《もるやま》という所に着いた時、彼はいかにも苦々しげに記している、「名はことゞしけれど、指して見る所なし」と。だがそのすぐあとで、紀貫之が「白露も時雨もいたくもる山は下葉のこらず色づきにけり」と詠んだのは、確かこの辺りだったと思い出す。そして鬱々たる気分をまる出しにして、それへの応答を詠んでいる。「もる山の下葉はいまだいろづかで浮世にしぐるゝ袖ぞ露けき」。

良基の目的地は、当時北朝の後光厳天皇が頓宮《とんぐう》(臨時の御所)を構えていた美濃国小島であった。彼は道中さまざまな歌枕の地を通るが、中に、その荒廃した風光が、往昔の歌人の多くの心を打ち、歌を詠ませた不破の関屋があった。良基もここで一首詠んでいる。

むかしだに荒にしふはの関なれば今はさながら名のみなりけり

彼は苦しい旅を続け、ついに小島に到着する。彼の筆によるこの地の描写は、この日記の他のあらゆる個所と同様、描く対象に忠実であると共に、過去の文学を喚び起こす力も持っている。

見も習はぬ所のけしき、左も右も聳えたる山に雲いと深くかゝりて、更に晴間なし。げに又なう哀れなるものは、斯る所なりける。時しも秋の深山の有様、たゞおしこめて、云ひ知らぬ物のあはれ、云はん方なし。

この文章は、もう一つ有名な配流の地を喚び起こしてくれる。『源氏物語』の須磨である。良基が小島で泊まった初めの家は、あまりにもすさまじく、ただの一夜も耐えられぬ思いであったという。翌日彼は頓宮に伺候するが、これもまた、まことに気の滅入るような場所であった。「内裏《だいり》の有さまも、此のあたりには稀なる板葺なれど、山はさながら軒端にて、雲霧の晴間なく、やがて御前《ごぜん》のおめし有りて、此の程の世の仕儀など奏す」。そして天皇もまた、近頃体験された「様々哀れなる事」どもを、彼に話すのである。幸い良基は、近くの寺に恰好の宿舎を見つける「此の堂いと見どころ多し」。だが彼の病には、治癒の兆しが一向に見えない。彼は書いている。「又の日も尚日《なほ》一日と病み暮す。苦々《にがにが》しくて、其の夜はあけぬ。旅寝の心細さいと遣る方なきや」。

後光厳天皇と北朝派にとって、唯一の頼みは足利尊氏であった。尊氏がいよいよ頓宮に来るとの報を、彼らは何度となく耳にする。だがそのたびに失望させられる。連日のように雨が降り続き、頓宮は、垂れこめる雲と霧に包まれている。折から仲秋明月の夜である。だが夜空の雲には、切れ間一つない。ようやく明け方に近く、夜中吹き荒れていた風も落ち、空に晴れ間が見えてくる。そこで次の夜、月見の祝いをすることになる。京の都に戻ったような気持ちで、みなが歌を詠むが、なんとなく雰囲気がぴったりと来ない。朝衣《ちょうい》（正式の装束）を着ているものは誰もおらず、みな戎衣《えびすごろも》を身につけ、歌人というよりは、どちらかというと武士のように見えた、と良基は書いている。それでも雲一つない空に月が照り、来るべき吉運の先触れでもあるかのように見える。

尊氏の軍勢が到着するのを待つ間に、八月の末つ方、頓宮が、近くの同じく美濃の国垂井《たるい》に移される。当国の守護頼康《よりやす》というものが命を受けて造った御所で、小島のそれよりはるかに快適である。次の日、「近江の凶徒ばら」が、都への道を塞いでしまったという報が入る。「聞きしだに心細かりし」と良基は書いているが、この言葉、その時の北朝方の気持ちを伝えて的確である。

九月三日、将軍尊氏がようやく垂井に着く。「其の有さま芽出たういみじかりし事どもなり」と良基は記している。尊氏と共に、大勢の武士、装具も到着する。尊氏とその軍勢を見たあと、良基の筆つきは、それまでの心細さと打って代わって急に元気づく。「大納言（尊氏）は錦の鎧直垂《ひたたれ》に小具足にて、栗毛なる馬に騎《の》り、（中略）色々の具足ども、水の垂るやうなる兜の鍬形、先にきらめきて、夕日に輝やく」。武士の乗る馬は、ことごとく「東国の名馬」、と良基は賞めそやす。馬と言えば、尊氏は、その後馬数頭を天皇に献上するが、このような献上品は、平時には、到底想像もつかぬ代物なのである。

十五夜の夜、官人たちは例のごとく和歌を詠む。良基は、歌の点者《てんじゃ》に命じられ、渋々それを受ける。他にこれといった遊びとてない歌人たちには、なによりも歌が楽しみだったことを知っていたからである。「なぐさめは、ただ夜昼詩歌にてぞ有りし」。しかし連歌の点者にもなれと言われて、これは辞退する。「田舎人《ゐなかびと》は連歌など云ふ事を好む」と言い、彼は連歌を認めていなかったのである。九月九日には、「文人」たちが集まって、漢詩を作る重陽《ちょうよう》の御会が催されたという。このように、詩歌の創作だけが、京ならぬ美濃の頓宮住まいに許された、ただ一つの貴族的な遊びだったのである。

尊氏の子義詮《よしあきら》率いる北朝軍が、ついに京都を落とし、後光厳天皇とその御所が、都へ戻る道が開かれる。いよいよ還幸となり、その行列には、公卿はすべて朝衣を着けて加わったので、街道に山なす見物人の目を大いに見はらせたという。ようやく京に戻った貴族たちは、以前とおおむね変わらぬ都の姿を見て、ホッと安堵の胸を撫でおろす。「此の程憂かりける旅寝の夢残りなくて、今は云はん方なうめでたし」。良基は最後に、この日記を書くようになった経緯を記している。

後の物語にもと思ひて、ありのまゝの事を旅寝のつれぐ〳〵に忘れじと、畳《たた》う紙の端など引破りて、書きつけ侍る事もいと見苦し。過行く方も忘れ難き習ひなれば、斯《かか》る一筆の言の葉も自から忍ぶ草の種とはなどか成り侍らざらん。

ちなみにこの日記の題は、後光厳天皇から賜ったものである。

その翌年、後光厳天皇と尊氏に率いられた北朝軍は、一時都落ちを余儀なくされる。だがその翌年、再び京都を取る。その間、都の大よその建物が、戦火のうちに破壊、焼失したという。今となってみれば、どの年に、どちらの朝廷が都を制していたかは、それほど問題ではなくなっている。北朝派は、日本の歴史家には概して人気がなく、北朝の英雄足利尊氏に至っては、一般に悪者扱いである。だが彼らの嘗めた苦患《くげん》が、良基も書いたように、これほど痛恨をこめて語られるのを読む時、今日の読者といえども、いわゆる「敵役《かたきやく》」に回った人々にさえ、一抹の同情を禁じ得ないのである。

住吉詣

足利義詮《よしあきら》に関して私が知るかぎり、彼が歌詠みとしての才があったことをうかがわせる材料はなにもない。彼は人生の大半を戦いのうちに過ごした。都を制覇したかと思うとまた失い、再び奪還するというパターンを数回繰り返し、結局三十八の若さで、最後まで南朝勢と戦いながらついに討ち死にした。そうした人物が、いったいどのようにして日本の伝統文化に関する知識を得ることが出来たのか、想像に苦しむのである。一生戦いに明け暮れた同じ時代のヨーロッパの戦士など、おそらく自分の名前のほかには、字すら書けなかったにちがいない。ところが、昔から学者によってとなえられてきた説を信じるなら、義詮こそ、最も洗練された宮廷人の言語と同じものを用いて、和歌をも混じえ、彼の住吉への旅を描いた、あの『住吉詣《すみよしもうで》』の作者に他ならなかったのである。義詮は、旅の目的を次のように説明している。

此の御神は、和歌の道に心ざし深き人をよく守らせ給ふと、むかしより言ひ伝へ侍り。殊に秀歌をこのむ人は、此の神に参りて祈誓申せば、必らず其の道にかなひけるとぞ。

そして次の歌を添えている。

神代よりつたへ伝ふるしきしまの道にこゝろも疎《うと》くもある哉

日記を書くに当たってのこのような動機が、歴史書にあらわれた義詮という人間のイメージと、あまりにも似つかわしくないというのであろう、学者の中には、この日記の作者義詮説に、疑いをさしはさむ向きもある。しかし作品として非常に短い上、宮廷文化の武士階級への浸透について触れるところの多いこの日記が、義詮によって書かれた可能性はないとも言えない。川端康成は、彼の小説「東海道」の中で、義詮の時代よりはもう少し後のことについて書きながら、次のように言明している。「『源氏物語』を読まなくては、室町時代の文化は、ほとんど理解出来ないと言はれるほどで、松月庵正徹も義政に『源氏』の講義をしたし、将軍義尚も実際に『源氏』の講義をさせたし、結局、『源氏物語』が足利幕府を衰亡させたと思へぬこともないのだつた」。

武将と詩歌との密接な結びつきは、日本文化の特徴だったように思われる。「たをやめぶり」は、「ますらをぶり」を常に和らげ、時にはうちひしぐ力を持ったのである。高師直《こうのもろなお》は、とり分け粗野な人物だったが、それでも兼好法師から、和歌の教えを受けている。「鬼よりこわい」怪物と恐れられていた織田信長でさえ、連歌では、見事な腕前を発揮し、都人士を驚かせたことがある。『信長記《しんちょうき》』には、次のようにある。

洛中の老若、是れを聞きて、何とも物をば言はず。この人は、たけき武士なれば、寿永の古《いにし》へ、木曾が京入りしたるやうにこそあらめと思ひしに、優にやさしうもありけるよな。さては安き事もあるべきにやと、心の中粗《ほぼ》たのもしうなりて、皆息をぞやすめける。

『住吉詣』は小品である。だがこれは、激しい内乱の最中にあってすら、古き文化はすたれなかったことを示した作品だと言える。義詮――いや、作者は誰であれ――は、作品の中で、自分が平安時代の貴人ではなく武将であることを、わざわざ明かすようなことはなにも言っていない。だが彼の言葉遣いは、きわめて耳馴れたものである。「頃しも卯月《うづき》のはじめなれば、散残りたる岸の山吹を見れば、春の名残ぞしのばるゝ。垣根の雪が卯の花に山郭公《やまほととぎす》ぞおとづるゝ……」。

戦乱の時代であったことをはっきり示す個所は、全巻を通じてただ一つしかない。作者は、住吉から西方の海上を見はるかし、淡路島、須磨、明石の浦を眺める。「舟にてわたり見ばやなど思へど、又世の中の鉾楯《むじゆん》（武器をとって事を構えること）により、人の畏《おそ》れも如何なれば、一夜をあかし都に帰りぬ」。義詮の郎党は、主君が不必要に危険に身を曝すことを、明らかに恐れたのである。彼は、最後に自分がそれを書いた理由を述べて、この日記を結んでいる。「此の一巻、所々のさまを筆に任せて、書き記し侍り。又時の興にもなるべきかとなり」。

ところで私たちがこの言葉の中に聞き取るのは、戦乱を好む猛将の声というより、王朝の風《ふう》に染まった一ディレッタントの声なのである。

鹿苑院殿厳島詣記

好戦的な義詮《よしあきら》でも日記を書いたのならば、十一歳にして足利三代将軍となり、芸術のパトロンとして名高かった義詮の息子義満《よしみつ》が、なお一層詩的色合いの濃い日記を書いていたとしても、一向不思議はなかったであろう。しかしながら義満を描いた唯一の和文日記は、全くの別人、九州探題今川了俊《りょうしゅん》によって書かれた。一三八九年における厳島参詣について述べた『鹿苑院殿厳島詣記《ろくおんいんどのいつくしまもうでのき》』である。

この日記は、読んで殊のほか物足りぬ作品で、その二百年前、高倉院が同じ神社へ御幸されたことを書いた日記と比べる時、とくに見劣りがする。この日記の義満は、和歌一つ詠んだこともない、どことなくよそよそしい人物として描かれている。ところが義満は、その時すでに、日本の歴史始まって以来最も強力な支配者の一人として、その地歩を固めており、従って彼の厳島詣では、輝きのより少ない星々からなる星座に囲まれた、さながら太陽王の旅を思わせたのである。厳島に向かった義満の船隊は、実に百艘を越える船からなり、随伴した将星の数より多かったという。

この日記のおそらく最も風変わりな特徴は、義満と彼の随行者たちが着ていた衣装を描写したことであろう。それまでに厳島に参詣したものの身に着けた公式の服装とは異なり、

「此の度は引かへて珍らしき御姿どもにて」、と作者は書いている。そして続けていう。

花田色に目結《めゆひ》とかいふ紋を染めて、袖口ほそく、裾ひろき打掛といふものを、同じ姿に着給ひ、赤き帯に青色のはゞき（一種の脚絆）、赤色の短き袴なり。御供の人々皆三尺ばかりなる金刀《きんがたな》どもさゝせらる。傍の人は誹《そし》り侍りけめども、斯やうの事はあながちに法も式も定まらず、たゞ時代に随ふ事ぞかし。今やうなどゝて定まりたる器《うつは》などをだにも、始めてしいだして用ゐらるゝ例《ためし》、古《いにし》へもなきにしも侍らねば、誹りは却つて道せばきなるべし。

身に着けた装束の大胆さはさておき、「時代に随ふ事」という言葉には、ある新しい響きがある。それ以前には、新時代の趣味を作り出すことより、先例に従うことの方が、普通はるかに重視されていた。この日記に先立つこと五十年、兼好法師も書いている。「何事も、古き世のみぞ慕はしき。今やうは無下《むげ》にいやしくこそなりゆくめれ」。だが義満は、いにしえの黄金時代を振り返ることを捨てて、当世風を取ったのである。彼の庇護を受けていた世阿弥も、同様な意見を述べている。

当世〱によりて、少し言葉を変へ、曲を改めて、年々去来の花種《くわしゅ》をなせり（時世に応じて常に芸の花を咲かせた）。後々年もて同反《どうへん》たるべき定《さだめ》、如レ此（今後とても同様なることを定めとすべきだ)。

（『三道』）

厳島への旅自体は、悪天候にわざわいされている。そもそも鹿苑院すなわち義満は、「旧《ふる》き都の跡」をたずねるべく、九州まで足を延ばすつもりであった。ところがうち重なる海上の嵐に、船は舳《へさき》をめぐらさざるを得なかったのである。すなわちこの日記の作者今川了俊の、大いに失望するところであった。しかし義満は、荒波によって少なからず感興は削がれたものの、厳島はいうにおよばず、四国の屋島、白峰をも、どうにか訪れることが出来たという。

作者今川了俊は、和歌の方でもかなりの業績を残している。だが二条良基に学んだ連歌において、とくにすぐれていた。一三九五年、大内義弘の誹謗によって、彼は九州探題の地位を追われる。だが以後は、文学に打ち込み、正徹《しょうてつ》、心敬《しんけい》を含む和歌、連歌における、次代の俊秀たちの指導者として活躍したという。

ところで了俊以外に、武士であって、晩年、彼と同じような運命を辿った者が、果たして他にどれほどいたことであろうか、知りたいところである。

なぐさめ草

『なぐさめ草《ぐさ》』は、一四一八年、僧正徹《しようてつ》が、都から尾張黒田まで旅をした、その行程の記述に始まる。旅そのものは三日しかかかっておらず、道中さしたる苦労もしていない。けれどもこの日記は、他のいくつかの理由によって、一読の価値がある。正徹は、当時の指導的な歌人であった。彼はこの時（当年三十八歳）、初めて都を離れたのである。そしてそのことは、日記に記述された事実よりも、彼の人生においてはるかに重要なことであった。

正徹は、この旅の動機がなんであったかを述べていない。学者の中には、彼が教えを受けた二人の歌人の、死を悲しむ気持ちに駆りたてられてこの旅に出たのだ、と説明するものもある。なるほど今川了俊が一四一四年に、冷泉為尹《れいぜいためただ》が一四一七年に没している。しかしその事実は、正徹がなぜ黒田へ行ったのか、また黒田（そしてその近くの清洲《きよす》）に、三か月も滞在したのかの説明にはならない。そしてこれも他の学者が言っていることであるが、おそらく正徹は、都の僧院での、多忙で、しかも束縛された生活から、しばらく解放されたいと願ったのではなかろうか。

誰しも予想するように、正徹の文章は、そもそもの書き出しから、きわめて詩的である。出立は「弥生の末」、従って言うまでもなく、琵琶湖の波間には、桜の落花が浮かんでいる。また当然、例の満誓沙弥の名高い歌も、思い起こされる。琵琶湖の対岸守山《もるやま》については、紀貫之への連想にもかかわらず、二条良基にもまして興なさそうな感想を述べている。「もる山と云ふ所は、いたく心も留まらず。森の陰《かげ》の一村里にて市《いち》め（女）商人の物さはがしきのみなり」。この日記が特別な興趣を呈してくるのは、正徹が、今は亡き為尹卿がかつて住んでいた、近江小野《おの》の庄に着いてからのことである。

彼はまず為尹についてこう記している。「為尹卿は、和歌の道の長者《ちやうじや》にていませしかども、時うつり世降れるにや、此の道も廃れ果てぬる……」。正徹十四の年、初めて和歌の催しに出席した時、為尹が同席していた。彼はそのことを、『正徹物語』の中に次のように書いている。

さて二十五日に会に罷《まか》り出でしかば、一方の座上には、冷泉の為尹、為邦、今一方の座上には、前探題、その次〳〵に近習の人達、禅温《ぜんうん》が一族三十余人、歴々としてなみ居たる所へ、遅れて出でしかば、横座（上座のこと）へ請ぜられる……

連歌の人気により和歌の存在がおびやかされていた時代にあって、ついに正徹は、室町時代最後の重要歌人として頭角を現すようになる。そして和歌自体も――僅かな期間、そしておそらくそれを一期《いちご》に――時代の最もすぐれた詩的表現形式として栄えるに至るのである。

正徹は、師為尹を深く敬っていた。為尹もまた、正徹という青年の中に、和歌の道最後の

「希望」を托していたにちがいない。正徹は、為尹の「家の風」の衰微を、彼の領地であった近江の小野、播磨の細川が、幕府に召し上げられた事実に帰している。そして後者細川の庄こそ、およそ百三十年前、為尹の祖先に当たるあの阿仏尼が、息子のために、決然として闘い取ろうとした領地だったのである。

ある時為尹は、将軍義持から、千首の歌を奉ずるようにとの、思いがけぬ命を受けたことがある。その時為尹は、奉献した述懐の歌の中に、小野、細川の地を失った歎きを詠み込んでおいた。将軍は、それを読んでいたく心を動かされ、領地二つながらを為尹に返すことにし、他にも数々の知遇を与えたという。そして「和歌の道を再び興し給ふかと見し程に、明《あく》る年の春の花の夢に先だちて、(為尹卿は) 雲と消え霞と隔たり給ひし……」。

そこで「和歌の道」を守ってゆく大事業は、ほかならぬ正徹の手にゆだねられる。おそらく、知る人一人とてない土地で、歌の中に、全身全霊を没入させてみたいという願望こそ、正徹にこの旅を思いつかせた理由だったのであろう。

美濃への旅の途中、言うまでもなく正徹は、さまざまな歌枕の地に立ち寄っている。そしてそのつど、自分でも歌を詠み、あるいは少なくとも、いにしえの歌人によって歌われたその地の、何等かの特色に言及している。例えば、不破の関では、

関の藤川、朝わたりしつゝ不破に着く。

昔しだにあれぬと聞し宿ながらいかで住むらんふはの関守

野上などといふ所は、里もかすかに遊女《うかれめ》もなし。

こうした慣習的な言及にも増して興味深いのは、道中彼の目を捉えた事どもの描写であろう。次は、美濃と尾張の境を流れる墨股川《すのまた》を、舟で渡った時の観察である。

里の子の芹《せり》か何か筐《かたみ》につみ持ちたる三四人、翁の老屈《おいかが》まりたるなどぞ乗具して来る。童の船より下り兼ね侍るを、子にや孫《うまご》にや、助けおろしなどして、我もいみじう苦しげなるも、何となくあはれにぞ見侍りし。

『なぐさめ草』の中で、おそらく重要な部分は、正徹が、目的地に着いたのちに体験したこと、そして彼が人と交わした会話を記した個所であろう。彼はある晩、黒田の御堂を訪れる。

人もいたく参らず、灯明かゝぐる人もなく、不断の香の烟《けぶり》かすかに、心細し。此の仏の御事は都にても聞き侍り奉りしに、古へは歩みを運ぶ人も多く、御堂のかざりもきら〳〵しかりしとかや。明徳の比《ころ》、軍《いくさ》の場《には》に成りてより、形もなくなりぬるとぞ人も語りし。世の中の盛衰は仏の御上《おんうへ》にもいましけりと、哀れになん。

戦がもたらした悲しい変化に思いを致しながら、正徹が静かにそこに座っていると、白髪白髯《はくぜん》の一老人が近づいてくる。それを見て正徹は、初め、さては「唐土人《もろこしびと》」か、と疑う。「いたく唐《から》めきたるが、こまの白き衣に、黄なる帽子引入て、末二股なるかせ杖に掛りつゝ、庭の灯爐《あかし》のもとに立て伏拝むあり」。だがよく見ると、その老人、正徹が都で何度も会ったことのある優婆塞《うばそく》（在家の修道者）だと分かる。禅の修行をしながら、国中を何年も旅をして回っている人物である。そこで二人は、その場ですぐに旧交を暖め、嬉しさに、「互に手を打て大笑」する。老人は、他の「座禅参学」者と共に住む己の山寺に、正徹を誘う。山寺は人里からまことに遠く、着いてみると、落ち武者、野武士などの侵入を防ぐ備えさえある。「矢倉あり、鹿垣《ししがき》あり。暫らくはつはもの、軍《いくさ》を禦《ふせ》ぎ、白波（盗賊）の恐れあらせじとなり」。ここで正徹は、彼自身述懐しているように、仏道修行はそっちのけで、世俗の楽しみに耽るのみであったが、結構幸せな日々を送ったのである。

予が体《てい》たらく、禅録を崇めおくべき机には、和歌の抄物《せうもつ》を重ね、ふとんに座すべき床のには、枕双紙を携へて横《よこた》はり臥せり。炎天にたへずして袈裟衣を忘れ、日々しきをほしき儘《まま》にて、酒肉の中にたはぶる。是のみに限らず、無慚放逸の科《とが》二六時中にたゆる事なし。しかあれども、善きを択《えら》ばず悪きを捨てざる慈悲のあまり、是を事ともし給はず。

この告白を、どの程度まで信じてよいかは、よく分からない。しかし正徹が、ここで座禅三昧《ざんまい》の日々を送らなかったことだけは確かである。

ある日正徹は、「つれぐ〳〵にて」、寝殿の横の廊に出てみる。

寝殿の南面をかいまみすれば、此の程は見えも習はぬ俗四五人、童すがたの清げに、総角《あげまき》のほども只《ただ》ならぬ、二人ばかり見え侍るに、都思ひ出て床しき……

きいてみるとこの者たちは、東《あずま》から越《こし》へ行く旅人で、しばらくここに滞在しているのだという。そしてこの総角（髪をあげまきに結った十六くらいの少年）は、正徹にとってまことに快い気晴らしの相手となるのである。彼は書いている。「或ひは険しき道に駒なべて行き、或ひは遠き流れに船のうちを同じくす。又行方なき野原の露に短夜の月を惜み、涼風の暁伴ひて木の下闇の蛍を憐む。朝に馴れ行き夕べにむつれて（親しんで）、五月六月を送る」。

この少年たちのいずれか、あるいはいずれもが持っていた文学への関心、それがどうやら正徹にこの日記を書かせる直接の動機となったらしいのである。

正徹の文学的意見は、『なぐさめ草』の中では、必ずしも体系的には述べられていない。また時折、叙述があまりにも曖昧なこともある。だがそれらは、日記というものが、単に作者の感情的な認識のみならず、その芸術的な認識の伝達にも利用出来ることを証明している。ある日のこと、正徹が黒田で会った例の老優婆塞が彼に訊く。「一体なぜ光源氏の物語は、それほど傑出した作なのでしょうか」と。また続けて老人は言う。自分は何年も連歌に打ち込んできたけれど、この頃になって諦めるようになった、なぜならば、「詞《ことば》の花色少なく、心のいづみ源《みなもと》乏しきのみ」だからと。そして『源氏物語』だけが、いまだに変わらぬ興味を引き続けるのだ、と彼は言うのである。

これに対する正徹の答えは、連歌への狂熱が国中を席捲していたとはいえ、その道の名匠はすでにみな今は亡く、連歌そのものも堕落してしまっているのではないか、というのであった。明らかに正徹は、連歌にはつきものになってきていた勝負、賭け事などのことを思っていたのであろう。彼は言っている。「今は風雅の直《すぐ》なる交ひあらず、争論のかまびすしき事とし侍るとかや」。正徹自身、若い頃には連歌を学ぼうとしたこともあった。だが彼の師の、連歌の将来に対する悲観的見通しを知り、さっさと見切りをつけたのである。しかし、「老後の友たるべき物かな」と言って、いくばくかの未練は示している。

次に正徹は、『源氏物語』に注意を向けている。『源氏』研究の伝統についてまず手短に述べ、次いで「紫式部が言の葉として、藤氏の長者、御堂関白殿、筆を加へ給ひけるなり」という、一般に受け入れられていた説を記している。しかし正徹は、『源氏物語』が、同時代の和歌に比べて、なぜあれほど難解か、という疑問に対するこの説明には納得していない。彼の説明はこうである。

物語りの言葉は其の時世に言ひ知れる事を、有のまゝに書きたりしかども、世の末に成行けば、人の詞も随ひて変り得るにや。今は人のなべては知らぬ人のやうに成りぬ。されど和歌道は詞人の耳にたゝず、心田夫のいやしきも聞得る様にとこそ、先達も侍れ。殊更此の物がたりは、心の用ゐ深ければ、是を心底にうかべば自から風骨となりて、詞の外に志見えぬべきかなと、愚意に存ずるばかりなり。

「詞の外に志見えぬべきかな」とは、真正の芸術作品においては、うわべの表現を超えた何物かが、常にほのめかされているのだ、という正徹の信念を言ったのである。この特質を、彼は「幽玄」と呼んでいる。そしてそれこそが『源氏物語』の本質的な特質であり、あの物語の偉大性の秘密なのだ、と信じている。『正徹物語』の中で、彼は「幽玄」について次のように言う。

幽玄といふ物は、心に有りて詞にいはれぬもの也。月に薄雲のおほひたるや、山の紅葉に秋の霧のかゝれる風情を幽玄の姿とする也。是はいづくか幽玄ぞと問ふにも、いづくといひがたき也。それを心得ぬ人は、「月は」きらきらと晴れて普《あまね》き空に有るこそ面白けれといはん道理也。幽玄といふは更にいづくが面白きとも妙なりともいはれぬ所也。

日記の巻尾で正徹自身が説明するところによると、彼がこの日記を書くに至ったのは、『源氏物語』の歌双紙の奥に」なにか書いてくれという、例の総角の一人の乞いによったものだという。そして正徹は、この機会を捉えて、『源氏物語』への彼の見解のみならず、旅にまつわるさまざまな情況、諸々《もろもろ》の事件なども記録したのである。「寝覚のなぐさめ草とも成ぬるを、覚えず記し侍るなるべし」と、彼は巻末に書いている。この日記は、紀行文、随筆、文学論がすべて一体となったもの、と言ってもよい。だが読者の記憶に長く残るような日記はみな同じだが、この作品もまた、作者自身の人間像を、とりわけ見事に描いている。

富士紀行

永享四年（一四三二）の九月、将軍足利義教《よしのり》とその膨大な「御供衆」に従者を加えた一隊は、富士山を見るべく京都を出発する。このかつて先例を見ない大がかりの遠遊に関して、三種の日記が書かれたが、一の『富士紀行《ふじきこう》』の作者は飛鳥井雅世《あすかいまさよ》、二の『覧富士記《らんふじき》』は僧堯孝《ぎょうこう》、そして三の『富士御覧日記《ふじごらんにっき》』は作者の名が知られていない。『富士御覧日記』には、将軍の通る道筋でなされた諸準備についての、次のような記述がある。

諸大名御供衆、其の外の外様《とざま》衆、奉公奉行衆、旅着雨笠卅本づゝ、人夫三十人、下男以下白米雑事雑具各同じ。（中略）諸大名宿所には御風呂湯殿の御用意、御樽廿荷卅荷、羹物《あつもの》以下毎日の事どもを、（中略）何事も又大やうにや候ふべからん。

だが、この遠行をするに当たっての義教の動機は、三国一の名山を見たいという、純粋に美的なものでは必ずしもなかった。彼の真意は、ややもすれば幕府に敵対しようという気配のあった鎌倉公方《くぼう》足利持氏《もちうじ》に、将軍の権威を誇示し、威圧を加えることにあったのである。義教の親近は、かえって持氏を刺激し、本物の反乱に踏み切らせてはならぬというので、この遠行を思い留まるよう将軍に進言する。だが義教は、その進言を、次の和歌一首によってしりぞける。

中空《なかぞら》になすなよ富士のゆふけむりたつ名にかへておもふ心を

（私の企てにけちをつけて、私の志を中途半端なものにしないでほしい）（『看聞御記』）

義教がすぐれた歌人であったことを証するこの精妙な歌は、彼に富士行を思い留まらせようとした者をさえ感服させ、それ以上反対の声をあげさせなかったという。

三つの日記は、いずれも歌枕や、名勝の地で詠んだ詩歌の記録からおもに成っている。飛鳥井雅世の『富士紀行』は、作者自身の詩歌のみを収めているが、他の二作は、義教の和歌も入れている。そしてこれらに収録されている詩歌は、作者の誰であるかによらず、文学的価値においては見所が少ない。だが義教に向けて書かれた和歌に、追従《ついしよう》の色が濃いのには驚かされる。雅世による次の二首は、天皇にでも向けて書いたものかと思われようが、実は将軍に宛てたものである。

誰もみなひかりにあたる日本《ひのもと》の神と君をとさぞてらすらん

また、

君が代はながれもとをしさめが井（醒が井）のみづはくむともつきじとぞ思ふ

雅世の和歌には、国が享受している平和と豊穣を寿《ことほ》ぎ、義教の統治に感謝を表する気持ちも盛り込まれている。例えば、

民やすく道ひろき世のことわりも猶末とほくあらはれにけり

これと同様な気持ちは、堯孝法師の『覧富士記』にも流れている。開巻早々、次の文章がある。

七の道風おさまり、八の島なみ静かにして、よもの関守戸ざしを忘れ侍れば、旅のゆききさはることもなく、万《よろづ》の民くろをゆづるこころざしをなむもととしければ、いづくにやどりとるも心とけ、たのしびおほかる御代にぞ侍りける。

彼らは果たして真心からこういうことを書いたのであろうか、それとも彼らは、単なるおべっか使いにすぎなかったのか？　なるほど雅世も堯孝も、共に義教の和歌の師に選ばれるという好遇を得ている。しかし、義教の、こうした和歌への関心も、彼の生来の狂暴な性格

を和らげることはついぞなかった。作者たちが寿ぐ平和も、義教がもたらしたことは確かである。だがそれも、彼が用いた暴力によって成就されたもので、決して善政によるものではなかった。そしてその後間もなく、義教自身、守護赤松満祐に、胸糞の悪くなるほど野蛮な情況下に暗殺されている。

雅世も堯孝も、義教の狂暴な性格、そして彼が国にもたらした平和のきわめて専制的な性格に、気づいていなかったとは考えられない。将軍の気まぐれが命ずるままに、さまざまな人物が殺されてゆくのを見聞きしていて、自らもまた恐怖の支配下に生きていることを、彼らは十分自覚していたのである。彼らが日記を書いたのは、追従という手段によって、恐ろしい専制君主に、明らかに取り入るためであった。過去の宮廷女流が、夢想だにしなかったやり方である。しかし日記のこうした用い方は、容易に理解出来る。とはいえそのことは、折角の伝統の、やはり歎かわしい悪用だったことは確かである。

善光寺紀行

寛正《かんしょう》六年（一四六五）、僧堯孝の門弟堯恵《ぎようえ》は、金劔宮《かなつるぎのみや》（今の石川県にあり）から、越中、越後を経て、善光寺と戸隠山《とがくし》まで旅をしている。道中堯恵は、はるか遠くから立山を望み、これも遠方から眺めた白山の雄姿を讃えるところで、彼の日記をしめくくっている。こうした地名を見ると、初期紀行文に記録されている所と、いかに異なる地域を彼が旅したかが分かって面白い。昔は、都を出て、東海道を鎌倉までと、大体相場が決まっていたからだ。堯恵は加賀の人であった。そして彼の日記は、北陸の旅を描いた、現存する最古の日記である。堯恵が訪れた土地、あるいは畏敬の念をこめて遠望した土地の名すべては、彼の旅の動機が修験にあったことを強く示唆している。彼が記した山は、すべて山伏に特殊な関連を持つからだ。

善光寺は、この時代における民間信仰の中心地であった。そしてこの寺に参詣したものはみな、「生身の弥陀如来《みだにょらい》」の御利益を受け、必ず極楽で再生すると信じられていた。もっと早い日記作者では、信生法師と『とはずがたり』の二条がこの寺を訪れたのみだが、善光寺の名は、広く天下に聞こえていたのである。堯恵は、着くとすぐ、まず御堂に詣で、そのあと内陣で通夜をしている。翌日には、いわゆる瑠璃壇《るりだん》廻《めぐ》りを行ったが、これは地下の回廊の真っ暗闇を通ってする内陣めぐりである。この体験は、彼の心を深く動かしたらしく、彼は次のように書く。

誠に多劫《たごふ》の宿縁浅からず覚えて、歓喜の涙せき敢《あへ》ず。如来本朝御瑞現の往昔まで思ひつゞけて、

てらせ猶《なほ》にごりにしまぬ難波江《なにはえ》のあしまに見えし有明のつき

善光寺の本尊は、そもそも本朝に渡来した最初の仏像だと信じられている。朝鮮の百済から贈られ、一時、難波の堀江に置かれていた。

ところで堯恵が足跡を残した地方には、もともと歌枕はあまりない。なるほど大伴家持が越中守《かみ》の頃に作ったという歌に詠み込まれた土地のいくつかは、代々の歌人の記憶するところである。だが堯恵は、次のように言う。「彼の家《か》持卿、興遊をのべ侍りし田子の浦はいづくならんと尋ね侍れども、定かに答ふる人も侍らず」。

堯恵は、格別歌枕の地に執着していたわけではなかった。それだからこそ、かえって彼が目にした風光の描写は、不破の関、八橋、その他の名高い地を訪れた旅人の日記には、到底望めぬような新鮮さを湛えている。一例をあげると、越後親不知《おやしらず》については、彼は次のように書く。

磐石千尋にそばだちて、望むに心性を忘れ、波濤万里に重りて、瀧漲《らうちやう》下ること限りなし。片々たる孤影より外は頼む友侍らず。只《ただ》不退の願力に任せ侍るなるべし。然らば彼の如来の報土を出で輪廻《りんね》迷暗の思ひ、子を求め給ふといへども、是知らざる有様もやと覚え侍りて、

波わけて過ぎ行く程はたらちねの親のいさめも忘らるゝ身よ

この親不知の描写は、芭蕉が『奥の細道』で試みたそれより、はるかに凝ったものと言える。それでもなお、和漢の要素がめでたく結合して生まれた簡潔と威厳、すなわち堯恵の文体的特徴が、ここにはっきり出ている。風景の寓意《ぐうい》的解釈に現れている強い仏教的な調子は、この日記が、芭蕉とは異なる世界に属していることを証している。とはいえこの二人の距離は、芭蕉と、それよりももっと早い時期の日記作者との間の距離より、決して大きくはないのである。

これより後二十年、すなわち文明十七年（一四八五）に、堯恵は、『北国紀行』という日記をもう一つ書いている。美濃から北陸道を経て武蔵まで、そして再び北陸に戻るという、彼の長大な旅を取り扱ったものである。

この二つの日記が書かれた間の時期に、京都は、応仁の乱によって無惨な破壊をこうむっていた。しかも戦乱は、まだ断続的ながら続いていたのである。『北国紀行』は、読み物としてははなはだ物足りない。というのも、戦乱の影響についての記述がいかにも遠回しで、

作者の真意を摑《つか》みそこねるおそれが多分にあるからだ。災厄についての、もっといきいきした記述に接したいと願うなら、読者は、彼以外の作者に目を向けなければならない。

藤河の記

応仁の乱を描いた日記作者で、おそらく最も記憶すべき人物は、一条兼良《かねよし》であろう。都に乱が勃発した際、彼の身分は関白であった。名門の出（二条良基の孫）であったばかりか、和漢の古典に通じ、有職故実《ゆうそくこじつ》（朝廷の儀式典礼、公事の先例）の権威、和歌、連歌の名手、文学批評家、神仏の両道に通暁した学者でもあった。その題によって知られる著作五十、中のいくばくかは戦乱のうちに消失している。乱が起こった時、兼良は、教養ある高位の官人にふさわしい生活を送っていた。彼の書庫桃華坊《とうかぼう》文庫は、過去の文学と歴史の、まさに宝庫といえた。兼良は二十六人の子供に恵まれ、自らも認めていたように、運命のいかなる気紛れにも振り回されることがないように見えた。菅原道真よりも、少なくとも三つの点において自分の方が勝る、と豪語していた。

しかしすべてこうしたことも、やがて大きな変化を遂げる。邸は破壊され、桃華坊は略奪をほしいままにされる。また孫の政房も、「常ノ御装束ノ躰ニテ、直衣狩衣優美タル姿」であったのに、混乱の最中で、むごたらしく暴徒に殺される。彼自身は、息子の尋尊《じんそん》が門跡《もんぜき》をしていた、奈良は興福寺の大乗院に余儀なく避難するが、ここでは、自分の食物も他人の慈悲に縋るようになる。食物の届くのが遅い時など、みじめな気持ちを抑えて、こちらから催促しなければならなかったという。これについては、一休（宗純）和尚の「嘆二一条殿飢渇一」という漢詩がある。応仁の乱の間に苦患を嘗めたのは、もとより兼良だけではなかった。だが彼こそは、戦乱による貴族的伝統文化の破壊を象徴する、代表的な人物だったのである。そして、『藤河《ふじかわ》の記《き》』を含む兼良のさまざまな書物は、日本の歴史で最も無意味な内戦の様相を描いて、すこぶるユニークなのである。

文明元年（一四六九）に書かれた、兼良による連歌批評の書『筆のすさび』は、保元の乱（一一五六年）このかた、都に荒れ狂った数々の戦乱の記述に始まる。兼良は書いている。

建武三年の乱こそ昔も聞かぬためしに申侍れ、それも二条内裏の炎上して累代の御宝物共失《うせ》にしかども、今の世に思ひくらべ侍れば事の数にもあらざりけり。

また応仁の乱の際、燃え上がった火が、京の町をひと嘗めにした様子を描いて、

神祇官太政官をはじめて百官諸司の居所一宇も残らず。（中略）さしも甍《いらか》をならべて蜂の巣の如く有し東山西山の堂塔も、悉〴〵く焼払はれ打ち破られて、今は一寸の青草ものこらず八重の白雲跡を埋むばかりなり。

次いで兼良は、自分自身の体験についても記している。「両陣の境」にある彼の邸も、い

ずれ焼失を免れ得ないだろうと言い、人々が彼に逃げることをすすめる。そこでしばらく、九条に宿をかる。彼は書いている。

来し方をかへり見侍れば、幾程もなく一片の煙と立ち上りて焼野原となりにけり、一宇の文庫は瓦を葺《ふ》き土をぬりし験《しるし》にや、余焔にはのがれ侍しかども、其辺の白浪（盗人）どもたちこぞりて銭帛《せんぱく》を収め置きたるとや思ひけん、時の程にうち破て数百合の紙魚《しみ》のすみかを引散《ひきちら》して、十余代家に伝へし和漢の書籍ども一巻も残らずなりにけり。

それより少し前、兼良は、祖父二条良基が、およそ百余年前に撰した『菟玖波集《つくばしゆう》』の続篇にするつもりで、連歌の集を編んでいた。その原稿は、『新玉集《しんぎよくしゆう》』と名づけられ、二十巻からなるものであった。だが、「それもいづちへか引散しけん行衛《ゆくへ》もしらず成にけり」、と彼は『筆のすさび』に記している。

文明五年（一四七三）に書かれた日記『藤河の記』は、兼良の、美濃への旅を記録したものである。戦火を避けて都を離れていた間、食糧を贈ってくれた国の守護への、それは謝恩の旅であった。

『藤河の記』の書き出しの言葉は、「胡蝶の夢」という四文字。言うまでもなく荘子の有名な言葉を引いたのである。これは、日記の中にちりばめた漢詩によっても分かるように、作者兼良が、自分の中国古典への造詣をひけらかそうとしたことかもしれない。しかし兼良、その年すでに七十二歳、従ってその言葉に、自らの心境を托したともとれるのである。その次の文章「蝸牛《くわぎう》の角《つの》のうへに、二国のあらそひ（つまらぬことで二国が争うこと）を論ず」もまた荘子であったが、これは、当時国を真っ二つに引き裂いていた戦乱をほのめかした、兼良流の優雅な言い方だったのかもしれない。それに続いて、実に長ったらしい文章がくる。

応仁のはじめ、世のみだれしよりこのかた、花の都の故郷《ふるさと》をば、あらぬ空の月日のゆきめぐる思ひをなし（あらぬ世界の年月がめぐるように思い）、なら（奈良が掛かる）の葉の名におふやどりにしても（奈良にきて）、六かへりの春秋（奈良から美濃行までの六年）をおくりむかへつゝ、うきふししげき（憂きことが多い）くれ竹のはしになりぬる身（中途半端になってしまったこの身）をうれへ、こひぢにおふるあやめ草のねをのみそふる比《ころ》（五月の節句の頃）にも成ぬれば、山（比叡山）の東、みのゝ国に、武蔵野ゝ草のゆかりをかこつべきゆゑあるのみならず、高砂の松のしる人（共に暮らしたわが妻）なきにしもあらざれば、さみだれがみのかきくもらぬさきにと、みのしろ衣思たつ叓《こと》有けり（美濃へ旅立つことを思い立った）。

凝りに凝った言葉遣い、その上使い古された古典への引喩だらけである。しかしこうした過剰表現のうちに、兼良は、なぜ彼が奈良に住み、なぜ美濃へ旅立つことに心を決めたかということを述べているのである。現代の読者なら、このようなこみ入った表現を、美しいとは決して思わず、むしろうるさいと感じるであろう。だが明らかに兼良は、こうした言語を、日本の日記文学の伝統に結びつけていたのである。事実、外村展子氏（豊富に注釈のつけられた氏の『藤河の記全釈』を私は参考にさせて貰った）も、同じような文体で『小島の口すさみ』を書いた祖父二条良基（兼良の尊崇の的であった）を、一つには真似たいがために美濃への旅をしたのではないか、と言っている。

しかし、『善光寺紀行』のあとで『藤河の記』を読むことは、日本語の文体の歴史を、あたかも逆行するかの観がある。幸いにも、そのあまりにも装飾的な引喩にもかかわらず、この日記はむしろ読み易い。それはおそらく、二条派の一員として、兼良が表現の簡潔性というものを、なによりも重んじていたからであろう。

そもそもの初めから、兼良は、戦乱がもたらしたさまざまな変化への言及を、しばしば行っている。奈良を出たかと思うと、彼はすぐに「世の乱れに叓《こと》寄せて」設けられた新関（新しい関所）に出会う。その地方の領主が取りなしてはくれたが、「心ぐるしき叓のみありけり」と彼は書いている。そのあとに和歌をつけているが、世の常の、いわゆる詩的な旅の歌とは異なり、彼が出会った特定の苦難について書いているのが面白い。

さもこそは浮世の旅にさすらはめ道さまたげの関なとゞめそ

道がせき止めになっていただけではない、もはやちゃんとした旅籠《はたご》さえ見当たらないのである。兼良は、粗末な小屋の中で、一度ならず夜を過ごさねばならなかった。不満は述べていても、兼良が、自己憐憫というものに、全く陥っていないのには驚かされる。老人の身で、きわめて危険な地域を、最悪の情況のもとに旅していたことを思えば、この日記は、実際驚くほど明るいのである。陸を行くよりはるかに危険とされていたが、兼良は、琵琶湖を船で渡る。そのあたりは、戦火に引き裂かれた都を逃げて、生存のために山賊や海賊に身を落とした者が横行するところであった。

その少しあとで兼良は記している。

藤河の橋のけたの落たるをみて、
　尋ねばやいくとし浪を渡ればか半ば絶えぬる藤河のはし

旅する歌人の例に洩れず、彼もまた歌枕に現《うつつ》を抜かしている。不破の関については、「昔おぼえて、ものあはれなり」と書いている。これは兼良のものとしては、まことに意外な感慨なのである。他の詩人とはちがい、彼は何事につけ「あはれ」を感じたことはない、と自ら言明しているからだ。日記のもっとあとに出る和歌は、そのことを歌っている。「えち川のさでさす瀬々に行水の哀もしらぬ（このあわれを知らぬ男の）袖もぬれけり」。袖が濡れたのは涙のためではなく、水のせいだと言ったのは、私の知るかぎり後にも先にもこの歌だけなのである。それだけでも私は、この老人に特別の愛着を感じざるを得ない。

一条兼良が旅の目的地、美濃の川手《かわで》にいよいよ着いた時、彼は後援者の斎藤妙椿《みょうちん》に丁重に迎えられる。奈良での耐乏生活と旅疲れのあとのことである、この歓迎は、兼良には、殊のほかうれしく思われたことであろう。まず、美濃の国で最も古い禅刹《ぜんさつ》正法寺に新設された休み所に入る。そこで供された食事の、なんと豪華であったことか！「くだ〳〵しければ記すに及ばず。さりながら、鳳《ほう》の炙《あぶりもの》、麟《りん》の脯《ほしじ》の、なきばかりにやありけん（献立から欠けていたのは鳳凰《ほうおう》の焼き物、麒麟《きりん》の乾肉だけであった）」、と彼は洒落《しやれ》のめしている。翌日には歌の披《ひ》講《こう》、その次の日には連歌百韻があったという。

戦に明け暮れる国にあって、この川手の里は、静謐そのものの、さながら孤島のようであった。だが妙椿の養子斎藤利国《としくに》の居城は、常に臨戦態勢をとっている。「其人（利国）の館に行きて、見侍れば、いづくもかき払いて（家具などを取り払って）、武具どもとりならべ、なに事もあらば、即ち打立べき用意なり」。兼良はこれに続けて、「さりながら、又、風月歌舞の道をも捨てざるとみえたり」とも書くのである。

また城で開かれた酒宴の折には、土岐美濃守の息男、とって九歳の少年が、「回雪の袖をひるがへす」、すなわち、舞う雪のように袖を翻して、巧みに踊ったので、それは兼良に、その時よりおよそ五百年前、御堂関白藤原道長の息男等が舞楽を舞った時の宴を想起させる。「古の舞と、今の舞とは、手づかひ、あしぶみなど、かはるべけれども、少年の人、その骨（素資）をえて、人を感歎せしむる叓は、異曲同工といふべきにや」。しかし、この場合、舞いを見て受ける感動は同じでも、時代の開きたるや甚大なのである。
また、ある晩には猿楽の催しもあった。ちなみに兼良は、猿楽にかけても詳しく、応仁の乱で焼失した『狭衣《さごろも》』という猿楽の作者でもある。川手にいた間、妙椿の請いによって、漢詩も兼良は書いたようである。だが、「久しく筆を閣《さしお》きて、あとかたもなく、韻声《ゐんせい》なども忘れはてぬれど」と断っている。彼はまた、正法寺の方丈の前庭に、松を二本植樹したという。これは日記の末尾の方に出るのだが、兼良がある寺を訪れる。ところがその寺は、北朝の由縁《ゆかり》の寺だったのである。

後光厳天子、南軍におそれまし〳〵て、小嶋に行幸の有しついでに、此寺にも、わたらせ給ひけるとなん、行宮《かりみや》いしずゑなど、今にあり。其時、みづからうゑさせ給へる松の、老木となりてある……

この松は、その時、確か百二十歳になっていたはずである。
正法寺に二週間滞在した後、兼良は奈良へ帰るが、奈良到着の少し前、彼は次の和歌を詠む。

雲の上にその暁をまつほどやかさぎの峰に有明の月

外村氏によると、この歌の意は、「宮中で、その夜明けを待つうちに、雨もあがった笠置の嶺に有明の月が出るように、やがて世も治まり、我らが栄える日は来るだろうか」だという。確かに兼良ほど熱烈に、平和な日々の再来を待ち望んだものは他にいなかった。一門の伝統であった優雅な教養生活が破壊されたことに、彼はいたくいきどおりを感じていたのである。そして文明十二年（一四八〇）、すなわち死の前年に書いた『樵談治要《しょうだんちよう》』の中では、彼に災いをもたらしたものとして、とくに「足軽《あしがる》（雑兵）」に対して筆誅を加えている。

昔より天下の乱るゝことは侍れど足がるといふことは旧記などにもしるさゞる名目也。（中略）此たびはじめて出来れる足がるは超過したる悪党也。其故は洛中洛外の諸社、諸寺、五山十刹、公家、門跡の滅亡はかれらが所行也。（中略）或は火をかけて財宝をみさぐる事は、ひとへにひる強盗といふべし。かかるためしは先代未聞のこと也。（中略）されば随分の人の足軽の一矢に命をおとして当座の恥辱のみならず、末代までの瑕瑾《かきん》を残せるたぐひも有とぞ聞えし。（中略）又土民商人たらば、在地におほせ付られて罪科有べき制禁ををかれば、千に一もやむ事や侍べき。さもこそ下剋上《げこくじやう》の世ならめ。外国の聞えも恥づべき事成べし。

「上」の歌人たちによる生気のない書き物に対して、「下」文化の活力の方を買うからであろう、今日の学者には、下剋上を高く評価する傾向が強い。おそらくこれは、必然にして不可避的な変化であった。しかし、彼が属した文化伝統最後の人間として、世の中が完全に逆しまになったように感じた兼良にも、一抹の同情を捧げざるを得ないのである。

廻国雑記

『廻国雑記《かいこくざつき》』という長大な旅日記は、ついには大僧正にまでなった高僧道興《どうこう》が、一四八六年から八七年にかけて試みた旅の記録である。その道筋は、京都を出てまず小浜、それから日本海岸を北へ柏崎、ついで関東をよぎって下総に至り、そこから筑波山、鎌倉などへの小旅行を試みたのち、再び北上して松島まで、というものであった。作者自身は、このような大旅行をした動機については何も言っていない。だが察するに、出来るだけ多くの名所旧跡に、己の足跡を残したいがためであったろうと思われる。日記は、主として道興が、昨日はここへ着き、今日はあそこへ行った、というありのままの記述と、それに続く行くさきざきの土地を歌った詩歌とからなっている。詩歌の方は、全体的に見て生彩に欠けているが、用いられた詩形の多様さから見て、まことにユニークと言わざるを得ない。

旅日記に付き物の和歌が多いのは当然として、俳諧歌、漢詩、連歌、発句《ほつく》まで入れている。道興は、立ち寄った先の主人の趣味素養に応じて、それぞれ異なる詩形を選んだのであろう。例えば、若狭国小浜の、曹源院という禅刹を訪れた時のことを、「爰《ここ》に老僧侍り。聊か文才などあるよし見えければ、筆にまかせて……」つまり漢詩を書いたのである。そして次の日には、昔連歌の席で度々会ったことのある行印法印《ぎょういんほういん》という法師に会う。そこで当然二人は連歌に興じる。

当時国を荒廃させていた戦乱についての記述は、ほとんど見られない。だが時折次のような章句が散見する。

岡部の原といへる所は、彼の六弥太といひし武夫《もののふ》の旧跡なり。近代関東の合戦に数万の軍兵討死の在所にて、人馬の骨もて塚につきて、今に古墳数多《あまた》侍りし。

『廻国雑記』のおそらく最も興味深い個所は、作者が地名の語源を探るところであろう。日本人は、奈良時代初期の『風土記』この方、地名に心を奪われてきたようである。例えば次の『常陸国風土記』の章句は、数多くの地名の民間伝承語源を明らかにしている。

此の時、痛く殺すと言ひし所は、今、伊多久《いたく》の郷と謂ひ、臨斬《ふつにき》ると言ひし所は、今、布都《ふつ》奈《な》の村と謂ひ、安く殺《き》ると言ひし所は、今、安伐《やすきり》の里と謂ひ、吉《よ》く殺《さ》くと言ひし所は、今、吉前《えさき》の邑と謂ふ。

オックスフォードを訪れたイギリス人が、牛が川を渡った場所を見せて貰えまいか、と頼むところを想像することが出来るだろうか？（Oxford は語源的には牛の渡り場となる）。またヨーロッパ文学の中で、地名に対するに同じように強い関心を示しているものといえば、私の知るかぎり、プルーストの『失われた時を求めて』しかない。だが思うに、日本人が感じる旅の喜びには、通り過ぎる土地の名の考察が、そのうちに含まれている。

下総の国児《ちご》の原《はら》という所に着いた時、道興は里人にこの地名の由来を尋ねる。里人が言うには、ある少年がこの村を通った際、盗賊などが、衣装など剝ぎとるのみならず、剰《あまつさ》え殺害してしまったのだと。道興はこの話に心を打たれ、少年の遺骸を埋めた塚に赴き、漢詩一篇を捧げて回向《えこう》している。

さらに印象に残るのは、浅草の石枕という不思議な石に関する話である。

中比《なかごろ》の事にやありけん。なまざぶらひ（身分の低いさむらい）侍り。娘を一人もち侍りき。容色おほかた世の常なりけり。彼の父母、むすめを遊女にしたて、道行く人に出でむかひ、彼の石のほとりに誘ひて、交会（性交）の風情を事とし侍りけり。兼てより合図の事あれば、其折を計らひて、彼の父母枕のほとりに立寄り、共寝したる男の頭を打砕きて、衣装以下の物を取りて、一生を送り侍りき。

このように酷《むご》たらしい人殺しには、これ以上耐えられぬというので、ある夜娘は、男の着物を着て、石の上にわが身を横たえる。そこへ両親が現れ、手筈通りに、男のふりをした娘の頭を打ち砕く。やがてわが娘を殺したことが分かった両親は、いたく惑《まど》うが、「速かに発心して、度々の悪業も慚愧《ざんぎ》懺悔《さんげ》して、今の娘の菩提《ぼだい》をも深く弔」ったことであったと。本当の話とは到底思えないが、石枕の語源をいきいきと物語って、すこぶる興味深い。そして道興の散文は、まことに明晰、かつ生彩があり、彼が日記の大部分を、詩歌に捧げてしまったのがいかにも惜しまれる。彼の散文を見ると、道興が、物語作者としての才能も持ち合わせていたことがよく分かる。ところが彼の詩歌の方は、名所旧跡を訪れる日本の旅行者が、実際そこに行ったことを証明するために撮る写真と、幾分似ていなくもないのである。

白河紀行

　宗祇が、下剋上の時代における最大の詩人であったことは疑いを容れない。しかもこの激変の時代の、最も肯定的な面を、彼は自ら体現していたのである。生まれはひどく貧しかったようである。世が世なら、おそらく僧侶の最下級以上には昇れなかっただろうと思われる。しかし生まれ持った詩的才能、目上の者の好誼を獲得する能力、そして時代そのものの不安定性、この三つが結合されて、彼が詩の世界における最高位にまでのし上がることを可能ならしめたのである。この偉業を象徴するかのように、彼は、応仁二年（一四六八）、二条家正統派の歌人東常縁《とうつねより》から、「古今伝授」の秘伝を授けられている。これは、時によっては皇族歌人でさえ拒否されることがあるほどの特権で、歌道の秘伝中の秘伝として、固く守られていたものである。だが歌人並びに連歌作者としての宗祇の実力の前には、彼の秘伝伝授の願いをしりぞけることは不可能であった。

　なるほど家柄の低さがわざわいして、宮廷に仕える身になれなかったことは確かである。しかし、一人ならずの天皇さえ、宗祇が編んだ集に、自作が入集したことを喜んだという。そして関白一条兼良が、都を逃れ、奈良の侘屋で淋しく生き延びていた間に、宗祇は兼良を見舞いに訪れ、金子五百疋《ひき》を贈っている。地方の武将も、こぞって自分の領地に来てくれるよう、彼にせがんだし、時には、宗祇が知る重要人物への紹介状をも頼んだ。金に困っていた貴族たちも、重要な収入源である色紙、短冊類の揮毫を、宗祇が仲介してくれることで、彼に大いに感謝していた。とにかく彼は、当時極めつきの重要人物であった。そしてついには、連歌の歴史における中枢人物として、深く崇められるようになったのである。

宗祇は、彼の人生の大半を旅に過ごしている。旅は主として歌枕を訪ねたいという願望に発していたが、行くさきざきで受ける快適な歓待を、当てに出来ることを知っていたからでもあった。とはいえ、当時このような旅の仕方をした連歌作者は、宗祇だけとはかぎらなかった。中には、後援者の城に、何か月も、時には何年も腰をすえた連歌師もあったという。人間同士が戦乱によって絶えず引き裂かれていた時代のことだ、人と人との暖かいつながりを求めたいという、おそらく無意識の慾望からきたと思われる連歌熱の強さが、これで分かろうというものである。それは同時に、すでに政治的な力を獲得していた地方の有力者たちが、今度は文化のほうも、という慾望の所産でもあった。それまでは、文化といえば都のもの、と相場が決まっていたのである。だが応仁の乱の間に、都の建物の大半が破壊されたため、歌人その他の教養人は、地方に避難の地を求めなければならなかった。こうして彼らがもたらした文化は、広く国中に拡散することになったのである。

当時日本の各地で実力を握っていた守護は、ちょうど同じ頃のヨーロッパの地方君主や大公たちの立場と酷似していた。彼らは、皇帝の至上権は容認していたが、その他のあらゆる点では、彼らこそ至高君主であるかのように振る舞っていたのである。それに宮廷間の反目や競争もあった。伝統文化の地方拡散は、究極的には日本を益することになるのだが、遠隔の地に避難所を求めざるを得なかった詩人たちは、京都が日本文化の中心だった日々のことを、深い郷愁をこめて想起したものである。他方地方の武将たちは、こうした詩人を喜んで迎え入れ、諸所に「小京都」を作ろうと腐心する。

宗祇は二つの旅日記を書いている。まず『白河紀行《しらかわきこう》』、これは小篇だが、応仁の乱が勃発した直後の応仁二年に彼が試みた東北地方への旅を述べている。二番目の日記『筑紫道記《つくしのみちのき》』は、それよりもはるかに長く、また詳しい。執筆は一四八〇年、京都ではもう乱が終わっている。明らかに宗祇は、後者の方をもっと重視している。終始張り詰めた文章による、彼の最高の散文作品である。そしていずれの日記も、その法外な名声にもかかわらず、彼自身に関する記録を他に遺すことのほとんどなかったこの詩人について、最も信頼すべき情報を提供してくれる。

宗祇が書いた二つの旅日記は、彼が試みた旅の総数の、ほんの一部を記録したにすぎない。例えば彼は、上杉家の客として、越後へは七度も足を運んでいる。だがそうした旅を、彼はいちいち旅日記にすることはなかった。残念至極である。彼が書くどの言葉も、偉大な連歌師としての宗祇の芸術を、明らかにしないものはないからである。

いずれにしても、国中が戦乱の真っ只中にあったというのに、それほど自由に旅が出来たとは、まことに驚くべきことである。宗祇は、戦など我事には非ず、と思っていたのであろう。道中、戦乱による幾許かの支障があったとはいえ、彼は政治に対するのと同じくらい戦乱に対しても、平静で、無関心な態度を保っていた。今日ならば、戦禍にさいなまれる国を旅するものは、詩人といえども、戦闘地区を通ってゆくかぎり、戦火に巻き込まれずにすむことは望めないだろう。だが宗祇の時代には、それは可能だったのである。それはおそらく、宗祇が、詩人であったばかりでなく、僧侶でもあったからにちがいない。

同じことは、十八世紀のヨーロッパにおいても可能であった。イギリスの文人ローレンス・スターンは、一七六二年、彼が『フランス、イタリア感傷旅行』の中で描いている旅を試みたが、それはちょうど英仏両国が戦っている時期に当たっていた。ところが彼は、その事実によって、何等の不便も蒙っていない。それどころか、自分がイギリスにおけると同様、フランスでも、有名、かつ尊敬されていることを発見している。「紅旗《こうき》征戎《せいじゅう》ハ吾《わ》ガ事ニ非ズ」(『明月記』)は、日本同様、西洋でも容認され得る態度だったのである。しかし今日の軍隊なら、文人のそのような態度など、それこそ歯牙にもかけないであろう。

宗祇が記録した最初の旅『白河紀行』は、比較的短い道程のもので、筑波山から日光、那須野原を経て、白河の関に至っている。応仁二年の秋、宗祇は、筑波山に登るという、年来の宿願を満たした。この山は、格別高山でも、美しい山でもなかった。だが昔から連歌の起源が、『古事記』に記録されている倭建命《やまとたけるのみこと》と御火《みひ》焼老人《たきのおきな》との唱和にまでさかのぼるという通説によって、この山は連歌師の尊崇の的だったのである。

倭建命が翁に尋ねる、「にひばり　つくばをすぎて　いく夜かねつる」。これに対して翁は、韻文で、次のように答える、「かがなべて　夜には九夜《ここのよ》　日には十日を」。この韻文による問答の中で「筑波」の名が際立つがゆえに、「筑波の道」という言葉が、連歌を指す雅名として用いられるようになった。例えば二条良基は、一三五六年に彼が編んだ連歌集を『菟玖波集（筑波集）』と呼び、また良基の連歌論の最も瑕瑾《かきん》のない記述が入っているのは、彼が『筑波問答』（一三七二年）と名づけた書物なのである。従って宗祇にとって、筑波山へ登ることは、登山家としての己の力量を試すためではなく、彼の芸術の源泉に戻ることだったのである。

宗祇にとって、歌枕を訪ねたいという願いは、常に他の何物よりも先行していた。なんの変哲もない風景、いや、むしろおぞましい風景ですら、それについて誰かが和歌の一つでも詠んだとあれば、もうそれだけで、欠点は帳消しにされた。道案内とボディーガードを兼ねた、ただ一人の武士を連れて、宗祇は那須野原を越えたが、その時の心細さは、一通りのものではなかった。丈高な萱《かや》が道の両側に生い茂り、武士が携える弓の先端さえ見失いがちであった。一人きりでこのようなところを歩いて行けば、必ずや冬の那須野の荒涼の中で、いずれはかなくなってしまうだろう、と彼はおそれた。そうした宗祇をいささかなりとも元気づけたのは、彼が右大臣実朝の歌を思い出した時である。すなわち、「もののふの矢なみつくらふ籠手《こて》の上に霰たばしる那須の篠原」。

白河への旅は、まことにうっとうしい旅であった。宗祇は己を元気づけようとして、次の和歌を詠んでいる。

歎かじよこの世は誰も憂き旅と思ひなす野の露にまかせて

この歌の、井本農一教授による現代語パラフレーズは、宗祇の歌の奥にあるいらだたしい諦観の情を、的確に伝えている。「もう歎くのはやめようよ、この世をわたって行くことは、自分ばかりでなく、誰もみんな憂いつらい旅をしているようなものなのだから、そう思いなおして、那須野の原におく露のように、はかない運命に身を任せようよ」。

宗祇のみならず、他にも無数の詩人をそれほど惹きつけた歌枕の魔力とは、そもそもなんであったのだろうか？　宮島、松島、その他景勝の地を見たいと思う気持ち、また奈良にあって、過去の栄光に思いを馳せる気持ちなどは、十分理解出来るのである。ヨーロッパの詩人も、大陸を旅して、しばしば同じような名所旧跡に足跡を残している。しかし日本の歌枕の地は、その多くが、まことに興趣に乏しい場所であり、たまたま昔の歌に引き合いに出されている、というだけの所であった。時としては、そのような歌枕の、精確な所在さえ怪しい場合があった。例えば、白河の関の跡と称して、いくつか異なる場所があったが、そのどれ一つとして、強い印象を与えるような場所ではなかった。しかしそのようなことは、古歌にうたわれた地を求めること切なる宗祇には、問題ではなかった。彼は詩人であって、考古学者ではなかったのだから。彼がなによりも願ったことは、古歌を生み出した地の雰囲気の中に、わが身をどっぷりと浸すことだったのである。

芭蕉は、「許六離別の詞」の中で、空海の書についての言葉を踏まえながら、「古人の跡をもとめず、古人の求めたる所をもとめよ」と言ったことがある。芸術的伝統というものの、真の意味を教えたこの卓抜な意見は、なにが芭蕉自身の旅に霊感を与えたかを雄弁に物語っている。西行や宗祇が足跡を残した土地を訪れ、その地の持つ特質を己自身の言葉によって表現すること、これが伝統に従うことだったのである。それはまた、他の詩人の詩を生み出した源泉に身を置き、新しい霊感を見いだすことによって、己の芸術を再生さすための手段でもあった。

芭蕉は許六に、「古人の跡」を求めてはならぬ、と諭した。詩人の作品は、彼自身のものでなければならず、単に先達の足跡に従うことではないのである。しかし事実上は芭蕉の（そして宗祇の）旅といえども『万葉集』この方、国中の遠隔の地までも足をのばした、あらゆる歌人の足跡を辿ることには変わりがなかった。歌に何等のゆかりもない土地など、いささかの興味も惹かなかったからである。それまで歌にうたわれたことのない山にはじめて登ったり、古歌に出ていない花の美しさを最初に歌ったりすることは、日本の詩人の望むところではなかった。

芭蕉が越中を海沿いに旅した時、彼はこう書いている。「此間九日、暑湿の労に神《しん》をなやまし、病おこりて事をしるさず」。目ぼしいことはなに一つ残さず忠実に記録した曾良も、芭蕉のこの病気については、何等触れていない。従って私たちは、これも芭蕉十八番の、事実歪曲の一例ではなかったか、と憶測せざるを得ないのである。歌枕の地ならざるところだけを通り、褒めるべきものなに一つ見いだし得ず、病を得て、筆も執れぬ、ということにしてしまったのではなかろうか。

宗祇は、そのような見せかけは何等していない。しかし、歌にうたわれていない土地には、基本的に興味を示さなかったのは明らかである。ある海際の里について、「名所ならねばしひて心とまらず」。だが格別歌枕でないところであっても、都の記憶を掻き立ててくれるような風情さえあれば、そこは注目に値したのである。とある川を見て、宗祇は、都の嵐山に流れる大堰川の有り様などを思い起こしている。その川の名を問うと、中川（那珂川）だという。京都の中川と同じ名ではないか。「都のおもかげいとゞうかびて、なぐさむ方もやと覚えて」と彼は書いている。そこでこの川を馬で渡るが、川中で「白水（が四囲に）みなぎり落ちる」様が、今度は彼に『万葉集』を思い出させ、「万葉集によめる武庫のわたりと見えたり」と書くのである。

ようやく着いた関明神の神々しさに宗祇は感動を覚える。

> 苔を軒端とし、紅葉をゐ垣として、正木のかつらゆふかけわたすに、木枯のみぞ手向をばし侍ると見えて感涙とゞめがたきに、兼盛、能因こゝにのぞみて、いかばかりの哀れ侍りけんと想像《おもひや》るに、瓦礫をつゞり侍らんも中々なれど、皆思ひ余りて……

そして次にあげる和歌二首を作る。

都出し霞も風もけふみれば跡無き空の夢に時雨れて

また、

行く末の名をばたのまず心をや世々にとどめん白川の関

宗祇が危険をも顧みず白河への旅を試みたのは、まさしくこれらの歌を詠むためであった。そして芭蕉が、『奥の細道』に記したあの旅に出たのも、宗祇がこれらの歌を詠んだ土地を、わが目で見届けんがために他ならなかったのである。

筑紫道記

一四八〇年、宗祇が北九州への旅を実現出来たのは、彼を山口に招いた大内一族の後援のおかげであった。そこで受けた饗応に対する感謝、および九州を訪れた理由を、彼は次のような簡潔な言葉で述べている。

木高き一本《ひともと》たのむしるし有りて、陰の草木の露のなさけもしげくなりて、をり〳〵時々のあそびなど（心）ゆくこと数そふまゝに、月日うつりて長月にもなりぬ。香椎《かしひ》の杉、生《いき》の松につけて、言のはしげき催しかたじけなきをしるべに思ひ立ちぬ。

宗祇がたよりにした「木高き一本」とは、ほかならぬ大内政弘《まさひろ》であった。そして以前には、それこそ文化果つる所と思われていた蕪雑な僻地、そこへ政弘が創り出した洗練された環境の中で、月日は矢のように過ぎていったのである。当時大内政弘は、関門海峡と北九州一帯を統べていた。そして政弘の側近の武士の一人によって、宗祇のために、一見の価値ある名所訪問の委細を尽くした手筈が、しかるべき人々との間に整えられたのである。道中の無事を保証するため、屈強の武士が、宗祇の警護に付くことになる。これでは淋しい一人旅どころか、ほとんど王侯の公式訪問なみである。

宗祇は、旅の道すがらに目撃した風物を、詩的な言葉を用いて描いている。その文章はこの上なく美しい。従って、それが作者によって、その場その場で何気なく書きとめられたものではなく、あとで文学作品として、慎重に創作されたものであることは、一目瞭然である。そしてほとんどどの文章にも、宗祇の散文の、見事な資質がうかがわれる。例えば、

聊《いささか》なるやしろ有りて、木深きかたはらに、夕日がくれのほど、松虫の鳴きからしたるもあはれあさからず。今日は長月の六日なれば、彼の野々宮の暁に、音な鳴きそへそなど侍りしも、おもひ残す事なし。

「野々宮の暁」前後の文章は、『源氏物語』の「賢木」に出る六条御息所の和歌を踏まえている。「おほかたの秋のあはれも悲しきに鳴くねな添へそ野辺の松虫」。

海陸の道を旅した後、一行はようやく赤間関《あかまがせき》（現在の下関）に着く。そして壇ノ浦の水域を一望出来る阿弥陀寺という寺に宿る。そのあたりの風光——そばだつ山々、滝、岩石など——の描写は、きわめて熟達した文章の好例である。「岩に生ひたる松の根ざしも物ふりて、水におほひ軒にめぐり、御堂は星霜積りて、檜皮所々破れたるも、中々あはれふかし」。

宗祇は、内部に幼い安徳天皇の木像が祀ってある御影堂を訪れる。「御顔のにほひあいぎやうづき、うちゑみ給へるさまして、唯その代の御かたちとおぼえて、なき世のかげはわす

れ侍る事也」。次に壇ノ浦の藻屑となった平家の貴人や女房たちの木像を見て、宗祇は歌を一首詠む。

梓弓《あづさ》八重の汐合ひに消えぬ名もあはれはかなき跡のしら波

歌の後半は、満誓沙弥の例の名高い歌の句を借りているが、読者の脳裡におそらく最も強く響くこだまは、そのような古歌ではなく、むしろ芭蕉の次の句ではないだろうか。「夏草や兵《つはものども》共がゆめの跡」。

他にも『筑紫道記《つくしのみちのき》』に出る多くの章句が、『奥の細道』を想起させるはずである。「此のわたりの旧跡を見るにも、只常なるものは山川土石のみなり」。しかし芭蕉は、書きつけられた言葉の方が、山川よりむしろ永続すると主張していた。例えば、「山崩れ、川流れて、道あらたまり、石は埋て土にかくれ、木は老て若木にかはれば、時移り代《よ》変じて、其跡たしかならぬ事のみを、爰《ここ》に至りて疑なき千歳の記念《かたみ》、今眼前に古人の心を閲《けみ》す」。宗祇の言葉は、すでに五百年生き続けてきた。そして彼が見た山という山が、団地造成のために平らにされ、川という川が、ダムによって堰き止められても、彼の文学はなおも生き続けるにちがいない。

宗祇は行くさきざきで、時代がなせる荒廃の跡を必ず見ている。名高い寺も大抵が崩壊寸前の有り様。瓦は落ち、軒は破れ、あたりには雑草のみがわびしく生い茂る。海峡を渡って九州に入り、いよいよ博多に着いた後、一行はまず住吉神社に参詣する。

あらがきのめぐりはるかにして、つらなれる松の木立神さびたり。楼門なかばはやぶれて、社壇もまたからず。いかにととへば、此の十とせ余りの世の中の乱ゆゑといへるも悲し。神前のいのり此の道（歌連歌の道）の外の事なし。

応仁の乱による、十余年にわたってなされた破壊は、都からかくも遠く離れた地にも及んでいたのである。

宗祇を印象づけたのは、戦乱による破壊だけではなかった。筥崎《はこざき》にある有名な松原を訪れた時、はじめ彼は悲しむが、やがてそこで見たものによって元気づけられる。

大木などは稀にして、唯百年ばかり、夫よりこのかたの木なり。むかしの木は朽ちゆきけれど、あひつぐ木末かくのごとし、木のもとをみれば、五尺六尺一尺二尺、又は二葉の如く生ふるなど、春の野の若草のごとし。幾万代も絶えざらんとみゆるは、たゞ神前のかげなればなり。

この社《やしろ》で宗祇は「是はたゞ国家安全の願ひ事成るべし」と祈念する。社は、改築されて程なかった。若木もあれば、新しい建物もあったのである。

『筑紫道記』の全体的な調子は、『白河紀行』の調子ほど暗いものではない。だがこの日記を読むと、心慰むことは数々あっても、宗祇にとって、この世は概して悲しみの場所であったのか、という印象を受ける。作中おそらく最も感動的な章句は、彼が蓑苧《みのう》の浦を望み見た時の描写であろう。

風はげしく浪たかうして、物心ぼそきに、ちいさき魚のこゝろよげに飛ぶをみるに、是も又、波の下には我より大きなる魚のおそるゝおほからむと、みるにうらやましからず。又貝のからの浪にしたがふをみれば、うちよせられて海にはなるゝも愁ひなし。ひかれて海に帰るもよろこびなし。すべて生をうくるたぐひほどかなしき物はなし。世はたゞ苦楽ともに愁ひ也。此のことはりよく身にしられ侍れば、うらやましとはたゞ此の貝のからをやいふべからん。

自分自身の感情を稀にしか表現することのない宗祇にしては、この文章には、それが幾分表れていて面白い。連歌の巨匠として敬われ、普通なら彼などその足許にも寄れぬぐらい高位の人物に恭々しく扱われ、行くさきざきで歓待を受けている身の宗祇、その宗祇が羨んだこの世でただ一つのものが、浜辺で、意味もなく波にもてあそばれている貝殻であったとは！　世の中の苦も楽も、共に知らぬ顔の貝殻——だがこれは、人生の価値への、悲しい審判なのである。おそらくそれは、宗祇の、単なる一時的意気沮喪にすぎぬものであったかもしれない。あるいはいまでは忘れ去られている何かの作品への、それは単なる引喩で、真の感情の伴わぬものであったのかもしれない。だがその言葉は、この日記の持つ総体的印象に、ぴったりと合致する。

なるほど宗祇は、旧知と共に連歌に興じ、歌枕の地を訪れるのを楽しんでいる。だがそこはかとない憂愁の思いは、常に彼につきまとっていたのである。そしてそれは、例えば次のような言葉の中に、ちらと顔を出している。「やまとことのはの道も、その家（歌道の家柄）の人、又は大家（貴顕の家柄）などにあらずばかひなかるべし」。『古今集』の序に、「生きとし生けるもの、いづれか歌をよまざりけり」とはあっても、二条、京極、冷泉など、歌道の名門、あるいは貴顕の家の生まれでなければ、到底真の歌人になる可能性はないのだ、と言っているのである。わが身に受けた数々の栄誉にもかかわらず、明らかに宗祇は、己の卑しい生まれが、和歌の道の大家として認められる可能性をはばんでいることに、強いいきどおりを感じていた。和歌こそ、神々の祝福する唯一の詩的形式だったからである。

『筑紫道記』は見事な文章で書かれている。だが作品に行き渡る暗い影と、人間味の欠如によって、『奥の細道』ほどの人気を博すことはついになかった。宗祇の詩は、私たちに尊敬の念を起こさせる。だが芭蕉は、黙っていて私たちの愛をかち取るのである。

宗祇終焉記

明応八年（一四九九）の春、七十九歳の宗祇は、おそらくこれが最後の旅と信じ、都を旅立つことにした。宗祇の最後の旅についての記録『宗祇終焉記《そうぎしゅうえんのき》』は、次のような記述で始まる。

宗祇老人、年ごろの（長年住み馴れた）草庵も物うきにや、都の外のあらましせし年の、春のはじめの発句に、

身や今年都を余所《よそ》のはるがすみ

この「物うき」という感情のいわれについては、宗祇は格別言っていない。だが彼がしんからの旅好きであったことを思えば、おそらくその頃、また旅に出たいと思い、尻がむずむずしていたのではあるまいか。しかしその年は、都から近い近江まで、どうにか足を運んだだけであった。だが翌年の初秋に、いよいよ越後に旅立ったのである。この旅に出た以上、再び都に戻ることを、宗祇は期待してはいなかった。西行や杜甫のように、旅に死ぬことを、心に決めていたのである。芭蕉が『奥の細道』の冒頭に、「古人も多く旅に死せるあ

り」と書いた時、彼はなかんずく宗祇のことを思っていたにちがいない。大抵の日本人は、なによりも己の家で、家族のものに看取られながら死ぬことを望み、宗祇のように、赤の他人に取り囲まれて死のうと決意したものは、まことに稀だったのである。

『宗祇終焉記』の作者は、彼の連歌の門弟宗長《そうちょう》である。彼が宗祇に初めて会ったのは、一四六六年、すなわち宗祇四十六歳、宗長十九歳の年だったという。たまたま宗祇が、駿河の国の宗長の生地を通った時、清見寺《せいけんじ》で催された連歌の会に宗長を招いたのである。その十年後（一四七六年）、宗祇の名声が絶頂に達していた頃に二人は再び会う。そしてこの時、宗長は、彼の門弟として受け入れられる。一四七八年に宗祇が越後への旅をした時、宗長は同行を許されている。それに続く二十年間、宗長は、しばしば宗祇の旅の随行者となり、連歌の連衆にもなっている。そして、『筑紫道記』に記述された九州への旅にも、彼は再び師に同行すている。とくに宗祇の最も有名な二つの連歌作品『水無瀬三吟《みなせさんぎん》』と『湯山三吟《ゆのやまさんぎん》』、そのいずれにも宗長は、連衆の一員として参加している。そのような門弟が、宗祇終焉の時に、師のそば近くにいたことは、まことに当を得たことだったと言わざるを得ない。

明らかに宗長は、この旅に宗祇の随行者となることに気が進まなかったようである。そしていよいよ越後に着いた時には、上杉一族に師を任せて、自分は京都へ帰ろうと考えている。ところが、「ひなの長路のつもりにや、身にわづらふ事ありて日数になりぬ。やう〳〵神無月廿日あまりにおこたりて、さらばなど思ひたちぬるほどに、雪風はげしくなれば……」というわけで、春を待つより仕方がなかったのである。その年の冬は、前代未聞の大雪が降り、その上師走の十日には、大地震があって人死にも多かったという。
二か月目も終わる頃、宗長の「わづらひ」も回復に向かってくる。そこで彼は、師に自分の新しい計画を語る。まず湯治のために草津温泉を訪れ、その後故郷の駿河に戻るという案である。宗祇とはちがって、宗長は、自分の生まれた故郷に強い愛着を持っていたのである。だが、自分は越後で死ぬつもりだ、というのが宗祇老人の答えであった。そのくせ彼の望みとは裏腹に、一向に死にそうな気配も見えないのである。だが宗祇は、最近財政も下り坂になっている上杉家の好誼に、いつまでも甘えるわけにはいかぬことを感じていた。といって都へ戻るのは気が進まない。そこで彼は、宗長と共にまず草津を訪れ、それから知己を頼って美濃の国に行くことに心を決める。

美濃国にしるべありて、のこるよはひのかげかくし所にもと、（中略）富士をも今ひとたび見侍らんなどありしかば、うちすて国に帰らんも、つみえがましく（罪作りなようで）いなびがたくて信濃路にかゝり……

宗祇は、宗長に去られるのを明らかに嫌がっている。そして宗長は、一人旅の方がはるかに有り難いのだが、師の願いをしりぞけるのは、いかにも「罪作りなようで」と断りかねたのである。そこで二人は草津におもむくが、「おなじき国に、伊香保といふ名所の湯あり。中風のためによしなど聞きて、宗祇はそなたにおもむき、二《ふた》かたになりぬ。此の湯にてわづらひそめて……」。もともと頑健な宗祇のことであるから、それまでのような広範な旅が出来たのであろう。しかし彼も、今ようやく、近づく死の、最初の警告を受けたのである。

この病は、病気などしたことのない宗祇を、当然意気消沈させることになる。夜眠れなくなったことを、彼はこぼしている。宗長随伴の旅は、依然として続いていたが、途中の休止期間がだんだん長くなってくる。

宗祇はまた、各地で人にしつこくせがまれれば、連歌の座にもまだ加わっていた。六月の初め、二人は江戸に着くが、もうこの時は、宗祇にもいよいよ最期がきたかと思われる（いまはのやうにありし）が、また容態を一時もち直す。そして、「連歌にもあひ、気力も出でくるやうにて、鎌倉近き処にして、廿四日より千句の連歌あり」。その千句の中に、一日、また一日と生き続けてはいるが、知らぬ間に、過去ははるか彼方に遠のいてしまった（けふのみと住む世こそ遠けれ）という句があった。それに対して宗祇は、「八十《やそぢ》までいつかたのみし暮ならむ」、すなわち、自分はこれほど長生きするつもりはなかった、と答えている。

友は、みなすでに冥界におり、彼は今や一人きりで、暗闇の中への旅に出立しなければならない。千句の中に、「年のわたりはゆく人もなし」というのもあったが、これは自然に、芭蕉の最後の句の一つ、「此道や行く人なしに秋の暮」を思い出させる。そしてこれに付けて、宗祇の、「老のなみいくかへりせばはてならん」という感慨が続く。こうして師の最後の句を記録したのち、宗長は「いまはのとぢめの句にもやと今こそ思ひあはせ侍れ」とつけ加えている。

七月二十九日、二人は駿河の国へ出立する。だがその日の正午頃、宗祇はだしぬけにすんばく（一種のリウマチ）の発作に襲われる。おどろいた宗長は、師に薬を与え、輿《こし》を用意して次の旅宿国府津に向かう。翌朝、東常縁の息子素純が宗祇のもとに駆けつけるが、これが宗祇に、少なからず元気をつけたようである。「明れば箱根山の麓、湯本といふ所につきしに、道のほどよりすこし心よげにて、ゆづけなどくひ、物語うちしてまどろまれぬ」。だがその晩、就寝中にいたく苦しんでいる様子なので、宗長がゆり起こすと、宗祇は「只今の夢に定家卿にあひたてまつりし」と言い、「玉のをよ絶えなばたえね」という歌を吟じ出す。

聞く人、是は式子内親王の御歌にこそと思へるに、又このたびの千句の中にありし前句にや、「ながむる月にたちぞうかるゝ」といふ句を沈吟して、我は付けがたし、みな〳〵付け侍れなどたはぶれにいひつゝ、ともし火のきゆるやうにしていきも絶えぬ。

永遠の旅人宗祇の一生を要約するかのように、宗長は慈円和尚の歌を引く。

旅の世にまた旅ねして草枕夢のうちにも夢をみる哉

宗長は、宗祇の亡骸を定輪寺に葬る。富士山麓にある曹洞の古刹である。富士をもう一度見たいという宗祇の最後の願いは、ついにかなえられなかった。しかし彼は、その山影の中に、永遠に眠ることになったのである。宗長は、宗祇の埋葬とその墓所について、次のように記している。

八月三日のまだ明ぼのに門前のすこし引き入りたる所、水ながれてきよし。杉あり。梅桜あり。爰《ここ》にとりおさめて、松をしるしになど、常にありしをおもひ出て、一もとうゑて塔婆をたて、あらがきをして、七日がほどこもり居て、おなじ国の国府に出で侍りし。道のほど、たれもかれももの悲しくて、ありし山ぢのうかりしも、なきみわらひみかたらひて、清見が関に十一日につきぬ。

日記は、当時白河の関のあたりの草庵に住んでいた連歌師兼載《けんさい》の、宗祇の死をいたむ長歌によって結ばれている。

『宗祇終焉記』の記述には、感情の明らさまな流出がない。多年師事した宗祇の死を、彼が深く悲しんだことはいうまでもない。だが彼は、自分の思いをじかに書くより、兼載が感じた悲歎の長歌を引用する方を選んだ。どこにもそうとは言っていないが、最後まで、まるで憑かれたように旅を求めた老人に付き添い、世話をやくのは、もうすっかりくたびれ果てていたのかもしれない。従って宗祇の死は、宗長にとって、悲しみの種であったのと同時に、一種の解放でもあったのであろう。宗長は、他とは全く異なる人物であった。彼の連歌への傾倒は、宗祇の場合のような、宗教的献身とはその趣を異にしていた。それは世事に関心浅からざる人物の、職業的能力の問題だったのである。宗長が最も意識的に範とした詩人は、宗祇というよりは、ほかならぬ一休の方であった。

宇津山記

宗長という人物は、宗祇の高弟であり、三十余年にわたる伴侶でもあったが、彼自身気がついていたように、宗祇とは、全く異質の人間であった。生真面目すぎて、己の感情や、私生活の内情を明かすことの少なかった宗祇とは異なり、宗長の著作には、彼の明らかに現実的な性格を物語る自伝的材料がちりばめられている。彼自身に関する最も印象深い記述は、彼の『宇津山記《うつやまのき》』の中に見られる。『宇津山記』とは、一五一七年、宗長七十歳の年に書かれた、旅日記と自伝との、いわば混成作品である。

宗長は、その年の暮れ、遠近《おちこち》の友人への便りに代えて、「雪中のつれゞ、硯《すずり》にむかひ」これを書いたという。老年への思いにとり憑かれていたのである。異常なまでに活動的な人生を送った後は、酒、歌、その他の快楽に明け暮れた人生が、そろそろ終わりに近づいたことを恐れていたのであろう。

老をなげく事、むかしいま、誰かひとしからざらん。田楽のうたひに、「恋しのむかしやたちもかへらぬ老のなみ」……

彼はまた、過去十余年の間に作った句のうち、実に百以上の句が、老年に関するものであったことに気づいている。そしてそれが、彼に昔の出来事を、思い起こさせる。

予つたなき、下職《げしよく》のものの子ながら、十八にて法師になり、受戒加行灌頂などいふ事までとげ侍し。はたちあまりより国のみだれいできて、六七年又遠江国《とほたふみ》のあらそひ、三ケ年うちつゞき、陣屋のちりにまじはりしかども、口ばかりには精進ぐさきあざみやうの物にてぞをくりし。

宗長の父親は刀鍛冶。「つたなき、下職」と宗長は言うが、実は立派な職業である。自分で言っているように、宗長自身は十八で出家する。確か真言宗で得度したはずだが、後年の著作を見ると、真言より禅の方にはるかに近い僧として自分を考えていたことが分かる。彼は大徳寺と酬恩庵とを、しばしば訪れている。酬恩庵は、一時大徳寺の管長であった一休が住み、そこで死んだ京都郊外の薪《たきぎ》にあった草庵である。

一休のことを初めて聞いたのはいつなのか、宗長は言っていない。だがそれは、おそらく彼が今川義忠に仕えていた時だったのではあるまいか。すなわち「陣屋のちりにまじは」った、遠江の合戦の時のことであろう。例えば菜食に徹するくらい宗教的精進にも熱心ではあったが、いわゆる「陣屋」における彼の生活ぶりは、普通の軍兵のそれと選ぶところがなかったにちがいない。宗長は、俗情のえじきになり易い己の性格を、すでに十分自覚していた。すると宗門の規律をいちじるしく逸脱した一休の模範が、この若い僧の心を惹きつけずにはおかなかったこと、これは容易に推測出来る。一四七六年、今川義忠が討ち死にする。その後すぐ宗長は、京都に上るが、それは主として一休に会うためであった。そして二人の親交は、その五年後の一休の死まで続くのである。

『宇津山記』に表れた彼の生活記録は、「都の霊社、奈良七大寺、高野」などへの参詣について語り進んでいる。また、故郷駿河への深い愛着を抱いていた宗長は、駿河以外の地でいたずらに年月を過ごし、故郷に残した聖地の尊さを忘れ去っていたことを思い起こし、申し訳なく思う。都では宗祇の弟子となり、低い出自にもかかわらず、貴顕の人々が連歌を楽しむ公の場にも同席出来たのは、ひとえに師宗祇の引き立てによるものであった、と彼は言う。そして、「前世のちぎりいかなりけむ。このたび京にても其行衛《ゆくゑ》と思ふ事おほかりしなり」と書くのである。

宗長の回想は、ここで急に己のさらに私的な生活に移ってゆく。駿河にいた時、ある洗濯女とねんごろになり、結局女は、宗長の子を二人生む。今は喝食《かつしき》（禅寺の見習僧）になっている男の子は、その国の被官斎藤安元にあずけられる。一人前の禅僧となるべく養育して貰うためである。娘については、作者は次のように書いている。

めのわらは十三。これもあまになどおもひおきてしを、あはれがる人ありて、ことしの暮、いひ名付とやらんいふ事にて、をとこありとぞ。七旬（七十歳）の心やすさ、いまはの時にも思をく事露侍らじ。

これが宗祇（あるいは芭蕉）ならば、自分が私生児二人をもうけた事実など、このように公然と認めることは、到底あるまいと思われる。しかし宗長は、一向に恥じている様子もない。こうした態度においてもまた、一休の影響が見てとれるのである。

『宇津山記』は、作者宗長が、駿河国丸子に、柴屋軒《さいおくけん》なる庵を建てたいわれの説明に始まる。宗祇に随行して九州から都に戻ったあとのことである。都のわが家は、乱の間に焼失して、もはや影形《かげかたち》もない。そこで宗長は、これをしおに故郷の駿河に帰ろうと心に決める。宇津山の近在に手頃な場所を見付け、斎藤安元の許しを得てそこに草庵を結ぶ。

初め宗長は、いにしえの隠者のひそみにならい、四季の変化がもたらす木の葉の移ろいなどを楽しみながら、牧歌的な生活を送る。「こととふ人なき春の述懐に鶯を賞し侍り。後にはつくしのはて、あづまのおくの人も、たよりにつけて尋来りしなり」。そして都の乱れのために、「宗祇十三回のことも此山家にしていとなみ、千句の追善」をしたと言っている。

しかしほどなく旅心再び宗長の胸を騒がし、白河の関に杖を曳いた古人の足跡に随うことを夢見始める。のちに実現したその旅は、彼が永正六年（一五〇九）に書いた別の旅日記『東路の津登《あずまじつと》』に記録されている。宗長は、この旅の途次、室《むろ》の八島や日光など、さまざまな名所に足を留めているが、結局白河の関には行き着いていない。もう二日で着くという時に、白河のあたりで合戦が起こったことを知らされる。「合戦度々におよべりとなん。一向に（ひたすらに）人の行かひ絶て」、彼はここで踵《きびす》を返すしかなかったのである。『東路の津登』の中で、おそらく最も読者の興味を唆る個所は、宗長が道中で出会った人々に関する記述であろう。行くさきざきで、必ず連歌の一座があった。そしてそれが終わると、「連歌はて丶酒など有て夜更侍りし也」といった調子なのである。日光に近いある寺では、興趣ことに深い一座があった。宗長は書いている。

執筆は児《ちご》の十六七にやとおぼゆるにぞ。一座終日の興も浅からず侍りし。宮増源三などといふ猿楽のぼりあひて、夜ふくるまで盃あまたたびに成て、うたひ舞などして、こころおもしろき夜のさま、誰か千世もとおもはざりけん。

江戸を訪れたのち、帰途につく。その途次、宗長は、千葉の崇神妙見の祭礼で、延年の猿楽を見ている。二日後、また連歌の一座があったが、その日はすべて調子がよくいったため、連歌は日のあるうちに終わってしまう。そして、

夜に入て延年の若き衆声よきが廿余人、ふきはやししらべまひうたひ、優におもしろく、さかづきの数そひ、百たびこ丶ち狂するばかりにて、暁ちかくなりぬ。

また現在江戸川区にある善養寺訪問については、次のように書いている。

此処は炭薪などもまれにして、蘆《あし》を折たき豆腐をやきて一盃をすゝめしは、都の柳（都の名酒をさす）もいかでをよぶべからんとぞ興に入侍りし。

こうした抜き書きを読むだけでも、宗長が、師宗祇よりも、はるかに陽気な日記作者であったことが分かる。宗祇が、延年の若衆たちと暁まで楽しく酒を酌み交わし、共に豆腐料理を突つく姿を想像するのはむずかしい。国が戦乱に引き裂かれていた事実に読者の注意が向けられるのは、日記中ただ一個所、白河の関まで行くのが困難だったことを述べたところだけである。

だが『宇津山記』の持つ気分は、『東路の津登』のそれほど明るくはない。この日記の中核をなしているのは、宗長が一五一五年に試みた旅の記述であるが、その時彼は、木曾の御《み》坂《さか》を越え、敦賀に赴き、最後に京都を訪れ、着くとすぐに紫野（大徳寺）真珠庵《しんじゅあん》を訪ねている。都中が戦乱のために荒れ果て、とりわけ二条など、今や盗賊の巣窟になっている。都の人々が「さてもかかる代にもあふものにや」と口々に言っているのを、宗長は耳にする。しかし連歌の集まりは、常のように開かれていたのである。そして宗長自身、「男女の物見、雲霞のやうに」と、巷《ちまた》の賑わいをその目で確かめている。廃墟と化した都でも、人生は依然として続いており、苦難欠乏の中にも、愉楽のひと時はあったのである。

宗長手記

仮にその連歌作品のみから判断するなら、宗長という人物は、師の宗祇とそれほど異なるところのない人物のように感じられる。彼の作る句の質は、修練を重ね、年を経るに従って進境を示している。だが作品には、いかに彼が因襲にとらわれぬ個性的な人間であったかを示す独特の調子は見られない。彼の最良の連歌作品や和歌にも、己の心情も個性も、注ぎ込んではいないらしい。詩作の中には自己流の奇想や個性を表さぬという、宗祇の伝統に従ったのであろう。しかし、彼の日記、とり分け一五二二年から二七年にかけて書かれた『宗長《そうちょう》手記《しゅき》』には、まぎれもない彼の個性の発露がある。

『宗長手記』は、芸術的に見て、そう練れた作品とはいえない。退屈な個所も少なくない。しかしこれは、室町時代に書かれた、芸術的にさらにすぐれた日記作品の大方よりは、作者の人間性についてもっと多くのことを語っている。宗長は、日記の冒頭に、いよいよ彼の最も意欲的なものとなるはずの旅に出る前の気持ちを、次のように述べる。

大永二年（一五二二）五月、北地の旅行、越前の国の知人に付て、かへる山をばしらねども、宇津の山をこえ、さ夜《よ》の中山にいたりて、

このたびはまたこゆべしとおもふとも老のさかなりさ夜の中山

もう一度ここを訪れることがあるだろうか、と彼が危ぶむ気持ちは、いうまでもなく彼の年齢に由来している——その年、宗長七十五歳だったのである。この和歌は、西行の有名な歌、「年たけて又こゆべしと思ひきや命なりけりさ夜の中山」のほとんど剽窃《ひょうせつ》のようにさえ思える。だが二つの歌の伝える気分は、全く異なるのである。西行の方は、自分がいまだに生き長らえていることへの驚きを表している。それに反して宗長の方は、小夜の中山を今一度訪れたいとは思いながらも、急速に老いの坂を辷《すべ》り落ちつつある己が、果たしてこの旅を全うさせ得るかどうか、と恐れているからである。

巻頭にふさわしいこの黙想的な調子は、突如一変、叙述は、掛川に普請中の城砦の描写となる。「外城のめぐり六、七百間、堀をさらへ、土居を築《つき》あげ、凡《およそ》本城とおなじ……」。宗長はこの城に関して詳細、多岐にわたる説明をしているが、それはおそらく彼が密偵であったからではないか、という説をなす学者がある。連歌師という立場を利用すれば、軍事的情報を得るために国中を旅して回れたからである。宗長は、合戦自体にも少なからぬ経験があったばかりか、主君であった今川氏親《うじちか》が、軍兵と共に城を包囲された際、敵との休戦交渉に当たったことさえあった。

『宇津山記』には次のようにある。「甲斐国勝山いふ城にこの国より勢《ぜい》をこめられし。いひあはせらるゝ国人心がはりして、人のかよひ絶はてつ」。そこで宗長は、氏親の命により、包囲軍との休戦交渉に入る。「五十日にをよび、敵味方にさまぐ〳〵老心をつくし、まことにいつはりうちまぜて、三月二日、二千余人、一人の恙《つつが》もなくしりぞき」。宗長は、「嘘とまことをつき混ぜて」巧みに交渉を成功させ、二千余人の軍兵の命を救ったのである。彼はこの行動を、「貴命そむきがたくて」と説明している。

だが他の面では、いわゆる模範的な家来とはほど遠い人物でもあったのだ。『宗長手記』に記されているように、この旅の途中、一五二六年の六月、彼は今川氏親の死の報を受ける。本来ならば、その時急遽駿河に戻るのが、臣下として彼の執るべき行動であった。だが彼がこの旅に出る前、氏親に別れの挨拶をした際、彼は主君に、老齢ゆえに、もはや生きて再び相見《まみ》えることはありますまいと告げていた。従って彼は、駿河に駆け戻る必要はないと判断した。この判断の裏には、どうせ末期をとげるなら大徳寺、さもなくば一休のあとを追って薪の酬恩庵、と彼が心に決めていたことが読み取れる。

宗長の、亡き一休への献身ぶりは、さまざまなところにおのずから現れている。まず彼は、一休ゆかりの寺の改築には、常に多額の寄進をしている。一五二五年には、長年宝物のようにしていた愛読書『源氏物語』全帖を、やはり寄進資金を得るために売っている。またさる絵師に依頼して、太刀を持つ一休の肖像を描かせたこともある。その絵は、酬恩庵の床の間に掛けられたが、

尊像拝したてまつり、焼香申て、

駿河より急がぬ日なく山しろの薪を老の荷をぞかろむる
（薪の酬恩庵へ早く来たいというかねての重荷をやっとおろした）

宗祇は宗長の三十四年間の師であり、今川氏親及びその一族は、六十年にわたる彼の庇護者であった。それにもかかわらず宗長が、その二人よりも、ただの数年間の交渉にすぎない一休を、それほど崇拝したとは、まことに不思議と言わざるを得ない。疑いもなく宗長は、自分と一休との間に、一種特別の精神的絆《きずな》の存在を感じていた。芳賀幸四郎教授は、宗長に対する一休の魅力を、一休の持っていた「不自然な形式や戒律によって疎外された人間性の恢復、解放」に帰している。教授はまた一休のうちに、「近世的人間の誕生に先駆し、中世的なものに対する反逆を意味するもの」を見いだしてもいる。

めぐりくる年忌毎に、宗長は、常に宗祇の霊に敬意を表している。とはいえ彼が師にはらったこうした儀礼の中には、「あさがほや花といふ花の花の夢」という感動的な句を書いたにもかかわらず、何かよそよそしいものがうかがわれる。おそらく宗長は、宗祇の身辺近くに生きることとあまりにも長すぎ、師の詩的天分と同じほど、その人間的欠点をも記憶していたのかもしれない。それとも、宗祇にとっては、連歌はほとんど宗教に等しいものであったのに反して、宗長にとってそれは、単なる生計の手段にすぎぬものだったのかもしれぬのである。

宗長が一休と共通していたのは、因襲的な生き方を嫌ったことばかりではない。尺八、茶の湯、能楽など、当時盛んであったさまざまな芸能をも愛好したことでもあった。また、洗濯女に二人の子をもうけさせた事実を公然と認めていた点なども、色恋の道における偉業を自認していた一休の性情と、軌を一にするものがある。

それに宗長の歌や句には、どことなく上品さに欠け、猥雑《わいざつ》なところすらあった。彼自身はそれを人生に対する倦怠感がなせる業だと言っているが、にわかには信じがたい。「朝夕末期の希《ねがひ》、殊《ことに》このごろは狂気にをよぶまで（中略）『ねがはくはなき名はたゝじ我しなば八十《やそぢ》あまりを神もしらじよ』」。この歌がほのめかすところは、八十を過ぎても、自分の放埒はやまないので、定めしよからぬ噂がたつであろうよ、というものである。さらに俗悪な和歌に付けた詞書《ことばがき》にも、次のような言葉がある。「九月の初に、こゝもと四、五町罷《まかり》出て、帰るさに落馬して、半身いたみ、右の手かなはずして……」。そして和歌が続く、「いかにせんものかきすさむ手はをきてはしとる事と尻のごふ事」。

宗長は、一五二三年の暮れ数日を、酬恩庵で、山崎宗鑑《そうかん》を混じえた旧友六、七人と過ごしたことがあった。宗鑑は、俳諧の連歌の創始者としてしばしば引き合いに出される人物だが、彼らは一休の画像のやさしい眼差しのもとに円座し、味噌田楽を突つきながら俳諧の連歌に興じたのである。この種の連歌は、すべて二重の意味を持ち、一つはまとも、他は滑稽、しかも、しばしば下品でさえあった。そしてこのような連歌の座は、当時無数に試みられたにちがいない。

連歌師が各地の大名の居城を訪れる際、彼らは、ただ単に宗祇流の、いわゆる「有心《うしん》の連歌（高雅な連歌）」の手ほどきをするだけではなかった。そのあとでは、必ず「無心の連歌」の座にも加わることが期待されたのである。つまり、多量の酒の助けを借りて作る滑稽な句のことである。有心の連歌の方は、それらのすべてが将来とも印刷に付されるとは思えないが、数多くの写本が残っている。一方、滑稽な連歌の方は、もともと食後の座興として考案されたものにすぎず、この『宗長手記』に記録されたもののほかには、保存されている例はほとんど見られない。こうして俳諧の発展の歴史は、宗長および宗鑑に始まり、近世の巨匠たちに続く線として辿《たど》ることが出来るのである。

『宗長手記』に記録されているのは、決して面白おかしい話題のみとは限らない。合戦の記述も少なくはない。そのうちには、作者の並々ならぬ叙述力を示すものもあり、また敗者への深甚な同情をこめたものもある。しかし彼の叙述の性格は、決定的に散文的だといえる。平安朝日記の伝統に属するあの詩的文体とは異なり、いずれかといえば日記本来のそれに近いのである。宗長は、この日記を書きながら、読者のことはおそらく念頭になかったのではなかろうか。そして戦乱のさなかに、しかも老齢の身で、あれほど切に旅を願ったいわれを彼が明示することがなかったのも、おそらくそのためではなかったのか。思うに最も単純な解釈は、宗長という人物が、まだ見ぬ人間と風光とへの好奇心を、終生失うことがなかったということであろう。死を願うという彼の不断の告白にもかかわらず、彼は最後まで、生への悦びを持ち続けたのである。

東国紀行

一五四四年から四五年の間に、連歌師宗牧《そうぼく》が書いた日記『東国紀行《とうごくきこう》』は、まず彼がなぜ東国への旅を試みたか、という理由の説明に始まる。それより十七年前の一五二七年、宗長にすすめられて、富士を見るため、彼は駿河に旅したことがあった。ついでに東国を訪れるつもりでいたが、都に用事が出来、急遽帰洛《きらく》を余儀なくされている。その後九州や、他の地には旅をしたけれども、東国への旅は、ついぞ果たすことがなかったのである。その間宗長が、一五三二年に没する。それまで四、五年、宗牧は中風をわずらっていた。ところが東《あずま》しお湯がこの病に効き目ありと聞かされ、ついに意を決して東に旅立ったのである。すでに有望な連歌師であった十八歳の息子宗養《そうよう》を、道連れにしている。熱海その他での湯治目的とは別に、宗牧は、遅まきながら宗長の墓所に参るつもりもあった。またそれゆえにこそ、息子を随行させたのであろう。

宗牧が最初に立ち寄った所は、石山寺であった。紫式部が、琵琶湖に照る月を眺めながら『源氏物語』の筆を起こした場所と伝えられる寺である。宗牧は、この寺の本尊と文学との関係について、次のように記している。「そうじて此本尊は、和歌の人を守り給ふべき御誓約有りとぞ。さてぞ紫式部も和国の至宝を作り出でけむことも、此利生仏の言葉を加へ給へるものならし」。そして発句、「秋ふかし言葉のはやし筆の海」を記したのち、この句の説明として、「五十四帖の面かげ、湖水にて浮びたるなどいひ伝ふる事を思ひよれる計《ばか》りなり」と書くのである。

『東国紀行』の散文が一番面白くなるのは、大体においてこの程度が限度なのである。日記には、各地で宗牧を歓待した人々、連歌の座に連なった人々の名がびっしり詰まっている。ところがそれらの人物を忘れ難い人々とし印象づけるような描写は、ひとことも見当たらない。また作者は、自然の風光にも興味を示すことがない。梅と桜以外には、花に触れることも、見た景色の大略に触れることさえ珍しいのである。そう言えば、その頃もまだ国中で荒れ狂っていた戦乱への言及さえ、まことに乏しい。もっとも次のような文章が、時としては見られる。「数年乱後、ことに敵城程なくて、毎日足軽など不慮に打よせる比《ころ》なれば、畳さへなき不弁さなり」。また作者は、熱田神宮の大宮司が、合戦の最中に戦死したことも述べている。

これも時たまではあるが、宗牧の日記には、興味深い伝説への言及が散見する。例えば彼は、唐の襲来から日本を救ったのは、楊貴妃の姿に身を変えた熱田神宮の祭神だった、という説に触れて、次のように書いている。「唐の代《よ》起りて、我国を傾けんとせしにも、貴妃に生れ給ひて彼の世を乱されしも、この御神の力とぞ」。

篇中最も生彩ある個所は、道中で作者が経験した酒宴の描写であろう。「会以後大酒。（中略）さながら都の心地して沈酔。酔泣も留め難くて、深更に帰り侍り」。また、「一座已後《いご》大酒。新度《しんと》（唐から渡来した）の小唄ども口々ならさせられ、暁方退出」。

文学的には日記中にちりばめられた詩歌、発句、そして、詩についての言説が一番すぐれている。例えば宗牧が、宗長の草庵に着いた時である。その時彼が抱いた感情を、散文では何等明かすところはないのだが、和歌には作者の直情を傾けている。

うつの山こととふ人は夢とのみみしよながらの峰の松風

そもそも宗牧の旅の動機は、己の健康上の理由であった。ところが、再び生きて戻れぬことを覚悟して旅立った大方の日記作者とは異なり、彼は自分がこの旅で死ぬことはない、と確信していた模様である。ある町で、土地の詩人たちに彼は約している、「帰京の次《ついで》又必ず」と。だが皮肉にも、彼は、事実旅の途次に死んだ数少ない日記作者の一人だったのである。

吉野詣記

『東国紀行』に記録された旅に出るしばらく前のこと。宗牧は、三条西公条《きんえだ》に挨拶に行く。老齢の上、健康にも勝れぬ身でありながら、そのような長旅をするとはなんたる無分別、と思ったのであろう、公条はその時大いに驚いている。ところがそれより九年の後（一五五三年）、当年六十七歳の公条自身、宗牧の旅とほとんど同じくらいきびしい旅に出掛けるから面白い。友人の連歌師里村紹巴《じょうは》に、共に吉野の桜を見に行くようにと誘われたからである。彼の旅日記『吉野詣記《よしのもうでのき》』の冒頭で、公条は、己の道連れを次のように描いている。「筑波の道に志深くて、この頃都の住居し侍りて、夜昼来り訪ひけり。しかも敷島の大和の国まで、道たど〳〵しからず。芳野の花見るべきよし誘ひけり」。大和の国の出であった紹巴こそ、この旅のまことに恰好な道案内だったのである。

二人はまず奈良を訪れる。春日大社に詣で、大仏殿、薬師寺その他、しかるべき所へはみな訪れる。胸算用では、三月の初めに吉野に至り着くはずであった。だがその頃ではまだ桜には早いことを知り、まず高野山に詣でることにする。徒歩で登るには、あまりにもこの山は峻険にすぎる。ましてや六十七歳の弱脚である。だが明らかに公条は、この難行を楽しんでいる。その二日後、彼らはいよいよ吉野に向かって発つ。そして吉野では、予期した以上の花の美しさに感歎を久しくするのである。
『吉野詣記』をこういうふうに要約してみると、道々作った詩歌によって花が添えられてはいるものの、概して慣習的な旅日記ではないか、という印象を与えかねない。しかし、当時の傑出した学者貴族三条西実隆《さねたか》の息男であった高位の貴人が、奈良の一寺僧の息子と親しく旅を共にしたことは、確かに注目に値する。公条は、紹巴のことを、己の随伴者というよりは、ただの道案内と考えていたかもしれない。しかしそれにしても、作者の言葉には、紹巴を見下したような調子は全くない。
この日記は、作者公条の、細部を見詰める非凡な眼のおかげで、単なる型にはまった旅の記録以上のものになっている。実際『吉野詣記』を読んでいると、もっと初期の室町期の諸日記からは、いかに多くのものが省かれていたか、ということに気づく。例えば、二月二十五日の日付には、次の章句がある。

不退寺に到りて、業平自筆の影あり。おぼろげには開かざるよし申せしを、宗二とて、彼のあたりの知り人にて、よく云ひより拝見せしに、容顔の美麗端正なる、現在の人に向ふが如し。

旅人二人は、寺に着いて高名な画像を見たいと思う。だが紹介者のないものには見せられない、と寺番のものに断られる。ところが二人がここを訪れる機会は、再びありそうにもない。そのようなことは、寺番の知ったことではない。幸いその近辺に知人が住んでいて、いわばその「コネ」によって、二人はついに画像を見ることが出来る。この種の出来事は、今日の日本では、まことによく起こることだが、室町時代でも、事情は同じであったにちがいない。ところが、公条のほか、他の作者は、誰もそのようなことは書いていないのである。

その夜二人は、近くに宿を見つける。他の室町時代の日記作者なら、ただ単に、宿った部屋はひどいとか、さもなければ宮殿のようであった、と書くところである。だが公条の筆は、さらに精密で、従ってさらに興趣が深い。「此宿りたる家あるじは、由《よし》ある人にて、二階を新らしく作り、簾青《すだれ》やかにかけ渡し、向ひ見れば、生駒山手にとるばかり向へり」。この筆致は、どうしても芭蕉風なのである。

もっと早い時期の室町時代日記作者は、珍しい土地に来るつど、ここはいかなる所かと問うが、自分自身の個性は持たぬ、いわば能楽のワキのようであった。ワキに物を問うものは誰もおらず、私たちが彼の人生に関して知り得ることは、彼が諸国一見の僧だという一事のみである。ある意味では、三条西公条も、諸国一見の僧のようであった。だが彼の観察は個性的であり、彼が物を問う時、相手は、決して無個性な里人や、所の者でなく、村の女《め》わらべ、その他少なくともその時ばかりは、私たちの眼前にいきいきと躍動している人物なのである。

『吉野詣記』の描写には、一種の「特定性」とでもいうべき要素があり、それが、この時代の他の日記では滅多に出会えない真実味を、与えている。例えば、次のような文章は、よそではちょっと読めない文章である。

昨日も山中野火ところ〴〵見えし。今日は又大きなる木焼けて、折かへりたる中より炎あがれり。右は山、左は深き谷。足もとにも火燃えける木の下を通れる。

泊瀬《はせ》寺へ至り着いた時の公条の文章も、同様に生彩に富む。「ところのさま源氏物語に書けるさながらにて、暫《しば》し花の陰に立寄れば、誠に波路に向ふ心地せしかば」。そして歌一首、

漕ぎよせよ花のしらなみあまを舟はつせの山のはるの夕かぜ

白い花のうねりを、海の白波に見立てる詩的奇想は、公条がこの寺に来たことで明らかに感じた心のたかぶりを思えば、決して不自然とは見えない。続いて、

本尊の御前に参り、折しもうた歌へる女二人、法楽と覚しくて、歌うたへるあり。その詞《ことば》に、花の都人歌よませ給へやと云ふを、打聞くより、誠に花の都人は紛れなけれど、歌よみなむ事は胸つぶれて、弥《いよいよ》口をぞ閉ぢける。

「歌よませ給へ」という女たちの願いに応えるのを断ったという公条の言い方に、軽いユー

モアがあるのは貴重である。当時の日記文学には、ユーモアがまことに乏しいからである。

二十九日には、多武峰《とうのみね》を訪れる。

梟《ふくろふ》の声近く聞えけるは、未だ夜も深きにやと思ひつゝ、起出でければ、はや明ゆく曙《あけぼの》の色も外には似ず、物あざやかにして、かの東坡先生が、草木数へつべしと云ひける山も、かくやと見えて、空も猶さえかへりけり。

ほととぎす、あるいはその他のいわゆる詩的な鳥ではなく、ふくろうを出してきたのは、歌人の日記としてはむしろ驚くべきことである。また明け方の景色を眺める作者の喜悦の情も、単なる慣習的な書き方をせずに、実に新鮮に表現されている。

公条と紹巴は、ついに吉野に辿り着く。その時二人は、そこで目にしたものに魅せられ、うっとりとなる。咲き終わって、はや花が散りそめた木々がある。今や満開の盛りを誇る木々、そしてまだ花が咲きそろわぬ木々もある。

愛染宝堤まで登りて見れば、このあたりは、未だ木末ども咲きあへざりしかば、又盛りの木の下に帰りて酒すゝめ、酔の心地に、いよ〳〵花も色を増したり。いかなる歌もよみぬべきよし兼て思ひしも、中々ことざましたるやうにて、歌心も失せ果てぬ。

「歌心も失せ果てた」と言っておきながら、この時公条は、優美な歌を詠んでいる。

心たゞ花にちりつゝよく見んと思ふにたがふみよしのゝ山

公条という人物には、どことなく近代的なところがあったように思われる。彼の日記は、大方の旅人のものとは異なり、単に歌枕の地を見てかき立てられた想念を書き集めたものではなく、なにか読者の心に訴えるような、ある個人的な資質を持っている。しかしながら昔の文人について物を書く時に、この「近代的」という言葉を軽々しく用いるのは危険であろう。同じ文人の持つはっきりと非近代的な側面が、いずれ見つけ出されるおそれがあるからだ。例えば公条は、舎利拝観の時刻を逃してはならじと、法隆寺に急いだことを記している。

南無仏の御舎利出で給ふ時刻定まれり。遅くもやとて、駒うち早め参りけるに、舎利講二三段よませたる時分に、聴聞随喜せしに、事のをはりに、舎利出でおはしましけり。この寺の脇坊とて、年老ひ事おかしき人、内陣へ参るべきよし申せしかば、参りて霊宝拝み奉る。様々の物ある中にも、梵網経《ぼんまうきやう》、御身の皮を外題の紙に之を用ゐ、御血にて銘をあそばしたる御経、たぐひなく覚え侍り。

釈迦の皮膚を用いて「外題の紙」にし、血を用いて銘をしたという経典を見て感泣するなど、近代的な趣味とは義理にもいえない。私はまた、法隆寺で見たはずの、数々の仏教美術品の見事さを、彼が言っていないのが不思議である。しかし、おそらく公条にとっては、それらは美術品ではなく、芸術美という次元で論じてはならぬ、聖なる遺物だったのにちがいない。

『吉野詣記』に、このような中世的な側面があるのは、疑いを容れない。とはいえ、それは、独特の新鮮さをも持っている。日記の中から、作者の声が明瞭に聞こえてくる。従ってそれが、新しい時代の始まりを意味するのだ、とつい解釈したくもなるのである。だがその個性の強さを、時代というよりは、やはり公条という人間自身に帰する方が、おそらくもっと無難なのではあるまいか。

富士見道記

里村紹巴《じょうは》は、生来の才能と、競争者たちの、まことに（彼にとっては）折よい死によって、一五六三年、彼が三十七の年には、すでに当代きっての名連歌師と目されていた。その年、彼の最後の手強い競争者宗牧の息子宗養が死に、紹巴は、文字通りの第一人者となったのである。それは別に評判だけのことではなかった。事実、国中の有力な武将が、彼らの領地に紹巴を招こうとやっきとなっていた。またたまたま彼らの入洛《にゅうらく》中には、著名な貴人の連なる連歌の座に招かれようと、彼らはこぞって紹巴に助力を求めた。このような斡旋に対して、彼らが紹巴に、気前よく金品を報いたことは疑いの余地がない。

貴人は貴人で、紹巴のそうした取り持ちがうれしくなかろうはずはなかった。当時貴族階級の屋台骨は、かなり傾いていたのである。従って、武骨この上ない武将からも、彼らは喜んで贈り物を受け取った。贈り物を受けることにかけては、天皇すら例外ではなかった。贈り主への謝意は、自身の揮毫《きごう》を彼らに与えることによって表された。紹巴は従って、いにしえの文化にのぼせ上がっている田舎大名に、己の名の魅力を喜んで売った貴人たちの、斡旋者として働くことに、いささかのためらいも感じなかったのである。

一五六七年という年は、とくに激しい戦の年であった。国中が戦乱によってずたずたにされ、都の中央政権は不在であった。そして紹巴が、富士山を見たいという宿望を、いよいよ実現させることに決めたのは、まさにこの年だったのである。彼は『富士見道記《ふじみみちのき》』の冒頭に、次のように記している。

今年永禄の春も十返りの初め、久しくあらましの富士見る可き事を頻りに思ひ立ちし日より、記し付くる物ならし。

その二年後に、紹巴は、これもかねて一見を切望していた天の橋立と玉津島を訪れることになるが、とにかく富士は、他のどこよりも先に見たいと思っていた所だったのである。旅は当然、行くさきざきで、連歌を巻くことを伴っている。そして東海道を駿河まで行く旅の足取りは、まことにゆったりとしたものであった。

この日記が真に面白くなるのは、宇津山地方、宗長ゆかりの地に紹巴が行き着いた頃からである。だがそれ以前にも、二、三興味をそそる日付を拾うことが出来る。例えば、四月二十七日に、『伊勢物語』に出る杜若《かきつばた》で名高い八橋を訪れている。行って見れば八つの橋も杜若もなく、いたく失望したと記した旅日記作者は、それまでに少なくなかった。ところが紹巴は、明らかに彼が予期しなかったものに、そこで出会っている。「八橋のかきつばた断絶、遺恨を歎きけるを、代官斎藤吉十郎聞伝へて」、紹巴のような著名人の歎きを無視することは出来ぬ、というわけである。代官は、酒一樽を添えて紹巴に手紙をよこし、かつて八橋の地主に杜若を植えるように命じたことがあると弁明した。しかしそのあとに、「諸国の旅人根を引て行くゆゑ、跡もなきよしと云々」とある。紹巴はそこでひとこと書いている。「実にもと思へるは、橋柱さへ削り取らるゝと見えてなり」と。

これで私が思い出すのは、いわゆるスーヴェニール・ハンターたちが、庭の苔を容赦なく引っ剝がしてゆくという京都の苔寺、また同じやり方で事実上根こそぎにされたという長野県駒ヶ根市光前寺の光苔のことである。しかし、今日のスーヴェニール・ハンターは、昔のそれに比べて、まだ罪が軽い方だと言えるかもしれない。なにしろ八つの橋の橋柱を、事実上削《そ》ぎ取ったというのだから！

宇津山を見たことは、日記中最初の詩的散文を紹巴に書かせている。

我入らんとする道と云へるは、右の谷を見おろして、今は峯に付て上りぬ。誠に蔦楓《つたかへで》は茂り、木の下暗き五月雨の余波《なごり》に、袖もすゞろに萎《しを》れ、心細くして里に着きぬ。

そのすぐあと、彼は宗長の柴屋軒《さいおくけん》に辿り着く。

庵室を見巡るに、一休和尚墨跡にて柴屋と古文字。又宗長像掛れり。影をうつす事（肖像を画くこと）、命のうちは戒しめられしが、但し亡き跡にも留めば、萌黄の衣服に墨染を上にして、水巻の足袋に扇子をそばにしてと云へりとて、さながらなり……

庵の庭の、「廿六年を重ねたる」宗長の壊れた墓石には、緑苔が厚く生じている。一年前の戦の際に、ここも炎上したのだ、と紹巴は告げられる。
紹巴は、宇津山地方には数週間逗留している。その間、三保の松原を訪れ、天人の「衣掛けの松」を見たという。六月八日には、宗長の旧友に会ったことを述べている。

興津入道牧雲と云ふ人は、清見寺あたりの知人なりしかば、宗長の昔し寵愛にて、艶書など今は懐ろにせるとて、墨染の袖の香も身に入る物語りありつゝ……

この暴露に関して、紹巴自身は、何等コメントをはさんでいない。おそらくそのような関係など、別に取り立てて言うこともない事件として受け取ったのであろう。とにかくこの邂《かい》逅《こう》を祝って、早速紹巴は連歌を巻くことにしたのである。
紹巴は、己の「古今伝授」の秘伝について述べるために、会った人々に関する叙述を、唐突に中断している。しかし「古今伝授」に関する記述は、わざとぼかした形跡がある。私たちは、紹巴の門弟であった松永貞徳の著作から、三条西公条《きんえだ》が、紹巴に「古今」の伝授を拒否した事実をすでに知っている。ところが紹巴は、公条から、師自筆の『古今集』一巻を授けられ、その上読み方の教えも受けたと、これ見よがしに書いている。しかし、紹巴の文章を走り読みしただけではちょっと分からないが、その実彼は、「古今伝授」を公条ではなく近衛稙家《たねいえ》から受けたのである。いずれにしても、富士紀行の中に、そのような事柄を書き入れるいわれはなにもない。詩人としての己の格式を、余程読者に印象づけたかったのではあるまいか。

続いて『富士見道記』には、夥しい数の酒盃が行き交う宴席で作った、和歌や連歌についての叙述がある。その時代が戦国の世であった事実をほのめかす記述は、ごくたまにしか出ない。例えば、七月二十四日の日付では、「御城御興行あるべきを、出陣の前日なれば、種々海中珍らしき物を集められて、酔臥《すいぐわ》せし許りなり」。だが紹巴は、翌日に迫った「出陣」のことは、これ以上なにも触れていない。その代わり、緒川《おがわ》城の軍兵すべてが、連歌に現《うつつ》を抜かし、連歌師宗牧が、絶えずそこに招かれていたことを書くのである。

実際に目撃した事柄の記録者として、紹巴がいかに力量不足であったかを最も明白に物語っているのは、織田信長の軍勢による尾張長島焼き打ちのくだりであろう。「夜半過ぎ西を見れば、長島追落され、放火の光り夥しく、白日の如くなれば、起出で」。そして和歌が続く、「たび枕ゆめぢ頼むに秋の夜の月にあかさん松風のさと」。この伝統的な意味でいかにも小綺麗な和歌から、作者にこれを書かせるに至った凄惨な状況を一体誰が想像出来るだろうか。これこそ当時の詩人のいくらかが、己を取り巻く残忍な現実に対して、どれほど無関心であったかを示す、最高の例だと言えよう。紹巴は、数々の町を焼き払った張本人たちと、親しく付き合っていた。それにもかかわらず、自己の栄達のほかは、すべてに対して知らぬ顔を決めこんでいたのだ。

日記の終わりに近く、紹巴は、旅を終え、従者たち共々、無事都に戻れた喜びを書いている。「さても〳〵目出度や〳〵と云ひ酔ひくらしぬ」。そして締め括りには、例によって「定めなき世」への言及がある。「仮りのころもを脱ぎても、かたはら淋し。ゆく末如何ならん」。実際他には、そうした定めなき世の犠牲となった人々も少なくなかった。だが紹巴は、己の運命は己の手で統御すると意を決していた。彼は日記の中でそう書いている。そして権力の交替まことに目まぐるしかったあの時代にしては、驚くほど見事に成功を収めたのである。

日記に現れた紹巴の人間像は、決して魅力的とは言えない。また日記以外の典拠によって見ても、同じ印象は拭われない。彼は早くから、有力なパトロンを得ることの重要さを認めていた。己の栄達に役立ちそうな人物と思えば、どのような者をも遠ざけることがなかった。初期（一五五〇年頃から）のパトロンには、例えば三好長慶がいた。そして長慶の軍事的実力が増すにつれて、連歌師としての紹巴の威信も上がっていったのである。また一五五六年には、細川幽斎と同じ連歌の座に連なったが、これは、後年における彼の栄達に、大きく役立つつながりとなった。紹巴は、織田信長、明智光秀、豊臣秀吉、豊臣秀次など、指折りの大物に、次々に仕えている。そして常に新しい主人に、巧みに取り入ったのである。

玄与日記

里村紹巴《じょうは》の身に稀にしか起こらなかった災厄の一つは、彼と関白秀次との密接な関係に起因する。秀次は秀吉の愛顧から外された一五九五年、切腹を命ぜられている。そして秀次の親近紹巴は、近江の三井寺に追放されることになる。百石の禄と、家財一切は召し上げられる。

追放中の紹巴に関しては、玄与《げんよ》という人物の書いた日記の中に、興味深い記述が見える。玄与とは、朝鮮出兵にどうしてもついて行きたがって、秀吉の不興を買い、鹿児島に追放されていた公卿近衛信輔《のぶすけ》（後の三藐院《さんみやくいん》近衛信尹《のぶただ》）が、赦されて京都へ戻る際に随行した僧である（秀吉は、位の高い貴族が軍に加わることを認めなかった）。

一五九六年、秀吉は、信輔の帰洛を許したが、玄与の日記は、その旅を取り扱い、崇徳院が流された白峰など、その途次に見たさまざまな土地の印象を描いている。玄与は、京都に着いた後も、かなりの時間を名所見物についやしているが、この日記が、とくに面白く読めるのは、まさにその部分である。というのも、今日京都にある建造物で、応仁の乱以前にさかのぼるものはほとんど何もないのに、玄与が見物したものは、その多くが、今もそのまま残っているからである。

一五九六年十月十三日、細川幽斎と共に、玄与は三井寺の紹巴を訪れている。彼は日記に、次のように記している。「三井寺坊舎皆々くづれはて、紹巴の栖古寺《すみか》の傍也。終日遂閑談。日くれ侍ればかへり侍りぬ。三井寺のかねかすかに残りて、淋しき事ども也」。

玄与は都にいた間、ずっと紹巴と文通を続けている。時としては連歌を送り、批評を求めたこともある。例えば十一月のある日、幽斎と共に両吟《りようぎん》を作り、紹巴に送るが、その結果について、彼はいかにも得意げである。「紹巴老人より褒美の一書預り候」。

一五九七年の二月、玄与は再度紹巴を訪ねる。九州への帰途につく少し前のことである。「十九日大津に着ぬ。其夜紹巴へとまりて、いろ〳〵の物語也。(中略) 紹巴宿所を別れ侍る時節、扇など給りて、又はる〴〵送出られて」。玄与は、紹巴のごとき高名な詩人から、そのような好遇を受けて、明らかに感動している。紹巴は紹巴で、追放の身ながらも、己がまだ世に忘られてはおらぬことを知り、定めしうれしかったことであろう。紹巴はその年の秋に赦され、京都に戻っている。間もなく彼は、連歌の座にも盛んに顔を出すようになり、昔の主導権を再び取り戻す。明くる一五九八年には、秀吉に随行して、醍醐の花見行にも加わっている。彼は完全に赦されたのである。

『玄与日記《げんよにつき》』の興味深い部分は、紹巴のことを述べた個所だけとは限らない。入洛中に経験したさまざまな遊芸の記述もまた、興味津々である。すなわちそうした遊芸——碁、将棋、茶の湯、能楽など——は、今なお日本人に親しまれているからに他ならない。私たちが玄与を身近に感じるのは、一本の絶ち切られることのない伝統の糸が、彼の時代と現代とをつなげているからであろう。玄与すら幽斎の『伊勢物語』の講釈を聴いたり、「古今真名序《まなじょ》の清濁伝受」の指導を受けたりしたという記述を読むと、秘伝として知識を伝授してゆく、いわば厳格な中世的な伝統が、この頃からだいぶ崩れかけてきたのではないか、と感ぜられるのである。だが玄与の時代と、現代との違いもまた面白い。一例をあげるなら、一五九六年の十一月二十六日に彼が見たという南禅寺での能である。その日、細川幽斎の四男茶智丸が、九つもの異なる曲に出演したというが、これは明らかに当時の能のテンポが、今日のそれと比べてはるかに速かったことを証明している。

漢文で書かれた同じ時代の日記もそうであるが、玄与の日記は、おもに当時の人々の生活を語っているがゆえに興味深いので、作者の人間を表出しているから、というのではない。玄与という人物、そして彼の日記が、今日ほとんど完全に忘れ去られているのも無理はないのである。

幽斎旅日記

初めは日本の統一、次いで朝鮮出兵など、秀吉が起こした戦役は数多い。ところがそれに参加した多くの武将中、なにがしかの文才があったものと言えば、その数たるやまことに少ないのである。細川幽斎《ゆうさい》、そして木下長嘯子《ちょうしょうし》の二人が、それぞれ自己の体験を記録する日記を書いた。

足利幕臣三淵晴員《はるかず》の次男として生まれた幽斎は、大名であり、和歌、連歌共によくした。弟子の松永貞徳はこう書いている。「この幽斎法印は凡人にあらず。定家卿の御再誕として、末代に出給ひ（この末世に出現した）」。貞徳は、幽斎と定家とがたまたま同じ日、すなわち八月二十日に没した事実を、とくに重要視している。単なる偶然以上のものだと主張するのである。彼は子孫に与えた遺言の中にも、自分自身への奉仕は忘れても、幽斎への奉仕だけは、夢《ゆめ》忘れるな、と言い遺している。それほど幽斎を畏敬していたのである。

公的生活では傲慢で、己の富を鼻にかけ、私的生活では、肉欲に耽るのみであった当時の大名とは、同じ大名でありながら、幽斎は、人間が全く異なっていた。自身すべての技芸に熟達していたにもかかわらず、己より「凡下《ぼんげ》のもの（才能の劣ったもの）をもいやしめ給はず」、と貞徳は言っている。歌人としても傑出していたことは、「古今伝授」のほまれを得ていた事実だけでも分かる。

　幽斎は、秀吉の戦役、天正十五年（一五八七）の島津征伐、そして同じく十八年の小田原征伐の最中（あるいは直後）に書いたとおぼしき、二つの日記、『九州道の記《きゆうしゆうみちのき》』と『東国陣道記《とうごくじんのみちのき》』を残している。両者とも、文学的には出来のよい作品とはいいがたい。もっとも、それらに盛られている情報自体、また文学の新時代到来を告げるいくらかの予兆が含まれている事実によって、所々興味をそそる個所はないでもない。例えば田辺（現在の舞鶴）の居城から九州へ行く道すがら、幽斎は、日本海岸のある「漁人の家」で一夜を過ごす。その時彼は、次の歌を詠んでいる。「哀れにも未だ乳のむ蜑《あま》の児のかゝのあたりや離れざるらん」（『九州道の記』）。「かか（母の俗称）」と地名加賀との掛詞、そして「乳飲む」赤子などを出したところ、定家風とは義理にも言えないのである。むしろ、幽斎の弟子松永貞徳が以後発展させることになる俳諧風に近い。

　この日記には、秀吉への、読んでいていささかじれったい言及もある。「同（六月）八日。利休居士へ関白殿渡御ありて、暫らく御物語ありて後、一折と催されて発句仕まつるべきよしにて、箱崎八幡の心を……」そして発句「神代にもこえつゝ涼し松の風」。また二十七日にも、「関白殿、花瓶あまた取出されて、草花を生けられたる御座敷にて、俄に一折催されて、発句仕ふまつるべき由あれば……」。だがもし幽斎が、その時の秀吉を、もう少し克明に描いてくれ、秀吉と利休の間に交わされた「物語」の性質に関するヒントだけでも与えてくれたならば、この日記は、さらに印象深いものとなったことであろう。しかし残念にも日記は、主としてさして面白くもない連歌と、さらに面白くもない和歌とに、多くの紙数を割いている。『東国陣道記』という短い日記は、もっとつまらない。ただの一個所だけ、幽斎は戦に触れている。「山中にて一柳《ひとつやなぎ》討死の事を」。続いて和歌一首、

あはれなり一柳の芽もはるにもえ出でにたる野べのけぶりは

この歌からは、少なくとも幾許《いくばく》かの情緒が伝わってくる。だが幽斎は、ほとんど名所見物ばかりしていた模様である。例えば五月十二日付では、「鎌倉を見侍りしに、兼て思ひやりにしも越えて、荒れたる所なれば」。そして歌、

古《いにし》へのあと訪ひ行けば山びとのたき木こるてふかまくらの里

当時の戦は、明らかに今日のそれより、はるかにのんきなものであったように思われる。それとも幽斎の中の詩人的性情の方が、軍人のそれよりはずっと優勢で、従って戦場よりは、歌枕の方により一層心を動かされたのであろうか。だが渡る時の不安感を述べた歌で名高い木曾の掛け橋にさしかかった際、彼も和歌一首を詠んで、揺れ動く橋と、定めきなき時代、そのいずれもが与える危機感を示唆している。

此の明方に、木曾の掛橋を渡りてのぼりけるに、月の河上にうつりてすさまじきに、霧わたりて夜のさまいへば更なり、

世の中の危き道もくもみづのなかばに出る木曾の掛はし

九州の道の記

秀吉の諸戦役の間に書かれた、おそらく最も文学的な日記は、木下長嘯子《ちようしようし》の『九州《きゆうしゆう》の道《みち》の記《き》』であろう。巻頭に、簡潔な背景の記述がある。

大相国《だいしやうこく》、唐土《もろこし》かたむけさせ給はんとて、天正の末つがた、筑紫に御出あるべき由のこと定まりにければ、日の本の兵《つはもの》は残らず供奉《ぐぶ》す。自からも、睦月《むつき》の五日頃に、京《みやこ》を思ひ立出なんとし侍りける……

長嘯子の旅は、瀬戸内の海岸線をまず下関に下り、そこから九州に渡る、という道程を取った。道中の記述のどの点においても、戦の準備や、朝鮮出兵に関する興奮について述べた所はない。その代わりに、旅の途次立ち寄った土地（とくに歌枕）の詩的な描写がたっぷりある。その度ごとに、作者は、昔あって今はない史跡や人物のことを人に尋ねている。といって長嘯子が、旅の間、終始昔の事のみを思っていたというわけではない。鹿島という所では、土地の主《あるじ》に丁重に迎えられ、蹴鞠《けまり》の遊びに興じている。

鞠なん仕うまつらんと、強《しひ》て申しける程に、去り難く覚えて、装束など取寄せ、日暮るゝまで、鞠蹴などして遊びける。其のあたりなる男女ども、皆集り来て見けり。田舎には、かゝる事もめづらかにや覚えけん。

これはスポーツに夢中になった日記作者の、私が発見した最初の事例である。また「田舎者」についてのコメントも、長嘯子の詩と、私たちが知るかぎりの彼の人生とに見いだされる、ユーモアと個性を、典型的に表現している。

長嘯子は、細川幽斎の下で、武人という本職からの、単なる気散じとして、和歌を始めたようである。もともと低い身分の武士の出だったが、彼の一族は、二つの好運な婚姻のおかげで、高い地位にのし上がり得た。彼の叔母寧子《ねね》は、秀吉の室となり、娘は、徳川家康の五男信吉に嫁している。一五八七年、長嘯子わずか十九歳の年、竜野城主に任ぜられ、一五九二年、朝鮮出兵の年には、秀吉について肥前名護屋まで行っている。この時すでに、歌人として彼は一家をなしていた。そのことは、自分の体験を描いたのではあるが、『伊勢物語』の在原業平にかかわりの深い、次のような日記の記述にも明らかである。

月の山の端に澄み昇りて、さやかなるに、故郷人《ふるさとびと》もかくや眺むらんと思ひ出でゝ帰りにけり。玉鉾《たまぼこ》の道も遥かならねば、幾何《いくばく》もあらぬに来着きぬれど、内に入るべくも覚えで、宿の前なりける辻堂の、毀《こぼ》れかゝりたる板敷の上に、夜更るまで立ち、月やあらぬ春やむかしと、独りごち居て侍りけり。明くれば、故郷へ文つかはす。親しかりける友達の許にかくなん。

思ひきやおなじ此の世にありながらまた帰りこぬ別れせんとは

(「月やあらぬ春や昔の春ならぬわが身一つはもとの身にして」『古今集』在原業平。この歌の詞書には、「……月のかたぶくまで、あばらなる板敷に臥せりて詠める」とある)。

この日記は武人の作品ではなく、やはり詩人のそれである。長嘯子は、戦を目前にひかえ、喜びも恐れも表現していない。業平のように憂愁をこめて、こう書くだけである。

春のものとて雨そゝぎしけり。日もやうく暮れなんとすれば、人住む所にもあらぬ、わづかなる沖の小島に舟寄せて、僅かに一夜を明しけり。たぐひなくもの心ぼそし。浮き寝の哀れも身に知られて、まどろむとしもなく、涙のをり知りがほなるに、時しもあれ、篷《とま》もる雫の袂にかゝりける……

日記には、ある月明かりの夜、淋しい浦に舟を着け、浜辺に上がっていった時のことを描く、まことに感動を誘う文章がある。漁師の家の灯が見えるので、作者は、彼らの棲み家を求めてさまよってゆく。

家もはか〴〵しき柱は立て作らず、唐櫓《からろ》舵《かぢ》などいふものを打渡し、唯一重に、まばらなる篷を引掛け、岩の角を耳にあて、身を真砂に附けてぞ臥しける。彼が身に生れたらましかば、如何はせん。己は住家と思へば、さまで憂からぬにこそ。やう〳〵月も澄み昇りて、渺々《べうべう》たる真砂に光《て》りあひ、玉を敷きたる如くに見えける。

美しい文章である。今から戦場に赴く武人が書いたものとは、到底思えない。だが長嘯子は、決してただの軍人ではなかったのである。後年、豊臣家につくか、それとも徳川家につくか、この重大な二者択一に迫られた時、彼はあっさり武人をやめ、京都へ行って生涯そこで隠棲している。もちろん歌人としてである。

高麗日記

いわゆる文学的な意図をもって書かれた日記は、秀吉による戦役の実相を伝えることがきわめて少ない。だが非文学的日記の方では、さまざまな作品が、日本の朝鮮侵攻を詳細に描いている。北島万次教授の貴重な研究『朝鮮日々記《ちょうせんにちにちき》・高麗日記《こうらいにっき》』は、戦役当時朝鮮人によって書かれた日記のみならず、日本人の、そのような日記からの抜粋も収録したものである。

鍋島直茂《なおしげ》の麾下に戦った田尻鑑種《あきたね》は、いわゆる従軍日記を付けていた。『高麗日記《こうらいにっき》』である。初めに彼は、これを書いた理由を次のように述べる。「あまりの徒然《とぜん》さ、親子談合候て道すがらの躰《てい》又船本《ふなもと》迄罷《まかり》着候様躰《ありてい》、日記ニて遣《つかはし》候……」。あまり退屈だったので日記を書いた、という鑑種の正直な告白に驚く読者は多いかもしれない。戦につぐ戦で、到底退屈どころではなかっただろう、と想像するからである。だがこれは私自身の体験とも一致していて、短期間の戦闘のあとには、普通必ず長い退屈な時期が続くものなのである。多分戦争というものは、昔からずっとこうしたものであったにちがいない。

鑑種は、起こった事件を正確に描写することに腐心していて、文学作品を創造することには、何等関心がなかった。作者の個人的感情にも、文学的魅力にも乏しい日々の記録を、平凡な候文《そうろうぶん》でただ書き綴ったのである。例えば天正二十年（一五九二）四月二十七日、日本軍の船隊が釜山湾に入った時の記述。

酉《とり》のこく時分より高麗の山をミて、亥の刻にほどなくふさんかい江口《えぐち》ニこぎ入候、然《しかる》処《ところ》、ふちあんないゆへ、とほうをくらし迷惑ニおよび候ところニ、小船一さうこぎ入候、たがい二言をかハし候処ニ、江口あんないよく存候……

それよりおよそ千年以上も前、大和王朝の任那《みまな》開設以来、これが日本による初めての朝鮮侵略であったことを思えば、少々くらいの筆の昂《たかぶ》りはあっても不思議はなかったはずである。ところが鑑種の筆つきは、日本軍によって殺された無数の朝鮮軍民のことを描く時も、捕虜にされ、使役を強制された多くの人のことを描く時も、一向に変わるところがないのである。

鑑種の叙述に、幾分なりとも興奮の気色《けしき》が見えるのは、三十隻ばかりの日本の船隊が、「番（蛮）船数百さう」を打ち破った五月二十八日の海戦の記録である。これに続いて、日本の神々の助けにより、新羅の進攻を、神功皇后が撃退した時の話の要約がある。作者が日本軍の勝利をたたえたことは、驚くに当たらない。しかしその勝利にまつわる野蛮行為の詳細については、現代の日記作者なら書かなかったようなことを、彼ははばからずに書いている。六月一日付の記述にはこうある。「若衆三里程差出、大寺を破り、粮《かて》など取《とる》」。別の日記『普聞集《ふもんしゅう》』は、同じ寺の襲撃を書くに当たって、さらに歯に衣を着せていない。「楼門高く峙《そばだ》テリ、直茂、清正（加藤）大門ヲ打破り、僧侶ヲ追ハラフテ、米粟金銀ヲトル』。

これよりさらに仰天させられる記述が、種々の従軍日記に出ている。殺した朝鮮軍民の鼻を削《そ》ぎ落とし、京都に持ち帰り、鼻塚（今では耳塚と呼ばれている）を築いた、という話である。例えば、

本朝の鋭士、城を攻め地を略す。而して、撃殺すること無数なり。将士、首功を上ぐべきといへども、江海遼遠なるを以つて之を劓《はなき》り、大相国（秀吉）の高覧に備う。

（『鹿苑日録』）

現代の戦争は、これらの日記に描かれた最も残虐な行為と比べても、ほとんど想像を絶するくらい恐ろしい。だが、兵士のみならず、婦女子の鼻まで切り落とし、無防備の町村を気紛れに焼き払い、軍兵の居所を知るためには農民を買収するなどという恐ろしい事実も、少なくとも想像は出来るのである。現在にさらに近い時代でいえば、火野葦平の『土と兵隊』に出ている中国人捕虜の斬首《ざんしゅ》、また私が戦争中に読んだ日本人の日記にあったアメリカ空軍兵士に対する同じ行為は、思うだに血が凍る。しかしどこかの遠い国に対する空爆のニュースを聞いても、単なる抽象的な出来事としか感じられないのである。

戦闘に参加した将兵の中には、殺戮《さつりく》を大いに楽しみ、帰国してわが子に、己の「功名」としてなつかしげに語った者もあろう。しかし攻められた朝鮮の人々にとっては無論のこと、

無数の日本人にとっても、この戦役は、単に恐怖と嫌悪の情を引き起こす以外の何物でもなかったのである。

Ⅳ　徳川時代

回想録に近い作品の出現

『土佐日記』を始めとして、室町時代の終わりまでに書かれた日記のすべて、またとくに文学的に重要性のある漢文日記数篇について、私はこれまで縷々《るる》述べてきた。しかし徳川時代以後になると、現存する日記の数は実に多い。従ってそれらの日記すべてを、いちいちあげつらうのは不可能である。それゆえ私に出来ることは、文学的価値を持つもの、およびその作者やその時代に関して何物かを語っているもののみを取り、その他はすべて切り捨てることしかないのである。

もっと早い時代によく書かれた、あの日記と自伝との混成作品とは異なり、本来の意味の日記でありながら、しかも文学的に価値ある日記が初めて出現したのは、他ならぬ徳川時代であった。初期の日記には、起こったことをその日にすぐに書きつけていったものではなく、何か月も、時には何年もあとになって書かれたものが多かった。従ってそれの持つ正確性には、疑問の余地が多分に生じてくる。しかし、その文学的価値は、時間と、作者の記憶とによっていわば濾過され、かえってより一層高まっている。それに反して、徳川時代に成立した多くの日記は、天候、来訪者、病気、その他諸々の些事を逐一記録した、いわゆる「付けられた」日記なのである。例えばここに、滝沢馬琴の日記から、行き当たりばったりに一文を引いてみる。天保二年（一八三二）二月二十一日には、まず「曇り後雨」、という天候の記録があり、ついで次のような記述がある。

今暁七時比《ごろ》、谷中辺ニ火事有之《これあり》。人多く門前奔走、尤《もっとも》近く見候間、宗伯、上野広小路近所迄罷越、聞合候処、谷中のよしニ付、帰宅。又就枕。

江戸の火事を調べている歴史家なら、この一節の中に、何等かの価値を見いだすかもしれない。あるいは馬琴の家族的背景の研究家なら、彼と息子宗伯《そうはく》との関係について、ある手掛かりを発見することもあるだろう。しかし普通の読者には、このような文章は、面白くもなにもないのである。さらに大きな、本質的な興味が持たれる個所に来るまで、読みとばされてしまうのがおちである。しかし馬琴の日記には、興味津々たる部分も少なくはない。私もそうした点については、大いに書きたいと思っている。だが二千頁を越す彼の日記を読破するのは、それ自体並大抵のことではない。当然大事な個所を見逃すことも多いであろう。その節は、なにとぞ大目に見ていただきたい。

もう一つ気になるのは、この時代における自伝作品の存在である。さらに早い時期の日記、例えば『蜻蛉日記《かげろうにっき》』や『とはずがたり』などは、作者の生涯に起こった事件を、それが起きた時よりずっと後になって記した、事実上自伝的なものであった。しかし作者は、まるで日毎に付けた日記のようによそおっていた。しかし徳川時代には、日記というよそおいを一切捨てて、今日言うところの回想録に等しい作品が現れたのである。

松永貞徳の言明によると、彼が『戴恩記《たいおんき》』なる作品を書いたのは、己が生涯に受けた数々の「恩」を記録しておくためだったという。こうした自伝は、厳密には日記とはいえぬまでも、日本人の最も私的な書き物にのみ現れる日本的性格についての、興味深い洞察を示してくれている。それは日記に見えるものと同じものなのである。従ってそうした作品についても、私はあえて意見を述べてみたい。

徳川期における他の日記は、過去の伝統をそのまま受け継いでいる。例えば日本の日記中、最も有名なものとしての芭蕉の日記。これは多くの点で、彼自身が賛美していた阿仏尼や、宗祇のそれと共通する。またこの時代は、『竹むきが記』より三百年後、再び女性日記の興隆を見た時代でもあった。

徳川時代の日記には、独特な面白さがある。今の大抵の日本人にとって、いわば「目に見える過去」を描いているからである。この時代は、さまざまな面で、現在にまで続いている――寺院や家屋の建築がその一つ。今も日本人が着ている着物は、やはりこの時代に発祥している。また日本料理の原型が出来たのも、同じくこの時代なのである。

日本人の過去に関するファンタジーが、大体この時代に位置することの証左として、時代物映画は、ほとんど例外なく徳川時代に材を取っている。徳川時代は、それこそ手を伸ばせば届きそうに、私たちに近いのである。忘れもしない昭和二十八年、私は徳富蘇峰の講演を聴いたことがある。その時蘇峰は、子供の頃、よく大人たちが刀を振り回して戦い合っているのを見かけたと語っていた。

しかし文学の方は、決してそれほど近くはない。近松の世話物に出る不幸せな主人公に同情はしても、彼らが私たちの世界の人間だとはいいがたい。西鶴の登場人物は、さらにさらに遠い。少なくとも私たちの祖父祖母くらいに近い人物に出くわすのは、実にその時代に書かれた、日記においてのみなのである。

戴恩記

松永貞徳の『戴恩記《たいおんき》』は、一般に承認されている文学形式のいずれにも属さない。自伝的材料を含んではいても、自叙伝と呼ぶには、構成があまりにも無統制にすぎる。貞徳の幼少時代を描いた、篇中おそらく最も印象的な部分が、こともあろうに作品の末尾に来ているという具合なのである。

表向きでは、詩歌の指導を受けた師への恩義を記した書物ということになっている。師とは、とりわけ九条稙通《たねみち》、細川幽斎、里村紹巴《じょうは》である。この三人に対して、貞徳は、まさに際限のない讃仰《さんごう》の念を表している。しかもこの三人が、一人は公卿、一人は大名、残る一人は低い生まれの僧というふうに、それぞれ全く異質の人物であるのが面白い。そして貞徳は、それぞれの師にまつわる逸話のいろいろを記している。といって『戴恩記』は、一連の伝記を集めた書物ともいえない。

また一篇の随筆と考えることも出来ない。随筆というには、材料があまりにも整理されており、また詩人貞徳の体験のみに限られているからである。またこれを、日記と呼ぶことも出来ない。だがそれ以前の日記に見えるような材料も、この作品には含まれている。従って戦国時代の末期、そして新秩序の始まりを生きた一人物の証言としてこれを考えるのが、おそらく最も当を得た考え方ではなかろうか。

徳川初期の文学を研究する者が、どうしても直面しなければならぬ一問題、それは徳川家を褒めたたえた文人たちの誠実さの問題であろう。例えば芭蕉が、将軍家の廟所日光で作ったという、詩人の徳川将軍に対する深い敬慕の情を表した有名な句、「あらたふと青葉若葉の日の光」である。この句を初めて読んだ時、私はほとんど本能的に、これは芭蕉の本心からの賛辞ではなく、いわば儀礼的表敬句であろう、と勝手に解釈したものである。私自身は、まかり間違っても、幕府の専制下に生きた方がよかったなどとは思わない。そして芭蕉のような詩人が、歴代の専制君主を真に敬慕していたとも、考えがたいのである。とはいえ、私がどのように思おうと、おそらく芭蕉は、将軍家を、誠心誠意尊崇していたのにちがいない。

松永貞徳の場合も、彼が次のように書く時、彼の真摯《しんし》さを疑うことはむずかしい。

御当家様の御恩こそ、山よりもたかく、海よりもふかき事にて侍れ。一人の身に当《あたり》ての儀ならぬにより、おもひしらぬやうなれども、あまりに大きになる御情なるゆへ成べし。たとへば闇夜を行《ゆく》にしらぬ人、挑灯《ちやうちん》ひとつあたへたらば扨《さて》もうれしとおもひ、一生の間芳恩と存《ぞんず》べきを、毎朝日天子《につてんし》の出て照させ給へども、有がたしと掌《て》を合て拝み奉る者なし。

貞徳は、多くの者が、己が徳川家から受けている恩恵を当然と考え、感謝の情が薄いことを歎いていた。だが彼は、過去を忘れることが出来なかったのである。

我等生《うまれ》しよりこのかた、度々の兵乱ありし時は、町々の門戸をかため、辻々に堀をほり、或は新関をすへ、或は逆茂木《さかもぎ》を引《ひき》、かりそめの往還も自由ならず。まして近国他国の便宜（便り）もきかず、雑説（流言）のみ多てあけ暮肝《きも》をけし、財宝をかくし、逃所をもとめ侍し。

貞徳がここに描くような乱世に生きたことのあるものなら誰しも、幕府がもたらした秩序の確立に貞徳がなぜそれほど感泣したか、容易に理解出来ようというものである。貞徳の記憶に残っていたものは、世上一般の混乱ばかりではなかった。一五七三年、貞徳まだ三歳の年、織田信長の軍勢と、将軍足利義昭のそれとの間に、京都で戦が起こった。住民は都を逃げ、田舎に避難の地を求めた。貞徳の両親は、四人の子を連れ、北を目指した。貞徳はこう書いている。

路次の難艱《なんがん》中〱いふにたらず。中にも迷惑せしは、ある山川の岩波たぎりて、かち（徒歩）渡りおもひもよらざるに、たゞほそきひとつばし（一本橋）有けるを、おさなき子は右の手にてかゝへ、丸が（自分の）あねの六つばかりになりしを、左の手にてひき、よこざまにそろ〱と渡られしを、こなたのきしより、それも子供を前うしろにいだき、見やりたれば、橋の半《なかば》にて父が顔の色、下の水よりもあをくみえしと、後に母の物語有しを、いま思ひ出すに、父母の心のうち思ひやられてかなしくこそ侍れ。

この体験を記憶するには、その時貞徳はあまりにも幼すぎた。それでもなお、この出来事は、彼の人生に、何等かの影響を与える一事件になったものと思われる。またこれは、彼の徳川家に対する尊崇の念ばかりではなく、その目立って臆病、かつ保守的な性情の、よって来るところも、よく説明している。

松永貞徳が今日もなお記憶されているのは、一つには彼が、それまでは和歌と連歌にのみ許されていたような、いわば作詩の規則を俳諧式目として作りあげ、俳諧に一種の品位をもたらしたからである。その貞徳が、己の名が俳諧に結びつけられるのにいたく当惑して、門弟が彼の俳諧作品を上梓する許しを求めた際、初めはそれを断ったというから皮肉である。自作がその集に入ることを、結局はしぶしぶ承知したが、自分の名を出すことは許さなかった。「後書」には、本文は「さる老翁」の閲覧を受けた、とのみ記してある。

俳諧という、当代で最もダイナミックな詩の運動に、わが名が結びつけられるのをそれほど嫌った貞徳の心理の裏には、おそらく幼少時の体験と教育との所産と思われる彼の一徹な保守主義があった。

彼がまだ少年の頃、詩人としての貞徳の早熟な才能に気づいた父は、公卿詩人であった九条稙通《たねみち》のもとへ、和歌を習わせるべく彼を送っている。稙通は、正統和歌にかけては、まるで宝庫のような人物として敬われていたのである。稙通の方でも、少年貞徳の神童ぶりには感心していたようで、詠歌のこつを教えただけではなく、まだ十三になったばかりの少年に、『源氏物語』に関する秘伝さえ伝えている。この秘伝とは、その実、主として言葉のむずかしい発音、およびそれに類する難解な学問的知識から成っていた。だが貞徳は、師稙通に深い感銘を受けた模様である。彼は『戴恩記』の中で次のように書いている。「丸がまいりて物習ひ奉りし比《ころ》は、御よはひのほど八旬（八十歳）にたけ給ひしかども、少も御ほれけ（もうろく）もましませず」。

稙通が貞徳に教えたのは、二条流の作歌法であった。だがこの頃には、ありふれた主題を繰り返し歌うことによって、歌を詠む霊感自体が、もはやいちじるしく衰弱してきていた。従って、作歌に関して言えるなにか新しいこととしては、全くなにものもなかったのである。というわけで、貞徳の和歌は、読んで単に退屈なだけには留まらない。どれもこれも同じような歌ばかりで、六十年にわたる彼の作歌歴にあって、これといって文体上の変化が、ほとんどなにも認められないのである。

貞徳は、和歌の師匠、稙通、幽斎の二人に恩を感じるのみで、和歌の術に関する重要なことは、すべて二人が知悉《ちしつ》していることを夢にも疑わなかった。ある時、「佐野の渡りのほとゝぎす」という言葉を入れた歌に、幽斎がケチをつけたことがあった。第一、と幽斎は言う、「都にてある会には、他国の名所をよまぬ事なり」と。それのみでなく、「佐野の渡り」と「ほとゝぎす」とを、「同じ和歌の中に組み合わせた先例もない」のだと。このようなこうるさい伝統主義にいらだつどころか、貞徳は、これでこそ立派な師を持った甲斐があると感じている。

かやうの事を古実として、歌よみの重宝にする事也。師匠なくてはしられぬ義なり。又しる人ありても、かやうの御口よりきかねば、証拠にならず。いまこゝに丸が書《かき》をくこそ、末代までの証跡なるべし。

貞徳は、和歌の伝統が定家から幽斎まで、連綿と受け継がれているのだと、誇らしげに言い切っている。「一器の水を一器にうつすやうに、口づから伝へ給しなり」。文字にした「歌論」などより、特恵により、師から弟子へと伝えられる口伝の方がさらに大切だ、と信じていた。彼は書いている、「詞にて伝ふる秘事多し」と。しかし貞徳の時代にさえ、権威に対して逆らう者はいたのである。彼は、歌に対する己の態度を、そうした反抗者のそれと対比している。

丸がわかき時までは、いかなる初心の輩までも、師説を受ずして、歌書をのぞく事は、はぢおもふ心あり。今のわかき衆は、人に物習ふ事を、かへりて恥がはしくおもへり。

しかしながら貞徳は、己の正統に内在する、根本的な矛盾を悟っていたようである。彼は定家を、歌道の最高権威として崇拝していた。だがその定家は、次のように書いたことがあった。「和歌無《ニ》二師匠《シ》一只以《テ》二旧歌《ヲ》一為《ス》レ師《ト》」。これは貞徳には、受け入れ難い意見であった。従って彼は、むしろ稙通の肩を持った。彼は貞徳に、こう告げたことがあったという。「和歌をよみ習には歌書はいらぬ事也。今までのそこの歌学も過分の事也。（中略）初心の時は、たゞ歌を明暮よみて、師匠の指南をうるにしかず」。秘伝への貞徳のこうした依存は、定家よりもさらに保守、という烙印《らくいん》を彼に押すことになるかもしれない。だが彼の性格には、もう一つ、さらに革新を好む面もあったのである。

　貞徳の二人の師匠は、いずれも、彼に連歌から手を引くようにすすめている。貞徳は記している。「有時、殿下（稙通）へ『歌はいかやうにしてよみ習ひ申べきぞ』と申上ければ、『先《まづ》連歌をすてよ。おなじ道ながら初心の時はさはりと成なり』」。幽斎もまた、次のようにすすめたという。「歌を詠まんには連歌を先《まづ》さしをけ」。

　ところが貞徳は、この上なく尊崇していたはずの二人の師の忠言を、共に無視したのである。おそらく、歌人として認められるには、天分もさることながら、家柄にもよることを、先輩宗祇と同じように、彼も気づいていたからではあるまいか。祖父は高槻の大名であったが、父は僧として育てられ、のちには連歌師となった。さほど高くない身分に生まれた才勝れた少年にとって、和歌よりは連歌を学ぶ方が、もっと立身の機会が多い、と気づいていたのであろう、父は息子貞徳を、あえて己のライバルであった紹巴のもとに、連歌を習わせるべく送ったのである。

貞徳は、どのような代価を払ってでも、「古今」の秘伝を受けるようにと、師から言ってもらいたかったようである。ところが幽斎が彼にしてくれたことは、せいぜい秘伝書の表紙を見せてくれることにすぎなかった。この秘伝の知識なくしては、彼は到底第一級歌人として認められることはなかったのである。だがそれに関して、彼はひとことの不平も言ってはいない。高からぬ生まれの者として、和歌よりは連歌の道を歩ゆむのが己の定め、と彼は思っていたようである。稙通は、次のような言葉で紹巴を批判したことがあった。「彼法橋《かのほっけう》（紹巴のこと）連歌は上手なれども、古歌の心に達せず」。その時貞徳は、「丸がわかき心にも尤《もっとも》と存《ぞんぜ》られし」と言い、ひとことも反撥していない。謀叛の形跡はどこにも見えないのである。

それでもなお貞徳は、時代の波に洗われずにはいなかった。慶長八年（一六〇三）に、彼は自分より十二も年少の、一人の重要な友を作っている。林羅山である。すでに数年間儒学書をひもといていた羅山は、それに基づく己の解釈を、友を集めて講釈することにしたという。そしてそのいわば見返りとして、貞徳も、『徒然草』の講義をせよと頼まれる。彼は初め、自分が個人的に受けた教えについて公衆の面前で講釈するという、あまり先例を見ぬ行為を引き受けることに気が進まなかった。だが結局口説き落とされて承知する。この時貞徳は、『徒然草』のみでなく、『百人一首』の講義もして、大衆教育におけるこれらの作品の重要性を、初めて世に認識させた。

ところが彼の古典文学の師匠中院通勝《なかのいんみちかつ》が、このことを伝え聞き、「人の発起（人の依頼）

もなきに、群集（士分ではなく一般人）のなかにて、大事の名目（秘事）などをよみちらし侍りける」と言って激怒する。貞徳これを深く恥じ、次のように書いている。「丸がごとき卑賤の者ならば、よびよせて打擲《ちやうちやく》もすべきを、上﨟《じやうらふ》にておはするゆへ、打ちむかひては御色にもいださせ給はざりし、はづかしさよ」。しかしその「はづかしさ」にもかかわらず、貞徳が将来進むべき啓蒙家としての道は、これで定まったのである。

元和五年（一六一九）のことである。羅山が、のちに江戸の昌平黌《しようへいこう》となる学校を、かねてから京都に創立しようと思い、家康の許可を得ていた（しかし、実現できなかった）、その影響であろう、貞徳は京都に、四歳から十一歳までの、おもに士分の家の子に、書道と素読《そどく》を教える学校を開いている。伊藤仁斎《じんさい》、木下順庵《じゆんあん》、その他江戸時代のそうそうたる学者が、京都における同種の学校の最初のものであったこの学校に学んでいる。

その間貞徳は、狂歌および俳諧の連歌を作る詩人としての名声を得る。だが彼は、こうした創作を、単なる即興的警句にすぎぬもの、従って記録する価値もないものと考えていた。そして彼がそうした否定的な態度を、初めて考え直すようになったのは、門弟たちが、彼の作品を含む選集を上梓し、それが好評を博した後である。彼にとっては心外なことであったが、いつの間にか彼は、俳諧という新しい詩の分野では、押しも押されもせぬ第一人者に祭り上げられていたのである。しかし彼も最後には、それ独特の目的と規則とを持つ、一つの立派な詩形式としての俳諧を弁護している。そしていかに多くの勝れた昔の詩人が俳諧詩を作ったかを言い、その権威を高めようとしたのである。

貞徳の俳諧詩といえども、今日読んでさほど興味を唆るものではない。だが俳諧史において、彼が一つの重要な地位を占めることは、確かである。そして『戴恩記』は、貞徳というこの超保守的な詩人が、いかにして日本の詩で、最新の詩形の先達《せんだつ》となったかを、明らかにしてくれる。

丙辰紀行

林羅山（道春）という名を聞くと、私たちは、儒学の最も正統的な形式を思い起こす。また羅山創設になる学校昌平黌《しょうへいこう》は、長らく儒学研鑽のいわばセンターであったし、林一族は、以後何代にもわたって、徳川時代支配階級の精神的拠《よ》り所としての儒教を擁護し続けた。羅山自身、任命された時はまだ若年ではあったが、徳川家康の学問上の顧問であった。そして、儒教倫理の理想に基づく永続的な社会秩序確立の必要性を説きつけ、家康というしたたかな武人を、平和の人に変貌せしめるに力があった。

日本社会の倫理的バックボーンとしての儒教の、計り知れぬ重要性を確信する学者ですら、羅山の著作に、ざっと目を通すこともまれなようである。いかにも無味乾燥という匂いが、頁の間から立ちのぼってくるからであろう。また、羅山のことを好もしい人物として考えてみることはむずかしい。いや、羅山がまだ若く、儒教が日本人にあまりよく知られていなかった時節に、彼がどのような人物であったかを想像すること、これもまた容易ではない。

しかし松永貞徳の『戴恩記』は、いささか意外な羅山像を描いている。羅山が朱子学について公開講義の際に見せたように、彼は貞徳に比べると、新しい大衆文化に、もっと若々しい情熱を燃やしていたようである。のちに昌平黌は、正統の砦となる。だがそもそもこの学校の建学の目的は、教育における仏教的伝統からの、果敢な訣別を断行することにあった。出家としてこの世から隔絶して生きよ、と若者に教えるのではなく、合理主義と人間同士の「義」のつながりを強調して、社会の只中にあって生きよ、と教えたのである。

羅山が『丙辰紀行《へいしんきこう》』を書いたのは元和二年（一六一六）。三十四歳の時であった。これは江戸から京都への旅を描いているが、彼の哲学的な著作に比べて、その筆致は、もっと懇切である。その年四月、後援者であった家康が死んでいる。日記には、その死を歎き悲しむ表現が、時折ながら見られる。浜松に近い中泉という所では、獲物が多いというので、家康が毎年ここへ狩りにきたこと、そして自分もその供をしたことなどを思い出している。また水《みな》口《くち》という所では、やはり家康を想起してこう書いている。

去歳八月四日、大相国二条の御所を出御ありて、翌日此所に着かせ給ふ。其日より、打続き雨ふりければ、三日逗留まし〱けるに、夜更るまで御前に余も侍りし時、学而《がくじ》の篇をよめと、仰せければ、跪づき開きはんべりしに、能竭㆓其力㆒、能致㆓其身㆒（能《よ》く其《そ》の力を竭《つく》し、能《よ》く其《そ》の身《み》を致《いた》す）とある所を、みづから御読ありて、能《よく》といふ字に、心をつくべきなり。なほざりにては、忠孝たち難し。親には力をつくし、君には身をいたすといつぱ、いづれかまされるといふ。評論あるべしと仰せけるに、余もかの趙苞《てうはう》（国への忠義のため己の母を殺したが、それによって孝の道にそむいたとして自害した）が故事を引て、答へ奉りしが、只今忘れ難くて、すゞろに袂をしぼり侍る。

しかしこのような『論語』談義の思い出のみが、『丙辰紀行』を代表する記述ではない。むしろ東海道沿いの各地についての、手短な描写が多い。勿論羅山も、先人が訪れた歌枕に足を留めている。だが羅山の見方は独特である。例えば三保に来た時、誰かが、これが羽衣の松だと言う。昔の日記作者ならば、そこで羽衣の伝説を語るか、あるいは、古典に見える松の姿と、今の姿とを比べ、愁いに満ちた歌一首詠んで満足したところであろう。だが羅山はこう書いている。「いづれの文に有るやらんと、人の尋ねしに、かの能因法師が、有度浜《うどのはま》に、天の羽衣むかしきて、と詠めるはこれなるべし」。ただ伝説を知るだけでは満足出来ず、羅山は、いつその伝説が発祥したかを明らかにしなければ、気がすまなかったのである。『丙辰紀行』は、東海道をゆく旅人に売る代表的な「お土産」について記した、おそらく最初の日記ではなかったろうか。例えば伊勢の庄野というところでは、「此所の民家に、火米《やきごめ》をちいさき俵に入れて、毎戸ならべておく。其俵の大さ、こぶしの如く、又は槌の如くなるもあり。輪子のせいに包み、縛《ゆは》へてあるを、旅人買とりて、家づとにすといふ」。東海道は、五十三次それぞれに固有の名産、そしてそれにまつわる文学的連想でもって、それが近世文学で演じることになる役割を、すでに引き受けていたのである。その意味で『丙辰紀行』こそ、江戸と京都の間の旅を描いた多くの仮名草子の、おそらく元祖といって差し支えないであろう。

昔の日記ですでにお馴染みの風光を描く時すら、羅山のいかにも新鮮な見方は、現代の読者の目に、すこぶる近代的と映るかもしれない。長者遊君で名高い遠江の池田では、次のように記している。

むかしは、往還の武士、軽薄の少年、鞍馬を門につなぎ、千金笑ひを買ふ所なれば、かの江口の津にも、いかで劣り侍らん。矢（屋）島大臣（平宗盛）のめされし湯谷《ゆや》も、此池田の宿のむすめにてはんべる事、世にかくれなし。今は此宿、天龍の河の東のはたに、形ばかり残りて、わづかなる小民ども、渡りを守りて居侍りける。

羅山は、自分が耳にしたさまざまな伝説については、先輩日記作者よりはもっと懐疑的である。熱田神宮に詣でた時には、彼はこう書いている。

世俗の説に熱田を蓬萊《ほうらい》といふなれば、楊貴妃を祭るといふ。されば宋大史が日東の曲（明初の文人宋景濂の日本の歌）にも、国に楊妃が祠ありといへり。是社のみならず、巫覡《ふげき》（神に仕え霊の口寄せをする者。巫は女、覡は男）の託宣、世間の伝説は、おうやう覚束なき事多かる。

『丙辰紀行』に羅山は、自作の漢詩と和歌を多数書きこんでいる（和歌を省いたテキストもある）。比叡山を訪れたあとの記述の中で、彼はずっと以前に書いたある漢詩を分析し、それにつけ加えて次のように言っている。

此詩を作りし時は、余が年二十七八にてやありけん。久しく公務の暇なくて、吟詠する事もなし。古人三日の間にも、舌本（舌の根）こはしとこそ言ふに、まして余が筆硯塵積りて、年経ぬれば、口中のむばら、いかでか詞林にまじはらむ。しかれども、江山（川と山）のたすけもあれかしと、思ふ心のゆくにまかせて、紀行の詩、今日までにて、若干首《そこばくしゅ》に成りぬ。

羅山の詩才もいささか錆ついてきていたとはいえ、この旅で漢詩（そして和歌）を書くことは、道中の風光を味わう上で、彼にとって大きな助けとなったのである。

おそらくこの日記は、おもに東海道中の詩を書くための口実として意図されたものと思われる。ある学者は、次のような意見を述べている。「東海道の往来が頻繁となるにつれ、この種の道中案内に対する要求が強く、そうした要求にこたえて生まれたものであろう」。なるほど『丙辰紀行』には、作者羅山が足跡を残した土地に関する情報は多く出ている。だがそれも、東海道の旅を試みる者の実用に供するほどには、多くはないのである。それに、将軍の儒学顧問をしたほどの人間が、主としてガイドブックを求める公衆の要求をみたすための日記を書くなど、到底考えられないではないか。

東海道の旅を描いた初期の旅日記に親しんでいた羅山は、職業連歌師とはちがい、彼のような教養人なら、いかにしてそのような旅をするかということを、明らかにしたかったのであろう。この漢詩と和歌との混成物、そして道中各地で耳にした話への、博識で時として懐疑的なコメントは、まさに教養人の日記というにふさわしいものを作り出している。羅山は、己が新しい世代に属することに気がついていた。そしてその世代、および来るべき次の世代に、儒教的光明をもたらす重責を感じていたのであろう。羅山は、『丙辰紀行』で、いかに日本の一教養人が旅を楽しんだかを語る、一つの「お手本」を描いてくれたのである。

近世初期宮廷人の日記

徳川初期の日記は、作者の誰かによらず、幕府による新体制の確立が、いかに速かに文学者にも影響を与えたかという事情の、紛れもない証左となっている。平安時代が鎌倉時代に取って代わったのちも、大方の日記は、依然として宮廷の女房たちによって書かれていた。そして鎌倉が、今度は室町に代わったあとも、諸国遍歴の僧による日記の伝統は、終わりを告げることがなかった。しかし十七世紀初頭に起こった変化は、まさに劇的だといえた。世の志向が、過去から現在へと移行したのである。昔から知らぬ者とてない歌枕さえ、個性的で、新しい感情を引き起こした。

近世日記の主流は、この新しい方向に流れてゆく。だが過去の文学伝統も、完全に放棄されたわけではなかった。この時代の日記のあるものは、依然として貴族によって書かれ、作者が新時代の人間である事実を明かすのは、ほんのたまさかでしかなかった。

例えば『篠枕《ささまくら》』。これはある公卿が、元和六年（一六二〇）に試みた、京都から江戸への旅を描いた旅日記である。作者は公卿歌人中院通勝《なかのいんみちかつ》だとされている。弟子の松永貞徳が『徒然草』の秘事を公衆の面前で講釈したと知り、大いに怒った例の人物である。文体は、通勝の作といわれるだけのことはある。ところが彼は、この日記に記された事件の、十年も前に死んでいる。従って通勝作者説は、どうにも受け入れがたいのである。作者は誰であれ、この日記には、その気分においては伝統的、その表現においては斬新で美しい章句が数多くちりばめられている。例えば、次の文章。

江尻より清見寺にかゝる。此地の風景丹青《たんせい》も及びがたし。前には碧海渺々《べうべう》浸㆓天色㆒（天《てん》色《しよく》に浸《ひた》し）、後《しりへ》には青峰層々囲㆓釣郷㆒（釣郷《てうきやう》を囲む）。岩寺の木立物古りて、風の音も耳清し。三穂（三保）崎に寄る浪は、末の松山にも比べつべし。是より浜伝ひして、目路杳《はる》かに見渡せば、小き釣舟の一つ二つ、遠《をち》の霧間に幽《かすか》に見ゆる。何時しか近く寄り来るまゝに、数多く成て見ゆ。

作者が都の公卿とあれば、さぞかし己の住む都の優雅な伝統を、新興都市江戸のがさつさと、勿論後者を見下す意味で対比さすのではないか、と読者は思うであろう。ところがさにあらず、この新興都市は、作者の心をかき立て、熱狂させている。「とく江府（江戸）に到る。今は風俗は漢の高祖、唐の太宗にも優りつべしとなん。況《まし》て源家平家は更にも言はじ」。江戸到着の翌日、作者は早速、将軍秀忠を前に講義するが、これは彼にとって圧倒的な体験となる。彼は言う。「凡ておほけなき（身の程もわきまえず、そら恐ろしい）御恵みのみなり」。昔はいかに貴族が武人を見下したかを思い起こせば、作者のこの「おほけなき」という感情には驚かされる。文字どおり隔世の感がある。

公卿烏丸光広《からすまるみつひろ》の『日光山紀行《にっこうざんきこう》』には、将軍家に対して公卿が抱いた尊敬の情が、さらにはっきり現れている。ちなみにこの日記は、家康の遺骸を新しい霊廟に移すための、駿河から久能山、そして日光への旅を記録したものである。光広は、細川幽斎について和歌を学び、「古今伝授」も授けられたほどの歌人であった。だが一時「遊蕩姦淫の罪を以て海島に流竄《るざん》され」ていたけれど、あとで赦され、この日記が書かれた元和三年（一六一七）には、国の重要な役職に任命されている。

光広は、葬列が、道筋の町々で、いかに恭々しく迎えられたかを書いている。「かくて三島に着かせ給ふ。供奉の行列昨日にかはらず。六十余国の人、我先にと集ひたるべし。菅笠を脱ぎて額に手を当て、神輿を拝み奉らぬ人なし」。また、光広が家康を礼賛する筆致は、大げさの一語に尽きる。「東照大権現は、忝けなくも薬師仏の御化現なりとぞ」。

しかしすべての公卿が、新しい体制を喜んだわけではなかった。例えば、その倫理的峻厳さ（そのために光広の流竄もあった）はもっとゆるやかな道徳規範に馴れていた貴族たちを、少なからずいらだたせたにちがいない。通勝の息子通村は、元和八年、江戸への旅の記録『関東海道記』の中で、三島到着の際次のように記している。「是より伊豆国と云。先年予が妹、此国の島に流されて今に在り」。明らかに通村は、己の妹が流刑に処されていることを喜んではいない。

貴族階級の持つ重要性は、江戸時代という新興文化の中にあって、次第に消滅しようとしていた。「古今伝授」を独占していたおかげで、和歌の世界は、依然として貴族の支配下にあった。だが彼らの中で最も賢明な者たちが気づいていたように、今や彼らも、新しく様変わりした世界に、なんとしても適応していかなければならなかったのである。

遠江守政一紀行

慶長十三年（一六〇八）、小堀政一《まさかず》、遠江守《とおとうみのかみ》となる。以後小堀が、遠州の名で広く世に知られるゆえんである。だが余程遠州のことに詳しい学者以外、彼にこの名が許されたのは、駿府城作事《さくじ》奉行としての彼のめざましい働きによったことを記憶する者は少ないであろう。人生の大半を公務多端のうちに過ごしたはずであるのに、彼が今日知られているのは、さまざまな寺、離宮、茶室などを造った建築家、そして多くの名園の設計者としての傑出した才能によっている。彼はまた、茶道師範として評判が高く、同時に芸術作品鑑定の方でも一大権威であった。その上歌人としても、一家をなしていた。

従ってこのような人物の作品とあれば、私が多大の期待をこめて彼の日記を読み出したのも、無理はなかろう。『遠江守政一紀行《とおとうみのかみまさかずきこう》』は、私がこれまで扱ってきた大抵の日記より、もっと真正の日記に近いように見える。巻頭に次の記述がある。「元和七酉の九月廿二日。天快晴。午の時斗《ばかり》に武蔵の江戸を立。したしき人々爰《ここ》かしこ馬の餞別すとて、申の時斗に品川を出」。この日記は、遠州の、江戸から京都への旅を辿っている。

例によってこの日記も、所々に和歌をちりばめ、散文の方も、時として詩的である。例えば、九月二十六日には、清見関に着き、景観を楽しむため、寺まで登っていったことを記している。

前には海上まんまんとして、霧こもれる松原は帯のごとくにて、つりの小船は浪間に見えかくれ、かの明石の浦のしまがくれ行といへる事を思ひ出て、詞にのべむとするにものいはれず。書は言葉を尽さず、詞は心を尽さずといへり。寔《まこと》これならんかしとて、あきれて時もうつりぬ。

東路のいづこはあれど清見がた浪間にうかぶ三保の松ばらいつまで爰にあるべきぞ。日もはやかたぶくと言《いふ》。

この一節、いくばくかの情感を伝えて効果的とはいえ、さほどの独創性は出ていない。「島がくれゆく舟」を詠んだ人麻呂の名歌、「書かれた言葉は十分に意を尽くさぬ」という『易経』の一節、そしてのちに芭蕉が『奥の細道』で引くことになる『古今集』の歌（陸奥《みちのく》はいづくはあれど塩竈《しほがま》の浦漕ぐ舟の綱手かなしも）などへの言及、これらはみな、遠州が古典に通じていたことを証している。だが彼自身については、なにも語っていないのである。そしてこの日記の最も顕著な特徴は、道中の各地で彼をもてなした「城主」への言及が多いことであろう。遠州は、当然のことながら、大名の資格で旅をした。

是より輿に乗て一睡眠。夢覚《さめ》て問ば、はや吉田の里にも着ぬと云。夢のうちにはる〲の

道をも来ぬる事よとおもふて、
　ゆめとてもよしや吉田の里ならんさめてうつゝもうき旅の道
此所の城主殊に我したしき人なれば、立寄て対面せん事をいゝやる。

和歌も大体この調子で、その効果をおもに掛詞に頼っている。さらに面白いのは、道中遠州の注意を引いた人々の、時折見られる寸描であろう。例えば、関の地蔵に着いた時、女たちが旅人に呼ばわる、「旅人とまり給へ〳〵。つかれたすけん〳〵。日暮ぬ。是より先の里はなし。通すまじところゞ〳〵にいふ」。

女が実際に口にした内容を、遠州がそのまま書き写したことには疑いがない。だがまさか彼女らは、文語体を用いたわけではなかっただろう。近松の浄瑠璃『丹波与作《たんばのよさく》』では、旅籠《はたご》の客引き女が呼ばわる言葉は次のようである。「これ泊りぢやないかえ、泊りなら泊らんせ、泊らんせ〳〵。旅籠安うて泊めませう、上旅籠、中旅籠、お望みしだい、好きしだい。椀家具もきれいな、座敷はこの夏表替へ、寝道具ようて、酒ようて、お茶は上上きちん（上上吉に木賃を掛けた）でなりと」。

この文体をもし遠州が用いていたなら、彼の日記は今日なお読まれていたにちがいない。ところが彼は、普通世に行われていた旅日記と同じように書いたのである。「八ツはしと云所に至りぬ。杜若《かきつばた》の名所なれば、おほくあるらんと思ひて見れどもなし」。だがそれまで五百年以上もの間、東海道の旅人は、みな八橋に関して、同じ発見をしていたのである。もはやそれはニュースではなかったのだ。従って諸芸に通じた天才でさえ、すべての形式に必ずしも堪能とはいえぬ事実を、この日記は示唆してくれている。

東めぐり

寛永二十年（一六四三）に書かれた作者不詳の日記『東《あずま》めぐり』は、まことに興味津々たる記述に始まる。「我身奥州信夫《しのぶ》の里の片傍《かたほとり》に心なく月日を送る者なりしが、叶はぬ渡世に支《さへ》られ、心に任せぬ旅の身と成る」。

生計をたてる要に迫られての旅だと、作者がはっきり自認する旅を記録した、これは最初の日記である。以後続出する無数の日本の若者同様、作者は、奥州の寒村にくすぶっているよりは、相応な職が見つかる望みの多い江戸に上ろうと心に決める。彼はこの旅の叙述に当たって、通った土地の名すべてを掛詞で処理するという、旅日記の常套を用いている。そしてついに江戸に着くと、まず住む所を見つける。

芝品川の境なる、音に聞えし大仏茶屋のあたりに宿を借り、月日を明し暮せしが、扨《さて》も物憂き旅の身の、頼む便もあらばこそ、明暮しづか唯独り、心細さは蜘蛛《ささがに》の、最果敢《いとはか》なくも故郷を、出る月日を恨むれど、還らぬ昔知らざらぬ。

この状況は、二十世紀の多くの若者のそれと、そのまま置き換えてもよさそうである。一人の若者が東京へ着く。だが知るべとてただの一人もない。見境もなく故郷を出てきたことが恨めしい。淋しさきわまりない。しかし今更おめおめ故郷には帰れない。こうした状況を、作者は次の和歌のうちに要約している。

あはれげに憂き時つるゝ友もがな人の情は世に有りしほど

ある日のこと、余りの淋しさに宿を出て、彼は近くの増上寺に足を運ぶ。別にお参りするつもりではない。他にゆき所がなかったのである。これはロンドンを訪れる旅行者を連想させる。日曜日の朝はどこも閉まっている。ただ一つ開いている場所は教会である。彼はそこを訪れる。増上寺で、作者は次のような観察をしている。「有難き仏前に、老僧数多《あまた》列座して、初夜より後夜に至るまで、鉦打鳴し経音の、休《や》む事更になかりけり」。そこで、いっそ出家して、墨染めの衣に身をやつしては、と一瞬彼は考える。だがそうするには、現世への執着余りに多き我が身を顧み、思い返すのである。「世を厭はんと思へども、流石愚人の果敢なさは、今はの時に至りては、つなぎ止ぬ貪慾の、切られぬこそはうたてけれ」。

やがて作者は、増上寺を後にし、近隣の神社に足を踏み入れる。そこで巫女の舞いを見、しばらく神楽《かぐら》の淵源に思いを致している。次に彼は、また街路にさまよい出る。さすがは江戸、巷《ちまた》には行きかう人が溢れている。だがその賑わいを見ても、作者の淋しさはむしろ深まるばかりである。つい、とある茶屋に、誘い込まれるように彼は入ってゆく。そして亭主に向かって言う。

恥かしながら生国は、田舎者にありけるが、貧者の家に生れあひ、渡世を詫びて山を越え、境を隔て遥々と、爰に越路の雁が音も、遣ひ果てけり今は早、お茶屋の代りも持たぬもの、憐れ振舞給へかし。

そこで茶屋の亭主、この若者に憐れをおぼえ、二服の茶を振る舞ってやる。なぜ二服か、と問う作者に、亭主は次のように答える、「二服進《まゐ》らせふく〳〵と、渡世心に任すべし」。ところが作者は、ここでまた長々しい道草を始めるのである。

このあたりで読者は、作者の胸倉つかまえ、こう言ってやりたくなる。「えい、じれったい、いい加減に止しやがれ！　茶の起源、日本に名高い橋のいわれ、三井寺の鐘の音、お談義はもう聞き飽きた。少しは自分のことも言ったらどうだ！　ただし掛詞は抜きにしてだ。とどの詰まりはどうなのだ？　職は見つかったかい？　見つかったとすれば、どんな仕事？友達は出来たかね？　しばしば鬱に陥った？　恋人は？」などなどである。

なるほど作者は、彼の吉原探訪のことも書いている。だがそれは、おもに日本における売春の歴史を語る単なる口実にすぎぬようである。末尾近くには、多弁な船頭と、江戸の流行について語り合うところもある。そしてこれらの記述は、すべて興味なしとはしない。だがそれは、まさしく仮名草子に現れるていの話題にすぎぬのである。望まれるのは、いわゆる私小説家が書くような内容——いうなればあの孝標女《たかすえのむすめ》、阿仏尼、そして二条が、縷々《るる》語ってくれたような、いわば内面からする人間の肖像である。だがこれこそ、近世日本の日記文学に、最も欠けていた要素だったのである。

丁未旅行記

この日記の作者は、岡山藩主で著名な大名池田光政の息男、池田綱政《つなまさ》である。父の方は、「元服の時、将軍家光の諱《いみな》をもらって光政と改めた」というが、息子の方も、将軍家綱の、同じく諱を拝領している。息子の綱政は、賢明な為政者であり好学の大名として名のあった父ほどには著名ではなかった。しかし彼の日記を読めば、綱政が殊のほか明敏な人物であったことが明らかになる。日記は、寛文丁未《ひのとひつじ》七年（一六六七）の、江戸、岡山間の旅を記録している。用いられた散文は、すっきりと直截《ちよくせつ》で、和歌の方も、以前何度となく耳にしたことがあるような言葉を、単に繰り返すのではなく、それを詠んだ折の作者の実感がそのまま反映されたものと思われる。究極的にはこの日記、文学的に重要な作品というところまでは行っていない。もし行っていないとすれば、それはおそらく綱政が、これを文学作品にするという意図を持たずに書いたからにちがいない。

この日記には、作者が自分用にのみこれを書いたことを示唆する章句が少なくない。例えば次の二例である。「町つゞきに名古屋に入りぬ。光義の城下なればとて忍びて過ぬ」。また、「関が原には、光通少将宿り侍れば忍びて過る」。その名から察するに、光義も光通も、おそらく共に彼の親族の者であったであろう。だが綱政は、明らかに彼らを避けたかったのである。こうした記述は、他人に読まれることを予期して書いた日記には、通常見いだし得ないていのものである。とはいえ綱政が、他人にも読んでもらいたいという、少なくとも無意識の期待なしにこれを書いた、と想像することもむずかしい。

綱政のこうした曖昧な態度こそ、この日記における、伝統的な素材と、完全に個人的なそれとの、まれに見る混淆《こんこう》を説明するものかもしれない。綱政は、「羽衣の松」で知られる「天乙《あまつ》女の衣を懸《かけ》し松」を見に行ったことを、一見大真面目に報告している。「今は枯れて跡ばかり在りと言へば、いざや日も高し行て見んとて、宮より六町許《ばかり》も南を指して行く。砂深き海辺にて幽かなる祠あり。それさへ破れ果てたり」。この「さへ」という一語は、その地一帯の荒廃ぶりを実に的確に暗示していて、この作者が、あなどりがたい文才の持ち主だったことを、確信させるのである。

八橋に着いた時には、綱政は、とくにそこを「視察」してはいない。しかも伝統的な日記と異なり、杜若が姿を消したことも記していない。彼はこの歌枕に、遠方から単に一瞥《いちべつ》をくれたのみなのである（幽かに右に見て過る）。このあと、作者は海岸沿いに熱田に行く。「田《た》面《づら》に人多く見ゆるは田草とる也けり。堪がたき暑さ、照りわたる日をだに陰なければ、汗もしとゞに濡れて暇なき業とも哀れに覚えける」。田の中で働く女たちの姿は、すべての旅人が目にした風景だったにちがいない。ところが綱政のほかは誰一人、これを日記に記すに値するとは思わなかったのである。しかし現代の読者から見れば、「汗もしとどに」働く女たちの姿は、単に日記に現実味を与えるばかりではなく、八橋などの歌枕の記述が、到底伝え得ない文学的な性格を、付与しているのである。

綱政は、ユーモアの感覚の持ち主でもあった。他の多くの旅人と同じく、彼もまた地名のいわれに熱中している。だがたとえ結果は幻滅であろうと、真実を語りたいという作者の熱意は、彼の記述を、単なる慣習的なものから区別している。例えば、萩原の里という地に着いた時、彼は次のように書く。「往時《いにしへ》は萩の多かりけるにやと人に問へば、爾《さ》にはあらず名のみ萩原と申すよし……」。一つの地名が何等特別の意味を持たなかった例が、これ以外にあっただろうか。もう一つ、美濃と近江の境、殊に侘し気な里で、その地名を人に尋ねると、「寝物語《ねものがたり》」という所だと告げられる。綱政は書いている。「かたはら痛き境にこそと打笑ひて過ぎぬ」と。そして次の歌を詠む。

誰かまたかゝるいぶせき一つ家に寝物かたりはうちも語らん

綱政の現実的で率直な性格は、予告もなしにある友を訪ねた時のことを記した記述に明らかである。もしその友達が、綱政の来訪を予《あらかじ》め知らされたならば、定めし彼は逆上せんばかりであったにちがいない。「足を空にして塵を掃ひ、座を叩きて漸うにこしらへ、俄かの設けにて心遽《あわた》だしきばかり」。この不意の訪問に驚いた知り人は、事実次のように言っている。「かゝるいぶせき屋に入りおはしまさん事、畏まり入しも苦しき」。だが綱政は、いかにも無頓着に答える。「さればよ我も思ひがけず来りし……」。そして、満足げに記している。

「今わざと塵掃きたる様には見えず。住居面白く作りなしたり。(中略)上の間には厚畳を敷きて置きぬ。その上に午の時傾くまで涼みながら臥しぬ。家居庭の様に付ても、かゝる所にかゝる事も有けるにやと、返すぐ〳〵奥ゆかし」。

池田綱政の日記に関して驚くことが一つある。それはこの日記が、著名人を呼ぶに、称号、あるいは遠回しな敬称を一切用いず、はっきり彼らの名前を用いることである。

例えば、都に近づいた時、ある歴史上著名な土地を過ぎる。その時彼はこう書いている。「当初《そのかみ》織田信長の住みたまひし安土山、今は松繁りたり」。またのちに豊臣秀吉を引き合いに出す折にも、彼の名の前、あるいは後に、何等敬意を表す言葉をつけていない。だがさらに驚くべきは、徳川家康に言及した時である。三方《みかた》が原《はら》を通ったとき、彼は思い出している。「当初浜松の家康公、甲府の武田の戦ひ有し比《ころ》は草叢ばかり也しが、今は小松茂く野辺は見えずぞ成《なり》し」。綱政も言及している武田信玄と徳川家康との合戦は、家康側の無惨な負け戦に終わり、彼は命からがら浜松に敗走している。他の日記作者なら、この事件に触れることは、おそらく憚かったことであろう。

次の章句はさらに印象的である。綱政は、昼食をとるため、三箇日《みつかび》という所に足を留める。そして宿の亭主、中村三郎兵衛という男のただ者とは思えぬ風貌に打たれ、おそらく「由緒《ゆゑ》あるべき者」と推測、彼を近くに呼んで「包みかくさず昔を語れ」と命じる。次いで日記は記している。

旅の苦しき慰めに聞かばやとて、厚畳の上に臥しながら物語を聞き居たるに、さればよと愕かれける。渠《かれ》が先祖は中村源左衛門尉と云者也。浜松に家康公城主たりし頃、妾に松子とて上﨟女房ありしを、近う召使ひ給ひしに、彼の女常ならず成しを、其比《そのころ》築山殿（家康の室）とても妬《ねたみ》深き御方祟《たた》りおはせしかば、家康公もせん方なく思ひ煩ひおはしませしを、郎従彼《いへのこ》の源左衛門に、預り住所に供していたはり侍れと有しに、かひぐ〳〵敷く承はり、浜松の二里程辺土に居住せし家に供して帰りぬ。築山殿心悪《はら》しければ、様々に祟りおはしませしかども、躬《み》を顧ずいたはり侍りしに、程なく男子を産み給ふ。紛ふすじもなく家康に瞳二つ有しに似て、胞衣《えな》にも其しるし有りければ、やがて趣きを申すに、築山殿に忍び給ふとて、其儘然るべくせよと仰せ有ける。斯《かく》て日数を経、年月歴《ふ》るまゝに生ゆき給ふ。其頃豊臣秀吉聞し召して、やがて猶子《いうし》に為《な》し、後には参河守《みかはのかみ》と号し侍る。其縁由《ゆかり》あれば今も越後越前出雲の国主往来《ゆきか》ふ度には、まめやかに物し給ふとなん。

信長、秀吉、家康、築山殿などと、心やすく呼ぶことが出来たのも、綱政自身の高位のせいであったこと、これ疑いを容れない。だが綱政が、これらの人物を、すでに歴史上の人物と考え、それゆえ大仰《おおぎょう》な敬称も用いず、客観的に言及してよいと思ったからではなかろうか。江戸時代の他の作家は、家康に対する畏敬の念をいつまでも持ち続け、彼が単なる歴史上の人物だとは、夢にも思わなかった。ところが綱政は、ただの七十年前の事件を言うのに、「当昔」、すなわち往昔という言葉を用いるのである。『奥の細道』の旅で芭蕉が日光に着いた時、「東照宮権現の御威光」に言及して、彼は次のように書いている。「今此御光《みひかり》一天にかがやきて、恩沢八荒にあふれ、四民安堵の栖《すみか》、穏《おだやか》なり」。綱政と比べると、当時としてはこの方が、はるかに一般的な書き方だったのである。

綱政は、先刻引用した一節の中で、「築山殿心悪しければ」と書いている。しかし、もしこの日記が他によって読まれることを予期したものならば、もう少し彼も筆を慎しんだことであろう。

野ざらし紀行

芭蕉による五篇の旅日記は、それよりおよそ八百年前、紀貫之の『土佐日記』に始まったこの分野での業績の、おそらく頂点を画すものである。芭蕉は、この分野の伝統を鋭く意識しており、学者も指摘するように、より早い旅日記、とくに『東関紀行』に負うところが多かった。だが彼は、この分野に、ある新しい次元を与えたのであった。すなわち職業作家のそれである。昔の日記作者も、それぞれ内容に苦心したことはいうまでもない。そして彼らの日記が、己の友人知己の間だけではなく、来るべき世代にも読まれることを、確かに望んでいた。しかしいうまでもなく、ただ一部しかない原稿を読む人の数には自ずから限界があり、また写本に出すにも、その費用は決して安くはなかったのである。

ところが芭蕉の生きた時代は、書物の木版印刷が普及してきた時代でもあった。同じ版木から、千部、あるいはそれ以上の部数を刷ることは、たやすいことになっていた。芭蕉はまた、自分の門弟のみでなく、門弟の門弟、そして他にも多くの者が、己の書くものすべてを読みたがることを知っていた。そしてこの事実が、疑いもなく彼の執筆の速度を緩慢にさせたのである。旅の体験のみを記録するのを願う日記作者なら、旅の終結と同時にそれを書くことが出来たであろう。その場合、日記の中に、いかにまずい章句、いかに陳腐な和歌が混じっていようと、一向にかまわなかったはずである。作者の目的は、気むずかしい読者を喜ばせることではなく、記憶がまだ新しいうちに、旅の印象を書きのこしておくことにあったからである。

芭蕉は、読者のことを、常に念頭に置いていた。従って己が十分納得出来るまで、日記を印刷に付すことを嫌がった。すなわち、彼の日記で、作者生存中に印刷されたものが一つとしてなかったゆえんである。またそれぞれの日記に数種の異本――それによって全面的に推敲されたことが分かるが――が残されているゆえんでもある。度合いのちがいこそあれ、日記作品が、芭蕉にとってきわめて重要な意味を持っていたことは疑い得ない。鹿島と更科への旅をそれぞれ描いた第二番目と第四番目の日記は、いずれも入念に書かれ、あとで書き直しもされたものだが、短く、比較的こみ入ったところのない作品である。第三番目と第五番目の日記は、中国古典への引喩にはじまり、当初より文学的意図をもって書かれたことを明瞭に示している。そして単なる旅の体験記を超え、文学の性情に関する芭蕉理念の深奥を表す章句をも含んでいる。

いずれの日記も、芭蕉自身についてすべてを語っているわけではない。彼の感情生活に関しては、日記によってほとんど何も知ることが出来ないのである。従って長い間、芭蕉のことを、俗情を滅してひたすら芸術神に身を奉じた人物、すなわち「俳聖」と呼ぶのが習わしであった。しかし私たちは、聖人を尊敬することは出来ても、人間誰しも悩まされる俗情を、はるかに超越したように見える人間とは、まことに付き合いにくいと感じるのである。

従って、芭蕉学者沼波瓊音《ぬなみけいおん》が、芭蕉の弟子の弟子が書いたある書物の中に、芭蕉に愛人があったという記述を発見した時、「芭蕉様、ようこそ妾《めかけ》を持って下すった」と叫んだというのもうなずける。謹厳な俳諧の聖《ひじり》としてよりは、人間的弱点を持つ一個の人として芭蕉を考える方が、易しかったのである。しかし、芭蕉に、本当に妾があったとしても、彼はどの日記の中でも、そのようなことには、ひとことも触れていないのである。

芭蕉の日記はまた、彼の財政のことは、ほとんど何事も言っていない。『奥の細道』を書いた頃には、彼はすでに高名な俳人であった。従って彼が行くところ、いかなる所でも、人々は喜んで彼を泊め、もてなした。といって、仏《ほとけ》五左衛門、その他旅籠の亭主には、彼も宿賃を払ったであろう。それに道中雇った道案内、馬などにも、金がかかったはずである。なるほど金銭のことは、上品な趣味を持つ人が口にするのを避けた、いわゆる「はしたない」話題だったのであろう。とはいえ、路銀がなくては、芭蕉といえども旅が出来なかったのは確かである。

この他にも、芭蕉の日記に見られる情報の空白は、数々挙げられる。だがそれをいったところで、私たちが当初から知っていたこと、すなわちこれらの日記は、単なる旅の記録ではなく、文学作品として書かれたのだ、という事実を、それは証明するのみなのである。なぜ日記を書いたか、またいかなる読者を念頭に置いていたか、芭蕉はどこにも言っていない。だが、彼がそれに気づいていたにせよいなかったにせよ、芭蕉は、すべての時代、そしてすべての人のために書いていたのである。

『野《の》ざらし紀行《きこう》』の名は、この作品の巻頭近くに出る俳句、「野ざらしを心に風のしむ身哉」に由来する。芭蕉はこの旅で、わが白骨を野にさらして死ぬのではないか、と思ったのだ。彼がこの句を書いたのも、過去いかに多くの旅人が、旅路でたおれたかを、重々承知していたからのことであろう。旅の前途がきびしく、己の健康がすぐれぬことも確かであった。しかし大体この時代には、日本の本街道を行く旅は、かなり容易で、しかも楽なものになっていた。宿場宿場には居心地よい旅籠が軒を連ね、旅人の要求を満たす娯楽施設も出来ていた。だが芭蕉は、あえて己自身を、あの放浪詩人という役割の中に投げ込んだのである。だが必ずしもそれは、ポーズではなかった。旅の真髄を心ゆくまで味わいたいという、むしろ彼の意識的な努力の一部であった。そして旅の真髄とは、心地よい旅籠では決してなく、旅の定めなさ、疲労、時としては危険でさえあったのだ。

そもそも芭蕉が『野ざらし紀行』の旅を思い立つに至ったのは、天和三年（一六八三）の六月、彼の生国伊賀上野で母親が他界したという知らせを受け取ったからではなかったのか。それにしても何故翌年の八月まで、彼は江戸を出ようとしなかったのであろう？　葬儀には間に合わなかったにせよ、一周忌にも上野へ行こうとしなかったのは解《げ》せない。もうそろそろ自分のスタイルを変える時機が来ていると感じたことが、おそらく、芭蕉にこの旅を思いつかせる原因となったのではなかろうか。そうした目的達成のためにこの旅が役立つ、と彼は考えたにちがいない。そしてその行く先を決めるについては、故郷における母の死が、あずかって力あったのであろう。また貞享元年（一六八四）が、たまたま甲子年《きのえね》、すなわち干支《えと》の最初の年に当たったこと、これもこの決心を固める上で、影響があったのにちがいあるまい。

芭蕉の江戸を去りがたい気持ちは、この紀行の、二番目の句にも表れている。すなわち、「秋十《と》とせ却つて江戸を指《さす》故郷」。芭蕉は、事実は江戸に、（十年ではなく）十二年住んでいた。「十とせ」と言ったのは、おそらく中国詩人賈島《かとう》の、「幷州《へいしう》ニ客舎シテスデニ十霜（中略）カヘツテ幷州ヲ望メバ是レ故郷」に影響されたからにちがいない。

この旅での最初の出来事は、富士川で起こっている。

富士川のほとりを行に、三つ計《ばかり》なる捨子の哀げに泣有《なくあり》。この川の早瀬にかけて（投げ込んで）、（自分たちだけで）うき世の波をしのぐにたへず、露計の命待《まつ》まと捨置けむ。小萩がもとの秋の風、こよひやちるらん、あすやしをれんと、袂より喰物なげてとほるに、

そして俳句、

猿を聞人《きくひと》捨子に秋の風いかに

が続いている。中国の詩人にとっては、猿の鳴き声を聞いた時、哀切の情を表現するのが

常套であった。芭蕉はこの句で、そのような悲しみなど、親に捨てられた子を目にして感じる哀切とは、比べものにもならぬ、と言いたかったのである。現代の読者なら、みなこれに同感するであろう。しかしそれにしても芭蕉が、なぜその子に、持ち合わせの食物を投げ与えただけであったのか、はなはだ理解に苦しむのである。なぜ彼はその子を抱き上げ、誰か世話をしてくれる人のいるところまで連れていかなかったのであろう？

学者はこれに、さまざまな答えを出している。ある学者は、芭蕉の時代には、道端に捨て子を見ることが今よりははるかに多かったのだ、と指摘する。また他の学者は、芸術神への芭蕉の献身が、彼をして世の常の人間的義務を放棄せしめたのだ、と説明する。さらに別の学者は、このエピソードは全くの作り話、「旅に死す」というこの日記の主題を強調するため、作者が挿入したものだと主張する。しかしどのようにこの事件を説明しようと、それは芭蕉と私たちとの間に、一つの越えがたい障壁を打ち立てる。彼を知悉していながら、突如として私たちは、捨て子の死に対する彼の不可解な態度に遭遇し、狼狽するのである。

終戦の直後、一九四五年の秋のことである。私はたまたま、中国は山東省、済南《さいなん》にいた。ある中国の将校と昼食を共にするべく、私は彼と連れだって歩いていた。その時道端に、十二くらいの少年が横たわっているのに気がついた。不思議とは思ったが、私はなにも言わなかった。昼食後、私たちはまた同じ所を通った。少年はまだそこに寝ていた。見ると今度は、彼の顔には、蠅が一杯たかっているではないか。「死んでる！」と、私は恐怖の叫びをあげた。「そうですね」と、将校は事もなげに答えた。もしこのような光景を、この中国の将校と同じくらい頻繁に見たならば、私といえども、子供の「野ざらし」にも、もっと馴れてくるだろうか？

芭蕉の態度にショックを受けること自体、私たちが、彼を三世紀前の異邦人として考えず、私たちの心にもっと近く、肝胆共に照らし合いたい人物と考えていることの証拠なのである。

自らの生活を、芭蕉にしては最もよくさらけ出していると思われるのは、母親の没後初めて兄に会うくだりを書いた『野ざらし紀行』の一節であろう。

長月の初、故郷に帰りて、北堂の萱草《けんざう》も霜枯果て、今は跡だになし。何事も昔に替りて、はらから（兄弟姉妹）の鬢《びん》白く眉皺寄て、唯「命有《あり》て」とのみ云て言葉はなきに、このかみ（長兄半左衛門）の守袋をほどきて、「母の白髪おがめよ、浦島の子が玉手箱、汝がまゆもやや老たり」と、しばらくなきて、

手にとらば消んなみだぞあつき秋の霜

そして詠んだ句、

文学的意図がはっきり見え、その場の情景や感情の素直な描写とは言いがたいが、この一

節は、きわめて感動的である。「北堂の萱草」という言葉は、『野ざらし紀行』の他の個所にもある。中国文学からの引喩の一つで、評釈者によると、昔中国では、一家の母は家の「北堂」に住み、その庭には萱草《わすれぐさ》を植えるのが習わしであったという。芭蕉の母の庭には、萱草が事実植わっていたのであろうか？　また「霜枯果て」という章句は、ひたすらに比喩的な表現ととるべきなのか？　そしてもし後者ならば、なぜ芭蕉は、もっと直截に母の死を言わなかったのだろうか？　現代の読者には、そのような疑問は、そもそも起こって来ないのである。

その昔中国の白楽天は、優雅な詩に付き物の難解さを嫌い、無学な老婆にも十分理解出来るほど単純な詩を書いた。だが大抵の漢詩は、この規準を採ることがなかった。例えば、中国詩人中、芭蕉が最も愛した杜甫は、決して分かり易い詩人ではない。そして「北堂の萱草」といった表現の持つ意味と連想の、二つながらを理解することなしには、彼の詩を十全に賞味し得たとはいえないのである。

さきの引用に続く俳句にも、また問題がある。前の散文を知ることなくこの句を読む時、句の意味を十分に推測するのは不可能であろう。すなわちここにこそ、芭蕉の紀行文特有の文学的重要性があるので、散文と詩とは、相互に作用し合って、共に欠くことの出来ぬものなのである。

『万葉集』以来の歌集にある詞書《ことばがき》のように、散文は、詩の書かれた状況を単に説明するというだけのものではなく、それとは別の機能も持っている。この俳句は、芭蕉の感じた悲しみを、散文よりはさらに強く表している。だが散文の方も、その情景を客観的に描くことによって、母の死に対する、兄弟の悲歎ばかりではなく、彼らが互いに年齢《とし》を加えたこと、そして兄弟あい目《まみ》えて、思いを言葉に表しがたい有り様などを、手に取るように伝えてくれる。そして兄の言った「命有て」という言葉は、西行法師の「命なりけり」を想起させる。おそらく彼は、実際にはそれを言わなかったのであろう。しかし芭蕉は、悲劇的な事件にはもともと似合わぬこの日常語を、含蓄に満ちた詩の言語へと、ものの見事に「翻訳」したのである。

いうまでもなくこのような章句は、その晩彼が床につく前、日記に書き綴られたものではない。このような文章には、創作家の全力が投入されねばならぬからである。その上芭蕉は、用語には、推敲に推敲を重ねたはずである。おそらく現行本の文章にさえ、不満であったにちがいない。生存中に日記を上梓しなかったゆえんである。

一人ならずの評釈家は、『野ざらし紀行』においては、散文と詩との融合が、『奥の細道』におけるほどには成功していない、と指摘している。正しいと思う。だが当時芭蕉は、明らかに散文よりは、俳句の方にさらに大きな関心を寄せていたのである。この紀行の中の俳句は、その質において格段に高い。例えば、「海くれて鴨のこゑほのかに白し」。また、「道のべの木槿《むくげ》は馬にくはれけり」。そしてまた、「辛崎《からさき》の松は花より朧《おぼろ》にて」。

『野ざらし紀行』における全体的統一の欠如は、そもそもこの旅への、芭蕉の分裂した動機に、その原因があるのではなかろうか。伊賀上野における母の死への思いは、巻頭に現れる死の影を理由づけている。だが芭蕉は、旅の経験によって、己の詩境を豊かにすることも熱望していたのである。大垣に着いたあとで、彼は次のように書いている。「武蔵野出し時、野ざらしを心におもひて旅立ければ」。そして「しにもせぬ旅寝の果てよ秋の暮」の句が続く。この時以後、詩人としての彼の「作品」が、旅の目的となったのである。

鹿島詣

『野ざらし紀行』に記録された旅は、詩人としての芭蕉、また散文作家としての芭蕉の、ある重要な発展段階を画している。道中の風光に心を動かされ、十指に余る俳句の最高作品をものしただけではなく、旅日記というものの総体に、一つの重要な作品をつけ加えたのである。

帰路、名古屋に立ち寄った際、芭蕉と門弟たちとは、のちに『冬の日』という書物に集められることになる俳諧の連歌の歌仙を、五つも巻いている。ちなみに『冬の日』こそ、芭蕉の名が密にかかわる『俳諧七部集』のうちの第一なのである。加えて芭蕉は、上野在の旧知と友情を復活させ、国の諸所、とりわけそれまで一人の弟子もなかった京都に、新たな門弟を増やしている。『野ざらし紀行』を締め括る最後の俳句には、巻頭の暗い句とは、似ても似つかぬ気分が見える。すなわち、

夏衣《なつごろも》いまだ虱《しらみ》をとりつくさず

どこか街道筋の旅籠でもらった虱を出してきて、旅の苦労を言ってはいるが、句の調子

は、一目瞭然明るいものである。

芭蕉が江戸に帰着したのは貞享二年（一六八五）四月の末であった。以後二年以上、彼はどこへも出掛けていない。そして貞享四年の八月、初めて鹿島神宮へ月見の旅を試みている。彼はこの旅を『鹿島詣《かしまもうで》』の中に描いているが、これは芭蕉による散文の短い記述と、それに伴う芭蕉および随行者たちの俳句十七句からなる紀行である。明らかに芭蕉は、鹿島において仲秋の名月を眺めようと、急に思いたって出掛けたものと見える。単にある特定の時季における風光を楽しみたい一心で、遠隔の地への旅をあえて辞さない、まさに能におけるあのワキの心意気である。『野ざらし紀行』とは異なり、『鹿島詣』に用いられた言語には、中国古典への引喩がほとんど見られない。文章は簡明、雰囲気はどこを開いても素朴で明るい。

中でも最も面白い個所は、芭蕉が己自身の姿を書いて見せたところであろう。

いまひとり（芭蕉自身）は、僧にもあらず、俗にもあらず、鳥鼠《てうそ》の間に名をかうぶり（鳥と鼠の間といわれた蝙蝠《こうもり》と、名を蒙《こうむ》るとを掛けた）……

当時の学者墨客にならい、芭蕉もまた頭を丸め、僧侶と同じ墨染めの衣を着ていたのだ。あまりにも僧に似ていたため、伊勢の内宮に入るのを拒まれたくらいであった。得度《とくど》して正式の僧になったことはないが、芭蕉は仏頂《ぶっちょう》和尚のもとで禅を修めたことがあった。折角の十五夜、鹿島では雨が降り、月は雲間にかくれて姿を見せず、芭蕉を大いに落胆させる。だが仏頂和尚が俗世を逃れて、たまたま近くの寺に住むことを聞き、彼の心はようやく慰むのである。名僧に会って気持ちが清らかになり、彼は杜甫の言葉を想起する。

すこぶる「人をして深省を発せしむ」（杜甫「龍門奉先寺ニ遊ブ詩」）と吟じけむ、しばらく清浄の心をうるにたり。

その夜芭蕉は、仏頂の寺に泊めてもらう。そして、

あかつきのそら、いさゝかはれけるを、和尚起し驚し侍れば、人々起出ぬ。月のひかり、雨の音、たゞあはれなるけしきのみむねにみちて、いふべきことの葉もなし。

芭蕉にはしばしばこれが起こったのだが、深く感動した際に、句を詠む力を失ってしまう傾向があった。富士山を詠んだ彼の最も有名な句は、霧時雨のため、山を見なかったことを詠んでいる（霧しぐれ富士を見ぬ日ぞ面白き）。また松島では、句を詠むことは同行の曾良に任せ、己はじっと口をつぐんでいた。

『鹿島詣』は、機智に富んだ調子で終わっている。鹿島で月を見ることも、俳句を作ることも出来なかった芭蕉は、最後に、清少納言を心の味方に引き入れたのである。『枕草子』に

あるように、ほととぎすを聞きに田舎を訪れた彼女は、ついに一首も詠めずして帰ってくる。「我がためには（彼女は）よき荷担の人（味方）ならむかし」と芭蕉は結んでいる。『鹿島詣』は、なるほど小品にすぎない。だが芭蕉の筆になるすべての作品同様、友達さながらの親密な声で語りかける、この近世文学最初の文人の姿を、それははっきりと映し出してくれている。

笈の小文

鹿島から帰宅してまだ二か月余りしか経たぬ貞享四年（一六八七）十月二十五日、芭蕉はまた旅に出ている。今度ははるかに野心的な旅である。出立の前夜、友人、門弟が集まり送別の宴が張られ、道中の必需品などもととのえられる。

旧友、親疎、門人等、あるは詩歌文章をもて訪ひ、或は草鞋《わらぢ》の料を包て志を見《あらは》す。かの三《さん》月《げつ》の糧（『荘子』「逍遥遊篇」）を集むるに力を入ず。

その夜の送別の宴で彼が詠んだ発句は、『野ざらし紀行』の旅に出る前彼の脳裡をよぎった白骨のイメージとは、まことに好対照をなしている。すなわち、

旅人と我名よばれん初しぐれ

これは楽しい旅であった。日記は芭蕉の上機嫌を反映している。伊勢、名古屋、上野、吉野、奈良、須磨などを訪れるが、行くさきざきで、新旧の門弟に迎えられる。『笈《おい》の小文《こぶみ》』

という名で知られているこの日記は、旅の年よりほぼ二十二年後の宝永六年（一七〇九）まで上梓されることがなかったのである。現在流布している版の原稿を、芭蕉がいつ完成したかはつまびらかではない。しかしおそらくそれは、彼が江戸へ戻ってから、三、四年後だったのではあるまいか。

この日記は、あの有名な章句で始まっている。

百骸《ひやくがい》九竅《きうけう》の中に物有。かりに名付て風羅坊《ふうらばう》といふ。誠にうすものゝかぜに破れやすからん事をいふにやあらむ。

文頭の重々しい漢語は『荘子』に発し、人間の肉体を意味する。荘子の書き物は、とくにこの時代の芭蕉を引きつけていたのである。「風羅坊」とは、芭蕉が己自身につけたあだ名で、風に引き裂かれやすく、季節の変化に感じやすい人としての、芭蕉が抱いた詩人の概念であった。彼の俳号が由来する植物芭蕉も、その葉がたやすく風に破れることで世に知られている。

続いて『笈の小文』にはこうある。「かれ狂句（俳諧を卑下した言い方）を好むこと久し。終《つひ》に生涯のはかりごとゝなす」。俳諧への関心は、明らかに少年の頃に始まっていた。だがその頃はまだ、この気散じが「生涯のはかりごと」になろうとは、ゆめにも思ってはいなかった。事実、さきの引用の直後にもあるように、時には己の句を他に誇りたい折もあったが、この俳句を作るという悪習を、彼はなんとかして直したいと思ったのである。

ある時は倦《う》みて放擲《はうてき》せん事をおもひ、ある時はすゝむで人にかたむ（勝たん）事をほこり、是非胸中にたゝかふて、是が為に身安からず。しばらく身を立てむ事をねがへども、これが為にさへられ（さえぎられ）、暫ク学《まなん》で愚を暁《さとら》ン事をおもへども、是が為に破られ、つひに無能無芸にして只此一筋に繫る。

江戸に下った後、芭蕉がしばらくは官職を求め、仏頂について禅を修めたことを、私たちは他の資料によって知らされている。だが結局、彼の芸術を「放擲」することは不可能だったのである。それ自体興味津々とはいえ、旅日記の冒頭にこうした自伝的記述があるのは、どちらかといえば、場違いの感がある。そしてこれに続く文章も、さらに興味を唆る内容ではあるが、場違いな点では前文と等しい。すなわち、

西行の和歌における、宗祇の連歌における、雪舟の絵における、利休が茶における、其貫道する物は一なり。しかも風雅におけるもの、造化《ざうくわ》にしたがひて四時（季）を友とす。見る処花にあらずといふ事なし。おもふところ月にあらずといふ事なし。像《かたち》花にあらざる時は夷狄《いてき》（野蛮人）にひとし。心花にあらざる時は鳥獣に類ス。夷狄を出《いで》、鳥獣を離れて、造化にしたがひ、造化にかへれとなり。

この一節は、日本文学における最もめざましい文章の一つとして、とりわけ有名である。それは一見互いに無関係な芸術分野の間に照応を見いだしている点、またそうした芸術の達人として、今日われわれもまさに選ぶであろうような巨匠を選んだ、その選択眼の鋭さによっている。他の諸芸術同士を貫き留めている糸が、俳諧をも貫いているとは、格別芭蕉は言明していない。だが意のあるところはそうであろう。あるいはこの風羅坊も、西行、宗祇、その他の巨匠と同列に並ぶのだ、とすら言いたかったのかもしれない。芭蕉は謙遜な人物ではあった。とはいえ己の芸術には、絶大な自信を抱いていた。そして彼自ら、「造化にしたがひ、造化にかへれ」という、己が作ったおきてを守ることにかけては、自信満々だったのである。

『笈の小文』の書き出しの章句は、通常の旅日記から見ると異例なものだが、おそらく芭蕉は、一種の前口上としてそれを必要と考えたに相違ない。そのしばらくあとに、もう一つ前口上があり、そこで彼は、いわゆる「道の日記」の伝統を論じ、作者が目撃した風景にどこか珍しさ、新しさがなければ、紀行文など殊更に書くことはないのだ、と主張する。彼自身の「道の日記」については、そのようなものは、単に「いねる人の譫言《うはごと》」のたぐいにすぎぬ、と言って片づけている。

勿論芭蕉も、この謙遜な自己否認が、額面通り受け取られようとは思っていなかったであろう。彼は『笈の小文』において、詩と散文とを、真に卓越した芸術作品の中に融合しようとしていたのである。この作品の数節には、どことなく未定稿めいた感じがあるが、それは芭蕉が、意図した修正をついになしとげ得ずに、結局稿本の完成を断念したからだ、と学者は推測する。また俳句も、その数の多さにもかかわらず、質はいささか落ちる、というふうに批判されてきた。だがその基準をいま少し緩和してこれを読むならば、『笠の小文』は、同じ作者の、他の重要な旅日記二作を彩る、あの暗い調子とは打ち替えて明るい、珍しく心に訴える作品なのである。

旅の大半にわたって芭蕉に随行したのは、門弟の坪井杜国《つぼいとこく》であった。杜国とは、空米《くうまい》（帳簿の上だけで、実在しない米）取引のかどで罪を得、渥美半島に追放されていた青年である。芭蕉は、「杜国がしのびて（世間から隠れ住んで）有けるをとぶらはむ」と、わざわざ伊良湖崎《いらござき》まで足を延ばしている。伊良湖崎は、鷹が渡って行くところとして、詩歌の方では隠れもない土地柄である。芭蕉が伊良湖に着いた時、折しも一羽の鷹が飛ぶのが目に入る。そこで一句、

　　鷹一つ見付けてうれしいらご崎

まさに打ってつけの場所で鷹を見たことは、芭蕉を当然喜ばす。だがこの句の中の鷹は、無頼《ぶらい》の若鷹杜国をも、暗に指していたのである。数多くの門弟のうち、芭蕉は杜国を最も可愛がっていたようである。『嵯峨日記』では、杜国の夢を見たことを書いている。

夢に杜国が事をいひ出して、涕泣《ていきふ》して覚ム。（中略）誠に此ものを夢見ること所謂《いはゆる》念夢（思夢に同じ）也。我に志深く伊陽旧里（芭蕉の生地伊賀の中国風呼び方）迄したひ来りて、夜ハ床を同じう起臥、行脚《あんぎや》の労をともにたすけて、百日が程かげのごとくにともなふ。ある時ハたはぶれ、ある時は悲しび、其《その》志我心裏に染て、忘るゝ事なければなるべし。覚て又袂をしぼる。

おそらく芭蕉は、他の弟子たちが、己を神のごとく敬うのに飽きあきしていたのであろう。そして「ある時ハたはぶれ」うるような青年と共にいる方が、もっと楽しかったにちがいない。『笈の小文』によると、杜国が芭蕉の旅に合流したのは、伊勢であった。

ともに旅寐のあはれをも見、且は我為に童子（小姓役の少年）となりて道の便りにもならんと、自《みづから》万菊丸と名をいふ。まことにわらべらしき名のさまいと興有。いでや門出のたはぶれ事せんと笠のうちに落書ス……

年齢、趣味、そのいずれにおいても互いに相容れない者同士が、不思議な親和力によって強く結びつくことがある。またその相似た気質から見て、当然親友同士になるべき人間が、これまた不思議な親和力の、今度は欠如によって、単なる知人の間柄に終わってしまうこともある。こうしたことは、論理では到底説明不可能である。そしてそれについて言えることのすべては、そうしたことが存在するという事実のみなのである。

杜国の同行があったがゆえに、芭蕉は、何年も経ったあと、夢の中で、『笈の小文』の旅を思い出したのだ。この旅で詠んだ句が、彼の最高水準を下回る結果になったのは、おそらくこの旅が、楽しい旅であったからこそではあるまいか。他の多くの詩人同様、彼もまた、なにか個人的な歎き、あるいは人生一般についての悲しみに、深く心を動かされた時にすぐれた作品を書いた。だが、彼の一生のうちで幸せだったこの時期にあってさえ、過去への悲しい思いが、彼の脳裏を時によぎったのはいうまでもない。須磨では、彼は『平家物語』を想起している。そして明石で一夜を明かした後、次の名高い句を詠む。

蛸壺やはかなき夢を夏の月

さらにこのあとには、光源氏の須磨流謫《るたく》への思いが続いている。

かゝる所の穐《あき》（秋）なりけり（『源氏物語』「須磨」）とかや。此浦の実《まこと》は秋をむねとするなるべし。かなしさ、さびしさ、いはむかたなく、秋なりせばいさゝか心のはしをもいひ出べき物をと思ふぞ、我心匠《しんしやう》（心中の工夫）の拙なきをしらぬに似たり。

『源氏物語』と『平家物語』への思いが、この日記の最終節に悲しみの情を添えている。旅が終わると、杜国は流刑の地にまた戻ってゆく。芭蕉はひとり岐阜に赴き、そこでこれまた有名な句を作る。それは鵜飼にかかわる句ではあるが、この旅自体を、はからずも要約するかにも見える。すなわち、

おもしろうてやがて悲しき鵜舟哉

更科紀行

貞享五年（一六八八）八月の半ば、芭蕉は、更科（現在の長野県千曲市付近）への旅を思い立つ。『古今集』以来月で名高いこの地で、仲秋の名月を見ようというのである。ところで私は、月を見るだけの目的である特定の土地へ出かけて行ったヨーロッパの詩人を、ただの一人も思い出すことが出来ない。ただ時に彼らの中には、夜毎に姿を変える気まぐれな月への恨みを述べている者もある。時にはコールリッジのように、「めぐりゆく月」と、「じっと留まる星々」（「老水夫行」）とを対照させる者もある。また時には、「空澄みわたる時／うれしげにあたりを見まわす」（ワーズワース「不滅の頌《しょう》」）月を想像し、あるいはブレイクのように、「月は花のように／天空の四阿《あずまや》にすわり／静かなよろこびをたたえて／夜に向かってほほえむ」（「夜」）、と感じる者もある。だが日本の詩人は、このように月を擬人化することは決してなかった。だが彼らは、都の月、あるいは月見で名のある土地の月について、実に多くを語ったのである。

なかでも兼好法師ほど、月に関して語ることの多かった日本人が、他にいただろうか。例えば、「望月のくまなきを千里《ちさと》の外まで眺めたるよりも、暁近くなりて待ちいでたるが、いと心深う、青みたるやうにて、深き山の杉の梢に見えたる木のまの影、うちしぐれたるむら雲がくれのほど、またなくあはれなり」。しかし兼好は、清少納言と同じく、冬の月はうとましいとし、それに反して秋の月は、こよなく美しいものだと信じていた。「秋の月はかぎりなくめでたきものなり。いつとても月はかくこそあれとて、思ひわかざらむ人（他の季節の月と区別できぬような人）は、無下に心うかるべきことなり（ひどく情けない心根の人だ）」。

　月を賞でるというこの伝統から見るなら、鹿島での失望にもかかわらず、芭蕉がはるばる更科まで月を見に出かけたとしても、決して驚くには当たらない。ところで『更科紀行《さらしなきこう》』は、『鹿島詣』同様、俳句を伴う散文からなる小品である。俳句は、いずれも第一級の作とは言いがたい。

　この作品の興味深い点は、おもにその背景にある。昔老婆をそこに捨てたという姨捨山《おばすてやま》である。この姨捨ての主題は、すでに十世紀の『大和物語』に現れている。昔ある所に、子供の頃両親を失った男がいた。彼は自分をわが子のようにいつくしんでくれた叔母に育てられるが、男が嫁を貰うと、嫁は彼の叔母たる老婆のことで、不平を絶やさない。揚げ句には、叔母を山へ連れてゆき、そこへ捨てて来い、と男をせきたてるのだ。男はついに折れる。叔母を背負って人里離れた山中に運んでゆき、そこに置き去りにする。だが家に戻ってから、彼は今してきた己の所業がひどく恥ずかしくなる。そこで彼は、山の端に昇る無性に明るい月を眺めながら、歌を詠むのである。「わが心なぐさめかねつさらしなやをばすて山に照る月を見て」。そしてすぐ叔母を捨てたところへ戻ってゆき、また背負って家に戻ってくる。

だがそれ以来、その山は姨捨と呼ばれるようになったのである。

　この主題には数多くのヴァリエーションがあるが、おそらく過去において、食糧不足のため、共同体の非生産的成員を、山中に置き去りにした事実を反映している。姨捨山に出る月を見た時、芭蕉は次の句を書いている。「俤《おもかげ》や姨《をば》ひとりなく（泣く）月の友」。それにしても、更科と月とが特殊なかかわりを持つとはいえ、健康もさほど勝れぬ男が、満月に遅れてはならじと、長途の旅路を急いだとは、まことに驚くべきことである。それもただ月を見るためにⅠ　そして姨捨山といえども――少なくとも私自身の記憶では――格別月が法外に美しいところというわけでもないのである。文学と月の持つ力の、なんたる強さであろうか！『更科紀行』は、また別の理由によっても興味深い。創作中の芭蕉の、実に面白い姿を、それは描き出しているからである。芭蕉のような天才ならば、霊感が訪れるたびに、俳句の一、二句くらいは、口をついて出てきたはず、と思う人もあるだろう。事実彼は、即興句を数多く作っている。しかしそのうち、彼が苦吟した多くの秀作に具わる芸術性を持つ作は、きわめて少ないのである。芭蕉は『更科紀行』の中で書いている。ある時彼は、旅籠の一室に寝ころんで、昼間集めておいた素材を、なんとか句にしようと、唸ったり、頭を叩いたり、苦心惨憺していた。そこへ一人の僧が、てっきり芭蕉は気が鬱しているのだと思い込み、阿弥陀仏のありがたいご利益の話などして、彼を元気づけようとしたけれど、おかげで芭蕉の霊感はすっかり流れが止まったという。もしこの僧の余計な気遣いがなかったならば、『更科紀行』の俳句は、多分もっとましなものになっていたかも！

奥の細道

「月日は百代《はくたい》の過客《くわかく》にして（月日は永遠の旅人で）、行かふ年も又旅人也」で始まる『奥《おく》の細道《ほそみち》』は、紀行文学の頂点をなす作品である。一瞥しただけでも分かるように、それは名高い平安朝の女流日記とは、内容においても、形式においても、歴然として異なっている。宮廷の女房とはちがい、芭蕉はこの日記の中で、自分のこと、そして自分がこれを書かざるを得なかった理由については、ほとんど何事も言っていない。なぜ彼がこのように長途の、しかも難儀な旅をしようと思ったのかについては、次のようなごく大ざっぱな説明を加えているのみである。

予もいづれの年よりか、片雲の風にさそはれて、漂泊の思ひやまず、（中略）春立る霞の空に白川の関こえんと、そゞろ神の物につきて心をくるはせ、道祖神のまねきにあひて、取もの手につかず……

明らかに芭蕉は、人を漂泊の旅に誘う神々、すなわち「そぞろ神」に、しっかりと取り憑《つ》かれていたのだ。従って彼は、取るものも取りあえずに旅立ったのである。すぐそのあと、

「松島の月先心にか丶りて」と彼は書いている。また象潟をはじめ、道中多くの歌枕を訪れるのを楽しみにしている。千住で見送りの友に別れを告げた時、彼はこの旅最初の俳句を詠む。すなわち、

行春や鳥啼《な》き魚の目は泪《なみだ》

この句は、それ自体傑作であるばかりか、あとに続く作品全体の主調を見事に決めている。詩と散文との、これほど完璧な結合は、世界の文学の中でもまれなのである。随行の曾良以外の友と別れたのち、芭蕉はこの旅の動機を手短に述べている。その表現は、論理的というよりはむしろ詩的である。

ことし元禄二とせにや、奥羽長途の行脚只かりそめに思ひたちて、呉天に白髪の恨《うらみ》を重ぬといへ共、耳にふれていまだめに見ぬさかひ、若生《もしいき》て帰らばと、定《さだめ》なき頼の末をかけ、其日漸《やうやう》草加と云《いふ》宿にたどり着にけり。

「只かりそめに思ひたちて」とはいうものの、芭蕉にとってこの旅が、とりわけ重要であったことは、この作に盛られた俳句、および散文の、輝くばかりの美しさからも察せられるのである。これの上梓を許す前、彼は五年にもわたって、稿の推敲を重ねたという。

学者の中には、芭蕉が元禄二年（一六八九）のこの旅を思い立つに至ったのは、西行ゆかりの地を訪ねることによって、その五百年忌を彼なりに祝いたかったからだ、という者もある。なるほど『奥の細道』には、西行への言及が、諸所にちりばめられている。それともまた芭蕉は、「江口」、あるいは「西行桜」のような能曲における西行にならい、往昔の歌で知られる地を訪れ、死者の亡霊に相まみえ、その物語を聴き、最後に彼らの冥福を祈る、あの「ワキ」の役に、己をなぞらえていたのかもしれないのである。

しかし彼の旅のおもなる目的は、過去の歌人に霊感を与えた土地をおとなうことによって、己の芸術に、新しい風を入れることであったように思われる。古い歌に詠まれた山や川の前に立つならば、かならずやその土地の霊と一つになり、それによって己の詩を豊かにし得ると信じていたのである。山の頂きに最初の足跡を残すとか、あるいは先人によって見逃された風光に初めて着目するなどという野望は、毛筋ほども持ち合わせなかった。それどころか、昔の歌に詠まれた所でなければ、いかに壮麗無比の風景であろうと、芭蕉の感興を唆ることはなかったのである。例えば、それまで重要歌人が取り上げることのなかった日本海岸沿いを往った時、彼はその風光については、ひとことも言っていない。本人の説明によると、病のために筆が執れなかったからだというが、同行した曾良の日記には、芭蕉の病気についての記述は、なに一つ見当たらない。従って芭蕉の沈黙は、病のためというよりは、興味がわかなかったため、と思わざるを得ないのである。

すでに知られた主題のみを取り扱いたいという芭蕉の慾望は、昔の歌の詠み替えであるあの本歌取りの伝統に基づいている。通常日本の歌人は、彼らの主題を、先輩歌人によって取り扱われたものに限定し、伝統に忠実ならんがため、しばしば言葉までもそっくり借用したのである。

新しい詩人による貢献とは、誰もが熟知する媒体を通して見られる、彼自身の感受性にほかならなかった。例えば散りゆく桜の花に関する和歌の評価は、歌舞伎役者による名高い役柄の解釈、またピアニストによるベートーヴェンの、有名なソナタの演奏を鑑賞することに似ているのである。すなわち私たちは、全く新奇な解釈に接して、度胆を抜かれたいとは望まず、それよりも強調点の置き所のちがいに、感銘を受けたいのである。なぜならばそれは、そこに新しい知性が働いていることを感じさせたり、今まではその作品が、十分に分かっていなかったことを銘肝さすような、解釈の陰影を、そこここで明らかにしてくれるからである。

『奥の細道』は、日本の紀行文学に具わる諸資質の偉大な集約であり、同時にその分野における新しい可能性を、大胆に探究した作品である。芭蕉はこの作に、紀行文につき物のさまざまな要素を取り込んでいる。例えば名所や歌枕に関する記述、詩と散文の組み合わせ、道中での見聞、孤独の際における私的省察の叙述などである。すべてこれら周知の要素も、ここでは新たな意味を獲得している。それは芭蕉が、日記を読むという昔ながらの喜びを無限に高めてくれる、あの形式の感覚を付与して、以前にはややもすればただの気紛れな印象記に終わりがちだったものを、一つの渾然たる全体としてまとめ上げているからにほかならない。

芭蕉の先輩たちの筆になる旅日記を読む時、その形式きわめて粗笨《そほん》なものにさえ心打たれる場合がある。否定しがたい痛切感、あらがいがたい真実が、それらにも、時として見いだされるからである。そこで私たちは、形式上の欠点は大目に見る。時には、退屈な個所すら、興味を抱いて読む。作者が自らについて、またその時代の人間の生活について語る、その内容に関心を持つからである。

しかしそのような寛大さは、『奥の細道』に限って、全く無用なのである。なるほどこの日記といえども、全篇を通じて、いつまでも記憶に残るような、まぶしいばかりの名文の連続とは言いがたい。といって芭蕉が、そのような中だるみのない日記を書く能力がなかった、と考える理由もないのである。芸術的緊張度が最も高い章句の間に、いわば「息抜きの場」を意識的に与えるという、あの形式感覚に、彼も従っていたのにちがいない。彼はこの形式を、直感的に発展させたのかもしれない。それは宝玉のように完璧な韻文がたゆみなく続くことからくる読者の疲労感に気づいていたヨーロッパの詩人、あるいは、息を呑むほど美しい旋律を持つアリアの間に、平板な叙唱部を挿入したモーツァルトなどと同断なのである。

しかし、芭蕉が連歌の作法に影響されてもいたというのが、さらに真相に近いのではないだろうか。すなわち連歌では、強い内容の句と句との間に、変化となだらかな推移感とを与えんがため、意向の強い句「紋《もん》」、そして効果のさらに平板な句「地《じ》」の、二つながらを要求したのである。小西甚一教授の論証によると、『新古今集』に収められた歌は、その時代に詠まれた最も見事な和歌をよりすぐって集めたものというよりは、今述べたと同じ原理に基づいて編んだものだという。

松島、そして中尊寺に関する有名な描写と、象潟についての同じく美しい記述との間に、芭蕉は、本州横断の旅を述べた比較的月並みな章句をさしはさんでいる。勿論芭蕉のことである。そのような「比較的月並みな」章句の中にも、すぐれた俳句に彩られた立石寺《りゅうしゃくじ》、最上川などについての、忘れがたい描写を見ることが出来る。だが私たちは、彼が象潟の章を語り出すその呼吸によって、これがこの作品の、いわば次の「さわり」であろうと悟るのである。

> 江山水陸の風光、数を尽して、今象潟に方寸を責む（象潟を見たいと思う心に責められる）。（中略）日影やゝかたぶく比《ころ》、汐風真砂を吹上《ふきあげ》、雨朦朧《もうろう》として鳥海の山かくる。闇中に模索して雨も亦奇なりとせば、雨後の晴色又頼母《たのも》敷《しき》と、蜑《あま》の苫屋《とまや》に膝をいれて、雨の晴《はるる》を待。

たまたま同じ宿に泊まり合わせた二人の遊女のことを記した時、芭蕉はここでも、連歌の詠句法を意識していたのかもしれない。すなわち「恋の句」の出番である。新潟にいる家族への、あわれを誘う遊女の言伝てのことを記したのち、翌朝女たちが、芭蕉のあとについて旅をしたい、と申し出た話を、彼は書いている。それは断ったのだが、このエピソードを集約するような俳句が、そのあとに続く。「一家《ひとつや》に遊女もねたり萩と月」。そして「曾良にかたれば、書とゞめ侍る」とつけ加えている。

ところが曾良の日記にも、また他のいかなる文書にも、この事件についての記述は全く見当たらない。従ってこの遊女うんぬんの話自体が空ごとではないか、という疑いが出てきたのも当然である。すなわち、日記に変化をつけ、そしておそらく「恋の句」を入れるという、例の連歌作法に従うための、これは芭蕉の作り話ではないかと。あるいは曾良のほうで、超俗の詩人芭蕉が、遊女ごとき賤しい女と親しく口を利いたのをほのめかすような事件を、おそらく外聞をはばかって書かなかった、ということも勿論あり得る。

芭蕉の作り話や事実からの乖離《かいり》は、作品のさらに永続的な全体的真実感を、かえって高めている。彼は、印象主義的な意味においてのみ「事実」に基づくフィクションを書いたのだ。旅の間につけていた覚書や俳句の初稿が、「事実」にさらに近いこと、これは疑いを容れない。だが芭蕉にとって「事実」は、芸術となるにはやはり不十分だったのである。

大ざっぱな意味で『奥の細道』および曾良の日記と類似性を持つのは、『アタラ』『ルネ』の作者シャトーブリアン子爵と、その従者ジュリアンとがそれぞれ書いた旅日記であろう。一八〇七年、彼らがギリシア、エルサレム、エジプト、スペイン、などを訪れた時の記録である。スペインへの旅を記した章は、それ自体興味を唆るばかりではなく、それがきっかけとなって、この作者に、『アバンセラージュ族最後の人の奇談』(一八二六年)という歴史物語を書かせるに至ったことでも興味深い。すなわち、日本の日記文学を想起させる仕方で、散文と詩とを並用した物語である。

スペインの旅を、シャトーブリアンは、いかにもゆったりとした遊覧旅行であったかのように描いている。道中すべての名所旧跡、とくにコルドバの大回教寺院（現在は教会）や、グラナダにあるアルハンブラの庭園などに足をとめ、それらを褒めたたえている。ところがいちいち正確に日付を記した従者ジュリアンの、微塵も妥協のない日記を読むと、この旅行中シャトーブリアンは、終始むやみに急いでいたというのだ。

コルドバの大寺院に着いた時など、着くとすぐに出発したので、馬に水をやるのがやっとのことであった、と彼は書いている。グラナダには、一日そこそこしか滞在しなかったのに、シャトーブリアンの方は、アルハンブラから受けた感銘があまりにも強かったため、まさに身を裂かれる思いでそこを立ち去った、と言っている。現代のある学者が算出したところによると、ジュリアンの日記から推して、シャトーブリアンがスペインで一日にこなした道のりは、平均八十キロにおよんだという。彼はただの一軒の家にも入ることなく、一人のスペイン人と口を利くこともなかったのだ。同時代の風俗世情もろくに観察せずに、また通りすぎた土地の歴史を、人に訊ねるのでもなかった。毎朝太陽と共に起き出て、ジュリアンを叩き起こすと、さあ、馬の用意は出来ているか、ときいたものだという。

これに比べると『奥の細道』は、曾良の日記に記せられた客観事実に照らしてみても、旅の事実に忠実な日記の、まさに模範だといってよい。とはいえ芭蕉の目的は、本質的にはシャトーブリアンのそれと異なるものではなかった。それは永遠の文学的価値を持つような作品、すなわち、旅で起こった事件が引き金になっていても、決してそれだけが素材ではないような作品、を創造することであった。またいずれの作者も、旅人としての己自身の肖像を伝えようとしている。シャトーブリアンの方は、己のことを、いかにも暇を持てあました旅人、という印象を与えたいと願っている。

すなわち、実際的な目的など何一つ持たず、己の興のおもむくまま、どこにでも馬を留め、過去の廃墟に立てば、憂愁に包まれた己自身の姿をそこに見いだすという、まことにロマンチックな閑雅の士のイメージである。一方芭蕉の方は、自らのことを、そのようにロマンチックには決して見てはいない。彼もまた過去に思いを致した。だが詩人としての自覚を忘れたことは、片時たりともなかったのである。

日記によると、平泉へ行こうとして、芭蕉は道をすっかり見失ったことになっている。「人跡稀に雉兎《ちと》芻蕘《すうぜう》（雉や兎を獲る者、草刈りや木こり）の往かふ道、そこともわかず、終に路ふみたがへて、石の巻といふ湊《みなと》に出」。石巻についての、これに続く記述を読めば、彼にこの地が気に入らなかったことは一目瞭然である。「数百の廻船、入江につどひ、人家地をあらそひて、竈の煙立つゞけたり。思ひがけず斯る所にも来れる哉と、宿からんとすれど、更に宿かす人なし」。

いかなる時も真実しか書かぬ曾良の日記によれば、彼らが石巻を訪れたのは人の招待によったので、ある商人の家に泊まったのだという。だが芭蕉は、どこか淋しい村里ではなく、石巻のような商工業の中心地に、自ら進んで滞在したなどとは、読者に思わせたくなかったのであろう。従って彼は、いにしえの放浪歌人というイメージにふさわしい自画像を呈出すべく、幾許かの事実を折り曲げ、他の事実を畳み込んだのである。彼のようなつつましい詩人にとっては、「かまどの煙が立ち続けている」ような土地柄で、商人によって歓待されるなど、まことに似つかわしからぬことと感じられたにちがいない。

芭蕉は、石巻での彼の短い滞在に関して、さらに別の点でも事実を曲げている。「『こがね花咲く』とよみて奉たる金花山」が、港から「海上に見わたせる」、と言っているが、石巻の港から金華山を見はるかすことは、事実上不可能なのである。だが芭蕉は、己の体験を、「みちのく山に黄金《こがね》花咲く」と歌った、『万葉集』に出ている大伴家持の歌に、どうしても結びつけたかったのである。客観的事実よりは、芸術的真実への、彼の献身のもう一つの例である。

『奥の細道』には、実に美しい章句があまりにも多すぎ、どれが一番気に入りかを、読者は容易に決めかねるのである。名高い冒頭の一節は、誰にとっても忘れ得ない文章である。松島や象潟の章も同じであろう。だがこの日記では、ただ一つの文章さえ、いつまでも脳裏に残るのはもとより、時と共に頭の中で膨れ上がり、やがて一篇のエピソードへと発展してゆくのである。芭蕉のほかにこれが出来る唯一の詩人は、おそらくダンテであろう。彼は他の作家ならば、取り扱うのに一篇の小説、ないし戯曲でもってするような忘れがたい人物——例えばパオロとフランチェスカ——を、ほんの数行で描き尽くしている。

芭蕉の言語が持つ魔術を、一言で定義するのは容易ではない。だが次のような文章を読む時、それが感じ取られる。「三代の栄耀一睡の中にして、大門の跡は一里こなたに有。秀衡《ひでひら》が跡は田野に成て、金鶏山のみ形を残す」。ここでは、大和言葉と熟語とが、まさに完璧に融け合い、初期日記作者による文章と引き比べて、はるかに豊潤な肌合いと、簡潔さとを生み出している。そのくせ言葉は、読者の頭の中で、徐々に大きく成長するのである。私はかねてから、親不知子不知の難所に関する記述を、この日記中の白眉の一つと考えていた。ところが今仔細にそれを再吟味してみると、その文章は、わずか一行足らずしかないことが分かったのである。

『奥の細道』の中で、おそらく私に最も訴えるところの多いのは、多賀城の「つぼの石ぶみ」を見たあとの、芭蕉の述懐であろう。碑《いしぶみ》の碑文そのものは、多賀城築城および修理の経緯《いきさつ》を述べるだけで、さして興趣あるものとはいえない。しかし芭蕉は、まぎれもない千年の昔、聖武天皇の御世からの記念物《かたみ》が眼前にあることをさとり、深く心を動かされる。この旅において、これよりはるかに古いものを、彼は諸所で目にしていた——それは川であり、山であり、また樹木ですらあった。それからしばらくして、彼は「三代の栄耀」の城を訪れ、そこで杜甫の有名な句「国破レテ山河在リ、城春ニシテ草木深シ」を思い出している。そこに腰をおろし、いにしえの戦の情景に思いを致し、「時のうつるまで泪《なみだ》を落し侍りぬ」と書く。そしておそらく彼の最もすぐれた俳句、「夏草や兵《つはもの》どもが夢の跡」の句を詠むのである。

多賀城において彼に最も強く訴えたものは、もはや完全に消え去ったものでも、今や「夏草」に変貌したものでもなく、まだそこに形を留めているものであった。

むかしよりよみ置《おけ》る歌枕、おほく語伝ふといへども、山崩れ、川流れて、道あらたまり、石は埋て土にかくれ、木は老て若木にかはれば、時移り代《よ》変じて、其跡たしかならぬ事のみを、爰《ここ》に至りて疑なき千歳《ちとせ》の記念《かたみ》、今眼前に古人の心を閲《けみ》す（確かめる思いだ）。行脚《あんぎや》の一徳、存命の悦び、羇旅《きりよ》の労《つかれ》をわすれて、泪も落るばかり也。

この言葉の中で、芭蕉は、山河の永遠性を否定している。また永久に生い代わる木々に表れた永続性にも、疑問をさしはさんでいる。「国破レテ山河在リ」の言を、彼は疑ったのである。多賀城もなく、それを取り巻いていた風光も、昔の姿を全く留めないのに、「壺の碑」は、今も見ることが出来る。同じように、そこに描写された景色はすべて、見る影もなく変貌したというのに、世に日本語の読める人間が存在するかぎり、『奥の細道』は残るであろう。

例えば芭蕉がこの旅の初めに足を留めた千住は、今や荒涼たる郊外の町にすぎない。また彼が最初の夜を過ごした草加は、今では巨大な団地都市である。だが『奥の細道』に盛られた真理は、すでにそれが、例えば象潟がこうむった変化のあともなお生きているように、そのような変化など尻目に見て、ずっと生き長らえるにちがいない。文化元年（一八〇四）の地震のあと、象潟は正真正銘の陸地となり、当時芭蕉に松島を想起させた多くの小島も、今では田面《たのも》に突起する丘陵群にすぎない。そして今日象潟に旅をする人々は、眼前に展開する実際の景色ではなく、芭蕉が描いた景色をこそ、そこに見るであろう。映す水はもはやない。それでもなお鳥海の山の影は、「うつりて江《え》にある」のである。

月日はまことに「百代の過客」である。しかしそれもひとえに、この永遠の、だが天文学的には意味をなさぬ事実に人が心を向け、言葉の美によって、その深長な意味を保ち続けてきたからにほかならない。何百霜も隔てたその昔に書かれた日記が、今ここにある。文学という芸術への、これ以上に壮麗な捧げ物が、他になにかあるだろうか？

嵯峨日記

『嵯峨日記《さがにっき》』は、芭蕉の他のどの日記よりも真正の日記に近い。記載にはすべて日付がついている。芭蕉はまた、あとになっても、文体上の手直しは一度もしていないようである。だが『嵯峨日記』の純粋に文学的要素の欠落は、それが記録している作者の日常生活への、まことにユニークな寸描によって、十分償われている。この日記は、彼が落柿舎《らくししゃ》で過ごした数週間のことを描いている。落柿舎は弟子去来《きょらい》の別荘で、京都の西北郊嵯峨にある。

日記は次の記述で始まる。「元禄四辛未《しんび》卯月十八日、嵯峨に遊びて去来が落柿舎に到《いたる》」。芭蕉はしばらくそこに逗留することに決める。そこで彼のため、障子の破れがつくろわれ、庭の葎《むぐら》は引きむしられる。つぎに芭蕉は、携えてきた本の名をいちいち記している。『白氏集』『本朝一人一首』『世継物語《よつぎものがたり》』『源氏物語』『土佐日記』『松葉集』。しかしこの選択は、いささか奇妙と言わざるをえない。和歌や連歌のしかるべき書物や、彼が愛した詩人の著書は、一冊も入っていないからである。また『世継物語』というのが、果たして『栄花物語《えいがものがたり》』のことなのか、それとも『大鏡』のことなのか、ここでは明示されていない。だがいずれにせよ俳人が田舎へ携えるものとしては、まことに意外な書物なのである。おそらく、己に与えた休暇を利用して、長年読み損じていた本を読み、いわば「遅れを取り戻そう」と願っていたのであろう。
しかし芭蕉の落柿舎逗留は、ひたすら骨休めばかりとはいかなかった。例えば夜になっても、昼寝したため眠られぬままに、「幻住庵にて書捨たる反古を尋出して清書」する、というふうだったからである。とくに何の清書（多分手直しも）をしたとは、彼は言っていない。だがおそらく『奥の細道』も、その中に入っていたのではなかろうか。
芭蕉を訪ねて京都、大津、その他から来る、絶えざる客の流れがあった。彼はそうした来客を、明らかに楽しんでいたようである。四月二十二日、雨。「けふハ人もなくさびしき儘にむだ書《がき》してあそぶ」と書いて、彼は疑いもなく客の来訪を恋しがっている。だがその「むだ書」の内容こそ、他でもなく、孤独の喜びを言ったのである。
喪《も》に居る者ハ悲《かなしみ》をあるじとし、酒を飲むものハ楽《たのしみ》をあるじとす。「さびしさなくばうからまし」（『山家集』）と西上人（西行）のよミ侍るは、さびしさをあるじなるべし（淋しさをわが主人となす心からであろう）。（西行の）又よめる、
山里にこハ又誰をよぶこ鳥独《ひとり》すまむとおもひしものを
独住《ひとりすむ》ほどおもしろきハなし。長嘯隠士《ちやうせういんじ》（木下長嘯子）の日《いはく》「客ハ半日の閑《かん》を得れバ、あるじハ半日の閑をうしなふ」と。素堂《そだう》（芭蕉の友人）此言葉を常にあはれぶ（共感している）。予も又、
うき我をさびしがらせよかんこどり

とハ、ある寺に独居て云《いひ》し句なり。

芭蕉はしばしば「人疲れ」に悩まされていたものと見える。琵琶湖の南、幻住庵での独り住まいを選んだのも、また元禄六年（一六九三）、江戸の住居を「閉関」、訪客を断ったのも、おそらくそのためであったのであろう。己を尊敬してくれる弟子に取り囲まれるのは、教師冥利に尽きることである。だが同時に、大いに疲れることでもあるのだ。芭蕉が口にする片言隻語も逃さじと書き取り、いかに取るに足らぬ言葉にも、深い感歎の声を洩らす門弟たちの姿が、ありありと目に浮かぶではないか。独りでいることは、彼にとってなんたる救いであったことであろう。

とはいえ芭蕉は、人間嫌いとはほど遠い人であった。去来や凡兆、あるいは他の弟子たちが落柿舎を訪れたり、江戸からの書信を受け取ることは、芭蕉にとって、明らかに大きな喜びであった。その上、俳諧の連歌（『嵯峨日記』にはその数例が記載されている）を巻くためには、幾人かの連衆《れんじゅ》の参加を要した。これこそ芭蕉が、一つには山中の独居より、むしろ江戸住まいを選んだゆえんであろう。独りでいたいという欲求と、逆に大勢に囲まれていたいという願望との分裂は、芭蕉にかぎらず、他の多くの詩人にも起こったことである。

芭蕉は、人間への関心を絶えて失ったことがなかった。自然の風光の描写にも劣らず、彼が多くの旅で出会った人間の描写こそ、まさしく彼の旅日記を忘れがたいものにしている理由なのである。いまわの病に打ちひしがれながら書いた句の一つには、人恋しさの情がみなぎっている。

秋深き隣は何をする人ぞ

しかし同時に心中深い所では、詩人の運命は所詮《しょせん》孤独であると知っていたのにちがいあるまい。すなわち、

此道や行人《ゆくひと》なしに秋の暮

西北紀行

芭蕉が『奥の細道』の旅に出たと同じ元禄二年（一六八九）の春、著名な儒学者貝原益軒《えきけん》も旅をしている。丹後、若狭、近江への、諸国一見の旅である。益軒は、数え年で当年六十歳、しかも道中には、難所といわれる個所が少なくなかった。しかし彼は、多くの初期旅日記を特色づけていた、あの生きて再び家に戻れぬかもしれぬという暗い危惧の念は、全く抱いていない。旅の目的、およびなぜこの日記を書くに至ったかというのいわれを、彼はまず巻頭に記している。

名区佳境の勝れたる処を見るは、只其時暫し心を慰むるのみかは、幾年経ても折々に、其所々の有様を思ひ出れば、さながら今目の前に見る心地して、珍らかに懐かしければ、老の身の後年まで忘られざらん為に、此年巡りし国郡の境地を、拙き筆に任せて書留め置ぬ。是れ身を終るまでの思ひ出にせんとなり。又我と志を同じくして名所に遊覧する事を始める人も、いまだ見ざる所多かんめれば、斯《かか》る人の為にも成れかしとて、聊《いささ》か記して後覧に供ふる事爾《しか》り。

益軒は旅を好んでいた。同じ年のもっと晩《おそ》い時期に、彼は紀州と大和へ出かけている。また他のいくつかの旅日記には、美濃の関が原から、越前の敦賀までの旅、そして京都、江戸間の、東海道往復の旅のことが記せられている。

彼の旅日記には、総じて文学的興趣が乏しい。とはいえ、訪れた土地に関して彼が語ってくれる事柄、それからこれはもっと少ないが、道中見聞したことへの彼の反応を知るためにも、一読の価値なしとしない。当然のことながら、彼の日記には、中世の旅日記を特徴づける、あの絶望感はない。益軒は、過去の文学への連想で有名な地へも、度々杖を曳いている。だがそうした場所も、今ではほとんどが廃墟なのである。とはいえそれを見て、格別憂愁の思いをかき立てられた様子はなく、彼はただそこに、時代の変遷を認知するのみである。

益軒は断固として散文的に、また合理主義的になろうとしている。褒められてよい資質だが、おかげで彼の日記からは、日記文学を読む喜びがすっかり奪われている。しかもこれは、作者による一篇の詩歌の記載もない、私が読んだ最も早い時期の日記である。旅で耳にしたいわゆるロマンチックな物語への益軒の反応は、例外なく現実的である。超自然の出来事にすら、なんらかの合理主義的な説明づけを見いだしている。

例えばある時、二瀬《ふたせ》川(大江山の麓)の近くで、彼は「礎石《いしずゑいし》」なるものを見る。そして「是酒顚童子《しゆてんどうじ》が住し所」だと教えられる。その時彼は、この罪のない民俗伝承を信ずるのを拒否している。

酒顚童子は古の盗賊なり。夜叉の形を真似て人を威し、人の財宝を奪ひ、人の婦女を掠《かす》む。近世近江の伊吹山の辺にも、斯《かか》る賊聚《あつま》りて、鬼の形を学び人を悩ましけるが、加賀の井弥八郎と云勇者に切殺されしと云ふ。

現代の読者なら、彼のこの説明を喜んで受け入れるであろう。といって昔の酒顚童子の伝説より、この解釈の方が、さらに興味深いからというのではない。そこに近代的な批評精神の働きが見えるからである。同じように、益軒が小浜《おばま》を訪れた際、人魚の肉を食べたため、八百歳まで生きたという女の話を聞かされる。これに対する彼の評言にも、私たちは同意せざるを得ない。彼は言っている。「八百歳は信じ難し」と。

文学的な満足を願って益軒の日記を取り上げる者は、失望するであろう。だが益軒自身は、すこぶる魅力的な人物なのである。また彼の日記の影響も、見逃すことは出来ない。例えば益軒の百年あとに旅日記を書いた菅江真澄《すがえますみ》の膨大な日記は、益軒の伝統を継ぐものである。益軒とは全く異なる人生観の持ち主であった本居宣長と大田南畝《なんぽ》。この二人の日記にさえ、益軒の影が落ちている。日本の各地に関する情報の科学的集積は、まさに益軒の旅日記に端を発したのである。

『西北紀行《せいほくきこう》』の中でおそらく最も感動を誘う個所は、寛文二年（一六六二）の大地震で地中に埋もれてしまった近江の二つの村についての益軒の記述であろう。

篤信（益軒の名）昔し京に在し時、彼里の男の京に来り語るを聞けり。大地震せし日、我れ朝より山に登りて薪を伐る。大地震に愕《おど》きて里に帰りしに、山崩れて里は皆土に埋もれ、我が父母兄弟親類其外里人皆土に埋もれて死ぬ。我一人死を免かれたりとて泣々《なくなく》語る。

この文章を読んで私が思い出すのは、かつて私が訪れた、マルチニック島、サン・ピエール市の廃墟のことである。ここはその昔ラフカディオ・ハーンが日本に来る前に住んでいた所で、そのユニークな美しさを、彼も賛えている。ところが一九〇二年、近くの火山プレ山が噴火、およそ三万人の市民が死に、生き残ったのは、地下の深い土牢に閉じこめられていた囚人一人だったという。ただ一人の生存者になるというのは、一体どのような気持ちであったことだろうか？

益軒がもう少しでよいから詩心の持ち主であったならば、と読者は惜しむのである。悲しい物語を聞いても、それに対する己の感想については何一つ記していない。おそらく生来の寡黙《かもく》が、同情の言葉を述べることを禁じたのであろう。それは理解出来なくはない。だがやはり物足りなさが残る。益軒がいにしえの詩文に疎かったはずはない。寂光院を訪ねた時、彼は建礼門院のことを思い出している。「建礼門院の陵《みささぎ》は、寺の厨《くり》の少し上高き所にあり。小なる墓なり。堂の前に昔は小池あり。汀《みぎは》の桜とて頭《ほとり》に桜ありしが、今は池も桜もなし」。また小野では、次のように回想する。「業平の歌詠し所なり。伊勢物語にも見えたり。又源氏物語浮舟の巻に、浮舟が住し事を書しも、此小野の事なり」。だがこれだけなのである。益軒の詩的想像力は、これより高く羽ばたくことはなかった。『西北紀行』の末尾には、また別の「人間味」がにじみ出ている。

元禄二年二月。益軒貝原篤信書。今茲《ことし》宝永八の年（一七一一）。我犬馬の齢既に八十二、重ねて此紀行を顧みる。老極まりて後、昔観し所々の景迹《ありさま》を思い出るも懐かし。

彼が冒頭で行った予言は、見事的中したといってよい。二十二年後、旅の思い出は、今や老いた彼を、まさしく「懐かし」がらせたからである。

このあと益軒が書いた旅日記は、『南遊紀行』を始め数篇ある。だがみな『西北紀行』と、およそ同工異曲なのである。詩的興趣に乏しい点では、戦国の武将が書いた日記にも、引けを取らない。といって益軒の美的感情が、とくに鈍かったというわけではあるまい。わざわざ旅に出たからには、彼とても、当然行くさきざきの風光を楽しみ、かつ賞《め》でたはずだからである。しかし美しい景色に、いかに心を奪われていても、儒教的合理主義者としての本分を、決して忘れることがなかった。

俗説に、此浦におなみありてめなみなし。故に片男波と云。此説非也。男波とは大なみなり。女波とは小波也。われもとより其説を信ぜず。あめつちの内、などてかかるつねの理《ことわり》にたがひぬることやあるべきとおもひしかば、かへりて後人にもかたり、其迷をさとさんためわざと此浜辺にやすらひて、心をとめて久しく見侍りしに、いささか俗説のごとくにはなし。只よのつねの所のごとく、おなみめなみともにいくたびもたち来れり。和歌の浦にしほみちくればかたをなみと古歌によめるは、俗説にあらず、しほみち来たりて、潟《かた》なくなると云意也。

和歌の浦にも、他のすべての浦同様、男波があれば女波もあるはずと、わざわざ現地調査に出向いて行ったとは、いかにも益軒らしいではないか！　とはいえ風景の美にもまた、彼は打たれている。「此浦の佳景、聞きしにまさりて、目を驚せり」。しかし「佳景」に対する感動の表現は、大よそ常にこの程度どまりだったのである。

詩的旅日記の最高傑作を芭蕉が書いたと同じ年に、益軒がこれほど散文的であり得たとは、まことに不思議といわざるをえない。二人の日記は、日本の近世に最も特徴的な二種類の日記の、それぞれのパターンを、はからずも打ち立てたのである。

他の日本の儒者と比べて、貝原益軒は女性の教育に対してはるかに深い関心を寄せていた。近世の女性教育に関する最も著名な書物『女大学』は、しばしば益軒の著作の一つと目されている。だが彼が正しいと思う女性教育についての、彼の著作に盛られた意見から推すに、これは誰か全く無名の人物によって編まれた書物である可能性が強い。ところで今日彼の意見は、はなはだしく時代おくれのように見える。事実それは、「男尊女卑を出発点として」いるといって非難されてきた。しかし近世以前の女性が普通受けていた教育と思い合わせるならば、益軒が処方した「教訓」は、ある意味ではいちじるしく進んでいたともいえるのである。例えば『和俗童子訓《わぞくどうじくん》』の、次の一節を見ていただきたい。

七歳より和字《かな》を習はしめ、又をとこもじ（漢字）をも習はしむべし。淫思なき古歌を多く読ましめて、風雅の道を知らしむべし。是また男子の如く、初は数目有る句、短き事ども許多《あまた》よみ覚えさせて後、孝経の首章、論語学而篇、曹大家《さうたいこ》が女誡など読ましめ、孝順貞潔の道を教ふべし。

ここまでは彼の教訓も、時代に先んじていたと言えるだろう。だがそのすぐあとに続く言葉は、そうはいかない。

十歳より外に出ださず、閨門《けいもん》の内にのみ居て、おりぬひ、うみつむぐ（棉や繭から糸をつむぐこと）わざを習はしむべし。仮にも淫泆《いんいつ》なる事を聞かせ知らしむべからず。小唄浄瑠璃三味線の類、淫声を好めば、心をそこなふ。

益軒は世の親に対して、娘に読ませる物語類は心して選ぶよう諭し、『伊勢物語』『源氏物語』などについては、「其詞《ことば》は風雅なれども、かやうの淫俗の事を記せるふみを、早く見せしむべからず」と書いている。これならば、徳川時代の日本はおろか、ヴィクトリア朝のイギリスにおいても歓迎されたにちがいない。

益軒が平安朝の偉大な女性作家の著作に通じていたこと、それはいうまでもない。しかし女性が文学に身を捧げることには反対であったように思われる。紫式部や孝標女《たかすえのむすめ》が持った文学的才能などより、「和」と「順」こそ、彼が理想とする女性の持つべき資質を代表したのである。女はすべからく「閨門の内」にいて、縫い物、糸つむぎを事とせよ、という彼の訓戒に違背していたにもかかわらず、彼は京都のある出版元に、井上通女《つうじょ》の日記の上梓をすすめた。というのも彼女の日記に表れていた女らしい「美徳」のせいであったに相違ない。通女は幼少より、その並外れの聡明さによって聞こえていた。讃岐丸亀藩主に仕えた父から、まず和漢の古典の手ほどきを受け、のちに京都に送られ、林春斎その他の下で、さらに研鑽を重ねたという。とくに和歌および漢詩にすぐれ、すでに二十になる前に、女性の正しい生き方を明らかにする、二冊の著作をあらわしている。彼女の英名は広く藩中に知れ渡り、二十二歳で江戸に召され、藩主の母養性院の侍女となった。この時の丸亀から江戸への旅を記録したものが『東海紀行《とうかいきこう》』である。これはそれよりおよそ三百五十年前に書かれた『竹むきが記』以来、女性の手になる（少なくとも私の知るかぎり）最初の日記であった。『東海紀行』は、昔風の和文で書かれている。伝統的な形式にならって、篇中至る所に和歌をちりばめている。だが中国文学への言及や、自作の漢詩も少なくない。冒頭の文章は、この種の文体の、まさに典型である。

天《あま》のやはらぐ始のとし、霜をふみて、かたき氷にいたる比《ころ》ほひなれば、年ふる丸亀を舟よそひして、あづまの方におもむく。

「天のやはらぐ始のとし」とは、天和元年（一六八一）を、通女流に優雅に読んだのである。続く句は、『易経』にある「履霜堅氷至」を踏まえている。中国古典に言及したことは、益軒が明らかにした女性教育への指針に沿うものである。同時に「霜月」、すなわち十一月への、定石的言及も忘れていない。「年ふる」は、おそらく「丸亀」の枕詞であろう。

いささか重苦しい書き出しといわざるをえない。にもかかわらず作者通女の性格は、この日記を読み進むにつれ、少しずつ明らかにされてくる。そして最後に、益軒の女性訓にいわば洗脳されすぎてはいたが、通女とは、殊のほか英明な女性であったという印象を、おそらく私たちは抱くのである。

丸亀から江戸への通女の旅は、まず瀬戸内海を横切る船旅に始まる。「あらき波風をしのぎて出づれば、たゞよひながらいと走りゆきて、故郷の方はや遠ざかり」と書いたあと、人麻呂、杜甫、菅原道真と、古歌、古詩への言及を、矢継早に出して来ている。道中初めの頃は、格別興味を惹くような事件は何ら起こっていない。いうまでもなく通女も、歌枕には関心を示している。それまで五百年、京都、東国間を旅したすべての旅人同様、通女もまた、今は八橋も、杜若《かきつばた》もほとんどないことを知り、歎くのである。そして荒井（新居）の関に着くまでは、この日記の記載が、従来の旅日記のそれと区別されるところはなにもない。しかしそれまでの女性日記作者のうち、通行手形に遺漏があるというので、関所で足留めを食った、と書いたものは誰もなかった。ところが徳川時代になると、それまでのだらしなく、腐敗していた役人とは打ち替って、能率的な役人が出てきていた。従って通女の手形は、厳重に調べられたのである。

難波にて賜りし御印、関所に奉りしに、わきあけたる少女《をとめ》と書きわくべき事を、えしらで、たゞ女とのみ書きて奉り、扨《さて》御印のことばにも、女とのみ有りければ、ゆるし給はで、空しくもとのやどりに帰りぬ。いかゞ悲しくつらくて、いかでさる事しらざりけんと、我身さへ恨しくて……

「わきあけたる（袖のわきを空けた）少女」と、「女（袖が縫いつめてある）」とのちがいは、関所役人には絶対的であったと見え、未婚の通女を通すのを、彼らは許さなかったのである。使いを難波に帰して新しい手形をもらって来させるほか、打つ手はなにもなかった。使者が果たして無事難波に着くだろうか、また間違いなく必要な証明書を持ち帰るだろうか、と通女はいたく気を揉んでいる。そうでなければ、彼女は丸亀に戻らねばならず、はるばるここまで来た甲斐が、全くなくなってしまう。旅籠《はたご》で目覚めたまま横になり、泣きながら、はげしい雨の音に耳傾けつつ彼女は思う。「よろづ物わびしさ、いはん方なし」。夜もおそくなると、関所を通ってゆく旅人たちのざわめき、馬のいななき、くつわの音、などが聞こえてくる。羨しさきわまりない。「羨しく、たゞ何につけても、女の身のさはりおほく、はかなき事ども、今さら取り集めて過す（なにもかも一緒にして心をなやます）ほどに、明暮もおもひわかず」。

だが意外に早く、使者が戻ってくる。そして今度は、問題なく関を越すことが出来たのである。

通女が天龍川を渡ったところで、『東海紀行』は終わっている。どうやら風邪をこじらせたらしいのである。そこで同行していた父が、彼女がさらに健康を害するのを恐れ、執筆を禁じたのだ。だが彼女は、江戸へ着いてから再び日記をつけ始めている。すなわち『江戸《えど》日《にっ》記《き》』。彼女による日記三篇中、一番長く、ただし興趣には最も欠ける作品である。そしてこの日記は、今日日本の若い女性が付ける日記と、大差ないスタイルで書かれている。しばしば事件のはるかあとに書かれ、しかも意識的に文学的な言語で表現された過去の日記とは異なり、『江戸日記』は、毎日、その日の出来事を忠実に記録している。天候、来客など、決して書き洩らすことはない。ほんの時たま、文学的な意図をうかがわせる記述が見られる。例えば天和二年(一六八二)九月十三日付の記載である。

雨ふる。何となくいと心細き心なりや。風のおと虫のねよりはじめて、心ひとつになん。雁《かり》の声耳おどろくばかり聞えたるも、まづ古郷の人こひしく、玉章《たまづさ》(便り)つたへけんいにしへこそうらやましけれ。霞みていにしとおもふにも、うつりやすき月日なり。

通女は、故郷にある家族のことをいたく恋しがっていた。従って丸亀から便りが届くのが、なによりもの喜びだったのである。

江戸における通女の職務は、おもに「城主の母」なる老女に、薬をととのえ、書簡の代筆などして仕えることであった。通女の詩的才能は、江戸でもすぐに賞讃の的となる。九月十三日に通女が作った詩と歌を読んだあと、佐渡太守公は彼女にこう言っている。「女にかゝる事いとめづらかなり。古の清紫《せいし》二女のあとおふべき」。まことに通女は、紫式部、清少納言の跡を追うに足る才能を持ち合わせていたかもしれない。だが時代は、文才ある女性の味方ではなかった。そこで通女は、老女にはまめまめしく仕え、詩や歌を書き、草紙を読んで、静かに日々を送ったのである。多彩な活動に彩られた平安宮廷の女房生活とは、まさに天地の隔たりがあった。『江戸日記』はまことに無味乾燥な作品である。今日書かれている無数の日記と、ほとんどえらぶところがない。だがその無味乾燥は、決して通女自身の咎ではなく、彼女が置かれていた社会環境の咎にほかならなかったのである。

帰家日記

元禄二年（一六八九）、通女が仕えていた「女君《をんなぎみ》」が世を去り、彼女は丸亀に帰ることに心を決める。彼女のすぐれた技芸の才を知る老女の家族は、江戸に留まってくれと彼女に乞う。断るのは容易ではなかった。だがなによりも彼女は、今や老齢の両親と再び共に暮らすことを願っていたのである。それに（彼女自身はどこにも言っていないが）結婚したいという望みも、持っていたのではないだろうか。彼女も今や数え年で、三十になっていたのだ。「女君」の家族は、少しでも長く江戸にいてくれ、と彼女にせがむのであった。

彼方此方に、四日五日のほどと思ひてまゐるに、今一日今一日と、せちにとゞめさせ給ひて、卯月の二十日頃より皐月《さつき》のつごもりつ方まで、外にさぶらふ。

しかし彼女は、これ以上漫然と日を延ばすことはならぬと悟り、ようやく「女君」の墓所に最後の墓参りをすませ、いよいよ出立のことをみなに告げる。おそらく彼女にこれが出来たのも、江戸が己の家郷だとは、寸時も考えられなかったからではなかろうか。『野ざらし紀行』の巻頭近くに出る俳句の中で、芭蕉はこれとは逆の感慨を表明している。「秋十《と》とせ却つて江戸を指す故郷」。だが振り返って見て江戸の生活とは、通女にとって、一生の、ほんの束の間にしかすぎなかった。「十とせにちかき年なみの立ち重なれるも、たゞ昨日今日の心地ぞする」。とはいえ長年共に暮らした人々との別離が、辛くなかろうはずはなかった。

四国への帰国の旅に、弟の益本《ますもと》が同行してくれることになったのを通女は喜び、これも彼女が仕えた老女の家族の好意と、感謝している。芭蕉が北を目指して江戸をあとにした日からおよそ二か月、元禄二年六月十一日の朝まだき、通女とその弟とは、丸亀に向けて江戸を発ってゆく。

まだ明けはてぬ程に来て案内《あない》して、とくたち給ひねといそがし侍れど、上下《かみしも》のある人々馬のはなむけ（餞別）とて、盃出して、とり〴〵に名残つきせずしたひ給ふめれば、すが〳〵しく（さっさと）出もやられず、馬のたかくいばえ（いななき）たるなど、はなやかに聞ゆる物から（聞えはするものの）、いとかなし。

箱根と今切《いまきれ》関所の両難関を無事通れるようにとの「御しるし」が、益本に下される。『帰家日記《きかにっき》』は、通女の筆になる他の日記とは段違いに面白い。もっとも己自身の感情を表すことがほとんどなく、その点平安時代の女流日記作者よりは魅力に乏しい。だが彼女は、道中で出会った人々に対する深い同情を表し、ユニークである。平安朝女房のなし得なかったところである。例えば、草ぎる者の笠のみ見ゆ。田歌いとをかしく歌ふ。げになりはひのたやすからぬ営みも、見るごとには一しほに思ひ知られて、素餐《そさん》(いたずらに禄《ろく》を食んで何の功もないこと)のとがおそろし。又山際に畑うつ者の、身の色は墨の如くにて、汗おしのごひたる、暑さたへがたげなるは、夏畦《かけい》(夏の炎天下で田を耕すこと)よりもやめり(病＝苦しい)と、苦しきたとへに曾子ののたまひし、げにもと覚ゆ。

彼女の儒教の素養は、こうした孟子、曾子への引喩ばかりか、人間生存に対する彼女の意識をも、引き出しているのである。

特別の「御しるし」を持っていたにもかかわらず、箱根の関所で面倒な事態が起こる。身体検査のため、番所に行け、と通女は命ぜられる。

番する所ちかくよせたれば、そこなる人々、老いたる女よばせて、われも従者《ずさ》の女も、彼に逢ふべきよしのたまふなりと、益本いふにより、対面しぬ。髪筋など懇にかきやりつゝ見る。むくつけゞなる(薄気味の悪い)女の、年老いぬれどすこやかにて、いと荒ましきが、近やかにより来て、だみたる(なまりのある)声にて物うちいひ、かくするも、こゝろづきなく、いかにする事にかと恐ろし。

だがついに、関所を通るのを許される。通女が大いに安堵したことはいうまでもない。道中このような不便はあっても、総じて昔よりは旅が楽になったと、通女は確信している。開化の御世《みよ》のおかげで、近年街道はいちじるしく改良された、というのである。「近き世に、此山（薩埵山《さつたやま》）をかくひらき平らげさせ給ひて、万《よろづ》の人のゆきかひたやすくなれるは、道広き御めぐみなりかし」。

この日記には、笑いを誘うエピソードも入っている。例えば、ある時旅のつれづれを癒やすため、通女が益本に漢詩を一つ作れと言う。馬上では無理だと益本は断るが、代わりに謡曲「三井寺」をうたい、大いに通女を驚かすのである。また彼女が洩れ聞いた「輿《こし》かくものども」や、船頭たちの会話の記録も、すこぶる生彩がある。それに次のような、はなはだ定石を破った文章があるのも面白い。

浪にひかれて下り行くまゝ、岸のうへなる家ども、あとの方《かた》にしぞく（退く）様なるもをかし。商人の家、民の家ども、町をたてゝはるかに続きたり。暮れ行くほどに、火の光星のごとくにて、松の間よりみえかくれす。かなたこなたと、里の名ども聞過ぎぬ。

旅は総じて楽しいものであった。とはいえ通女はなによりも故郷に帰り着くことを切望している。ついに丸亀城の白壁が船の上から見えた時の、彼女の歓喜の情には混じりけがない。そしてここで、この日記は終わっている。巻をおくのが、まことに惜しいのである。

庚子道の記

文化四年（一八〇七）、国学者の清水浜臣《はまおみ》が『庚子道の記《こうしみちのき》』なる日記を上梓した。武女《たけじょ》という女性によって、享保五年（一七二〇）に書かれた日記である。ほか二人の国学者が序を書き、合わせて三人の学者が、こぞってこの作品を賞め讃たえた。例えば村田春海《はるみ》は書いている。「蜻蛉紫にほはしき筆ずさみにもはぢず、また更科十六夜のあてなる（優美な）口つきにもおとらぬは、いとこそめづらかなれ」。これらの学者を喜ばせたのは、単に一人の重要な女流日記作者が発見されたということのみではなかった。作者が井上通女のような青鞜派ではなく、白拍子《しらびょうし》（遊女）であったことが、彼らをこの上なく喜ばせたのである。浜臣の後書きには、文才で聞こえた同じ業《なりわい》の女性の名が列挙されている。例えば『後撰』の檜《ひ》垣《がき》、『撰集抄』の江口、『平家物語』の祇王《ぎおう》、『曾我物語』の虎など。だが、文学的白拍子の伝統がはるか昔に途絶えたことも、彼は認めている。

日記に記録されていることのほか、作者武女に関してはほとんど何事も知られていない。以前、学者の中には、初め武女は「尾張侯徳川宗春の侍姫《じき》」であったが、のちに朝廷に仕える女官にまで取り立てられ、死んだ時には名古屋の立派な墓に葬られた、ということを信じるものもあった。だが昭和十四年、渡辺刀水《とうすい》によって、墓は本物としても、日記の方は清水浜臣による贋作ではないか、という疑問が出された。その理由の一つとして、例えば彼はこう書いている。「武女の前身は白拍子とある。遊女か芸妓か知らぬが、斯程《かかるほど》の才媛で、尾張侯に引きぬかれる以前、多少とも江戸の評判になりさうなものである」。

あるいは浜臣が、文章に手を入れ、しかるべき古典への言及を付け加えたのかもしれない。だが日記は、議論の余地なく女性の作と思われる。そして彼女の身分も、明らかに白拍子で、女官ではなかった。武女と尾張侯宗春との関係が、宗春が江戸詰めの間に起こり、のちに彼女が名古屋に呼びよせられてからも続いた、ということはあり得るだろう。だがそれとても、単に推測の域を出ないのである。この日記が持つ独特の性格は、当時それがどのようなものであったにせよ、「白拍子」としての、武女の個性から出ているように思われる。日記は、『礼記《らいき》』の一叙述のパラフレーズに始まる。「女は彊《さかひ》をこえずとこそ、ふるき書《ふみ》にもいへ」。この言葉で武女は、諸々の関所を越える際、昔から女が経験した難儀のことを、あるいは言ったのかもしれない。だが続けてこう書いている。

されどそはうるはしき（立派でちゃんとした）人の上なめり。あまの子（漁夫の子、転じて遊女）のよるべなき身は、さそふ水にまかせて、西へ流れ、東へさすらひて、つひの終《をはり》さだめかねぬるぞ、あはれにあさましきわざなる。

「うるはしき人」とは異なり、武女は定められた己の業《なりわい》によって、どこへでも流れてゆかねばならなかったのだ。「さそふ水」とは、いうまでもなく小野小町の有名な歌「わびぬれば身をうき草の根をたえて誘ふ水あらばいなんとぞ思ふ」を踏まえている。また「あまの子」は、『新古今集』の「白浪のよする汀《なぎさ》に世をつくすあまの子なれば宿もさだめず」を引いている。同時にこれは、『奥の細道』の例の一節、新潟の遊女二人が、己のことを「あまの子」と言い、「白浪のよする汀《なぎさ》に身をはふらかし」、と手紙に書かせたくだりも、思い起こさせる。

武女は、名古屋から江戸への道中、ある関所で止められたことを記している。始めその場の物々しい武具を見て胆をつぶす。

関屋には弓やなぐひ（胡簶《やなぐい》。矢と箙《えびら》とを合わせて備えた物の具）などきら〳〵しう置かせたれば、ことなき身にも胸つぶれ、手足さへぞふるふ。

また彼女は、自分の「つくろはぬおもて」、汗もしとどな「ふくだみたる（ぼさぼさの）髪」が、「いかに見ぐるし」かろうかといたく恥じている。だが程なく通ってよいとの許可が下りる。

あそびくゞつ（遊女、傀儡師《くぐつし》＝人形を使う乞食芸人）の類は、人のほかなる定《さだめ》ありとて、いさゝかのさはりもなく通し給ひつ。

そしてその時の気持ちを、「嬉しとやいはまし、悲《かなし》とやいはまし」と記している。己が「あそびくぐつの類」であるがゆえに通り得たのを喜ぶべきか、それとも春をひさぐ我が身の定めを悲しむべきか、いずれとも彼女は決しがたかったのである。

名古屋にいた間は、決して幸せではなかった、と武女は言う。だがついにそこを去ってゆく時には、おそらくこれが今生《こんじょう》の別れと、彼女はひどく悲しがっている。そして次の歌を詠む。

うかりしも今ぞ恋しきしかすがに住みこし里を出ぬと思へば
（志賀須香《しかすが》は三河と尾張の境界の渡し）

しかし東に向けて出で立った今や、そのような悲歎も、長続きするはずはない。すぐに八橋をすぎる。だが果たして今も杜若《かきつばた》が咲くかどうか、「道のついでならねば」我が眼で確めることは出来なかったのである。

旅の速度は、まことに緩慢たるものであった。名所の一つ一つが、歌や漢詩を、彼女に思い起こさせている。古歌で聞こえた名所のあるものは、詠み継がれてきた情景とは、もはや似ても似つかぬものとなっており、いたく彼女を落胆させる。だが同時に彼女は、己と過去の詩人との間に、類似点も見いだしている。例えば荒江《あらえ》（新居）では、次のように言っている。

唐《もろこし》に賈島《かたう》といへる人の、幷州《へいしう》といふ国に久しう住みなれて後、都にかへりのぼりける時、桑乾《さうかん》といふ渡りすとて、思ひつゞけたりしからうたの、今身のうへにあひたるをふと思ひでて……

そして賈島の言葉を少し変え、次の詩を作る。

客舎尾州已七霜　帰心日夜憶㆓東陽㆒　無㆑端更渡㆓新江水㆒　却望㆓尾州㆒是故郷

（尾州は尾張国、東陽は江戸）

「却望㆓幷州㆒是故郷」で終わる賈島の詩は、武女ばかりではなく、これによってあの「秋十《と》とせ却つて江戸を指す故郷」を書いた、芭蕉にも霊感を与えたのである。おそらく彼女の詩は、実際に己の郷愁を表現したものであっただろう。だが彼女がこれを口ずさんだ時、同舟の者は、そのパロディーの巧みさに、「こぞりて笑ふ」。

しかし武女の詩が人々の笑いをひき起こしたのは、この時ばかりではなかった。浜松では、彼女が歌を一つ詠じたところ、「何につけても皆をかしやとて、ほゝとさへ笑」った、と書いている。いわゆる「うるはしき人」などよりも、彼女の方が、間違いなくもっと楽しい道連れだったのだ。

小夜の中山を通った時、武女はこの地を描いた『海道記』の叙述を思い出し、歌を一首詠む。すなわち、

齢はまだ三十《みそぢ》がほどに往くと来と八度こえけり小夜のなか山

この歌から推して知り得ることは、武女がこの時およそ三十歳になっていたこと、江戸、西国間の旅を、それまでに八度繰り返していたことである。十五の年に「伯父なりける僧」に連れられ京都に行ったことを、彼女は他のところで書いている。その他の旅は、おそらく尾張侯の命によってなされたものにちがいない。もし実際に三十の年で、この日記に記された旅をしたとするならば、この女性が、その六十二年後に名古屋に葬られた武女と同じ人物であったとは、なおさら信じがたいのである。

東海道の旅は、まことに面白く描かれている。とはいえもうこの時代には、道筋の名所旧跡について、書くに足る新しいこととてはさほどなかった。大井川の渡しは、この旅の中で、おそらく最も忘れがたい場面であろう。川は増水していて、かつがれたまま川を渡る間、彼女は恐ろしくて生きた心地もなかった。


今やさかまく水におちいらましと、おそろしさいはんかたなし。辛うじてむかひにつき

ぬ。後思ひ出づるだに、筆ふるへて、そのをりの事大かたはもらしつ。

三月五日に武女は家に着く。二月の二十日以来、ずっと旅のしつづけだったのである。七年も留守にした後、家族と久方ぶりに相まみえて、彼女が欣喜したことはいうまでもない。この前に見た時はまだほんの子供にすぎなかった妹は、いまやすっかり成人して、見違えたほどである。この一族再会の場に居合わせなかったのはただ一人、武女の父だけであった（彼は現在の埼玉県蕨《わらび》市に行っていた）。だが父が間もなく戻ることは確かだったから、別に心配はいらなかった。

日記はここで終わっている。そしてその後武女がどのような人生を送ったかは知るよしもない。かりにこの日記がついに発見されることがなかったとするならば、彼女が当時の他の白拍子と同じように、完全に忘れ去られてしまっただろうことは明らかである。だがこの短い作品の中には、武女という女性の、一体なにがそれほど尾張侯の心を捉えたか、という理由を探る、ヒント以上のものが確かにある。

伊香保の道行きぶり

油谷倭文子《ゆやしずこ》は、文学少女と呼ばれるにふさわしい女性であった。宝暦二年（一七五二）わずか二十歳で世を去ったが、その時彼女の師で、著名な国学者賀茂真淵は、その死を悼む長歌一首を詠んだ。「ちちのみの　父にもあらず　ははそばの　母ならなくに　なく子なすわれをしたひて　いつくしみ　おもひつる児は」と始まる長歌は、真淵が若い弟子に対して抱いた愛情のみならず、倭文子の著作に彼がどのような影響を与えたかも明らかにする。この長歌の頭に来る枕詞、全篇を通じて用いられる古代的語法などは、『万葉集』を強く賛美するのあまりに、長歌の伝統を復活させたばかりか、深い感情を描出するにもわざと廃語を用いたこの国学者の特性を示すものである。

倭文子が一七五〇年、母と共に伊香保温泉を訪れた際の旅の記録は、井上通女や武女の日記と並んで、「女流文学中の華」といわれ称賛されてきた。だが先立つ二つの日記と引き比べて、『伊香保《いかほ》の道行《みちゆ》きぶり』は、その古い言い回しにわざわいされ、いささか退屈である。「わはさからじと云ひつることとおふけなきなめれかし」などという文章に出くわすと、途方にくれざるをえない。またこの他にも、意味は分かっても、滑稽とさえ思われる古い語法も目につく。例えば馬ども、家ども、舟どもといった、倭文子独特の複数接尾辞の使い方である。それに彼女は、「をかし」という言葉で文章を終わるのが、ことのほか気に入っていたらしい。おそらく清少納言の真似であろう。とはいえ『伊香保の道行きぶり』は、そうした古い語法にもかかわらず、秀でた作家の日記であることを認めざるを得ない。その文体に馴れてしまえば、情景描写などの文章は、しばしばうっとりするほど美しい。

空少し明りたるほど、春の野の朝露に、浅緑なる梢どものほの〴〵と霞み渡れるは、たとふべきものなんなき。人めなげなる垣ほの（垣の上に高く突き出た）桜の、わび顔にうつろふがをかしうて、守り（見守り）ゐたるを、主《あるじ》と覚しくて、手なふれそといふべき気色してあめるを、をこになりて（ばかばかしくなって）、

惜むともたゝん嵐は如何にせん散る花ごとに手をやさへまし

と覚ゆるも、何時の程にか路行き人（旅人）の心にはなりにけん。

道中の体験を描く彼女の記述は、時として強い感情をひき起こす。そして千年前に生きていた誰それの詩人のこだまというよりは、明らかに倭文子その人の声を聞く思いがする。

あきま（秋間）の里てふあたりは、夢の様にて過ぐ。榛名の山はいと神さびにたり。指を立てたらん如き巌《いはほ》多くて、峰のよそめ（外観）など、絵にしもまだ見知らぬさまなり。

ある夜嵐になり、恐ろしい稲妻が、倭文子に気も絶えんばかりの思いをさせたことがあった。次はその翌朝の、彼女の観察である。

かなたの嶺は墨を磨りかけたる様にて、雲のまよふこそ物おそろしけれ。さればよ昼つかたまたごほ〳〵（雷の音の形容）となり出づ。かくてはとて、家長《いへをさ》の住む所へ皆うつろふめるにも、すべて生きたる心地やはする。

日記は、景色や天候、道中倭文子が会った人々のことを叙しながら、おおむねこの調子で続く。もし倭文子が生き長らえ、広く世間を観察し、さらに恋でもしていたならば、おそらく徳川時代における、傑出した女性作家になっていたことであろう。だがそうなれば、いにしえの語法などに頼らずとも、己自身の言葉によって感情表出が可能なことを、彼女は自ら発見しなければならなかったはずである。歌人であった香川景樹の、次の言葉を読むことなく没したことは、いかにも口惜しいといわざるを得ない。すなわち、「古への俗言（同時代に通用する言語）は、今の世の古言（古代語）なり。今の俗言は、後の世の古言なり。古言は学ぶべくして、云べきものにあらず」。また、「古言をのみ雅なりとし、常言を俗と賤《いや》しめて、執らざるは、臭体也とておのれを厭ふに似たり」。

「古言」を用いることによって、実は己自身を「賤めて」いるのだということを、倭文子はもちろん気づいていなかった。古言こそ唯一無二の文学用語だと思っていたからである。強く「俗言」を推賞してやまなかったくせに、景樹でさえ、実は擬古文で書いたことがあった。だが倭文子がこの日記で、堅苦しい表現に直す前に、まず自分の頭に浮かんできた言葉でもって、己自身を語ってくれていたならば、どれほどよかったかと私は思うものである。

風流使者記

漢文で日記を付ける伝統は、徳川時代を通じてずっと続いていた。とりわけ儒者は、漢文で書くことに堪能であった。従って公式の記録はもとより、旅日記のような自由な書き物にも、漢文をごく自然に用いた。当時の漢文日記で、最も興味深いものの一つに、荻生徂徠《おぎゅうそらい》の『風流使者記《ふうりゅうししゃき》』がある。封土を川越から甲斐に移されたばかりの柳沢吉保の乞いによって、宝永三年（一七〇六）に彼が試みた、甲斐の国への旅を記録したものである。

甲斐の国は、はるかに広大であったのみならず、吉保の先祖がかつて住んでいた国である。このいわば栄転を大いに喜んだ吉保は、早速甲府に城、そしていずれ己の墓所となる寺、霊台寺の建設に取り掛かった。吉保は、墓石に刻むべき一族の事蹟を語る碑文を自分で書いたが、その地誌的な情報の正確さに自信がなかった。そこで彼は、その確認を求めて荻生徂徠と、もう一人の儒者田中省吾《せいご》とを甲府に特派したのである。

徂徠と彼の友省吾との旅は、江戸と甲府との間を往復するものであった。景色の美しい所では、しばしば足を留め、その地を賞でる漢詩を書いている。『風流使者記』は、のちに推敲したあとは見えても、大むねその日その日につけられた日記のように思われる。徂徠はまた、これより数年の後、『峡中紀行《きょうちゅうきこう》』と称する、この日記をもっと短くつづめたものを編んでいる。『峡中紀行』の方は、さらに文学的意図の強い漢文を用いているが、漢詩は省かれている。そして『風流使者記』の持つ暖かい性格が、これにはない。

徂徠と省吾が江戸を出立したのは九月七日であった。有力な政治家の使者というので、二人は轎《かご》に乗り、槍持ちの警固がつき、傔僕《けんぼく》（秘書）やその他多くの従者に伴われていた。久しぶりの旅であったためか、旅の初日から、見るもの聞くものすべてに、徂徠は深く興味を唆られている。府中で彼が目にし、耳にしたものは、早速彼の不興を買ったようである。「都城を去ること数十里、既に児童の語音の好からざるを覚ゆ」。同じ日、荒廃をきわめた社、六所明神を訪れる。徂徠は書いている。「石の華表は折れて三四と為り、地上に倒臥す。棟宇冷落して風雨を蔽はず、門の左右の神兵像、肢体解剝せり」。神主に会うが、さながら農夫のような男である。「士人が来る」というので卑屈なまでに丁重だが、徂徠にはまるで乞食僧のようにしか思われない。彼は苦々しげに書いている。「俗悪なること言ふべからず」と。

八王子を過ぎ、使者の一行は山また山を越え、旅を続ける。だが徂徠にとって、こうした地形を行くのは初めての経験ではなかった。一六七九年、彼の父が将軍綱吉に追放された時、彼は上総へ流される父に伴ったことがあったのだ。彼は書いている。「頗《すこぶ》る羊腸《やうちやう》（山道の曲がりくねったさま）に慣れたる者にして、且つ曰《い》ふ『希有（まれで珍しいこと）、未だ嘗《かつ》て有らず』と」。ところがこうした風光に慣れていなかった省吾の方は、時折轎を下りて、美しい展望を賞でている。

ある切り立った峰の高みから、徂徠と省吾が下の深い谷を見下ろすと、家が二、三軒目に入る。美しくも、またはるか遠くのようにも見える。「空翠《くうすい》映発し、清麗羨むべし、人物皆寸許《すんばか》り、盤中の物を睟《み》るが如し」。このような浮世ばなれした所には、さだめし道士でも住むのであろうと思い、徂徠と省吾は、轎を出て、けわしい小道を降りてゆく。ところが二人が谷の中で見たものは、彼らに大きなショックを与えるのである。

至れば則ち窮民家なり。闒茸《たふじよう》（身分低く貧しいこと）言ふべからず。一老媼の襤褸百結（つぎだらけのぼろ着を着ている）たるを見る。孫有り八九歳なるべし、菜色（飢えて青白くなった顔）鬼の如し。其の人語を能くすることを訝《いぶか》る。省吾憫然《びんぜん》たり。嚢《なう》中の菓子を探り之に噉《くら》はしめて過ぐ。

この体験は、二人の心を大いに動揺させている。しばらくの間二人の「風流使者」は、旅の楽しい雰囲気を霧散させかねぬほどむごい現実に直面したのである。それでも徂徠は、即座に中国古典の引用を駆使して、ここで二人が当然感ぜずにはおれぬ慈悲心の重圧から、彼らの気持ちを解きほぐしている。

気質上は全く異なる人間ではあったが、徂徠と省吾とは、旅の道連れとしてはまことに申し分のない組み合わせであった。徂徠は、己と省吾との関係を、次のような興味深い言葉で説明している。

二子東都の藩邸中に在りしより、雅《みやび》に相友として善し。茂卿《しげのり》（徂徠の字《あざな》）は年四十一、省吾は三十九にして、顔色老いたり。然れども茂卿は多病にして善く臥し、其の噉食《たんしょく》（食物をくらうこと）する所に於ける頗る省吾に及ばず。性亦た懶《らん》なること（なまけること）甚だし。（中略）省吾は則ち幼にして撃剣を学び、甚口《じんこう》にして（弁説にたけ）、気を使ひて忼慨し、挙止急促なり。故に茂卿は或は粥飯僧《しゅくはんそう》の誚《そしり》有りて、省吾は名儒俠の間に在ることを免がれず。

徂徠は己のことを「粥を喰らう怠け者」だと定義し、省吾の方は、学者と戦士とを混ぜこぜにしたものだ、と言っている。道中のある所では、折角の好天ゆえ、たまには轎を下りて歩いてみよう、という徂徠の提案をしりぞけて、省吾は次のように言う。「吾が儕《はい》は文人なり。筋緩み肉韗《た》れ、既に急趨《きふすう》に慣《なら》はず。亦未だ健歩する能はず。方《まさ》に纔《わづか》にして午鐘響かんと欲す」。互いに相手の方が、自分よりははるかに元気だ、と想像していたのである。

徂徠は、省吾とは、逢えば必ず軽口をたたき合ったことをいちいち記している。また日記には、二人で大いに笑い合った話が諸所に見える。彼らはどちらも、漢詩を作るのを明らかに楽しんでいる。この日記では、まず徂徠の絶句があり、そのあとに省吾の絶句が続くのが普通である。ある時、徂徠が絶句を作ろうとして、最初の二行で投げ出してしまったことがある。省吾にそれを仕上げてくれと頼むが、省吾もまた匙を投げた、という話が出ている。

省吾について徂徠が語る面白い話のうちに、明け方まで一睡もせず、座禅をして夜を明かす、という省吾の癖に関するものがある。いよいよ甲府に着くという前の晩、省吾が「例に随ひて入定《にふぢやう》（心を統一させ無我の境に入る）」する。翌朝暁に宿駅を出発するが、省吾は轎の中に座ったまま居眠ってしまう。そして騒々しい巷の声に目覚まされるまで、市中に着いたことに気がつかない。「忽然として眼開く。愕然として云はく『将に道を甲府に取ると謂ふに、何に縁《よ》りて中途東都（江戸）に却回する』」。そこで彼の傔従が微笑しながら言う。「公、夢語するか。是れ甲府なり」。省吾はすっかり目覚め、傔従をなじって次のように言う。「吾賛嘆の語《ことば》を做《な》す。何ぞ夢語と謂ふや」。これを聞いて徂徠が、大いに省吾をからかい、最後には皆が呵々大笑したという。

徂徠の一行は、ついに柳沢吉保の石碑が立つことになっている寺に到着する。早速徂徠は、吉保が作った碑文を取り出し、声に出して読み上げる。彼が読み進むのを聴いていて、一同はその正確さに驚歎する。景勝地その他に関する地誌的記述において、その碑文には、一点の誤りもなかったからである。千里もの隔たり（実際は百キロ）を中に置いて、甲斐の地勢を、吉保はぴったりと言い当て、まさに間然するところがなかったのである。これではわざわざ旅をした甲斐がなかった、と徂徠は感じている。「風流使者の此の番《たび》（度）の一行は徒行なりと謂ひつべし」。だが省吾はこれに同意せず、今回自分らの身をもっての体験があったればこそ、碑文の正確さが立証され得たのだと言う。それでも徂徠は納得せず、打ち笑って次の詩を作るのである。

風流使者事清閑　　風流使者清閑を事とし
蹤跡飄然千里間　　蹤跡飄然たり千里の間
此行始識君恩大　　此の行《かう》始めて識る君恩の大なるを
飽看名山空往還　　飽いて名山を看て空しく往還す

他のいろいろな点においては、この旅は、所期の目的にかなうものではなかったかもしれない。だが徂徠と省吾にとっては、まことに楽しい三週間だったのである。そして現代の読者には、常になく軽やかな気分にある儒者たちの、珍しくもまた楽しい姿を垣間見せてくれる。また過去の学者にとって「風流」とはいかなることを意味したかをも、語ってくれるのである。

蝶之遊

正風《しょうふう》、すなわち芭蕉が打ち立てた俳諧の主流は、彼の死後とみに人気を失っていった。直弟子たちは分裂し、派閥を作った。彼らも死んでゆくと、事態はさらに悪化していった。そして彼が生前に享受していたと同じ芭蕉崇拝が再び興ってきたのは、彼の没後およそ三十五年を経てのことであった。芭蕉の五十年忌を画した寛保三年（一七四三）になると、芭蕉の名声復興は、まさに最高潮に達してくる。俳人はこぞって日本の東北へ芭蕉の足跡を求め、芭蕉の記念碑が各所に打ち立てられる。以後彼の声望は、確固不動のものとなったのである。

いうまでもなく芭蕉は、彼の著作が顧みられなかった時期においても、決して忘れ去られたことはなかった。彼の直弟子のすべてが、師が唱導した「軽み」の理想に従ったとはいえない。だがその他の点では、師の教えに、大むね彼らは忠実だったのである。芭蕉の死後時を経ずして、彼の門弟たちは、師の著作にゆかりある地を訪ねて旅をしていた。例えば服部嵐雪である。芭蕉の没後六年目の元禄十三年（一七〇〇）、彼は伊良湖崎、伊勢神宮、そして芭蕉の墓所のある義仲寺《ぎちゅうじ》などへ杖を曳いている。嵐雪が師の墓前に額《ぬか》ずいた義仲寺に関しては、彼の日記『装遊稿《そうゆうこう》』に、次の記述がある。「義仲寺の師父の廟は、芭蕉しげり芭蕉破れて、七とせの露霜を送り迎へ、苔生ひ給へり」。そして俳句、

色としもなかりけるかな青嵐《あをあらし》

芭蕉の墓前に立った時、嵐雪が深い感動をおぼえたであろうことには疑いがない。だがその体験について、彼がほとんど何も言うところがないのは遺憾である。その上、日記の残りの部分は、祇園祭や大文字、その他主として彼が京都で見ることを得た行事の描写に捧げられ、師の墓前で感じたはずの憂愁の情も、彼の遊山気分に、一抹の影も落としていないように思われる。

芭蕉への関心の復活を契機として書かれた日記の中で、おそらく最も興味深いものは、自堕落先生こと山崎北華《ほっか》作の『蝶之遊《ちょうのあそび》』であろう。北華の名は、俳諧史にも滅多に現れず、また彼は、奇人に関する物語集にさえ姿を現さない。だが北華は、まさに奇人中の奇人だったのである。随筆『金曾木《かなそぎ》』の中で、作者大田南畝《なんぽ》は、北華の生涯で最もよく知られている事件について次のように書いている。

元文四年己未歳十二月晦日年四十にしてたはぶれに柩を作り、其の柩に入り同好の諸子是を送りて谷中新堀村補陀山養福寺にいたりて葬儀をなす。住僧下火《あこ》（禅宗で火葬の時松火《たいまつ》で棺に火をつける儀式）の文（偈《げ》）を唱ふる時にいたりて、みづから棺を破りて躍り出しに、葬にしたがふ諸子酒肴を携へてうたひつ舞つ楽みて人の耳目を驚かせけり……

そのにせ葬式のために建てた墓石は堂々たるもので、現在もそのままあるが、「方形で高さ一丈ばかり、頗る立派なもの」である。

にせ葬式の前年に当たる元文三年（一七三八）に、北華は、芭蕉に倣《なら》い松島を訪れている。そしてこの旅については、『蝶之遊』で読むことが出来る。題は、いわずと知れた『荘子』「斉物論篇」の「胡蝶の夢」から出ているが、とりわけ北華自身が象潟《きさかた》の夢を見て書いた俳句、「象《きさ》がたや我蝶々の遊び所《どこ》」に由来する。

『続奥の細道』として知られるこの日記は、原『奥の細道』のパラフレーズで始まっている。すなわち、「そゞろ神の、物につきて心を狂はせ、道祖神の招《まねぎ》に逢ふて、取る物も手につかず……」。そして北華自身の言葉で、

翁の書き給ひけるぞ誠にて、我にもそゞろ神のつき、道祖神の招き給ふにや。日頃年比《としごろ》、松島心に懸りしに、漸く暇《いとま》求めて、今年元文三の年、弥生末の二日、笈《おひ》背負ひ、草鞋《わらぢ》しめて、白河の関越むと志す。

と続けている。

不時の用意に従者を伴うよう友は勧めるが、北華は一人旅を選ぶ。急ぐ理由はなにもないのだから、格別難儀はあるまいと考えたのだ。それに、もし従者が彼の荷物を運んでくれ、

己一人大手を振って歩くのならば、まことに「風雅なかるべし」とも思ったのである。

松島へ行くに当たって、北華は、芭蕉とおおむね同じ道を辿っているが、彼の日記がつくり出している印象は、芭蕉のとは全く別物である。明らかに彼は、行くさきざきで、飲酒を楽しんでいる（例のにせ葬式のために建てた墓碑の碑文はこう読める。「鳥獣魚鼈《ぎょべつ》ノ肉ヲ好ミ酒ハ李唐ガ未知《しらざる》味ヲ知リ酔フテハ眠リ醒メテハ臥スウカウカウカウカト日ヲ送ツテ無為ナリ」）。

越が谷の駅大沢という初めての泊まりで、北華は「酒とゝのへ、独《ひと》くむに侘しく」、宿の主人《あるじ》夫婦に勧めて共に飲む。主人はいささか俳句に心得のある男と見えて、次の句を詠む。「御肴《みさかな》やはじめてながらしたし物」。これを奇特とした北華は、次のように言っている。「字数もよく、切字も入りたれど季なし。殊に浸《ひた》し物をしたし物と覚えて、始めてながら親しと言懸《かけ》たるは、彼《かの》前句附聞馴れたるものなるべし」。

翌日主人は、北華を近隣の名所に案内するが、この土地の名物とて、一本の柳の巨木を見せる。そして昔弁慶が、ここに楊枝《ようじ》を突きさしたのが根づいたのだ、と説明する。北華は書いている。「斯《かか》る事は国々に云伝へたる事多けれども、させる証《あかし》も無き事のみ多し。更に真とも思ひなさず」。明らかに北華は、国々の伝説に関しては、芭蕉よりも、はるかに懐疑的だったようである。

しばらくして北華は、馬に跨がったまま、眠り眠り来る馬子《まご》が、急に馬が膝つき川の中に落ちるのを見る。怪我はなかったが、馬子は馬を「打叩き、罵《ののし》る事」止まなかったという。

そこで北華は、この事件を政治に見立て、ちょっとした社会批判を試みている。「世にこの馬子の類多し。国の守《かみ》、或は大家の主、世事を人々に任せ、我身は馬上に眠るが如く、遊山翫水《ぐわんすい》にすさみて、終《つひ》に馬の膝つきたるに逢ひぬ。うたてしき事也」。

北華は室《むろ》の八島を訪れる。遠回しながら芭蕉の記述に言及したあと、ここでは煙を歌に詠むのが習わしだからと言い、北華らしい型破りな句を詠んでいる。

一くゆり室の八島のたば粉《こ》かな

北華は煙草も好んでいたようで、日記の中でも、喫煙に触れることが多い。

北華は日光に、芭蕉が着いた三月晦日《みそか》から、はからずも四十九年後の同じ日に到着している。そして次の感慨を述べる。「彼《かの》仏五左衛門も死し、翁も失せ給ひて、名のみ止まれども、春は同じ春にして、此所に旅寝して、今日我も春の尽るを見る」。明くる卯月朔日《うづきのついたち》は「衣更《ころもがへ》」である。芭蕉はその昔、「一つぬひで後《うしろ》に負《おひ》ぬ衣更」(『笈の小文』)と詠んだが、北華もこの日、「股曳《ももひき》を脚半《きやはん》にしたり衣更」と、同じ軽やかな気分で、一句詠んでいる。その日、水沢《みさわ》の茶室で、所の名物田楽を食べる。そしてその時の句、

卯の花の隣も白し豆腐串《ぐし》

那須野目指して日光を出る時、途中の街道が「折々に悪《あし》き事あれば」危険なことを人に教えられる。「昔は追剝の数多」出没した所で、今もなお「昼の内通る」方がよいというのである。それでも北華は、せかず慌てず出かけることにする。

裾高くからげ、草鞋よくしめ、襷《たすき》かけ、刀取出し腰にし、かひがひしく身固め、笈《おひ》軽げに負なし、笠取て髭左右へ押分け、眼《まなこ》怒らし棒掻《かい》こみ、怪しき事もこそ、目に物見せてむと見えたる顔して、そこら目を配り、那須野に出づ。

恐ろしげな形相をして追い剝ぎを脅そうとしている北華を想像すると、まことにおかしい。しかしそのすぐあと、次のようにも言っている。

風騒の身の似もやらぬ姿なり。しかはあれど、危きを見て、其備なきは愚者なり。人を伺ふ者も、尋常《よのつね》の行脚と見こなしたらんと、又内の心は羊なりとも、外に爪牙の威ありて、形虎狼たらば、誰か容易に事はなさじ物をと、はかりごといたして行く。

だがこの旅の間、彼の恐ろしげな形相が、果たして真に山賊を脅し得たかどうか、ついに試す機会が来なかったのは御同慶である。次は北華が、那須野を出た時に詠んだ句。

蟷螂《かまきり》の張臂《はりひぢ》おかし独り旅

白河に着いた時、北華は初めしばらく句が出て来なかったという。かつては芭蕉も、松島のような名勝を前にして、句を作るのに大いに難儀した経験を持っている。ところが北華は、句が出来ぬことに対して、巧妙な言い訳をする。白河の関は、下野《しもつけ》と陸奥《みちのく》両国のちょうど境にあり、どちらの国も、それぞれ和歌の神によって守られている。従って「白河の関如何なる事を申して、神慮にも叶ひ、又名所にも宜しからんやと、計り難く恐ろしくて、何も申さでぬかつけば、杜鵑《ほととぎす》声す」。ほととぎすの声は、まるで句が詠めぬ北華の無才を嘲笑うかのように聞こえる。そこで俳句、

我が唖を笑ふか関の不如帰《ほととぎす》

須賀川では、『奥の細道』の旅の途次そこに立ち寄った芭蕉の真蹟、自画賛など、多くの遺品を見せてもらう。また浅香では、かつみという花のことを翁が尋ねたことを思い出し、己も同じことを訊いてみる。だが里人は誰も知らぬと言う。近隣の沼を見た後、夜は本宮《もとみや》という所に宿る。主人《あるじ》はまだ四十にもならぬ寡婦《やもめ》の母に助けられた十四、五歳の少年で、その夜は留守をしている。夜、北華と相客の道心坊《どうしんぼう》（物乞いして生活する僧）とが床につこうとした時、一人の里の若者が現れ、淋しかろうから泊まってゆくと言う。だが女は、客もある

ことだからその心配はいらぬ、と言い、追い帰そうとするが、若者はきかず、強引にも泊まり込む。さて夜中、北華は、けたたましい赤子の泣き声で目を覚まされる。虫にでもかまれたのか、と女を呼ぶが、「答《いら》へ無くて只人の押合ふ音也」。だがしばらくして真相が分かる。彼は書いている。

能く〳〵聞けば彼《か》の若者、女に心を懸けて、其夜子の留守に来り泊りて、己れが心に任せんとするなり。女は貞《みさを》を守りてうけがはざるを、東夷《あづまえびす》の習《ならひ》にや、手込《てごめ》になして従へんとす。女は従はじとて、彼方是方へ押合ふに、小児は床を離れ乳を失ふて、暗き所を泣入り〳〵這歩くと聞ゆ。

とかくするうちに夜が白み、若者はいずこへか走り去ったという。

北華は、芭蕉が取った道に従って旅を続けてゆく。芭蕉があの「風流のはじめや奥の田植うた」を詠んだ所では、北華も「風流のはしらや奥の田植塚」と詠み、「是や俳諧の鸚鵡《あうむ》躰《たい》(物真似体)とも謂ふべき歟《か》」と洒落のめしている。北華は武隈《たけくま》の松を褒め、多賀城では、例の壺の石碑にことのほか心を打たれている。そして「千歳の昔も同じほとゝきす」の句を詠む。塩竈《しおがま》は、予想以上にすばらしかったようである。また松島を訪れた時には、まさに感ここに極まれりという様子で、そこでの体験を詳細に記録している。次なる旅のハイポイントは、いうまでもなく、象潟《きさかた》である。

北華は象潟訪問について述べているが、彼はここの干満珠寺《かんまんじゆじ》の傍に、荒れた柴の庵を見いだす。人の住む気色《けしき》ありと見た北華は、煙草の火を貰うべく門内に入って行く。程なく五十がらみの僧が出てきて、北華の身分生業《なりわい》を訊ねる。そこで北華は、かつて仕官したさまざまな武家の名を挙げ、己の経歴を僧に明かす。また「多病にして、仕官心に任せず」、武士をやめ、「今は風雪に身を任せ」、思いのままに生きている、とも告げる。己の外貌についてきかれた時には、「髪を剃らざるは剃刀のむづかしき故也。髭は翫《もてあそび》の為なり。歯を染めたるは歯の性弱き故也」と答えている。

そこでいよいよ、僧が自分は誰かということを北華に明かすのだが、彼は実に芭蕉翁その人だったのである。僧は北華に、彼の俳諧修道の方はいかがかと問う。そして去来の弟子について修めたのならば、それは間違いなく正風だと保証してくれる。ここで北華は目が覚め、己がまだ象潟ならぬ松島にいることに気づく。象潟に関して彼が述べたことはすべて夢だったのである。そこで彼は考える、もしまことに象潟へ行くならば、失望するのは必定であろうと。従って彼は、ここで踵《きびす》を返し、江戸に戻ることにする。そして帰途の旅を語る北華の筆致は、例によって屈託がない。

北華は、今ではほとんど忘れ去られた存在である。だが彼の日記は、芭蕉の旅日記の伝統の中にあって、最も面白いものの一つなのである。彼は確かに奇人であった。そして日本における奇人の、いわば黄金時代に生きていた。だが彼の声は個性的で、他とは一味ちがう響きを持っていたのである。

長崎行役日記

徳川時代の中期になると、街道が昔より安全になってきたおかげで、旅に出る人の数が着々と増えてくる。行く先もまた昔に比べると、種々新しい所が出てきている。そして新たに最も人がよく足を運ぶようになったところが、長崎である。外国人にかかわる政治向きの用で行く官吏、また当時彼らだけが日本に住むことを許されていた外国人、すなわち中国人、あるいはオランダ人からなにかを学ぶために出かけて行く学者、医者、芸術家その他が、続々と長崎を訪れだしたのである。長崎に旅したすべての人間が、日記をつけたわけでは無論ない。だが現存する記録を見ると、鎖国という国策にもかかわらず、外国文化に対する日本人の関心が、当時高まりつつあったことがよく分かる。

いわゆる蘭学が興ったのは、十八世紀の中葉であった。それ以前にも、長崎には、オランダ語をよくする通詞がいるにはいたが、彼らは、ヨーロッパに関する日本人の知識に貢献するところはほとんどなかった。当時大抵の日本人にとっては、オランダ人とは、「紅毛」だったのである。実際の髪の色もあろうが、西洋人すなわち鬼、という連想に由来する呼び名であった。

ところで早い時期に長崎に行った者に、平沢旭山《きょくざん》という人物があった。ある大名の随行者の資格で、安永三年（一七七四）に長崎に赴いたが、彼はそこで見たオランダ人について、次のように書いている。「船上に昇ると、船長と他の多くの船員たちは帽子をとってわれわれに挨拶した。黄ばんだ黒っぽい顔をし、髪の毛は黄いろで、眼は碧緑だ。知らずに出くわしたら、魑魅《ちみ》魍魎《もうりょう》だと思って、怖しさのあまり逃げださないものがあるだろうか」（『瓊浦偶筆』）。

旭山は、それより三年前、阿波に寄港していたある不思議な異国船の話を聞く。食糧を日本人から提供されたことを多とした船長が、近くロシア人の攻撃があるだろうと警告してくれたというのだ。それに続く三十年間、多くの日本人が、この警告に言及することになるのだが、中には愛国心に燃えて、その真偽を確かめるべく、長崎まで出かけた者もあったほどである。

日本人にとっては、オランダの交易商人が住む長崎港の人工島出島《でじま》を訪れる許可を得るのは、容易なことではなかった。司馬《しば》江漢《こうかん》が書いた日記の記述によると、長崎土着の人間ですら、オランダ人の姿をちらと見ることも珍しかったという。江漢は書いている。「西国、長崎近辺の大名衆、一代ニ一度、此島へお入有とぞ、其外はならず」。

早い時期に出島に入った者の一人に、長久保赤水《せきすい》という人物があった。二年前安南沖で難破し、中国船に救われ、長崎まで連れ戻されていた常陸《ひたち》出身の「漂流人（難船者）」を受け取るべく、水戸から長崎までの長旅をした役人である。赤水の日記『長崎行役日記《ながさきこうえきにっき》』は、明和四年（一七六七）九月、水戸出立の記述に始まり、十二月、帰国の記述でもって終わっている。公の旅行であったがため、総勢二十一人にのぼる大がかりな随行団が付いている。赤水は、明らかに教養人であった。道中、文学で名高い土地、歴史上著名な土地の、いずれにも心を留めている。例えば小田原湯本の早雲寺を訪れて、次のように書いている。

又連歌師宗祇も、文亀《ぶんき》中、この寺にて終りしとぞ、辞世の歌など有と云。少し行けば曾我堂あり。其辺《あたり》に俳人芭蕉が菫《すみれ》の発句、好事のもの石に刻み、道の傍に立たり。

だが赤水は、すべてを軽々しくは信じていない。箱根の東福寺では、「(曾我)五郎がさしたる友切丸」ほかさまざまな宝物を見せられ、「其の真偽も知り難し」と述べている。また三井寺の古鐘は、「龍宮より上《たてまつ》りたり」という話を聞いては、「捧腹《ほうふく》(腹を抱えて笑うこと)に堪えたり」と一蹴する。

赤水の日記には、自作の漢詩も入っている。西行の歌「年たけて又越ゆべしと思ひきや命なりけりさよの中山」で名高い小夜の中山を越える時、彼が書いた詩は、次のようである。

昔日遊㆓京洛㆒
吾廬在㆓海東㆒
豈料将㆓白髪㆒
復越㆓此山中㆒

昔日京洛《せきじつけいらく》に遊ぶ
吾が廬《いほり》海東に在り
豈《あに》料らんや白髪をもて
復《また》此の山中を越えんとは

赤水と彼の随行団は、十月十二日に長崎に着いている。この異国的な町に対する彼の第一印象は、まず周辺の田舎を見た時に得たものである。

此辺路傍に豕《ぶた》或は羊児《やぎ》を放ち飼ひ、所々に徘徊す。是を問へば長崎へ唐人どもの食料を売る故に、おほく飼置くといふ。

長崎で赤水の関心をおもに惹いたのが、オランダ人ではなく、中国人であったのは面白い。着いた日の翌日、彼は土地の目付役に、名刺に添えて漢詩を贈る。「今客館（客を応対する建物）の清客《しんかく》（清国の客人）に文才の人あるよし」を聞いていたので、そうした中国人の詩才ある人たちに紹介してもらい、詩を交換したかったのである。

同じ日、「漂流人」の身柄引き渡しの公式儀式が取り行われる。「諸役人中我等まで礼服等改め、案内者ありて御奉行の庁《やしき》に行く。漂流四人の吟味畢《をは》り、船子どもを引つれ旅舎に帰る」。それにしても赤水が、「漂流人」たちについて何事も語っていないのは腑に落ちない。公的な事柄を私的な日記に記載するのを遠慮したのであろうか、それとも彼らについては、もともと関心がなかったのであろうか。

十四日、赤水は出島の「阿蘭陀の屋敷」を訪れる。

内海へ築出し、四方石垣甚だ厳密也。石橋一ツにて出入す。門の側に番所あり。入口に禅寺の刹竿《せつかん》（仏堂の前に立てる先端に焔形の宝珠のある長い竿）の如き旗柱あり。舎々に楼《にかい》あり。楼の窓より阿蘭陀人どもさし覗くを見れば、目光り眉毛赤さび、人相はなはだ怪し。側に女も見ゆ。此地の遊女なりといふ。同行の人皆厨下《だいどころ》より入りて階を登る。時に紅毛人も出迎へて嚮導《あんない》す。其顔色甚だ白し。頭髪をそりて黒髪の仮鬘《かつら》を被る。衣服は此方の股引《ももひき》の如く、手足をくるみ釦《ぼたん》にしてしめ、上衣も袖なく前は釦にて合せ、腰下分開きてこの方の軽業装束に似たり。

「阿蘭陀人」の外貌には一向に感心した様子はないが、商船長の居室の装飾は、赤水の好みにもっと適ったようである。温度計にはひどく興味を喚られたけれど、「蕃字なるが故によめ難し」と言っている。壁に掛けた額入りの絵画も、彼を感心させる。「周りの荘厳《かざり》甚だ美麗なり。画《ゑ》は山水人物といろ〳〵あり。筆細密にして倉卒《さうそつ》には見わけがたし」。

出島を訪れた他の大方の日本人と同じく、赤水もオランダの酒には、大いに興味を喚られている。「中央に几案《つくゑ》をまふけ（設け）、フラスコの注子《すず》の類をならべおく、皆名酒なりといふ」。

赤水の通詞が、「蕃語」でなにか言うと、オランダ人は「頓首拝伏し、畢りて復起《またたつ》て交椅《いす》に座」したという。相手に敬意を表するこの日本的な動作が、そのオランダ人にとって、屈辱的なものであったことは確かである。しかしこれをやらなければ、日本を追われることを、彼らは承知していたのである。

この数年後に、たまたま日本訪問中のロシア人の面前で、オランダ人の商館長ドゥーフは、日本のある役人にこの「礼」をするように強要される。そのロシア人は、その時のことを思い出している。「商館長はほとんど直角に身体をかがめ、お役人がようやく普通の姿勢にもどってよいと言ってくれるまでは、そのまま両腕を垂れて待っていなければならなかった」（クルーゼンシュテルン『クルーゼンシュテルン日本旅行記』）。だがこのドゥーフは、彼の『日本回想録』の中で、己を弁護し、自分は日本の習慣や作法に従ったままでだ、と言っている。そして「同等の友好を求めて訪れた国の人間に、訪問者側の習慣に従えというのはおかしいのである」と書いている。

「咬𠺕吧《じゃがたら》（ジャバ）」その他に対するオランダの帝国主義的拡大政策について、赤水はきびしく批判を下している。「元来紅毛は悪党にて海賊し、弱き国をば打取て新紅毛とする故に、此方にても御油断なく紅毛船出入のときは当番の藩侯直《おだいみやう》に出馬なされ、二三千騎にて津辺を警固し給ふ」。オランダが日本を「新紅毛」にしようとすることなどなきよう、オランダを、いわば従属状態に置いておくことが肝要だと赤水が信じたのは、理解できるのである。

赤水は唐人館をも訪れ、目にした中国人のことも書いている。オランダ人とはちがい、唐人たちは、「その人物賤《いや》しからず。面体《めんてい》この方の人にかはらず」であったという。しかし、その許可を受けることを得ず、彼らとの筆談はついに実現出来なかった。「唯《ただ》目礼して退く。悵恨に堪えたり」、と彼は書いている。

江漢西遊日記

出島を訪れた者の中で、最も興味を唆る人物は誰かといえば、画家、思想家、その上大変な奇人でもあった司馬江漢《しばこうかん》にとどめを刺す。彼は『江漢西遊日記《こうかんさいゆうにっき》』に、己が試みた長崎への旅のことを描いているが、これは江漢のユニークな個性と、彼が体験を述べる際の徹底的な率直さによって、まれに見るほど興味深い作品となっている。江漢の日記を読む時、おそらく私たちは一種の衝撃を受ける。それは近世のいわば平面的な日記を多く読んできたあとで、一人の立体的な人物に、急に対面させられた時の衝撃にほかならない。彼は旅を描いて、単に絵巻物の中の一人物としてではなく、本当の人間の持つ、もっと複雑で矛盾に満ちた存在として、己自身の肖像を丸彫りで描き出し得ている。従って私たちは、彼にそれが出来たのも、彼が習得し、また活用したヨーロッパ絵画の手法があずかって力あったのではなかったか、とつい推論したくなってくる。『とはずがたり』この方、これほどあからさまに己自身の姿を描いた日記作者は、誰一人として他にいなかったのである。

江漢のユニークな人格を示すものとして、彼の日記中、多くの章句をあげることが出来よう。だが中でも最も驚くべき文章は、おそらく次の一節である。寛政元年（一七八九）二月三日、長崎より江戸への帰途、江漢は備中《びっちゅう》で鹿狩りに誘われる。彼はこう書いている。「鹿一疋《ぴき》池の辺ニ出後の山に入。時ニ鉄砲雨の如く、鹿鉄砲ニあたり藪の内ニ入ル。予《わ》レ走て鹿の耳元をツキ破り、生血を吸ヒければ、皆々肝をつぶす。鹿の生血は生を養フ良薬と聞ければなり」。そしてそのあと、彼は一行の者がうわさしているのを聞く。「あれは江戸の江漢と云フ者なり。鹿の耳元を裂て血を吸ヒけり。おそろしき者なり」。

江漢の行為は、あるいは読者をぞっとさせるかもしれない。だが読者は、その行為自体を忘れないだろうし、また作者江漢のことをも、忘れることは出来ないだろう。その上、彼のうわさをしている連中について、江漢はそれ以上なにも言っていないが、彼は、彼らと、彼らの因襲的な反応に対して、明らかに優越感を感じている。私は二十世紀以前の、いかなる文学作品の中にも、これに類似する一節を読んだことを思い起こせない。なるほど江漢の行為は、あるいは野蛮かもしれない。しかしそれはいかにも個性的で、不思議に近代的でもあるのだ。近世のもっと早い時期の日記作者が、同じような行動をすることは、想像もつかないのである。

彼の日記のページから現れてくる江漢は、根っからの外向性人物である。行くさきざきで、自作の銅版画と、のぞき眼鏡とを、人々の前に開陳している。そしていかに皆がそれらに感歎し、とても日本で作ったものとは思えぬ、などと言ったことを、決して書き洩らすことはない。彼はまた、なにほどかの教育のある日本人なら、大抵の人間が自分のことを知っているはずだ、と信じていた。「何方《いづかた》へ行きても、吾ガ名ヲ不レ知《しらざる》者鮮《すくな》し」と彼は書いている。ある時ある人に、江漢は、ビイドロ（ガラス）の上に描いた油絵を見せる。するとこの男が、「吾を信ずる事如神《かみのごとし》」だった、と書くのである。己自身に関してはばかることなく語る彼の性癖は、己の性生活の告白にまで及んでいる。遊女屋で過ごした幾夜かのことを、彼は平然と描くのである。共に寝た遊女の名前ばかりか、その値段まで記している。

生月島《いきつきしま》に着いた時、捕鯨に関する話を耳にし、非常な興味を示したため、鯨捕りたちは、江漢に鯨舟に一緒に乗り込むように勧める。初めは「乗るまい」と思ったが、「サア〳〵とせり立テければ、飯《めし》に水をかけ一椀喰ヒ、夫《それ》なりに舟に乗ル。のるが早ヒ歟《か》、艪《ろ》を押が疾《はやい》か、誠に矢の如し」。鯨が見つかったのは、ようやく夜になってであった。

朝ヨリ一椀の飯のみにして、舟にもまれ、舟心地して気分あしゝ。然《しかれ》ども舟は大嶋の方へ方へと、八ちよう艪にして飛ブが如くかけ声ハ、アリヤ〳〵走ル。気分以外あしき故に、魚粽《もり》に付キたる綱の内に伏す。凡《およそ》四里程も走りたる時、首を揚《あげ》見るに、鯨浪の中より踊出《をどりいで》、潮を吹き亦海底へ入。其廻《めぐり》に舟七八艘取巻く。主人亦之助鯨取レたり〳〵と云声に、気分ハキと快くなり、見物するに、粽に柄あり綱ありて、舟ヲ鯨の背に乗付《のりつく》ルが如く、鯨を隔つ事僅に二間三げんなり。此鯨十七本粽をうつ。故に十七艘舟を引く。次第に鯨よわりて、潮を不吹《ふかず》して気のみ吹く。

日記文学の中では、このように胸躍る文章に出くわすことは、めったにない。おそらく江漢ほどけたはずれに冒険を好む日記作者など、そうざらにはいないからであろう。

江漢はなぜ自分が日記をつけたかという理由を、どこにも言っていない。だがそれを上梓したいと思っていたことは確かである。長崎への旅を記録した日記の最初の版は、彼が江戸へ戻った年の翌年、寛政二年（一七九〇）に出版され、以後何度か、時々題と挿画を改めた形で版を重ねている。そして最終版となった『江漢西遊日記』が完成したのは、ようやく文化十二年（一八一五）になってであった。この作品の結びとして、江漢は次のように書いている。「嚮《さきのひ》西游旅談として画《ゑ》を入レ、板本五冊世に行る。小子江漢今隠遁シテ世用なし。廿八年以前遊歴したる時、日々記たるを以テ爰《ここ》に誌しぬ」。この旅は彼の人生でこの上なく重要な地位を占めていたと見え、多年を経た後も、彼は初めの記述を何度も書き改め、それをさらに完全、かつ詳細なものにしたのである。

日記の冒頭、江漢は宣言している。「是ヨリ肥州長崎ノ方、其外諸国を巡覧して三年を経ざれば帰るまじと思ひ立し」。だがなぜ長崎へ行くかという理由は、なにも言っていない。道中至る所で、知人《しりびと》が、口をそろえてそのような長旅は思い留まれと言う。だがなにものも彼の決意を変えることは出来ない。大抵の学者は、江漢は長崎でオランダ画を学びたかったのであろうと言う。多分そうであろう。だが日記の中には、出島で会ったオランダ人にも、オランダ画を学ぶ長崎在住の日本人絵師にも、彼がオランダ画の技法について訊ねた、という記述はどこにもないのである。なるほど荒木為之進（元融《げんゆう》）なる絵師に会ったことは言っている。だがこの人物について江漢が記していることは、ただの一、二行にすぎない。すなわち、「之ハ、画鑑《ゑめきき》定の役にて、先故画《それゆゑ》もすこし描なり。一向の下手《へた》」。

事実江漢は、他の人間から何事かを学んだことがあるなどとは、一言も言っていない。己自身と、己の才能に関しては、限りない自信を抱いていたのである。日記の中で、再三再四、いかに人が自分の画に感心したか、ということを記している。伊勢の近くの山田という所で、彼は江漢の名を一度も聞いたことがないという人物に会い、本気で驚いている。次はそれについての彼の記述である。

吾ハ東都の者ニて司馬江漢と云フ者也。足下吾ガ名を不知《しらず》やと云ハ、いかにも不知トなりと云。爰ニ於て色々持たる画出し見せけり。其中に蘭法ニてかきたる人物アリ、髭《ひげ》のチリ〳〵として活《いけ》るガ如キ者アリ。之を見て忽《たちま》ち其あいさつかはりて、先ヅ内宮へ参詣して、我方にてお宿いたすべし、ゆる〳〵滞留し玉へと云フ。夫故に参詣して返りによりけるに、打ツて変たる馳走ぶりにて、酒よ肴ナよとて、其夜は爰に泊りけるに、其夜蘭画ヲ望みけるに、なか〳〵蘭画ハ蠟油を以テ作ル故に、一朝ニ出来ず、彼ガ如きザツ画に非ズ。故にのがれて、前の倡家《ぢよろや》に行き見ンとて行けるに、お山（娼妓）十二三人吾を中におき、ぐるりと取巻きたり。

遊女でさえ江漢の、いかにも偉物《えらぶつ》らしい風体には、恐れ入った、というわけである。江漢の日記には、彼が現場でスケッチした挿画が入っている。最初の版のものは線画だけだが、『江漢西遊日記』では、陰影法その他、西洋画の手法を用いている。こうした挿画には、風景があり、江漢の弁当の残りを食べる子供、墓石、生月島の漁師の像などがある。江漢はまた、出島の通詞長吉雄《よしお》幸作《こうさく》の肖像を描いたことも述べている。「幸作の像を草々たる墨画にして、はかま羽織にして坐し、手に蘭書を持チ、上にエンゲル（エンジェル）、ルーフを吹き居る図なり」。この画は今も残っている。画面上方にYoshio Koosakという名が見え、そのすぐ下には、ふざけ回る二人のキューピッドが描かれている。一人はラッパを吹き、他は司馬江漢の名をローマ字で記したオランダの小牌を掲げている。この肖像画が、伝統的な日本画における最良のものと、オランダ画の技法とをめでたく結合させた作とは、どう見てもいいがたい。だがこの画は、少なくとも江漢の想像力が、いかに大胆に羽ばたいたかを示している。

江漢の長崎旅行における正念場が、出島にあるオランダ商館訪問であったことはいうまでもない。だが彼は、そこを訪れる許可を得るため、並々ならぬ苦労をさせられている。というのも、彼は土地の役人に、老中松平定信の隠密ではないかと疑われたからである。そこで彼は江戸の商人に身をやつし、それによってようやく許可証を得ることが出来たのである。だが出島の門を入るところで、「ふところ袂《たもと》を改」められる。密輸を恐れて、何物も持ち入ることを禁じていたのだ。

江漢はこの前年、「おらんだ外科ストッツルと云者」が将軍お膝元の江戸に来ていた時、彼が泊まっていたオランダ宿で初めて会い、長崎での再会を約していた。江漢は書いている。

夫故吾を見ると先ヱ立チ、人の居ぬ牛部屋の方へ行ク。路々何ヤラ話スに一向に不通。只テイケネン〳〵と云事のみ、是ハ江戸の丸の内、見付〳〵を図してもらゐたしと云フ事なり。夫よりしてミネール・コム・カーモル〳〵と云ヒけり。之は能《よ》く分りて能通じけり。ミネールとは貴公と云フ事、カーモルは部屋なり。コム〳〵とは来々《きたれ》と云事なり。夫故に跡に付て行クに、二階へ土足ニて登リ、キタナキタ、ミをしきて、皆立《たち》て座す事なし。

江漢は、ためらわずにオランダ人のあとに随い、二階へ登ってゆく。外国人の前でも臆することのない江漢の態度に、他の日本人は感銘を受ける。「吾ガ蘭人と物談《ものがたり》ヲするを見て、誠ニ肝をつぶし……」と江漢は書いている。次になにか酒のようなものを勧められ、それを飲む。「何ヤラ濁《どぶ》ろくの様なる酒にて、すく（酸っぱく）思ひければ酢《すし》（すし・酢）々と中に、彼云には、薬々とて、玉子《たまご》へ指シけれ。クスリクスリは日本の辞《ことば》なり」。このオランダ人も、日本語の片言《かたこと》を、どこかで聞き覚えていたのであろう。

次いで江漢は通詞の部屋へゆく。すると吉雄幸作他二名の通詞が、彼を「かぴたん（館長）」の部屋に案内する。ところがそこで「かぴたん」の召し使いを見て、彼は驚くのである。「此黒坊《くろぼう》と云ハおらんだノ方の者にあらず、天竺《てんぢく》の方おらんだの出張ヤハ嶋（ジャバ島）の者、或はアフリカ大洲の中《うち》モノ、モウタアパと云処の熱国《ねつこく》の産れなり」。「かぴたん」の部屋は大きさおよそ二十畳。江漢は、まず壁に掛かった額入りのガラス絵、その下に並べられた椅子、椅子毎に置いてある唊壺《たんつぼ》に目をつけている。そして「畳の上ニ毛せんの如キ花を織たる物をしき、天上（井）ノ中にビイドロにて作る瑠璃灯を釣り、向フに紅キ幕の下ゲたる書斎の如き処アリ。障子皆ビイドロヲ以テ張ル」。そこで「かぴたん」が、中から長いキセルを手に持ち、挨拶に出てくる。そして通詞を通して、「ナント、リッパにケッコーカ」と、得意げに言う。江漢は皮肉をこめて書いている。「彼等日本をば物をかざらず、至て素《そ》なる国風と思ヒ、云フなるべし。夫《それ》よりこちらからも、是ハ目を驚かしたる事と返答す」。

ここで二人の「黒坊」の召し使いが、「銀の盆の上に、金を焼付したるコップとフラスコとのせ、傍ラに立ツ」。つづけて江漢は書いている。「其コップにて酒を呑ム。アネイス・ウヱインと云焼酒也。是はウイキヤウにて造ル酒なり。剛酒《つよい》故ニ吾にツキ来ル者へ与へけり」。

江漢はこの「かぴたん」に、以前江戸でも会ったことがあり、また江戸への帰路、もう一度会うことになっている。江漢の出島訪問の結果としては、格別特筆すべきことは何も起こっていない。だがオランダ人とでも親しくつき合ってゆける己の能力を確認して、もともと高い彼の自己評価が、ゆるぎないものになったことは確かである。出島気分いまだ抜けやらぬその翌日、彼は「牛の生肉ヲ喰フ」。そして「味ヒ鴨の如し」だったと言っている。

江漢の随筆にも、彼の性格の面白い面が諸所に出ている。『源氏物語』の名訳者アーサー・ウェイリーは、一九二七年、江漢の『春波楼筆記《しゅんぱろうひっき》』についてこう書いている。「司馬江漢こそ、極東人であることが、世界的な意味では、とりもなおさず地方的であることだと感じた最初の日本人、また今自分の国が、人間文化と新発見との主流から遠く離れたところに存在し、過去何百年もそうであったことを知った最初の日本人だったのである」。

ウェイリーの、この判断に同意するかせぬかは別として、江漢の著作を読むものは、必ずやその新しさに打たれ、またそれらが、この並外れな人間を真に反映していることに、感銘を受けるにちがいない。

改元紀行

大田南畝《おおたなんぽ》の名声は、滑稽文学の作者としての名声である。侍階級の子弟にふさわしく、彼は儒学の教育を受けた。だが初めは、それによって身を立てることが出来ず、己の天分に従い、いわゆる狂詩、狂歌、そして黄表紙さえ書いた。今日の漫画本にひとしい分野である。侍といっても、位は一番低い御徒《おかち》にすぎなかった。従って官吏としての出世の道は、ほとんど閉ざされていたといってよい。

だが天明六年（一七八六）の田沼意次失脚のあと、松平定信が綱紀粛正に乗り出し、有能な侍に対して新たな栄進の道を開いた。南畝はぬからずこの機会を捉え、官職につくことを得た。滑稽本作者という評判にもかかわらず、彼は職分を真面目に務め、着々と昇進していく。享和元年（一八〇一）、南畝は、大坂の権銅《かくどう》の座（銅取引所）への出張を命ぜられる。南畝の日記は、彼のこの生まれて初めての大旅行を記録したものである。表題の『改元紀行《かいげんきこう》』は、辛酉《しんゆう》の年には自動的に起こる改元に由来している。

世の常の旅人とは異なり、南畝は、古くは『更級日記』から、最新の『名所図会』に至るまで、東海道に関する文献という文献を手当たり次第に読み、旅に備えたという。道中名所に来ると必ず足を留め、その地についての説明を傾聴している。だが全般的にはかなり懐疑的で、藤沢の小栗堂におけるように、怪しげな遺物などは、時には見ることすら拒否している。「什宝《じふほう》（宝物）に鬼鹿毛《おにかげ》の轡《くつわ》、崇寧《すうねい》通宝の銭、天狗の爪、古鏡など有りと云へれど、浮きたる物（根拠がないもの）見んも由なしと見ずして出ぬ」。

南畝は、目に留まったあらゆる石碑の碑文、額の文字を、几帳面に書き取っている。『改元紀行』を読みながら、私がこの作者に常ならず親近感を抱くのは、あるいはこのせいかもしれない。そのような石碑は、今なお諸所に残っている。例えば、私の東京のマンションから、歩いて一分そこそこの所にも、享保や安永年間の日付を持つ石碑が、少なからず立っている。これなども、もし彼が逆しまの方向に旅をしたのであったなら、南畝の目にも留まったかもしれないのである。しかし時としては碑文の字がよく読めず、南畝も難儀をしている。早雲寺までは、「輿《こし》より下りて入るに、京桜咲き乱れたり。鐘楼の銘を探り見るに、文字磨滅して僅かに元徳二年の四字見ゆ。懐《ふところ》にせし蠟墨もて打つ」。南畝が石碑の拓本を取っている姿が、目にありありと浮かぶではないか。次いで北条五代の墓石を探す。「苔蒸（生）したれど文字鮮明に見ゆ。後に経営《いとなみ》建てし物なるべし。斉の七十余城にも劣らざりし勢ひを思ふに、涙も禁《とど》まらず」。

しかし総体的に見て、南畝が生み出す印象は明るい。公用旅行であったにもかかわらず、ちょっとした息抜きのことも、ためらわずに彼は書いている。箱根の畑《はた》という所にさしかかった時、輿かきが疲れ、従者の何人かも身体の不調を訴える。そこで一行は、この宿場で休むことにする。「立列《つら》ねたる酒家の裏《うち》より女どもの群出て、百千の鳥の囀るごとく、是れに休《いこ》はせ給へ、彼処《かれ》に上り給ひねなど口々に言ふめり。蔦屋と云へる宿に立入りて、餉《かれひ》（乾飯）あさり酒飲む」。

南畝の描写は、しばしば詩的である。例えば、

此処は相模伊豆の国堺にして、二本の杉立てり。右は焼たる山の如く、左は深き谷かと危く、踏《ふむ》所の石あらじ。古木老杉木末を交えて物凄く、衣の袖も冷やかに打湿りたるに雨さへ降り出ぬ。大枯木《おほかれぎ》小《こ》枯木《かれぎ》など云ふ辺りより、輿の戸さし籠て蹲《うずくま》り居るに、輿かく者も石に蹶《つまづ》き、息杖立てゝ漸うに下り行く。

南畝はこの日記の中で、徳川家の、ゆるぎなき信奉者としての己を描いている。静岡を通った時にはこう記している。「駿府の御城は慶長の年、懸まくも畏こき神のましませし所と聞くにも空恐ろしく、輿の中に蹲まりて過ぐ」。そのあと三河国では、法蔵寺を訪れ、御草紙懸けの松で知られる松を見る。というのも、「神君のまだ幼《いとけ》なくおはせし時、此寺にて御手習ましく〳〵ける時、此松に草紙を懸て干《ほし》給ふ」たからである。「神」とか「神君」とかが、家康のことであることはいうまでもない。だが『改元紀行』を魅力的にしているのは、別にこのような感情の表現ではない。その名残ぐらいは今もとどめている「日本」の姿を、この筆者は眼前にまざまざとみせてくれる。そうした旅人に対して、私たちは常ならぬ身近さを感じるのである。

南畝の読者に彼が近代的だという印象を与えるのは、通った土地の詩的連想よりも、己の目で実際に見たものにもっと関心を払っているからである。彼に先立つ多くの旅人の記述によってよく知られている経路を、彼も辿っている。だが南畝は、己自身の目に頼んで、あの絵巻物中の人物のように、個性に欠けた、名もなき旅人となることはなかった。最後まで大田南畝で貫いたのである。

そして日記のそこここに、自伝的情報の断片をちりばめている。例えば次の孫娘に関するくだりである。「今日は弥生の三日なれば、故郷には孫娘《うまご》の許に団居《まどゐ》して、桃の酒酌交《くみかは》すらしと思ふに、我が初度《しよど》の日にさへあれば、従者《ずさ》に銀銭取らせて祝ひぬ」。また京都に着いたのちには、こう書いている。「八坂の塔の高きを見るにも、彼の浄蔵貴所の行法を試し事まで思ひ出らる。此辺りの人家に土の人形をひさぐ。古郷の孫の玩《もてあそ》びにもならんかと、一個《ひとつ》求めて懐にしつ」。傾いた八坂の塔を祈禱の力で元に正したという浄蔵貴所のことは、私も今まで知らなかった。だが南畝が訪れた塔の、裏通りなら知らぬことはない。そして何軒かの店では、今も「土の人形」を売っている。

道中で食べたものについての南畝の記述は、彼以前の日記作者のものより、はるかに具体的である。次は荒井（新居）の宿での話。「鰻鱺《むなぎ》よろしと聞て、或酒家に立寄りて食《め》すに、味殊に良し」。また亀山の記述を読むと、いかにも豆腐が食べたそうである。「城下の市中賑ひなし。四角なる形の物を軒に下げて、『湯豆腐あり』『油揚あり』或は『豆腐』『蒟蒻《こんにやく》』など書る様ひなびたり」。

都会育ちの南畝に、亀山が、「ひなびたる」と映ったのは無理もない。京都に着いて、彼はホッとしたかに見える。市中に入る前に、まず衣服を改めている。都へ敬意を表したのである。

蹴《け》揚《あげ》の清水《しみづ》と云ふ所に到りて、左の方に清らなる茶店あり、立寄りて旅の装ひ脱《ぬぎ》かへつゝ、紋染たる小袖に麻の上下《かみしも》着替て、輿の中に正しく坐し、ゆく〳〵見れば、右に三条通りの道あり。

その晩、再び旅装束に着更えたのち、彼は市内見物に出掛け、一軒の店に立ち寄る。

名に負ふ豆腐の田楽といふ物にて、飯食ひ酒飲みつ。女どもの豆腐切る音喧《かし》がまし。隣の簾《す》の中に、浮れたる様の人数多《あまた》ありしが、女を呼びて豆腐切らしめしに、速《と》く俎《まないた》を携へ来りて、切る音七種囃《ななくさはや》す（正月の七草の節句に七種の菜をのせた俎を叩き囃すこと）音にも似通ひたり。

南畝が京都を訪れた際の記録を読んで感じる私の喜びは、彼が言及している建物のほとんどすべてが、今なお存在している事実によって、より一層ふくれあがる。寺から寺へと彼の足跡を追い、彼が見た絵馬や額に、いちいち感心してゆくことも不可能ではない。そういう意味においても、南畝は近代的だったのである。

南畝は大坂へ、伏見から船で行っている。そして、大坂では、一年間滞在する。彼はしみじみと書いている。

熟《つらつら》思へば鳥が鳴く吾妻《あづま》より、暮ればかへる大津馬の五十三次、さしも嶮《さか》しき山を越え、潤《ひろ》き海を渡り、憂きも嬉しきも、今宵伏見の船の中に思ひこめたり。吾が年もまた五十《いそぢ》余り三《みつ》なれば、今年元日の詩に、世路如経東海道（世路《せろ》東海道を経《ふ》るが如し）、人生五十有《ごじふいう》三亭《さんてい》、と作りしも、思へば心の中に動きて、辞《ことば》に顕れし物ならじと、数度起回《おきかへ》り伏転《ふしまろ》びつゝ、現《うつつ》ともなく寝るともなく、何時《いつ》しか十三里の流れを下れるにや。

元来『改元紀行』は、南畝が道中で書きとめた、単なる覚書からなっていたものであろう。大坂では、公務すこぶる多端であった。だが「公事の暇々、過来し道の事ども思ひ出るまゝ書やり捨てぬ」と言っている。旅の途次に書いた詩歌は、日記の本体には入れず、附録として巻末にまとめている。おそらく本文に滑稽詩などを入れては、官吏の沽券《こけん》にかかわると思ったのであろう。だが彼の狂歌詩人としての手腕は、次の例を見ても分かるように、明らかに健在だったのである。初めに前口上がある。「掛川の城下にてそばむぎくふとてれいのざれごとうたよめるものあり」。そして、

湯豆腐の葛布ならでさら〱と一はい汁をかけ川のそば

（葛布《くずぬの》＝横糸に葛の繊維を用いて織った布。掛川の名産）

南畝の日記は、次のように終わっている。「凡て公の事を省きて、私事をのみ記せり。文拙く気滞《とどこ》ほりて、事も亦くだ〱し。我子孫たらん者、あなかしこ、おぼろげの（通りいっぺんの）人に示す事なかれ」。彼の子孫がこの訓令を無視し、紀行文のうちでもとり分け面白いこの書物を私たちに「示し」てくれたのは、それこそ「もっけのさいわい」ともいうべきか。

馬琴日記

司馬江漢、あるいは大田南畝《なんぽ》のような人物の日記を読む時、私たちは、彼らの殊のほか近代的な認識や意見に会って驚くことしきりである。私たちとは全く異なる世界に生きていたとはいえ、私たち自身も共有する性情を、彼らのうちに発見するのはまことによろこばしい。だがそのような性情といえども、一個の全体的人間を形成するには、十分でない。私たちがほとんど知ることのない事柄は、まだ他にも多々あるからだ。例えば、江漢と家族との関係、彼の交友などである。そういえばまた、己が生きた社会に対して、彼が何等かの不満を感じていたかどうかも知りたい。

ところが馬琴の日記を読む時、私たちに隠されているものは、ほとんど何物もないといってよい。馬琴について私たちは、家族の中における彼の生活、作家としての仕事ぶり、日常の行動ばかりか、同時代社会に対して、彼がどのように感じていたかをも、(少なくとも間接的に)知ることが出来る。馬琴こそ、そのような事柄について私たちが詳細に知る、おそらく最初の日本人だったのである。そして彼の日記は、真に近代的な日記の、最も早い例であった。

馬琴が書いた現存する日記が、初めて四巻本として完全な形で上梓されたのは、たかだか十年ほど前のことにすぎない。他にもあった彼のさまざまな日記の、それぞれただ一つの版は、東京帝大の図書館が焼けた、大正十二年の大震災の折に焼失し、今はない。

今日私たちがこれらの失われた日記について知ることが出来るのは、ひとえに明治四十三年、饗庭篁村《あえばこうそん》を筆頭とする学者グループが作成した抜粋のおかげである。『馬琴日記鈔《ばきんにっきしょう》』と題して彼が上梓した一巻本は、彼の全現存日記よりもさらに読みやすい。というのも、それが「失明の事」「敬神の事」、あるいは「交友の事」などという表題のもとに分類された、全日記からの重要な章のみの抜粋となっているからである。もっともこれらの抜粋を読むならば、全日記を読んでみたいという慾望をそそられるばかりであろう。

昔の和文日記から馬琴の諸日記を区別する特徴は、それらが、その日その日に付けられた日記だということである。漢文日記の方は、昔から同じ要領で毎日付けられたものだが、それらは馬琴の日記には頻出する作者の私事に触れることはまれであった。詳細な日記を毎日決まって付けるのは、馬琴にとっても並大抵な努力ではなかったにちがいない。だが、いかに多忙な時も、日記を書くのを、ゆめゆめ怠ることはなかった。天保七年（一八三六）のある日、馬琴はこう書いている。「此節予多用にて寸暇なし。この日記、例は（いつもは）昼前迄に候所、今日急ぎの用事書物《かきもの》等有レ之故日記は夜に入り灯下に識《しる》し畢《をへぬ》」。視力がいちじるしく衰えを見せてからも、最も肝要なことのみを記録するに留めたとはいえ、日々日記を付けるのを彼は止めていない。天保十一年正月一日にはこう書いている。「予老眼いよ〳〵衰へ細字見えわかず、執筆甚不便に付、今年より日記を略し、人の出入と役用《えきよう》と無レ拠《よんどころなき》要事のみ記レ之。但し此帳余紙有レ之に付紙の有る限り是へも記す」。

馬琴にとって日記の重要性は、第一義的には、文学的なそれではなかった。先例その他の肝要事を記録しておくため、几帳面に漢文日記を付けた昔の宮廷人同様、馬琴は、日々起こった事柄の信頼すべき典拠として、己の日記に頼ったのである。つまり、日記をひもといてみれば、いつ、いかなる約束事をいかなる人物と交わしたかなど、たちどころに知ることが出来たのだ。しかし私たちは、いうまでもなく、それとは別の理由によって、彼の日記を読む。文学的な魅力を時折ただよわせることはあっても、日記はおもに、馬琴という、当時の主要な文人の日常生活を忠実に描いたものである。

それはちょうど馬琴が、彼の最も有名な小説『八犬伝』を書いていた頃であった。従って日記を読めば、この小説を傑作に仕上げるべく彼が払った、いわば努力の軌跡を、私たちは辿れるのである。例えば天保三年(一八三二)二月十五日。

> 予、八犬伝八輯自序二丁半稿レ之《これをかうす》。然ども再思尚未レ穏《おだやかならざる》所有レ之依レ之此二丁半又不用、明日又書直すべし。今夕四時過就寝。

またその翌日には、

> 予八犬伝八輯自序稿し終るといへども、尚添削多し。再考終日、未レ果《はてず》。

『八犬伝』に関する馬琴の苦労は、己の原稿の首尾だけではなかった。彼は挿画についても頭を痛め、さらにのちには、『八犬伝』の、歌舞伎版、および浄瑠璃版にも不満を洩らしている。とにかく近代以前の日本において、創作過程にある作家の姿が、これほど完璧に出ている作品は、他のどこにも見いだし得ないのである。

馬琴の日記は、自分と、妻、息子、義理の娘などとの関係を語っていることによって忘れ難い。彼は妻のお百を、全く愛したことがなかったようである。彼のため、四人も子をもうけたというのに、お百はひどいヒステリーの発作で、馬琴の生活をみじめなものにしている。とり分け劇的な記述は、天保九年（一八三八）閏四月十日に起こった事を叙したものであろう。

夜に入お百又予に対して怨言をのべ捨身（出家）すべしなど云。予徐《おもむろ》にこれを諭して七年以来吾家治らざるは畢竟《ひつきやう》吾不徳の致す処人を怨むるによしなし。夫婦七十余歳に至れば、余命幾かあるべき。無益の怒りに心を労する事なかれと、万事我不徳にして致す所を以《もつて》教諭す。しかれども全く甘服なすにあらず。只聊《いささか》怨怒をくつろぎてやむ。女子小人の養ひがたきは聖人すらしかり、況《いは》んや凡夫のわれら実に愧《はぢ》るに堪《たへ》たり。

お百のヒステリーは、身体の病のために、なおひどくなっていたのである。一度ならず家の中で激しい発作を起こし、執筆もままならぬ状態に馬琴を追い込んでいる。「右内乱（家内のみだれ）にて今日予著述休筆諸事廃業也。事皆吾不徳の致す所、人を怨るの心なし。その罪吾一人にあり、おそるべし、つゝしむべし」。馬琴はお百のヒステリーを忍従したばかりか、家内に不幸がはびこるのは、すべて己の「不徳の致す所」と、自らを責めている。お百が死んだのは天保十二年（一八四一）だが、このあたりの馬琴日記は消失して、今はない。だが、妻の死に対して馬琴がどう反応したかは、その時に書かれた手紙から推測出来よう。手紙には、次の「追悼の哀歌」が入っている。

まれに見つまれにとはれてありし日を今こそおしめつひの別れ路

息子宗伯《そうはく》と馬琴との関係は、彼の日記の、もう一つの重要な部分となっている。彼は宗伯が、滝沢の家を、本来の武家の位に復興すべきだ、と自分で決めていた。馬琴自身は、若年の頃、松平家に仕えるのを辞め、浪人となっていた。だが己がただの「町人」ではないという自負は、ずっと持っていた。己は再び侍の地位には戻れない。従って彼は、わが息子にその望みを托したのである。

馬琴は、宗伯が医者となる訓練を受けるよう取り計らい、間もなくその努力は実ったかに見えた。前《さき》の蝦夷地《えぞち》の大名松前章弘《あきひろ》が、宗伯を藩医に任命し、それによって侍の地位を授けたからである。章弘は、文政四年（一八二一）、蝦夷の封土を回復する。ところが宗伯は、両親の世話のためという理由で、章弘に伴い蝦夷地に行くのを断ったのである。その翌年、宗伯は病を得る。そしてその病は、天保六年（一八三五）に彼が死ぬまで、ついに癒えることはなかった。

　馬琴は初め、この不運に打ちのめされたかに見える。しかし、どうにか己自身を奮起せしめ、再び『八犬伝』の執筆に取り掛かるのである。次に馬琴を悩ませたのは、視力のいちじるしい減退であった。失明のおそれを警告する最初の不吉な徴候は、天保五年に起こっている。日記にはこうある。「予今朝より右の眼中不例少々痛有レ之右眼一向に見えず候間、宗伯に様体《やうだい》申聞自二今日一洗薬用レ之」。またその一月あとには、「予夜中灯下細書《さいしよ》候《さうらふ》故《ゆゑ》左の眼も少しいたみ且しばつき候、依レ之以後夜分は著述休筆保養すべし」。

　以後眼疾の悪化を述べる彼の筆致は、次第に暗さを増してくる。『八犬伝』の完成も、もう少しで断念するところであった。天保十一年（一八四〇）の五月十二日には、「今日眼気宜しからずさぐり書也」と記している。しかし、絶望感の奥底では、救援が間近なことも、彼は気づいていた。例えば天保十一年六月十三日付には、次のような記述がある。「老眼此節弥《いよいよ》かすみ、細字稿本出来兼候間、昼時より、予作文にて、お路《みち》に教へ書《かか》せ、二丁半二の巻の終迄、是を綴る。言葉書《ことばがき》同断」。宗伯に先立たれた嫁のお路は、馬琴が失明同然の状態にあった年月の間、彼の書記を務め、彼の最大の慰めともなったのである。

　宗伯は、お路にとって、決して良き夫とはいえなかった。滝沢家の盛運を回復するように迫る父よりの圧迫は、彼の病と、彼がお路および召し使いにぶちまけた激しい癇癪《かんしゃく》の一因となった。病が重くなるに従い、もし自分が死ねば、そこで不幸せしか知らなかった彼の家をお路が出てゆくにちがいない、と宗伯が恐れたのは無理もない。彼は最後の遺言状《いたい》を書いて、お路が再婚することには異存はないと述べ、しかし、老齢の両親と、まだ幼けな自分らの子供を看《み》とるため、しばらくは家に留まるように、と強く願っている。お路はそうした責務を受け入れたばかりか、宗伯の死後、老父の薬を調えたり、原稿を筆記するなど、馬琴にとっては、なくてはならぬ人になったのである。すでに天保八年（一八三七）に馬琴は書いている。「去冬十一月転宅以来お路殊に立はたらき実に寸暇なし。彼《かれ》（お路）なくばあるべからず」。

お路のようにいわばやる気があり、かつ献身的な助手を得たことは、馬琴にとってまことに好運であった。しかしそのような仕事が楽々と出来るだけの教育を受けていない女性に、彼の作品を口述するのは、決して容易ではなかった。時折読み上げている書物の中の字が分からず、彼女が読みあぐねている時など、馬琴はいらだってきて、仕事をそこで打ち切っている。だがお路は殊のほか聡明な女性だったとみえ、まことに急速な進歩をみせたため、ついには馬琴が人に贈る扇子の署名を代筆するまでになっている。お路の助力なしには、『八犬伝』の完成はなかったかもしれぬのである。

馬琴の日記には、家族への言及が夥しいばかりか、友人への言及も決して少なくない。例えば谷文晁《ぶんちょう》、狂歌堂真顔《まがお》、北斎、渡辺崋山、柳亭種彦《りゅうていたねひこ》などである。友人に関する最も感動的な記載は、天保十三年（一八四二）正月二十三日付のものであろう。

三宅《みやけ》備後守殿蟄居《ちつきょ》、用人渡辺登《のぼる》事、崋山、旧冬十二月中旬、於二三州田原一自殺の由、慥《たしか》なる風聞有レ之候由、山川白酒《しろざけ》噂にて初めて是を聞。忠臣の志也と云。尤《もつとも》憐むべし。此故に三宅殿を御奏者ばんになされしなるべし。崋山老母あり、妻あり、娘あり、何れも薄命の至り也。痛むべし（崋山は三宅家の御用人だったが、その進歩的な思想で幕府に睨まれ、罪を得て田原に蟄居を命ぜられたが、己のような罪人がいては主家に迷惑がかかるとして田原で自殺した）。

しかし用心深い馬琴が、なんとか発表し得た政治的意見は、大体この辺どまりであった。天保の改革で召し捕られた他の文人、芸術家の運命を、己も辿りはしないかと、彼は戦々兢々《きょうきょう》としていたのである。天保十三年四月六日の日記には、こういう記述がある。「（俳優）市川海老蔵、平日おごりに長じ候由聞え、御吟味中手鎖の由也。無益の事なれども記憶の為、筆ついでに識し置しむ。非人かり入《いれ》弾左衛門へ被二仰付一、小梅辺へ非人牢出来のよし風聞あり」。また六月には、本や錦絵の出版を取り締まる幕府の新しい布告のことを記している。同じ年の六月十五日には、次のような記載がある。「板元七人、画工（歌川）国芳、板木師三人は、過料五貫文づゝ、作者（為永）春水は、咎《とが》手鎖五十日、板木はけづり取り、或はうちわり、製本は破却の上、焼捨になり候由也」。また八月七日付では、画家であり、狂歌、俳諧もよくした柳亭種彦が、捕らえられて半年後に牢死したことを報じている。

こうした日記の記載が保存されているのは、明治時代に饗庭篁村らが作った、抜粋版のうちのみなのである。さらに多くの馬琴日記が、大震災前にコピーされていなかったのは、残念この上ない。例えば「天保の改革」のことを書いた記載のようなものは、それが語る事柄の興味によって注目に値する。また他は、その表現があまりにも美しく、明治時代の学者依《よ》田《だ》学海をして、次のように言わしめたほどである。すなわち、「曲亭（馬琴）が文章の妙もまた此の日記に尽たり」。

だが個々の記載事項の持つ興味よりも、さらに重要なのは、全体としての彼の日記が、一人の偉大な作家と、彼の生きた世界とを描き出した、まことに詳細な肖像画だということであろう。

井関隆子日記

井関隆子《いせきたかこ》の日記は、昭和四十七年（一九七二）、深沢秋男氏がそれを発見するまで、全く世に知られることはなかった。その六年後に深沢氏は、この日記を、注釈付きの三巻本として上梓している。だがそれでもなお、世の注目を惹くところまではいかなかった。しかしこれは、まことに興味深い日記なのである。幕末期のドキュメントとして、馬琴の日記と比肩する価値十分であり、しかも文学的には、むしろ馬琴を凌駕《りょうが》している。彼女の日記の記載は、ある出来事の記述に始まり、それに関連する一つ、ないし二つの随筆へと発展するのが特徴である。そういう意味で隆子の信奉者は、彼女のことを、「江戸時代の清少納言」と呼ぶほどである。しかし隆子の日記は、清少納言の鋭い機智とは縁がない。とはいえ、世間に対する己の考えをいきいきと表現したところ、また取り扱う話題の広さからいって、隆子には、重要な先輩日記作者の数々と比肩する価値が十分具わっている。

隆子が日記を付けたのは、天保十一年（一八四〇）から十五年まで、すなわち彼女が五十六歳から六十歳の間であった。日記の最後の日付から三週間後に、彼女は没している。晩年に書いた日記である以上、平安朝の女流日記に出る、いわゆるロマンチックな興味は当然見いだし得ない。事実自伝的な材料には、驚くほど乏しい。だが天保年間における日本人の生活を呼び起こしてくれる点では、この日記に勝るものは他にないのである。

隆子はさる旗本の娘で、別の旗本の男に嫁いでいる。夫は彼女より十九歳年長の男やもめであった。しかし彼女は、夫の息子や孫に、あたかも自分自身の息子や孫であるかのごとく、ごく自然に接することが出来たようである。彼女自身の生まれに加え、将軍の殿中における息子と孫の地位のおかげで、彼女は最も上流の社会に入り得ている。したがって彼女の日記は、将軍家の公式記録よりも、時としてはさらに正確なのである。

日記をつける理由として、隆子は次のように言っている。

今已がみじかき（至らない）心、つたなき筆して書くことは、世に散すべき物ならず。こゝの幼き人の、其子どもなどの末の世に、此家の今の有かた、世の中のことなどもいさゝかしらむためにとて記しおけど、かゝる反故《ほご》どもは紙魚《しみ》の住かはさるものにて（当然のこととして）、鼠のうぶ屋にやひかれん。よしさばれ（そうではあっても）、せん方なさのすさびになむ。

右の一節には、隆子日記の文体が、まさに典型的に表れている。雅文を用いたのは、おそらく彼女の国学への心酔と、日記の至る所で明らかなように、「混りけなく日本的なもの」への、彼女の好みとによるものであろう。馬琴が用いた候文や、他の日記作者が採用した和漢混淆文ではなく、雅文を使用するのは、当時の教育ある女性には自然であった。だが隆子の場合、子孫のためのみに書くとはいうものの、日記を付けることの中に、はっきりと文学的意図がこめられていたのである。ある心中未遂事件に関する、あのきわめて劇的な長い記述をはじめ、いくらかの叙述には、彼女のすぐれた文才が歴然と現れている。

だが同時に隆子は、己が生きた「世の中のことなど」を、子孫に知らしめたいと言った時、確かに真実を語っていたのである。隆子は次のように信じていた。すなわち人間は、大本《おおもと》では決して変わることがない、とはいえ人間社会の習わしは、時代時代で変わってゆく、そして昔の人間がどのように生きたかを、私たちにわからせてくれるのは、ほかならぬ文学なのだ。

古き世の物語文どもを見るに、其かみは世のならはし人の有様など、ありのまに〳〵おもしろうもをかしうもとりなし、書出せる物になんあるらし。さるを世のいたう移りもてゆくまゝに、人の心こそさのみは変らざるらめ、世の掟よりはじめ、人のたゝずまひも、いにしへとは異なる事あまたにて、大方のさま違へることなん多かるべき。然るを今文書物語など作らむにも、たゞいにしへのおもむきのみならひて、今の愛度《めでたき》御世の有様ども記さゞらんは、あかず口惜しきわざになんあるべき。

この一節が示すように、隆子は決して、単なる過去の崇拝者ではなかった。現在を知ることの大事さをも主張し、物は「古きがゆえに尊からず」ということを人に戒めていた。

すべての物も書どもゝ、ふるきをたふとぶ人心なれば、いにしへの文も歌もなべて愛度のみにはあらざなれどふるきが故に人のようする（求める）也けり。いときたなげに見にくきも、五百年も経にこし物は、人の宝とめづるぞかし。

このように率直、かつ現実的な考え方は、いかにも隆子らしい。しかし、過去崇拝はしりぞけたものの、同時代の言葉で書くという、さらに大胆な手段を取ることは、彼女もあえてなし得なかったのである。

今昔の風俗を比べながら、井関隆子は、当時の女性の結髪が、「よろしき程の女子」の場合さえ、その「はじめは、舞子《まひこ》、俳優《わざをぎ》、遊女《あそびめ》」などのそれに由来することに意を留めている。彼女は続ける。「髪の様のみならず、衣《きぬ》の縫ざま染ものゝ形、はた織物のあやなども、折にふれつゝ変るは世の常なり」。また、昔、良家の子女は、式服でさえ自分で染め、また縫ったものだ。それが今では、すべて染物屋任せ、お針子任せになってしまった、と言っている。

このような事柄に関しては、隆子は昔流のやり方を好んだようである。ところが少なくともある一点については、現在の方が、過去に勝ることを信じていた。彼女は古い迷信には我慢がならなかったのである。そしてそのようなものを信じたことがないのを得意としていた。

昔方違《かたたが》へ、はた物忌などゝて、高きいやしきおしなべて、いみじくおそれつゝしみしことなるを、今はさる事いふ人もなし。大方さるたぐひの事は、もとより人の心もて定めたることにて、たとへば何々の文に有など、誠しくいへることゝいへども、其言も事も昔の人のしわざにて、あるは陰陽師などいへるあやしき法師どもの、定めいへることなど多かるべし。

隆子は、迷信を軽蔑して、容赦することがない。迷信とは、結局は馬鹿げた妄想を抱くやからがでっちあげた信仰にすぎない。かりにそのようなものに違背したとして、一体いかなる災いが身にふりかかるというのか、と修辞的な疑問を隆子は発している。そのような迷信をいまだに信じているやからもある。だからといって、それで彼らになにかよいことがあったというためしはないのである。「是らはいにしへのかたの残れるなるべけれど、いと不用なる事なり」、と彼女は言っている。

また迷信を信じなかったからといって、なんら兇事が身に起こったためしもない、とも言う。「己は若き時より、さる忌事《いみごと》、すべていさゝかもせざりしかども異なることなく、さる忌事せし人よりも中〳〵に、命ながう幸ひあり」。『土佐日記』には、紀貫之が、今日は厄日だからとて爪をつむのを控えた、という話が出ている。だが隆子は、そのようなことに、かつて心を患わせたためしはないと言う。それでも彼女の身になんらかの災厄が起こったことはなかったのである。

隆子は、すべての僧侶に疑いの目を向けている。人のために祈禱する「祈りの師」に対しては、とくに手きびしい。「かれらは皆世渡る業にて、はじめは物ほしからぬさまにもてなし、人をすかし、扨《さて》物とらぬは無し」。彼女はまた、奇蹟の話を信じていない。例えば、自分の家の庭に、小さな金の観音像を発見した牧志摩守の妻の話を書いている。その像は明らかに日本で作ったものではなく、古くから土中に長年埋もれていたものと見えた。皆はこの奇蹟的な発見を大いに喜び、像は直ちに厨子《ずし》の中に祀られた。隆子は続けている。

然るに其妻やまひ付て此春はかなくなりぬと聞ゆ。仏は人を浄土とやらむへ迎へしるものといへるそらごとも、ゆくりなう（思いがけず）あひたるやうなるも、いとほしうまが〳〵しきことになむ。

隆子は、仏教ばかりか、道教をも嫌っている。そして合点がいかないのは、道教をキリスト教と同日に論じていることである。

此仙人てふもの命長きのみならず、いとあやしきわざをなして人の目をおどろかし其道へ引入るなど、こゝにきびしくいましめらるゝ耶蘇《やそ》とかいふわざを行ふともがらにたぐひためり。

武家の娘とあれば、儒教だけは信じていたはず、と誰しも思うであろう。ところが儒教に対してすらも、彼女は批判的である。理由はおもに、それが中国、すなわち「異国」に結びつくからである。日本の伝統に対する、典型的な儒者的態度を、彼女は次のように特徴づけている。

天地《あめつち》のはじめ、神代のあやしき伝へをあげつれど、下にあざけりそしれるさまいちじるしく、皆陰陽五行天命（陰陽道における万物を生じ変化さす五つの気の働き案じる五行説、天命説）の理《ことわり》をもて、万《よろづ》をおしきはめいへる（決めつけて言うのは）、世の常の儒《ず》者心《さごころ》也。

彼女が信じた唯一の宗教は神道であった。そして日本人にとって、異国のことを学ぶより、己自身の国の伝統を知るのが、さらに肝要だと説いている。

此神の御国に生るゝ人は、此国のふるき御代の伝へをまもり、さかしら心を出さず、奇《く》しくあやしき天地などの、及なくしられぬことは、しらであるなむ中〱おほらかに、心ひろうまさりたるべき。

隆子は、文政九年（一八二六）に彼女の夫が没した後、国学の勉強を始めたようである。これといって特定の師から正式の教えを受けたわけではなかった。しかし『古事記』『日本書紀』、またその後の史書はもとより、賀茂真淵、本居宣長、その他、国学者の著作をむさぼり読んだ。とくに宣長には、賞讃の言葉を惜しまない。近年の学者の中でも彼こそが、いにしえの事どもを明らかにし、日本が世界のどの国よりもすぐれた国であることを示した功績者だと褒めちぎるのである。

おそらく隆子のナショナリズムは、当時の日本が、内外の脅威を受けていたことから来る危機感を反映するものであった。国民の奢侈《しやし》に歯止めをかけようとした天保の改革を、彼女は大いに歓迎している。例えば、歌舞伎役者市川海老蔵が追放になったことについては、次のように満足の意を表す。

こたび拾里四方の追放になりぬとぞ。其故は家居よりはじめ、庭など、あるは調度衣《きぬ》のたぐひにいたるまでいみじくおごりを極め、あるはわざをぎ（俳優）の出立《いでたち》（扮装）にも仮初ならず、世に勝れたる鎧《よろひ》兜《かぶと》をもちひ……

大塩平八郎の乱について記すのに、隆子は憎悪の情をかくしていない。大塩のことを、「大盗人《おほぬすびと》」と呼び、乱に加担した者すべてが「重き罪にあひて滅びうせた」ことを喜んでいる。その上、大塩について、次のような諧謔詩まで書くのである。すなわち、

みさごゐる磯うちこえしおほしほにからきめみつる難波人かな

隆子の蘭学ぎらいは、オランダ書を学ぶような日本人なら、将来国を裏切るようなこともあろう、という恐れから出ていた。とくに天文方《てんもんかた》で書物奉行も兼ねていた高橋景保《かげやす》には、怒り心頭に発している。高橋とは、例の蘭書と引き換えに、伊能忠敬《いのうただたか》が作成した「日本沿海輿《よ》地図《ちず》」をシーボルトに渡した人物である。隆子は書いている。

此大御国の絵図のかいなで（通り一ぺん）にはあらで、公にをさめありしを写して異国に遣《つかは》したりける事あらはれ、いみじう勘《かうが》へ（罪を責め）たゞされけるほどに失《うせ》たりける（死亡した）を、おほ方ならぬ罪人なれば、なほかうがへ給ふほど、なきがらを塩につけ置たりとか。

隆子ほどの育ちの女性が、たとえ仇敵であろうと、一人の男が拷問によって殺され、その上に死体を塩漬けにされたとの報に快哉を叫ぶとは、まことに合点がいかない。彼女の愛国心は、それほど極端だったのである。

また彼女は、渡辺崋山が召し捕られたことを耳にしても、彼が蘭学などに手を出すから悪いのだとして、いささかの同情も示していない。

此学《まなび》につのり、あやしき文字して、其むれの者共と文かきかはし、はた是に党《たう》したる物どもゝ、僻事《ひがごと》（心得ちがいのこと）すべき聞え有て、公に皆めしとられ、かうがへたゞし有けるに、いみじき程の罪にはあたらざりけむ。

隆子も、オランダ人が、数々の科学的発見をなし得た事実を認めるには吝《やぶさ》かではない。例えば、「紅毛」は、地球は円いと結論した。あるいはそうかもしれない。しかしこの世界のことを、なににつけ真に知るには、一旦それを出て、遠方より観察するしか他に法はない。これと同じことで、家の有り様を的確に見定めるには、どうしても一度外へ出て、遠くからそれを眺めることが必要である。以上が彼女の論理である。ところで隆子の科学への反発は、あるいは愚かとも見えるかもしれない。しかしその結論は、彼女が早くも人工衛星を予見していたことも思わせるではないか！

蘭学に対する彼女の防衛には、一つの弱点があった。それは医学にかかわっていた。当時の日本は、天然痘の猖獗《しょうけつ》に頭を抱えていた。大抵の人が、将軍の殿中にあった者さえ、これから免れることは出来なかった。隆子は孫の場合の体験をこう記している。

こゝにも一とせ、親賢《ちかかた》が子どもの二郎なる、四ツ斗《ばかり》なりしが、是病《やみ》てまづ失《うせ》ぬ。太郎なる後に病たる、それはた軽きやうにもあらざりしかば、いかに〳〵といみじう覚束なく思ひわたりけるに、辛うじてなむおこたりはてたりしが、いまだ女童《めのわらは》二人ものせず、いと心許なし。

隆子はある時、オランダ人によって長崎に伝来され、あらゆる病を治すといわれた水灸《すいきゆう》のことを聞く。ところがこの時だけは彼女も、日本人がそのような異国の薬を用いることの正当性については、一向に疑問を発していないのである。

隆子の政治的意見は、当時の女性としては例外的で、現代の読者には、特別な興味を抱かせる。とはいえそれらは、彼女の日記を特徴づけるものでは決してない。この日記は、信じがたいほど多様な話題に満ちており、しかもその一つ一つが、このきわめて非凡な女性の、明敏な知性と感性を通して、見事に表現されている。

浦賀日記

外敵に対する井関隆子の恐れは、彼女が日記の最後の記載を終えてから九年後、とうとう具体的な形を取ってしまった。浦賀沖にアメリカの艦隊が出現したのである。

沿岸防備を担当していた松代藩の顧問佐久間象山《しょうざん》が、異国人到来の報を受けたのは、嘉永六年（一八五三）の六月四日の朝であった。そして彼の日記は、まさにこの時点から起こされたのである。同じ日の夜、象山は浦賀に着いている。明くる五日付の『浦賀日記《うらがにっき》』には、次のような記述がある。「朝山に登り異船の掛り居候様子一見。又夕景にも同じ処に出て、一見候。日に映して其朝見えざる所まで殊に鮮に見え候ひき。其時船中にて楽を奏す。其緩急徐疾大略荷蘭《おらんだ》練兵の鼓の如し」。長い間恐れられていた異国人の到来が、賑やかな楽隊の音によって先触れされたとは、まことに皮肉と言わざるを得ない。

その翌日、一隻の蒸気船が北上を始める。それが江戸湾に入り、そのうち残りの船も合流するのではないか、と江戸では気が気ではない。もし実際に江戸湾に入ってくるならば、八百八町が一大恐慌に陥るのは目に見えている。そこで象山は、浦賀から大沢に駆けつけ、帆船を借りて米船を追わんとするが、すぐに距離を引き離されてしまう。だがその米船は、横浜の本牧《ほんもく》沖で停止し、小舟二隻を降ろして水深を計ると、やがて浦賀の方へ引き返してゆく。象山が安堵の胸をなでおろしたことはいうまでもない。

　異国の艦隊が眼前に現れたことは、当然計り知れぬ懸念を引き起こす。象山は己が仕えていた大名真田信濃守の名で幕府に建白書を提出、沿海を守るべく、あるだけの大砲を最大限に使用し得る要所要所に松代藩兵を配置すべきだ、と建議している。それに対する回答がまだ来ぬうちに、米船四隻が、十日にはもう江戸湾に侵入して来る。さては江戸の心臓部を直撃するつもりか、と思えたとしても無理はない。象山は、狂乱したように、未経験の防備部隊に特訓を与える。この短い日記は、十三日、次の記述をもって終わっている。「早晨より出て大銃稽古を致候所、夕刻異人退船《たいはく》の事注進有之。銘々少しく安堵候事に候」。

　その翌年、アメリカ人たちは、幕府の同意を得て横浜に上陸、日本に貢物を捧げる。「亜《あ》墨《め》利《り》加《か》人応接の仮屋」が建てられ、真田家と、小倉の小笠原家とが、命ぜられてその警護に当たる。象山の『横浜陣中日記』は、この時起こったことを記録したものである。嘉永七年二月十五日、異国船から降ろされた何隻かのボートが、贈り物を運んで来る。象山はそれらの品物をひそかに観察したことを日記の中で告白している。「某《それがし》も其所にゆきて、与力何がしをすかし、異人閣老に奉る品ども内々覧《み》ることを得」。

　十七日には、「異人タゲウロライペン（daguerreotype＝銀板写真か？）を出し、某が乗り来し馬を写」したという。おそらくこれは、日本人がカメラというものを見た最初だったのである。しかし象山は、蘭書を読んで、カメラに関してはいささか知るところがあった。そこで彼は通詞を通し、このカメラは「イオヂウム（iodine＝ヨード）」、それとも「フロピウム（chromium）」を使うのか、ときいている。象山がそうした言葉を知っていることに驚き、かつそれを喜んだそのアメリカ人は、彼を招いてとくとカメラを吟味させ、あげくには象山の写真をも撮ったのである。

贈り物の中には、銅板製の「バッテイラ（小舟）」三隻があった。これに感銘を受けた象山は書いている。「いかなる風波にても覆没の患《うれひ》なき新発明のふね也」。またオランダの百科事典ですでに象山にはお馴染みの、模型汽車、農耕機具なども含まれていた。

その翌日、異人たちの規律のなさにいきどおった日本の若い軍兵共が、彼らをこらしめようと騒ぎ出した。そのような軽挙が幕府の政策を狂わすことをおそれた象山は、兵を集めて一場の訓辞を与えている。横浜にいる一握りの外国人を攻撃しても、日本が直面している諸問題の解決にはならぬことを、彼は承知していたのである。

それから間もなく、象山は、米船によって海外密航を企てた吉田松陰を助けた廉《かど》で捕らえられる。そして危ないところで死罪の宣告はのがれる。だが彼が選んだ開国への道は、その頃着々と実現に向かって進んでいたのである。

長崎日記

嘉永五年（一八五二）、川路聖謨《かわじとしあきら》は、勘定奉行に任ぜられ、合わせて海防係を仰せつかる。日本の歴史における苦難の時期に当たって、こうした職務を与えられるのは、実に容易ならぬことであった。というのも、その翌年、浦賀沖に、アメリカの艦隊が姿を現したからである。いかにしてこの脅威に対抗すべきか、早速聖謨の意見が求められる。激越な行動に出るのは避けるべきだ、と彼は徳川斉昭《なりあき》に進言する。この答えは斉昭をいたく喜ばせたと見え、彼は上級幕政の新参者にすぎなかった聖謨を抜擢、嘉永六年十月、長崎へ派遣してロシア使節プチャーチンとの交渉に当たらしめたのである。ちなみに聖謨は、その一年後にも、再びロシア人と下田で会見、日露和親条約に調印している。

長崎への旅を記した聖謨の日記は、国家の使命を帯びた官吏の書き物から予想される、型通りで月並みなものでは決してない。過去の日記作者のひそみにならい、聖謨も至る所で和歌を詠んでいる。時としては、旅の初めの軽やかな気分で詠んだ歌も見える。

我国の千島のはてはえぞしらぬさりとてよそに君はとらすな

彼の日記の記載には、現代の読者を驚かせそうなことが、他にもいくつかある。これは日々の温度を（華氏で）記録した、日本で最初の日記なのである。さらに驚くのは、私的な要素がいちじるしいことであろう。例えば、自分の息子たちにあてたメッセージが出てくる。

よく聞き候へ。当年六月より七月へかけ、海岸のくるしみ、其あつさ、いふべからず。十一月より十二月へかけ寒中旅行、さむさまたいふべからず。されど暑はあつさの稽古、寒はさむさの稽古とおもへば、暑寒共にかごに乗るは宿入位のこと也。かく修行する祖父、父をもちながら、其身は十分の修行せず、よき所へ養子にやりもらひたく、或は五百石を寝ながら取るの類、よく心得ざればばちあたりて、一生涯人の上に立つことはならぬ也。わが子孫たるもの、われへ孝行は断り也。公儀へ御奉行の為修行して、文武の達人となるべし。

長崎への道中、聖譲は風光の美しさに目を留めることしきりである。それも歌枕ではなく、己自身が真にめでる場所なのが面白い。また時としては、苛立ちを示すこともある。例えば、「けふは終日輿中にて、退屈かぎりなし」。姫路では名所見物をし、伊部では備前焼の窯場を見る。そして備中に入ると、いささかうろたえ気味に次のように書く。「風俗俄に悪しくなりて、飯もり体のものなどみえ、宿は至ての貧宿にて、潰家《つぶれや》多し」。

彼はまた安芸国が、土地は肥沃そうに見えながら、ひどく貧しげなのを発見して驚いている。「国いたく困窮とは不思議千万也」。江戸を出て一月後に、ようやく周防の宮市に着く。長崎まではまだ十三泊。「旅に一同当惑せり」と彼は記している。

生まれて初めて石炭というものの匂いをかいだ下関から、九州に渡り、長崎に向かう。そして長崎には、十二月八日に着いている。明くる九日の日記にはこう記している。

魯戎《ろじゆう》（ロシアの野蛮人）より再書翰和解《わげ》（和訳）も参る。兼て考置き候通りに相成り候は、扨々《さてさて》国家の御ために心配の極なり。身は差上置き度たれば、心配なし。

ロシア側からの書翰の内容については、聖謨は一切触れていない。だがそれは、二つの点に関する両国の合意を提案するものであった。一は北方における日露の国境線の問題。他は二国間の通商協定の問題である。聖謨がこれを記録することがなかったのは、私的な日記に公的な事柄を記すのは、おそらく不謹慎と考えたからにちがいない。

交渉がまだ始まらぬうちから、聖謨には、頭の痛い問題がいくつかあった。例えば、交渉の進行中、ロシア側は曲彔《きよくろく》（椅子）に座し、日本側は畳の上に座ることの是非である。新井白石が琉球人との会談で、椅子と兀子《ごつし》（一種の床几）を用いたことを、彼は想起している。なにしろ真面目一方の儒者官僚である。彼は古人はいかにして隼人《はやと》（いにしえの薩摩人）を閲見したかという『延喜式』の先例にまでさかのぼり、智恵をしぼっている。ところで実際に日露交渉が始まった時には、ロシア側は椅子を持ち込み、日本側は「殊更に高き高麗べりの二畳台（畳二畳くらいの台。高位の公卿や武将が用いた）」の上に座したという。来るべき多くの妥協の、まず第一であった。

長崎に着いて三日後の嘉永六年十二月十一日、他の使節団員と共に、聖謨は、ロシアの軍艦上に招待される。初め、彼はそれを断る。「御国体に拘《かかは》り候儀に付、参り難き旨、申し遣す」。だが結局それを肯《うけが》い、十七日に参上すると答える。それに先立つ十四日、日本側は、陸上でロシア人を接待する。その時聖謨は、ロシア人使節の帽子を見て、強い印象を受けている。

頭には、かたち小桶《こをけ》の末細なるがごとき帽子に、金にてかざりあり、上へ白き毛を附けたるを着したるを、門を入るときとりて手に持ち、始終手に持居り候（帯剣也）。永井能登守に似たる男也。茶いろのかみのけ、三寸ばかりはえたり。ひげ、又同じ（三十一歳也と云ふ。六十歳位にみゆ）。

ロシア人を「魯戎」とは呼ぶものの、聖謨はプチャーチンのことを、野蛮人だとは明らかに考えていない。その風貌が能登守（永井能登守尚徳。二千石の幕臣）に似ていると言ったところからも、そのことは推測出来る。だがプチャーチンの年齢に関しては誤解がある（実際は当時五十一歳）。だが今と同じく昔も、日本人には、外国人の年齢を言い当てるのはむずかしかったのである。

上陸すると、ロシア使節団は座敷へ案内される。ちょうど「時分時《じぶんどき》」であったため、「三汁七菜と酒」が出される。あいにく魯人は箸を使うことが出来ない。そこで急いで、出島の蘭館からスプーンが取り寄せられる。通訳を介しての会談は、さぞかし気骨が折れたことであろう。だが聖謨は、ロシア人たちが、珍しい料理を褒めたことを記している。宴は午後四時で終わったが、あるロシア人士官は、どこかで日本語の片言を覚えて来たと見え、日本人に向かい手を振り、「ナガサキ女、ヨカ〳〵」と言ったという。「夜分に聞くに、松魚《かつを》松魚、とうる声も、アバ〳〵、などいふさわぎ聞きたるよしなど承る。されど日本人常に加り居る也。油断すべからず」と聖謨は、この浮かれ騒ぎの描写を結んでいる。

次の日、彼は松平美濃守の来訪を受け、「死を潔くいたし候」家来十九人からなる決死隊を連れ、ロシア船に斬り込む計画を告げられる。火薬を積み込んだ舟を供船に加えて火をかけ、それを打ち当て、旗艦を爆破、それによって外敵の脅威を一挙に除こう、というわけである。美濃守が辞去すると、聖謨は皆を集め、次のように言う。

美濃守申分尤も也。され共、魯戎の船を焼打ち候て、役々の敵を即坐に打ち呉れ候は忝《かたじけな》く候得共、左候ては公儀へ大国の敵を新に拵《こしら》え候に当り、不相当也。これ畢竟《ひつきやう》、一人は死ぬまじとする故より也。

十七日、筒井肥前守などと共に、聖謨はロシアの「フレガット（フリゲート艦・旧式巡洋艦）」に招かれ、丁重な歓迎を受ける。

畢《をはり》て、日本と魯西亜の船印を、比翼紋（自分の紋と愛人の紋を組み合わせた二つ紋）のごとく染出したる、幕のごとくなるものをみせて、かく迄に日本を親しくおもふなど申したり。

これに聖謨は、いわばカッコつきのコメントを付し、「江戸の遊女が、勤番ものを欺くと同じ手也」と皮肉っている。

そうした皮肉は皮肉として、「使節の間」におけるレセプションには、聖謨も感銘を受けた模様である。フランスの葡萄酒は、殊のほか気に入ったようで、「ブドウの露にて作る。多くのみても酔少し。直にさむる也」と書いている。不馴れな料理を食べたり、珍しい食器を用いるのに苦労した、とは全く言っていない。ナプキンの使い方も理解出来たようである。「ふろしきのごときものを銘々へわたし候て、食べこぼしたる時の為、膝かけとす（手をもふき、口をもふく也。はなもふくなるべし）」。

初めは用心していたけれど、日本人使節も、次第にくつろいできている。「もてなしぶりの上手なること、実に驚きたり」。そして「異国人、妻のことを云へば、泣いて喜ぶ」と聞いていたので、「（自分の）妻は江戸にて一、二を争ふ美人也」、それを置いて来たためか、時折思い出されて弱っている、と聖謨は言ってみる。それを聞いてロシア人たちは、予想通りたいへん喜び笑った。そこへ老体の筒井肥前守が会話に加わり、「われを老人也とおもふべからず」、これでもまだ子供が出来るやも知れぬから、と言う。するとロシア人は、それに対してロシアの諺をもって答える。すなわち、「五十は出生少し、六十はなし、七十は猶更なし、八十は若やぎて出生殊更多し」。これを聞いて喜んだ肥前守は、「其諺のごとくなるべきを願ひ奉る」と答えている。

そこで聖謨の結語は次のようである。

詞《ことば》通ぜねど、三十日も一所に居るならば、大抵には参るべし（大方は通じるだろう）。人情、少しも変らず候。顔色も、鼻高く、白過ぎたるもの多きばかり、みなよき男にて、江戸ならば気のききたると申すものもみえ……

下田日記

川路聖謨《かわじとしあきら》が長崎を去る時、ロシア人は沢山の贈り物を彼に贈ったが、中に女性用のパラソルもあった。これはおそらく、自分の妻が「江戸にて一、二を争ふ美人」だと魯人《ろ》に吹聴したせいだろう、と聖謨は考える。そして日記の中に、「おさと美人のこと、長崎中に聞えたり」と皮肉なユーモアをこめて書き記す。人を見る目に関する聖謨の自信は、ロシア人にまでも及んでいる。使節プチャーチンについては、次のように書いている。「この人、第一の人にて、眼ざしただならず。よほどの者也」。のちに小説『オブローモフ』を書き、作家としての名声を得た秘書のゴンチャロフについては、「常に使節の脇に居て、口出しをするもの也。謀主（参謀）という躰《てい》にみゆ」と評している。

幕府に届けるべき書簡三通を受け取った後、聖謨は、プチャーチンの魯船に最後の訪問を試みる。さらに贈り物の交換がある。その時彼は、魯船の内部を、もう一度とっくりと観察する。そして以前訪問した際、彼のために「琴《きん》」をひいてくれた十三歳の少年の、父に当たる人の肖像画にとくに目を留め、次のように記している。「生けるが如し。異国人ながら、父子の情いとあはれにみえたり。惣《そう》じて、この国のものは、みな其こころ也」。このように人種のちがいを超えた、普遍的な人情の存在を発見したことは、幕吏の普通の態度としては、まことに珍しかったのである。

いよいよ去り際に、プチャーチンは、しばし彼をおし留めて、さらに一つの特別の贈り物を聖謨に与える。「焼酎」を燃やして走らせる模型汽車である。そして最後に、「カラフト島にて再会せん」と使節は言う。だがこの二人の男が次に会ったのは、カラフトならぬ伊豆の下田であった。時は嘉永七年（一八五四）の十月。

彼らの再会を記録した『下田《しもだ》日記《にっき》』には、注目すべき個所が多い。例えば、ロシア人が聖謨の写真を撮ることの許しを求めるくだりである。

> 魯戎《ろじゆう》、自分の顔を（写真に）うつし参り度き旨にて、いろ〳〵と申す。再応申断り候処、聞入れず候間、元来の醜男子《ぶをとこ》、老境に入り、妖怪の如くなるを、日本の男子也など申されんも、本朝の美男子のこころいかがあるべく、さて魯戎の美人に笑はれんこといや也、と案外の事にいたし、外《そら》し候処、魯西亜人の婦人、馬鹿は男のよしあしを論ず、才人は官のよしあしを論ず、男の美悪を論ずるは、愚也。故に御懸念に及ばず、と申し候。よほど醜男とは存じたれど、かくまでとは存ぜず。布恬廷（プチャーチン）の才子も、言廻しに困りたりとみえたり。

聖謨の率直さには、まことに愛すべきものがある。

長くて辛い交渉が続いていた最中に、安政の大地震に伴う津波が下田を襲う。多くの住民が海に流されるが、魯船によって三人の生命が救われる。聖謨は書いている。「魯人は死せんとする人を助け、厚く療治の上、あんままでする也。助けらるる人々、泣きて拝む也」。それまでロシア人のことを「魯戎」と言っていた聖謨が、この時以来「魯人」と呼び直しているのは面白い。彼らの親切心が、ロシア人も人の子だということを、彼に知らしめたのである。

川路聖謨という人物は、格別魅力ある人だったように思われる。彼の諧謔を愛する心、また異人といえども鬼ではなく、同じ人間であることを進んで認めた点など、下田における日露条約を日本の有利に導くに、その人柄が貢献したことは疑いを容れない。彼の日記は、条約内容の詳細についてはなにも言っていない。だが、プチャーチンの言葉を引いて次のように記している。

日本の御為悪しき事はいたすまじ、カラフトの事など、少も御心配あるべからず、などいひて、いろ〳〵と謝義を申したり。餓ゑたる虎狼の、人に向ひ、尾を垂れ、食を求むるがごとし。去り乍《なが》ら、彼も亦天地間の人間也。有難くおもふことも有るべし。

のちに聖謨は、焼けた御所の修復事業を監督すべく、京都に派遣され、そこで二篇の日記を書いている。さらにのち、安政の大獄の間、井伊大老の不興を買い、官職を追われて自宅に謹慎を命ぜられる。文久三年（一八六三）、束縛を解かれ、再び外国奉行に任命されるが、健康とみに衰え、やがて辞職する。そして慶応四年三月十五日、江戸城の門が官軍に対して開かれたという報を聞くや、病床についたまま、直ちに自害して果てている。死の四日前、聖謨は号を敬斎から頑民斎《がんみんさい》に変えたが、それはおそらく、維新の新体制に従うことを拒む、彼の頑なな気持ちを反映していたのにちがいない。しかし西洋を理解することにおいては、彼は、確実に己の時代に先んじていたのである。

終わりに

私は『百代の過客』の中で、八三八年の円仁に始まり、一八五四年の川路聖謨の日記に終わる、ちょうど千年余りの期間に記された日本人の日記を取り扱ってきた。わずか数ページの短い日記もあれば、何巻にものぼる大部のものもあった。平安朝の日記、とくに女房日記には、注解つきの版が多く、助かった。だが室町および徳川期の日記の多くは、『帝国文庫』のような古い双書にしか入っておらず、注解の恩恵を蒙ることは全くなかった。

これらの日記の文学的優劣を問うなら、それこそ俗にいう、ピンからキリまであるのは当然である。『蜻蛉日記《かげろうにっき》』や『奥の細道』のような傑作もあれば、ただ一つのエピソード、ないしほんの数行の文章によってのみ注目に値する紀行文も多々あった。しかし私は、作品の長短にかかわらず、それらの日記のすべての中に、私が探し求めていたもの――すなわち、日記という最も私的な文学形式の中に表された、作者自身の言葉による日本人のイメージを発見し得たと思う。

日記文学の伝統という一筋の糸が、円仁の時代から幕末まで、いや、今日までも、断ち切れることなくつながっている。私が知るかぎり、世界中他のどのような国の文学にも、これと同じ現象を見いだすことは不可能である。中世期、あの相次ぐ戦乱の最中においても、何らかの時代の証言を、己を取り巻く瓦礫の中から、（おそらく無意識のうちに）後世に残そうとねがって、彼らは日記を書きつづけていた。

そうしたねがいは、時には彼らが予想もしなかったようなやり方で充足されたのである。例えば宗長が、『宗長手記』を執筆していた時、彼がそれに記録した「無心の連歌」の実例が、その時代から今まで残った唯一のものとなることを、果たして想像し得たであろうか？　また、『玄与日記』は、当時における能楽の上演速度に関する有益な手掛かりを与えてくれている。だが、もし玄与がそのことを知ったならば、いかに彼は驚いたことであろう。

しかしそもそも私が日記に心を向けたのは、そうした知識を得るのが目的ではなかった。それは今日私が知る日本人と、いささかでも似通った人間を、過去の著作の中に見いだす喜びのためだったのである。最もすぐれた日記は、その作者を最もよく表し、逆に最もつまらぬ日記は、先人の詩歌や日記から学んだ歌枕の伝統を、ただいたずらに繰り返すのみである。日本人はいにしえより今日に至るまで、読書によって知悉《ちしつ》する風景を己自身の目で確かめ、所の名物を己も口にすることに、格別の喜びを抱いてきた。

一人ならずの批評家が、日本人は、文学から吸収した先入主なしに、景色を眺めることもない、と言ったことがある。それは誇張というものであろう。だが、どこもかしこも同じ場所ばかりを見ての印象をそれぞれ並べ立てる、東海道の旅を描いた日記の数々を読む時、そのような説にもつい同意したくなってくる。年毎の年中行事であれ、また先輩歌人に歌われたがゆえに名の出た地への旅であれ、体験の繰り返しこそ、まことに日本人特有の習癖なのである。

とはいえ、これのみが、日記文学の特性とは言いがたい。平安朝日記、あるいは『海道記』『うたたね』、そして『とはずがたり』などに色濃い個人的性格、これは幕末期までは再び現れて来ない性格である。しかし日記作者の持つ個性は、最も伝統的な作者の日記にさえ、繰り返し表に出て来ている。全体として何等文学的興味を感じさせぬ日記すら、私はつとめて読むようにしてきた。それも、作者が私たちの眼前に自らをさらけ出しているような章句を、なんとか見いだしたい一心からであった。そして私のその望みは、報われること少なくなかったのである。

日記作者こそ、まことに「百代の過客」、永遠の旅人にほかならない。彼らの言葉は、何世紀という時を隔てて、今なお私たちの胸に届いて来る。そして私たちを、彼らの親しい友としてくれるのである。

参考書目録

日本の日記文学と関係のある書物は多いので、すべてを網羅しようとしなかった。なお、『土佐日記』『紫式部日記』『奥の細道』等の注釈のついたテキストが数え切れないほど沢山あるが、このリストに記載した書物は、私が実際使ったものに限っており、必ずしも一番優れたテキストではない。

日記文学全般

玉井幸助『日記文学の研究』一九六五年　塙書房
中古文学研究会編『日記文学・作品論の試み』一九七九年　笠間書院
池田亀鑑『宮廷女流日記文学』一九六五年　至文堂
日本文学研究資料刊行会編『平安朝日記』二巻（日本文学研究資料叢書）一九七一・一九七五年　有精堂出版
福田秀一、H・E・プルチョウ編著『日本紀行文学便覧』一九七五年　武蔵野書院
H・E・プルチョウ『旅する日本人』一九八三年　武蔵野書院
白井忠功『中世の紀行文学』一九七六年　文化書房博文社
松本寧至『中世女流日記文学の研究』一九八三年　明治書院
塙保己一編『群書類従』『続群書類従』一九五九年　続群書類従完成会
柳田国男他校『日本紀行文集成』四巻（『紀行文集』『続紀行文集』『続々紀行文集』一八九三年＝帝国文庫版の復刻）一九七九年　日本図書センター

1　塩入良道補注『入唐求法巡礼行記』1（東洋文庫）一九七〇年　平凡社
小野勝年『入唐求法行歴の研究』二巻　一九八二・一九八三年　法蔵館

＊　＊　＊

2　萩谷朴校註『土佐日記』（日本古典全書）一九五〇年　朝日新聞社
鈴木知太郎他校注『土左日記他』（日本古典文学大系）一九五七年　岩波書店
松村誠一他校注・訳『土佐日記他』（日本古典文学全集）一九七三年　小学館
3　木村正中他校注・訳『蜻蛉日記他』（日本古典文学全集）一九七三年　小学館
4　『御堂関白記』（大日本古記録）一九五二〜一九五四年　岩波書店
5　藤岡忠美他校注・訳『和泉式部日記他』（日本古典文学全集）一九七一年　小学館
6　中野幸一他校注・訳『紫式部日記他』（日本古典文学全集）一九七一年　小学館
山本利達校注『紫式部日記　紫式部集』（新潮日本古典集成）一九八〇年
7　関根慶子訳注『更級日記』二巻（講談社学術文庫）一九七七年
8　玉井幸助『多武峯少将物語』一九六〇年　塙書房
9　宮崎荘平訳注『成尋阿闍梨母集』（講談社学術文庫）一九七九年
10　玉井幸助校註『讃岐典侍日記』（日本古典全書）一九五三年　朝日新聞社
石井文夫他校注・訳『讃岐典侍日記他』（日本古典文学全集）一九七一年　小学館
11　戸田芳実『中右記・躍動する院政時代の群像』一九七九年　そしえて
増補史料大成刊行会編『増補史料大成　平安期』一九六五年　臨川書店
12　久松潜一他校注『建礼門院右京大夫集』（岩波文庫）一九七八年
糸賀きみ江校注『建礼門院右京大夫集』（新潮日本古典集成）一九七九年

13　小原幹雄他『たまきはる全注釈』一九八三年　笠間書院
玉井幸助校註『健寿御前日記』(日本古典全書) 一九五四年　朝日新聞社
14　今川文雄訳『訓読明月記』六巻　一九七七～一九七九年　河出書房新社
15　石田吉貞他『源家長日記全註解』一九八二年　有精堂出版
16　『いほぬし』(群書類従) 一九五九年　続群書類従完成会
17　水川喜夫『源通親日記全釈』一九七七年　笠間書院
18　野呂匡『海道記新註』一九七七年　藝林舎
19　外村展子『宇津宮朝業日記全釈』一九七七年　風間書房
20　玉井幸助他校註『東関紀行他』(日本古典全書) 一九五一年　朝日新聞社
21　次田香澄全訳注『うたたね』(講談社学術文庫) 一九七八年
次田香澄他校注『うたゝね他』一九七五年　笠間書院
22　森本元子訳注『十六夜日記他』(講談社学術文庫) 一九七九年
23　佐佐木信綱校註『飛鳥井雅有日記』(古典文庫) 一九四九年
塚本康彦『抒情の伝統』一九六六年　晶文社
24　玉井幸助『弁内侍日記新注』一九五八年　大修館書店
25　玉井幸助『中務内侍日記新注』一九五八年　大修館書店
26　福田秀一校注『とはずがたり』(新潮日本古典集成) 一九七八年
次田香澄校註『とはずがたり』(日本古典全書) 一九六六年　朝日新聞社
27　水川喜夫『竹むきが記全釈』一九七二年　風間書房
渡辺静子他校注『竹むきがき他』一九七五年　笠間書院
28　加藤玄智『研究評釈・坂翁大神宮参詣記』一九三九年　冨山房

29 『都のつと』(続々紀行文集) 一九七九年 日本図書センター
30 『小島の口すさみ』(続紀行文集) 同右
31 『住吉詣』(続々紀行文集) 同右
32 『鹿苑院殿厳島詣記』(続々紀行文集) 同右
33 『なぐさめ草』(続々紀行文集) 同右
34 『富士紀行』(続紀行文集) 同右
35 『善光寺紀行』(続々紀行文集) 同右
36 外村展子『一条兼良 藤河の記全釈』一九八三年 風間書房
37 『廻国雑記』(続紀行文集) 一九七九年 日本図書センター
38 井本農一『宗祇』一九七四年 淡交社
金子金治郎『宗祇旅の記私注』一九七六年 桜楓社
39 『宇津山記』(群書類従) 一九五九年 続群書類従完成会
40 島津忠夫校注『宗長日記』(岩波文庫) 一九七五年
41 『東国紀行』(続々紀行文集) 一九七九年 日本図書センター
42 『吉野詣記』(群書類従) 一九五九年 続群書類従完成会
43 『富士見道記』(群書類従) 同右
『富士見道記』(続紀行文集) 一九七九年 日本図書センター
44 『玄与日記』(群書類従) 一九五九年 続群書類従完成会
45 『九州道の記』(群書類従) 同右
『九州道の記』(続紀行文集) 一九七九年 日本図書センター
46 『九州のみちの記』(群書類従) 一九五九年 続群書類従完成会

47 『九州の道の記』（続紀行文集）一九七九年　日本図書センター
48 北島万次『朝鮮日々記・高麗日記』（日記・記録による日本歴史叢書）一九八二年　そしえて
49 小高敏郎他校注『戴恩記他』（日本古典文学大系）一九六四年　岩波書店
50 『丙辰紀行』（続群書類従）一九五九年　続群書類従完成会
51 『遠江守政一紀行』（続群書類従）同右
52 『東めぐり』（続紀行文集）一九七九年　日本図書センター
53 『丁未旅行記』（続々紀行文集）同右
54 井本農一他校注・訳『松尾芭蕉集』（日本古典文学全集）一九七二年　小学館
55 『西北紀行』（続紀行文集）一九七九年　日本図書センター
56 『東海紀行』（日記紀行集・有朋堂文庫）一九二二年
57 『帰家日記』（同右）
58 『庚子道の記』（同右）
59 『伊香保の道行ぶり』（同右）
60 河村義昌訳注『峡中紀行・風流使者記』一九七一年　雄山閣
61 『蝶之遊』（続々紀行文集）一九七九年　日本図書センター
62 『長崎行役日記』（同右）
D・キーン、芳賀徹訳『日本人の西洋発見』一九六八年　中央公論社
黒田源次・山鹿誠之助校註『江漢西遊日記』一九二七年　坂本書店
63 『大田南畝集』（有朋堂文庫）一九二八年
64 饗庭篁村『馬琴日記鈔』一九一一年　文会堂書店
暉峻康隆他編『馬琴日記』四巻　一九七三年　中央公論社

65 深沢秋男校注『井関隆子日記』三巻　一九七八〜一九八一年　勉誠社

66 佐藤寅太郎編『象山全集』上　一九一三年　信濃教育会

松浦玲編訳『佐久間象山他』（日本の名著）一九七〇年　中央公論社

67 藤井貞文・川田貞夫校註『長崎日記・下田日記』（東洋文庫）一九六八年　平凡社

あとがき

日本人がつけた日記について連載を書こうと思っていた頃、平安朝の宮廷女性の日記や芭蕉の紀行文または明治時代の文学者の日記を中心にしようと考えていた。しかし、書き始めてから日本人の日記全般についての研究がないことに気がつき、平安初期から現代までの日記を通して日本人を見たら、ユニークな展望が与えられるかも知れないと思った。そこで一応『土佐日記』から永井荷風の日記までのアウトラインを作ったが、平安朝や江戸時代や近代と比較して中世の日記は少なかった。これは止むを得ないと思っていたが、中世の日記を充分調べていない証拠であることが後で分かった。

原稿を書き出してからもう一つの発見をした。以前からよく知っていた日記――例えば『土佐日記』『紫式部日記』または芭蕉の紀行文――について書くよりも、以前に一度も読んだことがない日記の方が書き易かった。著名な文学作品という評判がなくても、印象が新鮮であったため、私が探し求めていた日本人論の手がかりが潜んでいた。数多くの無名の日記に面白さが発見できたことは、何よりの喜びであった。勿論、明治以前のすべての日記に触れることはできなかった。平安期の公卿が漢文で付けた日記は、僅か二、三しかあげられず、昔から愛読してきた小林一茶の日記も、幕末の日記の流れにうまく入らないので、割愛せざるを得なかった。

にもかかわらず、『百代の過客』は当初計画したより長びいてしまった。新聞連載百二十回予定の原稿が百八十五回になっても近代に到達できなかったことを申し訳なく思っているが、機会があれば続篇を書きたいと思う。

『百代の過客』が朝日新聞に連載されている時から、読者の一部から「何故日本語で書かないか」という旨の手紙があった。正直に言って、このような批判をありがたく思う。何故なら、外人は日本語を書けないと思うような日本人より、日本語で書くべきだと叱って下さる読者は、私の学識を認めてくれるからである。

いつか朝日新聞に、英語で書いた理由について次の三つをあげた。第一は、学問的に深い内容を長期に連載するには、母国語の方が書きやすいこと。第二には、外国人ならではの視点を打ち出す目的があり、日本語で書くとどうしても日本的な表現や言い回しになって、英語で書いたときと微妙に違ってくる。第三は、金関寿夫氏という心強い翻訳者がいたことである。以上の見解は現在でも変わっていない。

ここで金関さんに、もう一度お礼を申し上げたい。半年以上もやりにくい仕事をみごとになし遂げて下さった。朝日新聞学芸部の由里幸子さんならびに図書編集室のかたがたにも、この場であつく御礼申し上げる次第である。

一九八四年八月

ドナルド・キーン

リチャードソン, S. …………… 268
立石寺 …………………………… 493
柳亭種彦 ………………… 576, 577

る

ルイ14世 ………………………… 78
『ルネ』 ………………………… 494

れ

冷泉為邦 ……………………… 327
冷泉為尹 ………………… 326–328

ろ

老子 …………………………… 302
「老水夫行」 …………………… 485
『鹿苑院殿厳島詣記』 …… 323–325
『鹿苑目録』 …………………… 420
六所明神 ……………………… 534
六波羅 ………………… 287, 288
『論語』 ………………… 441, 511
ロンドン ……………………… 454

わ

『和解』 ………………………… 116
若狭 …………………… 353, 505
和歌の浦 ……………………… 510
『和漢朗詠集』 ………………… 209
ワーズワース, W. …………… 485
『和俗童子訓』 ………………… 511
渡辺華山 ………………… 576, 587
渡辺刀水 ……………………… 522
度会家行 ……………………… 306
蕨 ……………………………… 528

め

『明月記』…… 159, 166–179, 180–183, 185, 187, 360
『名所図会』(東海道) …… 563

も

『蒙求』…… 209, 210
孟子 …… 520
最上川 …… 493
モーツァルト, W. A. …… 492
本居宣長 …… 507, 586
本宮 …… 545
森本元子 …… 238
守山 …… 314, 327

や

八坂 …… 566
屋島 …… 325
安伎 …… 354
八橋 …… 204, 234, 340, 402, 403, 451, 458, 514, 525
谷中 …… 311, 426, 540
柳沢吉保 …… 533, 537
山口 …… 366
山崎北華 …… 539–547
大和 …… 394, 506
倭建命 …… 360
『大和物語』…… 137, 260, 486
八幡 …… 191

ゆ

『幽斎旅日記』…… 410–413
『湯山三吟』…… 373
湯本 …… 376, 550
油谷倭文子 …… 529–532

よ

楊貴妃 …… 392, 442
養性院 …… 513
横浜 …… 590
『横浜陣中日記』…… 591
吉雄幸作 …… 559, 560
吉田 …… 450, 451
吉田兼倶(卜部) …… 303
吉田松陰 …… 592
吉田神社 …… 250, 251, 303
吉野 …… 265, 394, 398, 477
『吉野詣記』…… 394–400
吉原 …… 455
依田学海 …… 578
『世継物語』…… 501
淀川 …… 261, 262
「夜」…… 485
『夜の鶴』…… 237
『夜半の寝覚』…… 18

ら

『礼記』…… 523
ライシャワー, E. O. …… 32, 33
落柿舎 …… 501–503
嵐雪(服部) …… 539, 540
『覧富士記』…… 335, 337

り

利休 …… 411, 479

『松葉集』…… 501
松前章弘 …… 574
丸子 …… 382
丸亀 …… 512–516, 518, 519, 521
マルチニック島 …… 508
万菊丸 …… 482
満誓沙弥 …… 310, 327, 368
『万葉集』… 17, 54, 310, 363, 364, 470, 497, 529

み

三井寺 …… 407, 408, 455, 521, 550
三笠山 …… 39
三方が原 …… 460
三河 …… 525, 565
御坂 …… 384
水沢 …… 543
三島 …… 447
道綱の母(陸奥守倫寧女) …… 12, 46–60
陸奥 …… 312, 450, 545
三箇日 …… 460
水戸 …… 549
御堂関白　→藤原道長
『御堂関白記』…… 61–63, 73
水口 …… 440
『水無瀬三吟』…… 373
源家長 …… 180–188
『源家長日記』…… 180–188
源実朝 …… 215–218, 361
源高明 …… 47
源通親 …… 171, 172, 195–200, 201–203, 265
源頼定 …… 62
美濃 …… 177, 313, 314, 316, 317, 328, 329, 341, 345–347, 349, 374, 459, 506
蓑苧の浦 …… 370
三淵晴員 …… 410
三保崎(三穂崎) …… 446
三保の松原 …… 404, 441, 450
任那 …… 419
宮市 …… 595
宮城野 …… 312
『都のつと』…… 310–312
宮島 …… 195, 197, 362
宮増源三 …… 383
三好長慶 …… 406
ミルトン, J. …… 22

む

武庫 …… 364
武蔵 …… 177, 341, 449
武蔵野 …… 346, 472
村上天皇 …… 184
紫式部(紫) …… 27, 70–86, 92, 128, 332, 391, 512, 516
『紫式部集』…… 137
『紫式部日記』(紫の日記) …… 49, 70–86, 87, 243
紫野 …… 384
村田春海 …… 522
室 …… 198, 382
室の八島 …… 382, 543

藤原宗能 …………………………… 130
藤原師輔 …………………………… 132
藤原頼長 …………………………… 127
武宗(唐) …………………………… 32
不退寺 ……………………………… 395
二瀬川 ……………………………… 506
プチャーチン, E. V. …… 593, 596, 600–602
府中 ………………………………… 534
仏頂和尚 …………………………… 475
『筆のすさび』 …………… 344, 345
「不滅の頌」 ……………………… 485
『普聞集』 ………………………… 419
『冬の日』 ………………………… 473
『フランス、イタリア感傷旅行』… 360
プルースト, M. …………… 22, 355
プルチョフ, H. E. ……………… 198
ブレイク, W. ……………………… 485
ブロンテ姉妹 ……………………… 101
不破の関 ……… 314, 328, 340, 348

へ

『平家物語』…… 141, 156, 199, 483, 484, 522
幷州 ………………………… 467, 526
『丙辰紀行』 …………………… **439–444**
ベートーヴェン, L. v. ………… 491
弁内侍 ………………………… **249–254**
『弁内侍日記』 ………………… **249–254**
ヘンリー８世 …………………… 78

ほ

『方丈記』……… 101, 196, 205, 210
北条政子 …………………………… 218
法蔵寺 ……………………………… 565
法隆寺 …………………… 399, 400
北斎(葛飾) ……………………… 576
ボズウェル, J. …………………… 32
細川の庄(細川) …… 237, 238, 240, 242, 328
細川幽斎 …… 406, 408, 409, **410–413**, 415, 429, 433–436, 447
『北国紀行』 ……………………… 341
仏五左衛門 ………………………… 543
堀江 ………………………………… 340
堀河天皇 …… 118–128, 130, 132–134
『ボリス・ゴドノフ』 …………… 131
堀辰雄 ……………………………… 116
凡兆 ………………………………… 503
『本朝一人一首』 ………………… 501
本牧 ………………………………… 590

ま

舞鶴 ………………………………… 411
『枕草子』 ………………………… 475
松尾芭蕉　→芭蕉
松島 …… 310, 312, 353, 362, 475, 489, 493, 497, 500, 541, 542, 545–547
松平定信 ……………………… 559, 563
松永貞徳 …… 404, 410, 411, 426, **429–438**, 439, 445

『春の深山路』……………244, 247
ハーン, L. ……………………508
半左衛門 ………………………469

ひ

比叡山 …… 103, 104, 310, 346, 443
檜垣 ……………………………522
東山 ……………………………222
樋口一葉 ………………………280
常陸 ……………………… 94, 95
『常陸国風土記』………………354
備中 ……………………554, 594
人麻呂　→柿本人麻呂
火野葦平 ………………………420
日野資朝 ………………………282
日野名子 ……………… 280–295
姫路 ……………………………594
『百人一首』……………………436
平等院 …………………………260
平泉 ……………………………496
平沢旭山 ………………………548
平野神社 ………………………277
琵琶湖 …… 310, 314, 326–328, 391, 503

ふ

『風流使者記』………… 533–538
深沢秋男 ………………………579
福原 ……………… 169, 196, 197
釜山 ……………………………419
富士(富士山, 不二) …… 204, 311, 335, 374, 376, 391, 402, 475
富士川 …………………………467
藤河（藤川）…………… 328, 348
『藤河の記』……………… 343–352
『藤河の記全釈』………………347
『富士紀行』……………… 335–338
『富士御覧日記』………………335
藤沢 ……………………………564
伏見 ……………………………568
伏見天皇 ……………… 255, 264
『富士見道記』…………… 401–406
藤原家隆 ………………………174
藤原兼家 ……… 47–59, 61, 62, 74
藤原兼通 ………………………… 59
藤原俊成 ……… 64, 155, 159, 167, 171, 172, 174, 187, 262–264
藤原隆信 ………………………150
藤原高光(多武峰少将) ……… 102–108, 109
藤原忠実 ………………………125
藤原為家 …… 237, 239, 243, 244, 246, 247
藤原為氏 …… 237–239, 243, 246, 254
藤原為相 …… 237–239, 241, 242
藤原定家 …… 152, 156, 159, 164, 166–179, 181, 182, 187, 195, 203, 237, 239, 263, 265, 376, 410, 411, 434, 435
藤原倫寧(陸奥守) ……………… 59
藤原秀衡 ………………………498
藤原道綱 ……………… 51, 56, 59
藤原道長(御堂関白) …… 58, 61–63, 71, 74, 75, 85, 86, 332, 349
藤原宗忠 ………… 119, 130–135

二条院 …… 162
二条内裏 …… 344
二条良基 …… 310, 313–318, 325, 327, 343, 345, 347, 361
日光 … 13, 14, 360, 382, 383, 430, 447, 461, 543, 544
『日光山紀行』 …… 447
『入唐求法巡礼行記』 …… 31–36
にひばり（新治） …… 360
『ニーベルンゲンの指輪』 …… 116
『日本書紀』 … 72, 74, 84, 128, 586
仁和寺 …… 273

ぬ

沼波瓊音 …… 465

ね

寧子 …… 415
寝物語 …… 459

の

能因法師 …… 364, 441
野上 …… 329
『野ざらし紀行』 …… 463–472, 473, 474, 477, 518

は

『俳諧七部集』 …… 473
芳賀幸四郎 …… 388
博多 …… 369
萩谷朴 …… 41, 42
萩原 …… 459
『馬琴日記』 …… 570–578
『馬琴日記抄』 …… 571
白居易（白楽天） …… 169, 170, 222, 223, 470
白山 …… 339
『白氏集』 …… 501
筥崎 …… 369
箱崎八幡 …… 411
箱根（山） …… 204, 238, 376, 519, 520, 550, 564
橋本 …… 205
芭蕉（松尾） …… 13–17, 40, 41, 70, 190, 206, 221, 300, 301, 311, 312, 341, 363, 365, 368, 371, 372, 375, 382, 427, 430, 450, 461, 463–472, 473–476, 477–484, 485–487, 488–500, 501–504, 505, 510, 518, 519, 526, 539–543, 545–547, 550
初瀬 …… 263, 397
泊瀬寺（初瀬寺） …… 91, 397
畑 …… 564
八王子 …… 534
八条院 …… 161, 162, 164, 165
『八犬伝』 …… 572, 573, 575, 576
花園上皇 …… 281
浜名湖 …… 205
浜松 …… 241, 440, 460 461, 526
『パメラ』 …… 268, 269
林春斎 …… 513
林羅山（道春） …… 436, 437, 439–444
播磨 …… 237, 328
榛名山 …… 530

徳川綱吉 …… 534
徳川斉昭 …… 593
徳川信吉 …… 415
徳川秀忠 …… 446
徳川宗春(尾張侯) …… 522, 523, 527
徳子(平) →建礼門院
徳富蘇峰 …… 427
杜国(坪井) …… 481–484
鳥籠山 …… 223
『土佐日記』 …… 15, **37–45**, 46, 47, 56, 57, 115, 180, 189, 425, 463, 501, 583
外村展子 …… 347, 351
『とはずがたり』 …… 18, 259, **265–279**, 290, 294, 339, 426, 554, 606
鳥羽天皇 …… 124, 130, 161, 180, 186
杜甫 …… 372, 470, 475, 498, 514
『とほぎみ』 …… 90
豊臣秀次 …… 406, 407
豊臣秀吉 …… 406–408, 410, 411, 414, 415, 418, 420, 460, 461
虎御前 …… 522
鳥辺山 …… 257

な

中泉 …… 440
永井尚徳(能登守) …… 596
中川(京都) …… 364
中川(那珂川) …… 364
長久保赤水 …… **548–553**
長子(藤原) …… **118–129**, 134, 238
長崎 …… 548–551, 554, 557, 559, 589, 593–596, 600
『長崎行役日記』 …… **548–553**
『長崎日記』 …… **593–599**
長島 …… 405
中務内侍 …… **255–264**, 265, 279
『中務内侍日記』 …… 249, 250, **255–264**, 265
中院通勝 …… 436, 445–447
中院通村 …… 447
中御門宗行 …… 212
『なぐさめ草』 …… **326–334**
名古屋 …… 457, 473, 477, 522–525, 527
名護屋 …… 415
那須野(原) …… 360–362, 544
難波 …… 340, 514, 515, 587
難波江 …… 340
鍋島直茂 …… 418
奈良 …… 260, 343, 346, 347, 349, 350, 357, 362, 381, 394, 395, 477
鳴門 …… 40
鳴海の浦 …… 211
名和長年 …… 291
南禅寺 …… 409
『南遊紀行』 …… 509

に

新潟 …… 493, 524
贄野の池 …… 261
二条 …… **265–279**, 339, 456

丹後 …… 505
弾左衛門 …… 577
ダンテ, A. …… 22, 497
壇ノ浦 … 141, 145, 157, 158, 367, 368
『丹波与作』 …… 451

ち

近松門左衛門 …… 427, 451
児の原 …… 355
千島 …… 593
千葉 …… 383
中尊寺 …… 14, 493
『中右記』 …… 119, **130–135**, 136
鳥海山 …… 493, 500
超子(藤原) …… 58
朝鮮 …… 414, 415, 418–421
『朝鮮日々記・高麗日記』 …… 418
『蝶之遊』 …… **539–547**
趙苞 …… 440

つ

塚本康彦 …… 243, 248
築山殿 …… 461, 462
筑紫 …… 414
『筑紫道記』 …… 359, **366–371**, 373
筑波(つくば) …… 361, 394
筑波山 …… 353, 360, 361
『菟玖波集』(筑波集) …… 345, 361
『筑波問答』 …… 361
辻彦三郎 …… 169
『土と兵隊』 …… 420
土御門天皇 …… 186
敦賀 …… 384, 506
『徒然草』 …… 257, 282, 436, 445

て

『丁未旅行記』 …… **457–462**
出島 …… 549, 551, 552, 554, 557, 559, 561, 597
天智天皇 …… 222
天台山 …… 31
天龍川 …… 442, 515

と

『東海紀行』 …… **511–517**
「東海道」 …… 192, 320
『東関紀行』 …… 206, 210, **221–224**, 463
道興 …… **353–356**
『東国紀行』 …… **391–393**, 394
『東国陣道記』 …… 411, 412
東素純 …… 376
東常縁 …… 357, 376
多武峰 …… 103
多武峰少将　→藤原高光
『多武峰少将物語』 …… **102–108**
ドゥーフ, H. …… 553
東福寺 …… 550
遠江 …… 380, 442
『遠江守政一紀行』 …… **449–452**
戸隠山 …… 339
徳川家綱 …… 457
徳川家光 …… 457
徳川家康 …… 415, 437, 439, 440, 447, 460, 461, 565

『続奥の細道』 →『蝶之遊』
『続古事談』……127
素堂……502
蘇東坡……15, 398
曾良(河合)……13, 14, 363, 475, 489, 490, 494–496
『曾良奥の細道随行日記』……13

た

『戴恩記』……426, **429–438**, 439
『台記』……127
醍醐……408
醍醐天皇……103, 109, 184
『大神宮参詣記』……**302–309**
太宗(唐)……446
大徳寺……380, 384, 387
『太平記』……280, 292
平兼盛……149
平清盛……141, 152, 153, 169, 195–197, 201
平維盛……154
平重衡……153
平資盛……141, 142, 147–149, 152, 154–156
平経正……156
平宗盛……442
多賀……312
『高倉院厳島御幸記』……**195–200**, 203
『高倉院昇霞記』……200, **201–203**
高倉天皇(院)……144, 151, 167, 168, 195, 196, 198–201, 203, 323
高砂……346
多賀城……498, 499, 546
高橋景保……587
高橋貞一……166
『高光日記』 →『多武峰少将物語』
薪……380, 387, 388
滝沢お百……573
滝沢お路……575, 576
滝沢宗伯……426, 574–576
滝沢馬琴……425, 426, **570–578**, 579, 580
武隈……546
武女……**522–528**, 529
武田信玄……460
武田の大夫国行……312
『竹むきが記』……**280–295**, 299, 427, 513
田子の浦……57, 340
田尻鑑種……418, 419
竜野……415
立山……339
田中省吾……533–537
田辺……411
谷文晁……576
田沼意次……563
『旅する日本人』……198
玉井幸助……103, 249
『たまきはる』(健御前日記)……**158–165**, 167
玉津島……402
為尊親王……65
為永春水……577
垂井……316

『信生法師日記』…………215-220
『信長記』…………320
『新勅撰和歌集』…………119

す

綏子(藤原)…………62
末の松山…………312, 446
菅江真澄…………507
須賀川…………545
菅原孝標女…………21, 27, 87-101, 456, 512
菅原道真…………343, 514
スターン, L.…………360
崇徳天皇(院)…………130, 407
ストッツル…………559
墨俣…………234
墨股川…………329
須磨…………71, 315, 321, 477, 483
『隅田川』…………115
住吉…………319, 321
住吉神社…………148, 369
『住吉詣』…………319-322
駿河…………373, 374, 376, 381, 382, 387, 388, 391, 402, 447

せ

世阿弥…………70, 324
清見寺…………373, 404, 446
清少納言…………72, 82, 83, 475, 486, 516, 530, 579
『西北紀行』…………505-510
関が原…………457, 506
雪舟…………479
摂津…………148
『せり河』…………90
善光寺…………215, 218, 339, 340
『善光寺紀行』…………339-342, 347
千住…………489, 499
『撰集抄』…………522
善養寺…………383

そ

早雲寺…………550, 564
草加…………489, 499
宗鑑(山崎)…………389, 390
宗祇…………357-365, 366-371, 372-378, 379, 381, 382, 384, 385, 388, 389, 427, 435, 479, 480, 550
『宗祇終焉記』…………372-378
増基法師…………189-194
宗久…………310-312
宋景濂…………442
曹源院…………353
曾子(曾参)…………239, 520
荘子…………345, 346, 478
『荘子』…………477, 478, 541
増上寺…………454
曹大家…………511
宗長…………372-378, 379-384, 385-390, 391, 393, 402-404
『宗長手記』…………385-390, 605
宗牧…………391-393, 394, 401, 405
『装遊稿』…………539
宗養…………391, 401
『曾我物語』…………522

し

シェイクスピア, W. …… 116, 225
慈円 ………………… 174, 175, 376
塩竈 ……………………… 450, 546
滋賀 ……………………………… 222
慈覚大師 ………………………… 32
志賀須香 ……………………… 525
志賀直哉 ……………………… 116
式子内親王 …………………… 376
『失楽園』 ……………………… 22
品川 ……………………… 449, 453
信濃 ……………………… 177, 374
信夫 ……………………………… 453
芝 ………………………………… 453
司馬江漢 …… 549, 554–562, 570
シーボルト, P. F. B. v. ……… 587
清水 ……………………………… 567
清水浜臣 ………………… 522, 523
下総 ……………………… 353, 355
下田 ………………… 593, 601, 602
『下田日記』 ………………… 600–603
下野 ……………………………… 215
下関 ………………… 367, 414, 595
寂光院 ……………………… 145, 508
シャトーブリアン, F. R. …… 494–496
酬恩庵 ………………… 380, 387–389
ジュリアン ………………… 494, 495
春華門院昇子 ……… 158, 159, 164
『春波楼筆記』 ……………… 561
彰子(藤原) ……………… 71, 74, 78
性助法親王(有明の月) … 273–276
成尋阿闍梨 ………… 110–117, 207
成尋阿闍梨の母 ………… 109–117
『成尋阿闍梨母集』 ……… 109–117
『樵談治要』 ………………… 351
正徹(松月庵) …… 320, 325, 326–334
『正徹物語』 …………… 327, 333
庄野 ……………………………… 441
紹巴(里村) ……… 394, 395, 398, 401–406, 407, 408, 435, 436
正法寺 ………………… 349, 350
聖武天皇 ………………………… 498
定輪寺 …………………………… 376
「処女の純潔を論ず」 ………… 269
白河 ……………… 361, 365, 545
『白河紀行』 ………… 357–365, 370
白河天皇(上皇) …… 119, 120, 124
白河の関(白川の関) …… 17, 312, 360, 362, 365, 377, 382, 384, 488, 541, 545
新羅 ……………………………… 419
白峰 ……………………… 325, 407
『しらら』 ……………………… 90
『神曲』 ………………………… 22
『新玉集』 ……………………… 345
神功皇后 ………………………… 419
心敬 ……………………………… 325
『新古今和歌集』(新古今集) …… 21, 173, 183, 203, 262, 263, 493, 524
真珠庵 …………………………… 384
信生法師(宇津宮朝業) ……… 215–220, 339

越が谷 …… 542
『古事記』 …… 360, 586
児島 …… 199
後白河院 …… 158-160, 162, 165, 196, 273
『後撰和歌集』 …… 37, 522
後醍醐天皇 …… 282, 286, 294, 307
五台山 …… 32, 34, 110
『後鳥羽院熊野御幸』 …… 203
『後鳥羽院御口伝』 …… 175
後鳥羽天皇(上皇・院) …… 155, 165, 169, 171-176, 180-187, 195, 203, 212
小西甚一 …… 493
近衛稙家 …… 405
近衛信輔 …… 407
後深草院 …… 244, 265, 266, 270, 271, 273-277
後伏見天皇 …… 281
小堀政一(遠州) …… **449-452**
駒ヶ根市 …… 403
コルドバ …… 495
コールリッジ, S. T. …… 485
ゴンチャロフ, I. A. …… 600

さ

柴屋軒 …… 382, 403
西園寺公宗 …… 281, 283, 285, 286, 288-292
西園寺実兼 …… 271
西園寺実俊 …… 287, 290, 292, 294
西鶴(井原) …… 428
西行 …… 190, 300, 312, 363, 372, 386, 471, 479, 480, 490, 502, 550
『在五中将日記』『在中将』 → 『伊勢物語』
斎藤妙椿 …… 349, 350
斎藤安元 …… 381, 382
嵯峨 …… 243, 247, 501
坂十仏 …… **302-309**
『嵯峨日記』 …… 481, **501-504**
嵯峨野 …… 256
相模 …… 206, 565
佐久間象山 …… **590-592**
『狭衣物語』 …… 229
『篠枕』 …… 445
佐津川修二 …… 182
薩埵山 …… 521
薩摩 …… 595
佐渡 …… 282
『讃岐典侍日記』 …… **118-129**, 134, 136, 163, 184
佐野の渡り …… 173, 433
醒が井 …… 337
小夜の中山 …… 385, 386, 527, 550
更科 …… 464, 485-487
『更科紀行』 …… **485-487**
『更級日記』(更科日記) …… **87-101**, 106, 163, 189, 204, 227, 243, 522, 563
猿沢の池 …… 260
『山家集』 …… 502
三条西公条 …… **394-400**, 404
三条西実隆 …… 299, 395
『三道』 …… 325

く

空海 …………………… 303, 363
草津 …………………… 374
櫛田河 …………………… 305
九条稙通 …………… 429, 432–435
久能山 …………………… 447
熊野 …………………… 190, 191, 203
グラナダ …………………… 495
クルーゼンシュテルン, I. F.
…………………… 553
黒田 …………………… 326, 329, 331
『群書類従』 …………………… 299

け

蹴揚 …………………… 567
『経国集』 …………………… 89
『瓊浦偶筆』 …………………… 549
兼好法師(吉田) …… 103, 162, 163, 256, 320, 324, 485, 486
健御前 ……… 158–165, 167, 174, 175
『健御前日記』 →『たまきはる』
兼載 …………………… 377
『源氏物語』 ……… 57, 68, 70–73, 75–78, 81, 84–87, 89–91, 93, 102, 115, 227, 229, 237, 246, 268, 279, 290, 315, 320, 332, 333, 367, 387, 391, 397, 433, 483, 484, 501, 509, 512, 561
幻住庵 …………………… 502, 503
建春門院 ……… 159, 160, 162–164
玄与 …………………… 407–409
『玄与日記』 ……… 407–409, 605
建礼門院(徳子) …… 144, 145, 151, 152, 157, 508
建礼門院右京大夫 ……… 141–157, 158, 293
『建礼門院右京大夫集』 ……… 136, 141–157, 159, 187

こ

『江漢西遊日記』 ……… 554–562
『孝経』 …………………… 239, 511
光厳天皇 …………… 283, 284, 289
黄山谷 …………………… 15
孔子 …………………… 239, 302
『庚子道の記』 ……… 522–528
高祖(漢) …………………… 446
後宇多天皇 …………… 255, 264
国府津 …………………… 376
高師直 …………………… 320
甲府 …………………… 460, 533, 537
興福寺 …………………… 343
小梅 …………………… 577
高野山 …………………… 303, 381, 394
高麗 …………………… 419
『高麗日記』 …………… 418–421
久我雅忠 …………… 265, 266, 270
『古今和歌集』(古今集) …… 20, 38, 39, 234, 246, 371, 404, 416, 450, 485
小倉 …………………… 591
苔寺 …………………… 403
後光厳天皇 …… 314, 315, 317, 318, 350

賈島 …… 467, 526
加藤清正 …… 420
『金曾木』 …… 540
金劒宮 …… 339
鎌倉 …… 204–209, 213, 215–218, 221, 224, 237, 238, 240–242, 245, 339, 353, 375, 412
亀山 …… 566, 567
亀山新院 …… 276
賀茂川(鴨川, 河原) …… 54, 177, 178, 194
賀茂神社 …… 188, 195
鴨長明 …… 15, 101–103, 188, 192, 196, 206
賀茂真淵 …… 529, 586
萱津 …… 223
辛崎 …… 471
烏丸光広 …… 447
カラフト …… 601, 602
川越 …… 533
川路聖謨 …… **593–599, 600–603, 604**
川手 …… 349, 350
川端康成 …… 192, 320
『関東海道記』 …… 447
干満珠寺 …… 547
関門海峡 …… 366
『看聞御記』 …… 336

き

祇王 …… 522
『帰家日記』 …… **518–521**
菊川 …… 212, 213, 217
象潟 …… 489, 493, 497, 499, 500, 541, 547
紀州 …… 506
宜秋門院 …… 164
木曾 …… 321, 384
木曾の掛け橋 …… 412, 413
木曾義仲 …… 201
北島万次 …… 418
北野神社 …… 277
北村透谷 …… 269
義仲寺 …… 539
木下順庵 …… 437
木下長嘯子 …… 410, **414–417**, 502
紀貫之 …… 15, **37–45**, 46, 47, 189, 314, 327, 463, 583
岐阜 …… 234, 484
『九州の道の記』 …… **414–417**
『九州道の記』 …… 411
行印法印 …… 353
堯恵 …… **339–342**
狂歌堂真顔 …… 576
堯孝法師 …… 335, 337–339
『峡中紀行』 …… 533, 534
清洲 …… 326
清見関 …… 377, 449
清見潟 …… 450
清水 …… 288
清水寺 …… 94
去来 …… 501, 503, 547
許六 …… 363
金華山 …… 497
金鶏山 …… 498
禁野 …… 262

大江山 …… 506
『大鏡』 …… 59, 60, 62, 68, 501
大坂 …… 563, 568
大沢(浦賀) …… 590
大沢(越が谷) …… 542
大塩平八郎 …… 586, 587
大田南畝 …… 507, 540, 563–569, 570
大津 …… 222, 223, 408, 502
大伴家持 …… 340, 497
大原 …… 145
岡部の原 …… 354
岡山 …… 457
緒川 …… 405
隠岐 …… 176, 286
興津入道牧雲 …… 404
荻生徂徠 …… 533–538
『奥の細道』 …… 14, 17, 300, 301, 311, 341, 365, 368, 371, 372, 450, 461, 465, 471, 488–500, 502, 505, 524, 541, 545, 604
小倉山 …… 247
小栗堂 …… 564
小島(小嶋) …… 315, 316, 350
『小島の口すさみ』 … 313–318, 347
織田信長 …… 320, 405, 406, 431, 460, 461
小田原 …… 411, 550
オックスフォード …… 354
小野 …… 216, 328, 509
小野小町 …… 233, 524
姨捨山 …… 218, 487
小浜 …… 353, 507
『オブローモフ』 …… 600
親不知 …… 340, 341, 498
尾張 …… 326, 329, 405
『女大学』 …… 511

か

甲斐 …… 386, 533, 537
『改元紀行』 …… 563–569
『廻国雑記』 …… 353–356
『海道記』 …… 204–214, 215–217, 211, 309, 447, 527, 606
貝原益軒 …… 505–510, 511–514
加賀 …… 339, 411
香川景樹 …… 531
柿本人麻呂 …… 70, 194, 450, 514
掛川 …… 386, 568, 569
『蜻蛉日記』(かげろふの日記) …… 12, 18, 19, 46–60, 66, 74, 426, 522, 604
鹿児島 …… 407
笠置(かさぎ) …… 282, 350, 351
香椎 …… 366
鹿島 …… 414, 464, 474, 475, 477, 486
鹿島神宮 …… 474
『鹿島詣』 …… 473–476, 486
柏崎 …… 353
春日 …… 39
春日大社 …… 394
上総 …… 88, 89, 534
交野(片野) …… 262
勝山 …… 386
桂 …… 230

387-389, 403
厳島 …… 195, 199, 201, 323-325
伊藤仁斎 …… 437
井上通女 …… 512-517, 518-521, 522
井上益本 …… 519-521
伊能忠敬 …… 587
伊吹 …… 289
伊吹山 …… 507
伊部 …… 594
『いほぬし』 …… 189-194
今川氏親 …… 386-388
今川文雄 …… 166, 167
今川義忠 …… 380, 381
今川了俊 …… 323-325, 326
今切関所 …… 519
井本農一 …… 362
伊良湖崎 …… 481, 539
石清水 …… 191, 261
石清水八幡宮 …… 191, 195

う

ヴァーグナー, W. R. …… 116
ウェイリー, A. D. …… 561, 562
上野 …… 311
ヴェルディ, G. …… 116
『失われた時を求めて』 …… 22, 355
太秦 …… 94
歌川国芳 …… 577
『うたたね』 …… 225-236, 238, 240, 241, 606
宇津宮朝業　→信生法師
宇津山(宇津の山) …… 312, 382, 385, 402-404
『宇津山記』 …… 379-384, 386
有度浜 …… 441
浦賀 …… 590, 593
『浦賀日記』 …… 590-592

え

『栄花物語』 …… 58, 65, 74, 501
『易経』 …… 450, 513
江口 …… 442, 490, 522
吉前(えさき) …… 354
江尻 …… 446
蝦夷 …… 574, 575, 593
愛知川(えち川) …… 245, 348
越後 …… 339, 340, 359, 372-374, 461
越前 …… 385, 461, 506
越中 …… 339, 363
『江戸日記』 …… 516, 517
エドワード７世 …… 76
円仁 …… 31-36, 38, 43, 44, 110, 189, 604

お

『笈の小文』 …… 14, 17, 477-484, 543
逢坂の関 …… 193
逢坂山 …… 234
近江 …… 505
大井川 …… 527
大堰川 …… 364
大内政弘 …… 366
大内義弘 …… 325

阿弥陀寺 …… 367
荒井(新居) …… 525, 566
荒井の関 …… 514
新井白石 …… 595
荒江 →荒井
荒木為之進(元融) …… 557
嵐山 …… 364
「有明の月」 →性助法親王
在原業平 …… 48, 202, 204, 234, 395, 415, 416, 509
アルハンブラ …… 495
阿波 …… 40, 549
淡路島 …… 321
アンデルセン, H. C. …… 91
安徳天皇 …… 157, 165, 195, 202, 367

い

遺愛寺 …… 223
井伊大老(直弼) …… 602
伊賀上野 …… 466, 471, 473, 477
伊賀式部光宗 …… 218
伊香保 …… 374
伊香保温泉 …… 529
『伊香保の道行きぶり』 …… 529-532
『怒りの日』 …… 145
生月島 …… 556, 559
生の松(生の松原) …… 366
生田の森 …… 175
池田 …… 217, 442
池田亀鑑 …… 249
池田綱政 …… 457-462
池田光政 …… 457
池田光義 …… 457
生駒山 …… 396
『十六夜日記』 …… 205, 225, 226, 234, 237-242, 522
石川啄木 …… 12
石田吉貞 …… 182
石巻 …… 496, 497
石山寺 …… 54, 100, 190, 391
伊豆 …… 447, 565, 601
五十鈴川 …… 307
和泉式部 …… 27, 63, 64-69, 82
『和泉式部日記』 …… 64-69
『和泉式部物語』 →『和泉式部日記』
出雲 …… 291, 461
伊勢 …… 98, 190, 230, 305, 307, 309, 441, 477, 482, 558
井関隆子 …… 579-589, 590
『井関隆子日記』 …… 579-589
伊勢神宮(大神宮) …… 257, 302-304, 307, 474, 539
『伊勢物語』(在五中将日記, 在中将) …… 48, 64, 90, 137, 204, 234, 244, 265, 305, 306, 402, 409, 415, 509, 512
市川海老蔵 …… 577, 586
一条兼良 …… 343-352, 357
一条尋尊 …… 343
一条天皇 …… 72, 74, 78, 79, 84
一条政房 …… 343
一ノ谷 …… 153
一休(宗純) …… 344, 378, 380-382,

索　引

§この索引は，人名，書名，地名（歌枕を含む）を，原則として現代かなづかいによる五十音順に配列し，主要ページを太字とした。

§人名は，原則として姓名を見出しとし，歌人・俳人などは号で，中世の女性については「名(姓)」の形で示した。

あ

愛染宝堤 …… 398
愛宮 …… 104, 105, 109
饗庭篁村 …… 571, 578
明石 …… 71, 483
明石の浦 …… 321, 450
赤間関 …… 367
赤松満祐 …… 338
安芸 …… 595
秋間 …… 530
明智光秀 …… 406
『あさうづ』 …… 90
浅香 …… 545
足利尊氏 …… 292, 294, 315-318
足利持氏 …… 335
足利義昭 …… 431
足利義詮 …… 317, **319-322**, 323
足利義教 …… 335-338
足利義尚 …… 320
足利義政 …… 320
足利義満 …… 323-325
足利義持 …… 328
飛鳥井雅有 …… **243-248**
『飛鳥井雅有日記』 …… **243-248**
飛鳥井雅世 …… 335-338
『東鑑』 …… 166
『東路の津登』 …… 382-384
『東めぐり』 …… **453-456**
あだし野 …… 257
熱海 …… 391
『アタラ』 …… 494
熱田 …… 458
熱田神宮 …… 392, 442
安土山 …… 460
敦道親王 …… 65-69
渥美半島 …… 481
安濃津 …… 304
『アバンセラージュ族最後の人の奇談』 …… 494
阿仏尼(阿仏) …… 15, 224, **225-236**, **237-242**, 243, 244, 246, 247, 328, 427, 456
阿倍仲麻呂 …… 39
尼崎 …… 261
天の橋立 …… 402

本書は、一九八四年に朝日新聞社より刊行された同名書籍の上下巻を合本にしたものです。なお、初出は、一九八三年七月十四日から一九八四年四月十三日にかけての朝日新聞での連載です。

ドナルド・キーン（Donald Keene）

1922年，ニューヨーク市生まれ。コロンビア大学卒業。コロンビア大学名誉教授。『日本文学史』『日本人の西洋発見』『能・文楽・歌舞伎』『明治天皇』ほか，著書多数。

金関寿夫（かなせき　ひさお）

1918～1996。英文学者・翻訳家。同志社大学文学部英文科卒業。神戸大学教授，東京都立大学教授を歴任。東京都立大学名誉教授。『アメリカ現代詩ノート』ほか，著訳書多数。

講談社学術文庫

定価はカバーに表示してあります。

百代《はくたい》の過客《かかく》　日記《にっき》にみる日本人《にほんじん》

ドナルド・キーン／金関寿夫《かなせきひさお》 訳

2011年10月12日　第1刷発行

発行者　鈴木　哲
発行所　株式会社講談社
東京都文京区音羽 2-12-21 〒112-8001
電話　編集部（03）5395-3512
販売部（03）5395-5817
業務部（03）5395-3615
装　幀　蟹江征治
印　刷　株式会社廣済堂
製　本　株式会社国宝社
本文データ制作　講談社デジタル製作部

ISBN978-4-06-292078-0

「講談社学術文庫」の刊行に当たって

これは、学術をポケットに入れることをモットーとして生まれた文庫である。学術は少年の心を養い、成年の心を満たす。その学術がポケットにはいる形で、万人のものになることは、生涯教育をうたう現代の理想である。

こうした考え方は、学術を巨大な城のように見る世間の常識に反するかもしれない。また、一部の人たちからは、学術の権威をおとすものと非難されるかもしれない。しかし、それはいずれも学術の新しい在り方を解しないものといわざるをえない。

学術は、まず魔術への挑戦から始まった。やがて、いわゆる常識をつぎつぎに改めていった。学術の権威は、幾百年、幾千年にわたる、苦しい戦いの成果である。こうしてきずきあげられた城が、一見して近づきがたいものにうつるのは、そのためである。しかし、学術の権威を、その形の上だけで判断してはならない。その生成のあとをかえりみれば、その根は常に人々の生活の中にあった。学術が大きな力たりうるのはそのためであって、生活をはなれた学術は、どこにもない。

開かれた社会といわれる現代にとって、これはまったく自明である。生活と学術との間に、もし距離があるとすれば、何をおいてもこれを埋めねばならない。もしこの距離が形の上の迷信からきているとすれば、その迷信をうち破らねばならぬ。

学術文庫は、内外の迷信を打破し、学術のために新しい天地をひらく意図をもって生まれた。文庫という小さい形と、学術という壮大な城とが、完全に両立するためには、なおいくらかの時を必要とするであろう。しかし、学術をポケットにした社会が、人間の生活にとってより豊かな社会であることは、たしかである。そうした社会の実現のために、文庫の世界に新しいジャンルを加えることができれば幸いである。

一九七六年六月

野間省一

《新刊案内》 講談社学術文庫

吉見俊哉
万博と戦後日本

戦後日本のエポックを画した万博。その企画・実行を担う様々なエージェントの存在。博覧会の裏で作動した政治力学を抉り出し、日本社会が孕む問題点を解明する。

2061

宮坂宥勝 訳注
密教経典
―大日経・理趣経・大日経疏・理趣釈―

仏教の教えをつきつめた先の、深い神秘の思想。古代インドに生まれ人類に多大な影響を与えてきた密教の根本教義を解明する、斯界の泰斗による代表的経典の訳注。

2062

瀧井一博 編
伊藤博文演説集

明治憲法を制定し、四度も総理大臣に就任した伊藤博文。彼はいったいどのような構想で日本という国を作ろうとしたのか？ 折々の演説を再現し、肉声と思想に迫る。

2063

内藤 昌 編著
城の日本史

古代～近世まで、独特の発達を遂げた日本の城。歴史変遷、城郭の構成法と各要素の意匠や役割などを多角的に解説。二九の名城譜も収録。歴史散歩のお伴にもどうぞ。

2064

樺山紘一
世界史への扉

疫病が世界を一体化した。鎖国は一七世紀の世界的流行だった。モノとヒトの動きから世界史の同時性を探り出し、現代の激動のなかで歴史への感受性を磨く小論集。

2065

下平和夫
日本人の数学 和算

『塵劫記』の吉田光由、高等数学を開拓し多くの弟子を育てた関孝和、和算を民衆に広げた最上流会田安明、そして日本最初の学会、東京数学会社。和算の歴史を探る。

2066